1795

DATE DUE

NOV - R 1994			
AUG			
OCT			
0			
2			
NOV - 8 1994			
AUG 29 1995			
OCT 1 9 1996			
0 8 AVR 1999			

591
GRA   Le Grand Livre

032433

Le grand livre des animaux;
des vegetaux; des mineraux

CELINE Gauthier
CELine Gauthier
Lise Lebeau

LE GRAND LIVRE
· DES ANIMAUX
· DES VÉGÉTAUX
· DES MINÉRAUX

LE GRAND LIVRE

- ## DES ANIMAUX
- ## DES VÉGÉTAUX
- ## DES MINÉRAUX

Ars Mundi

Les animaux
Par Luděk Dobroruka
Illustration de Jaromír Knotek, Libuše Knotková et Petr Rob

Les végétaux
Par Zdenka Podhajská
Illustration de Edita Plicková

Les minéraux
Par Jaroslav Bauer
Illustration de Ladislav Pros

Traduction de Sylvie Bologna
Mise en pages par Aleš Krejča

Table

Introduction

Le présent ouvrage propose un compte-rendu illustré exhaustif du monde naturel. Aujourd'hui, l'histoire naturelle qui comprend la zoologie, la botanique et la minéralogie, est l'étude scientifique de la nature. Ces trois sciences étudient le monde et les différentes formes de vie qui l'habitent.

Cette science a été considérée différemment suivant les époques. Si l'on ouvre un dictionnaire du dix-neuvième siècle, on trouvera cette définition qui peut faire sourire : « étude inintelligente de la biologie ». Charles Darwin était un naturaliste et un grand biologiste. Personne ne peut l'accuser d'avoir abordé son sujet inintelligemment.

Pour comprendre, il faut retourner en arrière, jusqu'au seizième siècle. A cette époque, les mots « zoologie », « botanique » et « minéralogie » n'existaient pas. Qui s'occupait d'animaux, de plantes ou de minéraux s'occupait simplement d'« histoire naturelle ».

Au seizième siècle, qui s'intéressait aux animaux, aux plantes et aux minéraux, le faisait sans but systématique. Il n'y avait pas de musées, les livres sur le sujet étaient des raretés et le nombre de savants en la matière à peu près nul. La fondation de la Société Royale de Londres, en 1662, marque le début d'une organisation concrète en ce domaine. Les savants commencèrent à se spécialiser dans l'étude spécifique de l'une des trois sciences, à constituer des collections et à publier les résultats de leurs recherches dans des revues scientifiques.

En France, l'Académie royale des sciences, fondée par Colbert en 1666, réunit ses collections d'abord au Jardin des Plantes, pour les transférer, dès 1753, au Musée d'Histoire Naturelle. Vers la même époque, on vit la constitution des sociétés savantes dans plusieurs autres pays d'Europe. Les sciences naturelles, dans l'acception moderne du terme, étaient nées. L'école française fut alors l'une des plus célèbres sur le continent. Qu'il suffise de citer les noms de Daubenton (1716–1800), Buffon (1707–1788), Lacépède (1756–1825), Latreille (1762–1833), Lamarck (1744–1829), G. Cuvier (1769–1832), F. Cuvier (1773–1838).

Il restait cependant bien du chemin à parcourir. Au dix-huitième et au dix-neuvième siècle, les progrès furent lents ; au début du vingtième siècle, les choses progressèrent un peu plus vite, mais ce n'est que dans les trente dernières années que la zoologie, la botanique et la minéralogie ont connu un développement foudroyant. Auparavant, les zoologistes, les botanistes et les minéralogistes étaient considérés comme des personnes un peu bizarres pour ne pas dire farfelues. Bien sûr, il existait des savants qui prévoyaient l'importance que prendraient les sciences naturelles pour la connaissance du monde. Et en effet, après la seconde guerre mondiale, les sciences naturelles et la zoologie en particulier se sont développées d'une façon presque incroyable.

Tout à coup, on ne parle plus que de « protection de la nature » dans la presse, à la radio et à la télévision. L'intérêt pour la protection de la nature est rendu encore plus grand par le fait que les ressources mondiales en forêts, en plantes, en minéraux et en animaux sont de plus en plus menacées et qu'on se rend compte qu'il faut intervenir au plus vite. La population humaine, les animaux et les plantes domestiques ainsi que la pollution sont les seules choses qui augmentent.

Dans le même temps, les livres qui traitent des animaux sont devenus très populaires et les librairies en regorgent. Les lecteurs réclament de vraies encyclopédies qui traitent scientifiquement l'histoire naturelle. Nous souhaitons que le présent ouvrage satisfasse cette nouvelle soif de savoir.

Les animaux

Les animaux se déplacent. Pour un non-spécia-
liste, c'est ce qui les distingue de tous les autres
organismes vivants. Et ils se déplacent pour chercher leur nourriture ; ceux qui n'ont pas l'air de
bouger ont à leur disposition les moyens de faire
venir à eux leur proie, comme l'anémone de mer
qui dispose d'un simple mécanisme chimique ou
le tigre qui, lui, possède un système sensoriel très
complexe. Il existe un nombre étonnant de types
de locomotion : le déplacement à peine percepti-
ble de l'escargot, les faibles contractions de la

méduse, la course précipitée de la fourmi ou du scarabée et l'élan impétueux de l'espadon ou du faucon. De nombreux animaux étant eux-mêmes des proies doivent pouvoir détecter leurs ennemis pour leur échapper. C'est ainsi que le kangourou a de grandes oreilles et le zèbre un odorat très sensible. L'animal menacé doit fuir ou se défendre. Le rhinocéros a une peau épaisse pour se protéger du tigre, le poisson volant des ailes pour se mettre à l'abri du danger et la girafe de longues pattes pour échapper au lion. La couleur de l'animal a aussi de l'importance pour prendre une proie comme pour échapper à un prédateur. Le tigre se mimétise avec le milieu herbeux de son pays natal, l'Asie centrale et septentrionale, quand il guette sa proie. Mais il est également gêné par les rayures noires et blanches des zèbres surtout quand ils se présentent en troupeau.

On trouve des animaux pratiquement partout, au fond des mers et sur la banquise, dans les forêts luxuriantes des tropiques et au sommet des plus hautes montagnes. Chaque groupe est adapté à un type d'habitat précis. Et pourtant on ne trouve pas toujours les mêmes animaux dans des habitats semblables. Il y a deux raisons à cela : premièrement, les principaux types d'habitats que l'on appelle des biomes, sont déterminés par la latitude et deuxièmement de grandes distances

Les animaux

séparent parfois un même type de biome. Les forêts tropicales du bassin amazonien par exemple sont très éloignées de celles d'Afrique occidentale.

Occupons-nous d'abord des principaux biomes. Il faut faire une première distinction entre les basses latitudes et les hautes latitudes ; il fait froid près des pôles et chaud à l'équateur et la raison en est simple. A l'équateur, le soleil réchauffe l'atmosphère et la terre ; près des pôles, les rayons du soleil frappent obliquement, une plus grande surface et traversent une plus grande portion d'atmosphère. Dans les régions équatoriales, l'air, réchauffé directement par le soleil et indirectement par la terre, monte, se refroidit et l'humidité dont il est chargé se transforme en pluie. Cette source régulière de précipitations favorise le développement de forêts épaisses tout autour de l'équateur.

L'air est déplacé par des vents qui soufflent des hautes pressions tropicales vers les basses pressions équatoriales. Ces vents (appelés les alizés) dessèchent l'air ; c'est pourquoi, dans les régions où ils soufflent en permanence on trouve des déserts. Ainsi, au-delà des tropiques du Cancer et du Capricorne on trouve le Sahara, le Kalahari et les grands déserts australiens.

Au nord de l'équateur, le système des vents est plus complexe. Les alizés soufflent vers l'équateur tandis que d'autres vents, les vents d'ouest soufflent vers les pôles où ils rencontrent une masse d'air froid et où ils produisent d'énormes tourbillons appelés cyclones ou dépressions, caractérisés par de fortes pluies. Les régions qui se trouvent entre 40 et 55 degrés de latitude nord sont des régions où il pleut toute l'année comme par exemple l'Angleterre, le pays de Galles, l'Irlande et les états de la Nouvelle-Angleterre, et où l'on trouve surtout des forêts d'arbres à feuilles caduques. Plus au nord, elles sont remplacées par des forêts de conifères comme au Canada, en Écosse et en Scandinavie. Plus au nord encore, on trouve la toundra, formation végétale qui comprend des graminées, des lichens et quelques arbres nains, typique de toutes les régions au nord du cercle polaire arctique.

Les biomes sont déterminés par trois autres facteurs importants. Le premier est l'inclinaison de 23,5 degrés de la terre sur son axe. Cela a pour effet de déplacer les biomes suivant les saisons si bien que les différentes zones sont séparées par de grands espaces de transition, qui, s'ils sont importants peuvent être à leur tour considérés comme des biomes. La savane est une zone de transition entre le désert et la forêt tropicale. Il

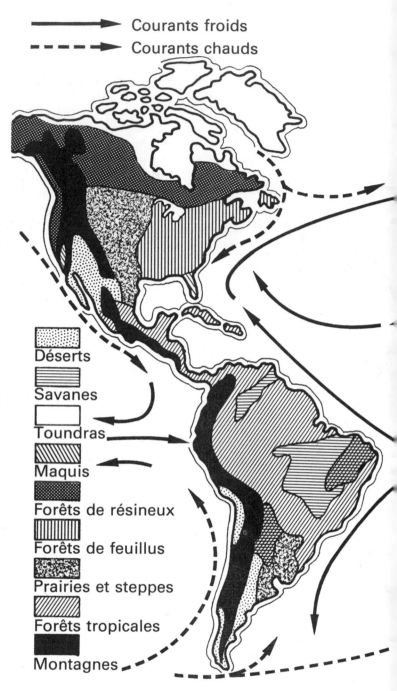

y fait chaud toute l'année mais les pluies saisonnières limitent la croissance des arbres. On y trouve des prairies parsemées d'arbres. Entre le désert et la zone de forêts d'arbres à feuilles caduques, on trouve une zone de maquis qui reçoit des pluies cycloniques en hiver et qui est desséchée par les alizés en été. Le maquis, constitué de buissons épineux à feuilles persistantes, est caractéristique des régions méditerranéennes, de l'Afrique du Sud et de l'Australie méridionale.

Le second facteur qui modifie les biomes suivant les pays est la continentalité. Plus on s'éloigne de la mer, moins il pleut et moins on trouve de forêts. Les forêts d'Afrique occidentale sont rem-

On peut constater les effets de la latitude sur les biomes le long de la côte atlantique est, de la toundra norvégienne à la forêt tropicale d'Afrique occidentale. En Afrique orientale et méridionale on trouve de grandes étendues de savane.

Les animaux

placées par la savane en Afrique orientale. Les forêts d'arbres à feuilles caduques des pays tempérés sont remplacées par les steppes d'Europe et d'Asie, par les prairies d'Amérique du Nord et par les pampas d'Amérique du Sud. Les forêts de conifères sont remplacées par la taïga en Sibérie.

Le troisième facteur modifiant est l'altitude car plus on monte, plus il fait froid ; c'est ainsi que l'on trouve la toundra au sommet du mont Kenya en Afrique équatoriale ! Chaque biome, suivant le pays où il se trouve a sa faune particulière. Les singes peuplent les forêts d'Afrique, les gazelles occupent la savane, les gerboises se trouvent dans les déserts et certaines espèces de gerbilles dans les maquis. Cependant, si on compare la faune des forêts d'Amazonie et d'Afrique occidentale on note des différences importantes chez les singes comme chez les porcs-épics. L'origine de ces différences est à rechercher dans les transformations qu'a subies la terre aux cours des millénaires, ce qui est assez difficile du fait que les différents continents sont dans leur position actuelle depuis environ cent millions d'années. Il ne nous reste qu'à étudier les barrières naturelles qui empêchent l'émigration telles qu'elles sont de nos jours ou telles qu'elles étaient il n'y a pas si longtemps.

La mer est le premier grand obstacle à surmonter. On en déduit donc que les lézards, les serpents, les oiseaux, les marsupiaux et les souris d'Australie sont arrivés de par-delà les mers tandis que les dipneustes, les monotrèmes et certains reptiles peuplaient déjà l'Australie quand elle formait avec l'Amérique du Sud, l'Afrique et l'Inde, le Gondwana ; l'autre continent hypothétique était formé de l'Amérique du Nord, et d'une grande partie de l'Asie.

L'Amérique du Sud et l'Amérique du Nord se rencontrèrent il y a environ 60 ou 70 millions d'années, et de nombreux animaux colonisèrent l'Amérique du Sud, en particulier l'opossum, ancêtre des édentés que nous connaissons aujourd'hui et deux groupes d'ongulés primitifs. Le contact fut bref et l'Amérique du Sud fut de nouveau isolée. Elle possède une faune toute particulière avec cependant quelques apports venus du nord par la mer : de nombreux oiseaux, ancêtres des coqs de roche et des fourniers et quelques mammifères, ancêtres du singe américain et des rongeurs sud-américains. Ces animaux furent de nouveau isolés pendant 20 à 30 millions d'années, jusqu'à la formation de l'isthme de Panama il n'y a pas plus de 3 millions d'années ce qui entraîna de nouveaux échanges entre le nord et le sud ; le tatou et l'opossum colonisèrent l'Amérique du Nord tandis que les coatis et les rennes colonisèrent l'Amérique du Sud. La faune actuelle de l'Amérique du Sud est donc le résultat d'une longue période d'isolement suivie d'une période d'échange récente.

Du point de vue zoologique, l'Australie et l'Amérique du Sud sont deux pays tout à fait originaux. Les zoogéographes qui étudient la répartition des animaux à la surface du globe les appellent Notogée (terre du sud), le reste de la terre étant appelé Arctogée (terre du nord). L'Arctogée est cependant divisée en régions chaudes au climat plus ou moins tropical et en régions froides au climat plus ou moins tempéré. Les régions chaudes comprennent l'Afrique, au sud du Sahara, l'Inde, le Bangladesh, l'Asie du Sud-Est et la Chine méridionale. Les régions froides comprennent l'Alaska, le Canada, les États-Unis, le Mexique septentrional, l'Europe, l'Afrique du Nord, le reste de l'Asie et portent le nom de Holarctique parfois divisé en Néarctique (le Nouveau Continent) et Paléarctique (l'Ancien Continent). Chacune de ces régions a sa faune propre ; les régions afro-tropicales par exemple ont des hippopotames, des girafes et des autruches, les régions orientales, des tarsiers, des gibbons et des paons. Les régions méridionales et les régions septentrionales sont divisées d'une part par le climat et d'autre part par le désert du Sahara. Entre le Paléarctique et les régions orientales on trouve le désert de Thar à l'ouest et l'Himalaya au nord tandis qu'à l'est, il n'y a aucune barrière physique.

L'Holarctique est subdivisé en régions du Nouveau Continent et de l'Ancien Continent, le point de contact étant le détroit de Béring qui redevint terre ferme plus d'une fois au cours des millénaires ; la dernière fois, ce fut il y a 20 à 30 mille ans, à l'époque glaciaire. Seuls les animaux supportant le froid purent alors le traverser. C'est pourquoi, les animaux arctiques comme la chouette harfang et le renard polaire sont identiques tout autour du pôle. Un peu plus au sud les races diffèrent (on trouve par exemple des cerfs communs ou des wapitis) ou s'apparentent comme l'élan, l'orignal et les castors. Plus au sud encore, les faunes sont totalement différentes si bien que l'on trouve des ratons-laveurs en Amérique et des taupes dans les Balkans et au Levant.

Et pour finir, examinons l'évolution des animaux. Les premiers fossiles remontent à plus de 600 millions d'années. A cette époque, les animaux ressemblaient sans doute aux méduses et aux vers à corps mous que nous connaissons aujourd'hui. Ce n'est qu'à partir du Cambrien, il y a 600 millions d'années, que l'on trouve un grand nombre de fossiles — témoins très intéressants, car c'est à cette époque que les animaux commencèrent à avoir une structure ou une coquille dure comme les mollusques et les trilobites. Tous ces animaux étaient des invertébrés ; ce n'est que 100 millions d'années plus tard, à la période silurienne, qu'apparurent les premiers vertébrés qui étaient surtout des poissons. A part ces poissons, la mer était peuplée de scorpions de mer, ancêtres aquatiques des scorpions de terre et d'ammonites, apparentés aux pieuvres et aux calmars.

Dans le même temps, la terre était colonisée par les plantes d'abord, puis par les premiers animaux, insectes et scorpions. Ce n'est qu'au Dévonien, environ 50 millions d'années plus tard, qu'apparurent les premiers amphibiens qui se nourrissaient de libellules, de cafards et de poissons énormes. Il y a 300 millions d'années, au Carbonifère, apparurent les premiers reptiles qui se diversifièrent beaucoup plus rapidement que les amphibiens et qui, à la fin de l'ère paléozoïque, dominaient le monde animal. L'ère mésozoïque, il y a entre 200 et 70 millions d'années, est appelée l'ère des reptiles. C'est l'époque des dinosaures, des grands reptiles marins mais aussi des premiers mammifères (il y 180 millions d'années) et des oiseaux (20 millions d'années plus tard). A la fin de l'ère mésozoïque, pour des raisons encore inconnues, les grands reptiles disparurent, abandonnant la terre aux mammifères et l'air aux oiseaux. La mer était peuplée d'un nouveau type de poisson, les téléostéens qui encore aujourd'hui sont les plus nombreux des poissons actuels (carpe, sardine, perche).

La dernière grande période, le Cénozoïque, qui débuta il y a 70 millions d'années, est souvent appelée « l'ère des mammifères » car ces derniers augmentèrent en nombre et se diversifièrent.
A cette époque, la terre était déjà divisée en cinq continents et sur chacun de ces continents des espèces différentes se développèrent s'adaptant aux divers habitats ; certaines devinrent herbivores, d'autres carnivores. C'est ainsi que les kangourous-rats d'Amérique du Nord et les gerboises d'Afrique du Nord se ressemblent et vivent pareillement dans des déserts bien qu'ils appartiennent à des espèces différentes de rongeurs. C'est ce qu'on appelle l'évolution convergente. Il y eut aussi une évolution dite parallèle comme celle des singes par exemple. Les singes de l'Ancien Continent et ceux du Nouveau Continent descendent de familles pratiquement identiques vivant sur tous les territoires de l'hémisphère nord. C'est pourquoi quand ils colonisèrent les forêts tropicales, ils évoluèrent parallèlement donnant naissance aux deux familles de singes que nous connaissons aujourd'hui.

Au cours des derniers millénaires, la terre a connu quatre grandes périodes glaciaires au cours desquelles la glace recouvrit une grande partie de l'Amérique du Nord et de l'Europe refoulant les animaux vers le sud et causant la disparition d'un grand nombre d'entre eux. Seules les régions tropicales ont gardé la faune diversifiée de ces temps lointains.

Les principaux groupes d'animaux vertébrés se sont développés lentement pendant 400 millions d'années. Chaque groupe a d'abord appartenu à un sous-ordre avant de devenir un ordre à part entière, et dans la plupart des cas, il a connu une période de déclin.

APPARITION DES GRANDES CLASSES D'ANIMAUX		
PÉRIODE	PREMIÈRE APPARITION	CLASSE DOMINANTE
Tertiaire	Origine des mammifères	Ère des mammifères
		il y a 70 millions d'années
Crétacé	Disparition des dinosaures	
	il y a 120 millions d'années	
Jurassique	Premiers oiseaux	Ère des reptiles
	Premiers mammifères	
Trias		
Permien		
	il y a 300 millions d'années	
Carbonifère	Premiers reptiles	Ère des amphibiens
Dévonien	Premiers amphibiens	Ère des poissons
Silurien		
	Premiers téléostéens	
Ordovicien		
Cambrien	Premiers fossiles	
	il y a 600 millions d'années	
Précambrien		

Les animaux unicellulaires

Les premiers animaux furent probablement des organismes unicellulaires semblables aux protozoaires actuels qui comprennent des organismes simples gélatineux comme les amibes et des organismes fort complexes comme les ciliés. Très curieusement, certains protozoaires ressemblent aux plantes unicellulaires. L'euglène par exemple possède de la chlorophylle et un flagelle qui lui permet de se déplacer rapidement.

Un protozoaire est constitué d'un cytoplasme entouré d'une membrane. Le cytoplasme contient le noyau qui régit toute la vie de la cellule. Si on coupe un protozoaire

cœlentérés dont le corps est formé d'un sac creux entouré de deux couches de cellules séparées par une matière gélatineuse. La couche externe se procure la nourriture que la couche interne digère. La matière gélatineuse qui sépare les deux couches de cellules est souvent très développée, particulièrement chez la méduse.

Amibe protéiforme

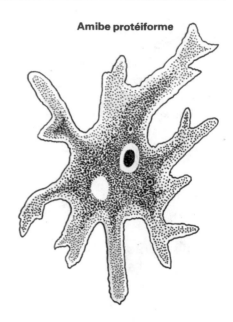

Les ciliés

ce capitale, capables de contrôler les bactéries. Le *Stentor coeruleus* vit en principe fixé sur les plantes aquatiques, mais il se libère parfois et flotte librement sur l'eau.

La *Trichodina domerguei* parasite la peau et les branchies des poissons pour se nourrir, endommageant les cellules épithéliales qui sont alors rapidement détruites par les moisissures.

en deux, la partie qui contient le noyau continue à vivre tandis que l'autre moitié meurt dès qu'elle a épuisé ses réserves de nourriture. Les animaux unicellulaires ne peuvent cependant pas avoir des activités extrêmement diversifiées. En se regroupant ils augmentent leurs possibilités. Prenons par exemple les ancêtres des éponges, les cellules prises séparément n'avaient pas de spécialisations particulières mais en coopérant elles réussirent à se nourrir de plantes unicellulaires marines.

Chez de nombreux animaux unicellulaires, les cellules sont spécialisées. Les plus simples sont les

Les ciliés

Les ciliés constituent un embranchement de protozoaires couverts de cils vibratiles. Chez certains, ces cils recouvrent toute la surface de la cellule tandis que chez d'autres, il ne la couvrent que partiellement. Certains ciliés se déplacent pour se procurer à manger tandis que d'autres sont fixes. Certaines espèces parasitent les poissons, d'autres les porcs qui peuvent contaminer l'homme.

La *Paramecium caudatum* est un protozoaire qui sert souvent à l'observation en laboratoire car il est visible à l'œil nu. Les paramécies sont des animaux d'une importan-

Amibe protéiforme
Amoeba proteus

Les amibes sont des animaux très simples et très petits ; les plus grosses mesurent 1 mm et sont visibles à l'œil nu. En se déplaçant, le cytoplasme change de forme par pseudopodes ou « faux pieds » qui lui permettent de se déplacer et de se nourrir. La proie qui peut être une bactérie ou un protozoaire lent est engloutie par le pseudopode et enfermée dans une cavité ou vacuole qui sécrète des sucs digestifs décomposant la matière organique et rejetant les parties indigestes.

La reproduction des amibes est simple : le noyau et le cytoplasme

se divisent en deux parties donnant naissance à deux nouveaux individus indépendants. L'amibe protéiforme est un animal inoffensif qui vit dans la vase et dans les marécages. Cependant, de nombreuses amibes sont des parasites des animaux et des hommes. La dysenterie amibienne par exemple est provoquée par l'*Entamoeba histolytica*.

Gemmule de la spongille

Spongille

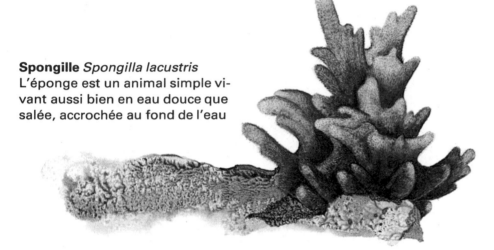

Spongille *Spongilla lacustris*
L'éponge est un animal simple vivant aussi bien en eau douce que salée, accrochée au fond de l'eau ou sur quelque objet solide. L'éponge possède un squelette très caractéristique composé de spicules siliceux ou calcaires et d'une matière organique, la spongine qui forme un réseau fibreux élastique. On trouve beaucoup de spongilles dans les eaux douces et tranquilles. Animaux simples, elles peuvent avoir une reproduction sexuée. La reproduction asexuée se fait par des bourgeons appelés gemmules.

Méduse d'eau douce
Craspedacusta sowerbyi
Quand on dit méduse, on pense immédiatement à la mer car la mer est peuplée de mille espèces de méduses, brillamment colorées, aux formes extraordinaires et aux longs tentacules. La méduse d'eau douce ne possède aucune de ces caractéristiques. Elle mesure 2 cm maximum et possède un corps gélatineux transparent. Elle est origi-naire d'Amérique du Nord et fut probablement introduite en Europe en même temps que les plantes aquatiques. Elle vit au fond de l'eau ne remontant à la surface que lorsqu'il fait soleil.

Hydre brune *Hydra oligactis*
Contrairement à l'éponge qui possède des cellules toutes identiques, les cœlentérés sont composés de cellules différentes par leur forme et par la fonction qu'elles exercent. L'hydre possède également un système nerveux qui transmet les stimuli aux différentes parties de son corps. Les cœlentérés sont des animaux aquatiques vivant pour la plupart dans la mer. Mais certains comme les hydres vivent dans l'eau douce. L'hydre se distingue des autres espèces par ses tentacules cinq fois plus longs que son corps. Les hydres vivent très bien en aquarium où elles se nourrissent de puces d'eau et de frais de poisson.

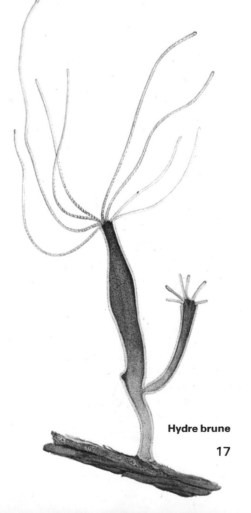

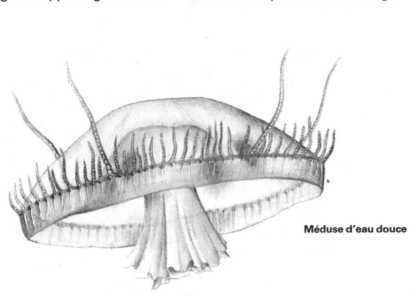

Méduse d'eau douce

Hydre brune

17

Les vers

Le terme de « vers » s'applique souvent à différentes espèces d'invertébrés et parfois même à certains vertébrés. Les vers sont des animaux à corps mou et allongé, sans pattes qui peuvent être très simples comme les vers plats ou très complexes comme les vers segmentés.

De nombreux vers vivent en parasites dans le corps d'autres animaux comme les vers plats tels que la douve et le ver solitaire, les vers ronds et les vers à tête épineuse. Les vers se déplacent à l'aide de cils ou bien, chez les espèces plus complexes grâce à une cavité contenant de l'eau sous pression.

Sangsue médicinale

Sangsue médicinale
Hirudo medicinalis
La sangsue médicinale est sans aucun doute la plus connue de toutes les espèces de sangsues. Elle se nourrit exclusivement de sang ; autrefois, on attribuait aux saignées des vertus curatives. La sangsue incise la peau de son hôte, lui injecte de l'hirudine pour empêcher la coagulation du sang. De nos jours, on ne pratique plus de saignées mais on recueille l'hirudine qui est un composant important de certaines drogues.

Ver de terre
Lumbricus terrestris
Le ver de terre est un ver segmenté. Il creuse la terre laissant derrière lui de petits tas de déjections. Il vit généralement dans les prairies où il trouve une abondante nourriture. 25 hectares de prairies peuvent contenir trois millions de vers de terre pour un poids total de 800 kg. En un an, ils remuent environ 10 tonnes de terre qu'ils aèrent et fertilisent. Les plus gros vers servent d'appâts aux pêcheurs.

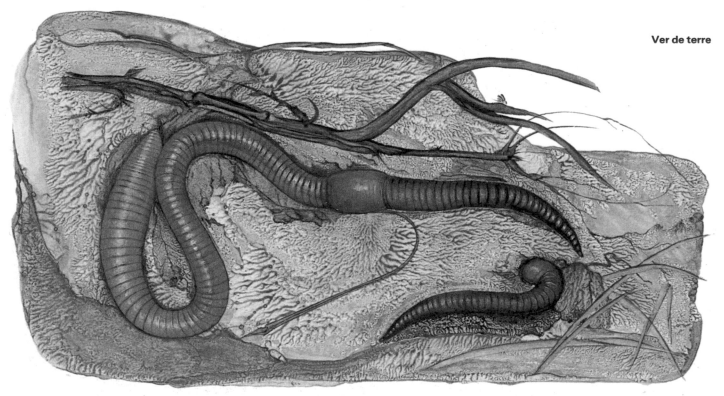

Ver de terre

Planaire laiteux
Dendrocoelum lacteum
Planaire de terre
Bipalium kewensis
Les planaires sont des représentants typiques de l'embranchement des plathelminthes plus communément appelés vers plats. Ils vivent généralement dans l'eau comme le planaire laiteux.
Les planaires de terre vivent dans les sols humides des tropiques. Ils sont généralement plus gros et plus colorés que les planaires d'eau douce. Les planaires de terre se développent aussi dans les serres chaudes du monde entier. Leur découverte eut lieu en Europe dans les célèbres jardins de Kew à Londres d'où le nom scientifique, *Bipalium kewensis*.

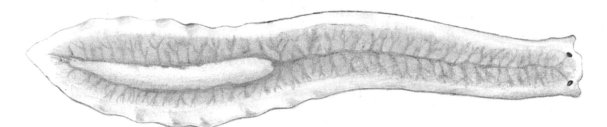

Planaire laiteux

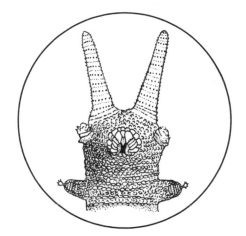

Péripate *Peripatus capensis*
Les péripates forment un groupe énigmatique. Autrefois on les considérait comme une forme intermédiaire entre les vers segmentaires et les anthropodes. Ils ne vivent qu'en Afrique du Sud, en Australie et en Amérique du Sud. Ils se dessèchent rapidement, deux fois plus vite que le ver de terre et cinq fois plus vite qu'une chenille de même taille.
Les péripates se reproduisent généralement très jeunes. La mère porte l'embryon pendant 13 mois. Chaque année, pendant un mois, la mère porte deux embryons, dont l'un est encore minuscule et l'autre prêt à naître. Les savants d'aujourd'hui discutent encore sur la classification des péripates ; les théories les plus récentes tendent cependant à les apparenter aux anthropodes c'est à dire aux centipèdes, aux diplopodes et aux insectes car comme ces derniers, ils possèdent des tubes respiratoires.

Péripate

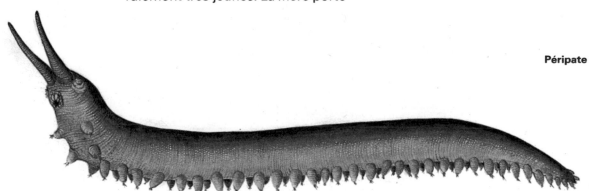

Les limaces et les escargots

Les mollusques constituent le deuxième grand phylum après les anthropodes. Il est donc bien naturel qu'ils comprennent les espèces les plus variées : des animaux à coquille, d'autres au corps mou ; des espèces qui se déplacent rapidement et d'autres très lentement. Les mollusques sont en majorité des animaux aquatiques à l'exception des pulmonés qui ne vivent que sur la terre ferme.

Certaines espèces de mollusques filtrent les particules organiques qui se trouvent dans l'eau ; d'autres sont herbivores ou même prédateurs. Ils peuvent mesurer quelques millimètres ou plusieurs mètres. Comme on peut voir, c'est une espèce très vaste et très variée.

Occupons-nous d'abord des mollusques terrestres. Les mollusques marins feront l'objet d'un autre chapitre.

La grande majorité des mollusques terrestres et d'eau douce sont des pulmonés, qui respirent par un poumon. Le manteau de la cavité qui chez les mollusques aquatiques renferme les branchies, est transformé en un sac rempli d'air, irrigué par de nombreux vaisseaux sanguins. On peut facilement observer son fonctionnement sur la partie gauche du corps d'une limace.

La plupart des mollusques terrestres sont herbivores. Ils possèdent une bouche qui renferme une radula ou organe masticateur constituée d'une sorte de bâtonnet cartilagineux doté d'un muscle couvert de dents râpeuses qui lui permet de se mouvoir d'avant en arrière. Pour se nourrir, le mollusque étend sa radula sur la plante puis la retire emportant de minuscules particules. Les mollusques digèrent la cellulose, composant principal des cellules végétales. En général, les animaux qui se nourrissent de cellulose comme les termites et les ruminants la digèrent grâce à l'intervention de bactéries présentes dans leur tube digestif.

Escargot géant

Escargot géant *Achatina fulica*
L'escargot géant avec ses 20 cm de long est le plus grand de tous les mollusques terrestres. Il est originaire d'Afrique où il se nourrit de plantes et de cadavres d'animaux. Mais, comme cela arrive dans bien des cas, en changeant d'habitat l'animal est devenu un véritable fléau dans de nombreux pays. Dès 1800, on le trouve dans l'île Maurice et en 1847 dans les environs de Calcutta. Plus tard, en 1928 il fut apporté à Sarawak et en 1936 aux îles Hawaii. Il se révéla non seulement vorace mais aussi prolifique : il peut pondre 500 œufs de la grosseur d'un pois tous les 2 ou 3 mois avec une période d'incubation de un à dix jours. Un escargot fécondé peut continuer à pondre des œufs pendant plusieurs mois, sans avoir besoin de s'accoupler à chaque fois, et donner naissance à lui tout seul à de nouvelles colonies d'escargots. De nos jours, on trouve ces mollusques en Malaisie, en Thaïlande, en Indonésie, au Viêt-nam, aux Philippines et en Chine.

En Afrique, la chair de l'escargot géant, riche en protéines, est très appréciée. Parfois les escargots sont tellement nombreux qu'ils couvrent littéralement le sol ; mais les feux de forêts très fréquents éliminent bien souvent le problème.

Escargot romain

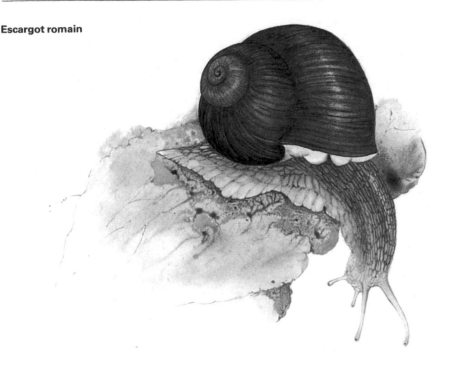

Escargot romain ou **escargot comestible** *Helix pomatia*
Ceux que l'idée de manger un escargot géant fait frémir, ne doivent pas oublier que l'escargot, de dimensions plus réduites certes, est un plat très populaire en Europe du Sud où on l'élève. Naturellement, l'escargot romain ne se reproduit pas aussi rapidement que l'escargot géant. Il pond de 20 à 60 œufs qui donnent naissance après plusieurs semaines à de nouveaux individus. En automne, les escargots s'enfoncent dans la terre et sécrètent un mucus sec (humeur visqueuse) imprégné de calcium qui ferme la coquille.

Grande limace noire

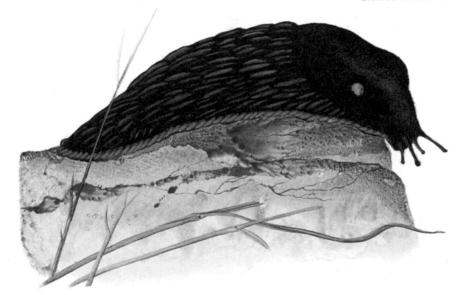

Grande limace grise
Limax maximum
Grande limace noire
Arion rufus
On appelle parfois la limace un escargot sans coquille. Ce n'est pas tout à fait exact car les limaces ont une petite coquille cachée sous le manteau. Les limaces sont divisées en deux groupes : les limaces à dos rond et celles à dos pointu. La grande limace grise, très commune en Europe a le dos rond. Elle vit près des maisons et dans les jardins où elle cause des ravages. La grande limace noire vit dans les bois et se nourrit de champignon au grand dam des amateurs.

Grande limace grise

21

Les crustacés

Les crustacés appartiennent à l'embranchement des arthropodes, animaux dont le corps et les membres sont segmentés. Comme tous les arthropodes, ils possèdent un corps logé dans une carapace résistante composée de chitine et de calcaire qui protège l'animal tout en l'empêchant de grandir. C'est pour cette raison que de temps à autre les crustacés perdent leur carapace qui se reforme en quelques jours.

Les écrevisses, les crabes, les crevettes grises et les crevettes roses sont des crustacés. Mais l'espèce comprend aussi de petits animaux marins libres qui constituent la plus grande partie du plancton qui fournit à manger à de nombreux poissons, ainsi que de petits animaux qui parasitent les poissons. La plupart des crustacés vivent dans la mer ou en eau douce ; quelques-uns sont terrestres.

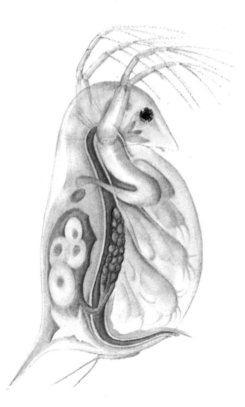

Puce d'eau

majorité, se nourrissent de minuscules organismes présents dans l'eau qu'elles portent à leur bouche à cet effet. Il existe des puces d'eau mâles et des puces d'eau femelles. Mais elles peuvent aussi se reproduire par parthénogénèse, à partir d'œufs non fécondés. Ces œufs, qu'elles pondent à la fin du printemps et en été ne donnent que des individus femelles. En automne, les femelles pondent de gros œufs qui sont fécondés par les mâles et qui donnent des individus mâles ou femelles. L'œuf est entouré d'une membrane remplie d'air qui lui permet de flotter sur l'eau où il peut s'accrocher à différents objets, à la plume d'un oiseau par exemple qui le transportera dans une autre mare qu'il peuplera de puces d'eau. La femelle des cyclopes porte deux sacs remplis d'œufs fixés à son corps. Les œufs sont toujours fécondés, mais si les circonstances ne sont pas favorables, ils s'enferment dans une membrane chitineuse et tombent au fond de l'eau où ils attendent le moment favorable pour éclore.

Il existe des espèces de puces d'eau de mer et d'eau douce. Dans le plancton marin on trouve de petits animaux voisins du cyclope d'eau douce dont la femelle ne porte qu'un seul sac d'œufs. Certaines espèces de mer et d'eau douce sont des parasites.

Puce d'eau *Daphnia pulex*
Cyclope *Cyclops strenuus*
C'est au bord des mares et des étangs que l'on trouve les puces d'eau et les cyclopes que certains viennent pêcher pour nourrir leurs poissons d'aquarium. Ces deux petits animaux sont des crustacés. Les cyclopes comme les puces d'eau mesurent de 1 à 4 mm de long. Ils sont munis d'une paire de longues antennes qui leur permettent de se déplacer. Certaines espèces de puces d'eau chassent pour se nourrir tandis que d'autres, la

Crevette d'eau douce dite **opossum**
Mysis relicta
Les crevettes « opossum » sont de petits animaux d'un cm de long au corps transparent. Elles appartiennent à une espèce de crustacés (différente de celle des crevettes) qui possèdent des membres natatoires fourchus. Elles vivent en pleine mer dans l'Atlantique Nord et dans la mer du Nord. Certaines espèces se trouvent dans des régions de lacs. Leur présence prouve que ces régions furent recouvertes ou tout au moins reliées à la mer, probable-

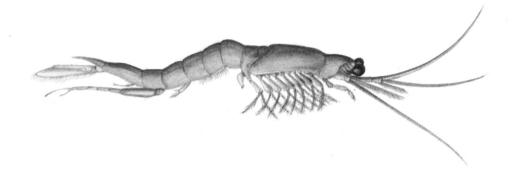

ment au cours de la dernière ère glaciaire. La présence de crevettes « opossum » dans les lacs du nord de l'Angleterre et de l'Allemagne peut s'expliquer aussi par le fait que la calotte glaciaire en se retirant fit monter le niveau de la mer. Avec le temps, l'eau trouva un déversoir dans les lacs d'eau douce où la crevette « opossum » s'est transformée pour survivre dans ce nouvel habitat.

Les espèces d'eau douce vivent en profondeur en été et près de la surface en automne. Elles se nourrissent de matière végétale et de petits animaux.

Il existe aussi un grand nombre d'espèces qui vivent dans la mer, dans les eaux saumâtres et dans les estuaires des rivières.

Écrevisse américaine
Cambarus affinis
Les écrevisses possèdent des pinces et un long abdomen terminé par une queue à trois lobes, qui leur permettent de se déplacer en marche arrière. La tête est munie de deux paires d'antennes, importants organes tactiles, et d'une paire d'yeux très mobiles permettant de voir dans toutes les directions sans bouger.

L'écrevisse se reproduit en automne. Le mâle remplit de laitance ses spermatophores qu'il accroche sous le corps de la femelle. Celle-ci s'enfonce dans un trou où elle pond environ cent œufs qu'elle fixe sur les membres natatoires de son abdomen. Le mucus qui lie les œufs dissout le spermatophore libérant les spermes. Ainsi sont fécondés les œufs. Les bébés écrevisses émergent l'été suivant. Ils restent quelque temps accrochés au corps de leur mère mais après la première mue (ils mesurent alors 13 à 15 cm), sont libérés de leur tutelle.

L'écrevisse américaine est plus brillamment colorée que ses parents européens. En 1890 elle fut introduite en Allemagne puis en France. Elle supporte mieux les eaux polluées et les maladies que les espèces européennes.

On appelle aussi souvent écrevisses un certain nombre de crustacés marins bien qu'ils appartiennent à un groupe différent qui n'a pas de pinces au bout de la première paire de pattes.

Écrevisse américaine

Les animaux à huit pattes

Les araignées, les faucheux, les scorpions, les mites, les tiques ainsi que quelques autres groupes de moindre importance constituent le sous-ordre des arachnides. Ils possèdent quatre paires de pattes locomotrices et deux paires d'appendices, terminés par des pinces, derrière la bouche. Ce groupe comprend des prédateurs et des parasites aquatiques et terrestres, diurnes et nocturnes. On les trouve dans le monde entier à l'exception des régions polaires.

Diadème

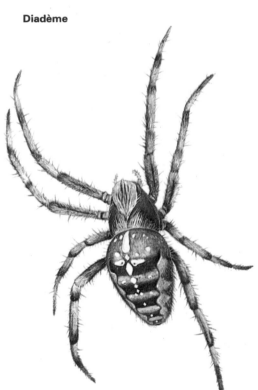

Araignées

L'araignée est pour beaucoup de gens un animal effrayant et repoussant. Dans la mythologie grecque, Arachné était une jeune fille qui excellait dans l'art de tisser. Elle défia la déesse Athéna qui la changea en araignée pour la punir. Toutes les araignées ne tissent pas des toiles ; certaines ne tissent que des fils extrêmement fins pour tapisser leurs nids ou pour envelopper leurs œufs. Certaines espèces ont pour leur progéniture des attentions touchantes ; d'autres ont de superbes couleurs parfois changeantes ;

d'autres encore ont une vie sociale intéressante. Bref, quand on commence à étudier la vie des araignées, leur côté repoussant finit par passer au second plan sans oublier cependant que certaines araignées sont dangereuses, venimeuses et cannibales.

Diadème *Araneus diadematus*
Le diadème est une sorte d'araignée qui attire l'indulgence, sans doute parce que l'on peut voir dans sa toile tous les animaux dont elle nous débarrasse. On a même bien souvent envie de lui apporter une mouche pour lui faire plaisir. Le diadème trône au milieu de sa toile ou se cache dans un recoin. Dès qu'un insecte se prend dans sa toile, l'araignée bondit, avertie par les vibrations des fibres et immobilise sa proie en tissant autour d'elle d'autres fils avant de la tuer avec son poison et d'injecter des sucs gastriques qui dissolvent les parties molles qu'elle mange. Quand l'araignée est rassasiée, elle laisse ses victimes en réserve dans la toile.

Malmignatte
Lathrodectus tredecimguttatus
Les compositeurs, italiens et allemands surtout, ont écrit des morceaux de musique appelés

Malmignatte

« tarentelle » ; c'est une danse vive dont le thème principal se répète de plus en plus vite pour terminer dans un tourbillon endiablé. L'origine de cette musique a un lien avec les araignées venimeuses. Dans les régions méditerranéennes, on trouve un certain nombre d'araignées véritablement dangereuses comme par exemple la malmignatte qui peut tuer un homme. Seules les femelles qui mesurent environ un cm de large sont dangereuses ; les mâles, beaucoup plus petits, ne produisent pas assez de poison pour tuer un homme. Dès le Moyen Age, la mauvaise réputation de la malmignatte s'étendit à la tarentule, grosse araignée du genre lycose d'aspect menaçant bien que pratiquement inoffensive. Sa piqûre passait pour provoquer chez les humains un accès de frénésie qui se terminait par un rétablissement complet ou par la mort. Dans un ouvrage érudit de 1643, on trouve sur la tarentule cette légende : *« Musica sola mei superest medicina venenni »* (Seule la musique peut triompher de son poison) accompagnée des notes d'une mélodie de base indiquée comme traitement efficace.
La malmignatte tisse une toile pour prendre les insectes volants qu'elle tue avec son poison. Elle se reproduit d'une façon fort intéressante. Le mâle adulte enveloppe son sperme dans une fine toile qu'il porte à la femelle pour féconder ses œufs. La femelle en profite parfois pour manger le mâle ; le mâle féconde plusieurs femelles ce qui l'affaiblit et le transforme en une proie facile pour la femelle. C'est pour cette raison que certaines espèces d'araignées sont appelées « les veuves noires » dans certaines régions et en particulier aux États-Unis.

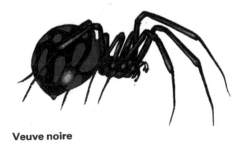

Veuve noire

Aviculaire

Aviculaire *Avicularia*

Grosse araignée qui vit en Amérique du Sud et en Amérique centrale. L'espèce la plus grosse mesure 15 cm (25 cm avec les pattes). On la voit sur les bords de l'Amazone. Complètement recouvertes de poils, ces araignées chassent la nuit. Elles ne tissent pas de toile et bondissent sur leur proie (petits mammifères, oiseaux).

Malgré leur apparence terrifiante, ces araignées ne sont pas extrêmement dangereuses et leurs morsures ne sont pas mortelles. Les poils qui pénètrent sous la peau peuvent provoquer une allergie chez certaines personnes. La femelle pond de 500 à 1000 œufs enveloppés dans un cocon qu'elle transporte entre ses pattes antérieures jusqu'à leur éclosion. Les jeunes araignées grandissent d'environ 1 cm par an et se nourrissent uniquement de petits insectes. Cette araignée peut vivre très longtemps ; certains spécimens ont même atteint l'âge de 30 ans !

Argyronète ou **araignée aquatique**
Argyroneta aquatica

L'argyronète est la seule araignée qui vit en permanence dans l'eau. Elle tisse une toile en forme de cloche remplie d'air. Elle se cache dans sa cloche pour guetter ses proies ou bien tend ses fils dans la végétation aquatique. Au moment de la ponte, la femelle tisse une sorte de plate-forme à l'intérieur de la cloche pour y déposer ses œufs qu'elle surveille attentivement. A leur naissance les bébés araignées se refugient dans la partie inférieure de la cloche dans laquelle l'araignée fait passer des bulles d'air et qu'elle agite pour l'aérer. En hiver, les araignées aquatiques se réfugient dans les coquillages vides qu'elles remplissent d'air et ferment avec une toile très fine. Les coquilles remontent à la surface et sont emportées par le vent vers de nouveaux horizons.

Argyronète

Solifuga *Solpuga letalis*
Un corps velu, d'énormes pinces,
des mouvements feutrés et rapides, un monstre effrayant ! Aucun
doute, cette araignée est létale
(comme l'indique même son nom
scientifique). Mais c'est une
erreur ! Elle n'a pas de poison ; elle
ne provoque que des blessures.
Certaines espèces sont nocturnes
et d'autres préfèrent la lumière du
soleil. Elles sont de dimensions très
variées : la plus petite ne mesure
que 8 mm mais il en existe qui atteignent 6 cm ; une grosse araignée peut terrasser un lézard.

Tique du mouton ou **tique graine
de ricin**

Ixodes ricinus
Les tiques sont des parasites dotés
d'un appareil buccal couvert de
nombreuses petites « dents » grâce
auxquelles ils s'incrustent dans la
peau des animaux pour leur sucer
le sang. Les femelles sont les plus
voraces ; quand elles ont fait leur
plein de sang, elles pèsent 230 fois
plus lourd ! La tique attend sur un
brin d'herbe ou sur une brindille, le
passage d'un animal pour lui sauter
dessus. Elle perce la peau et y infiltre sa partie buccale. Pour empêcher le sang de se coaguler, la tique
sécrète de l'ixodine dans la blessure. Certaines espèces de tiques passent toute leur vie sur un seul et
même hôte tandis que d'autres en
changent. La tique peut transmettre
de graves maladies telle que l'encé-
phalite.

Mite d'eau *Hydrachna globosa*
Les mites d'eau ressemblent à de
petits billes rouges, bleues, ou jaunes glissant sur la végétation aquatique ou flottant à la surface de
l'eau. Les femelles pondent leurs
œufs dans la végétation
aquatique ; les larves à peine nées
parasitent les insectes d'eau. Les
mites adultes mesurent environ
1 mm ; elles se nourrissent de petits crustacés et autres animaux
aquatiques.
La mite d'eau est bien connue des
responsables qui veillent à la pure-
té de l'eau car c'est un excellent
indicateur du degré de pollution.

Tique du mouton

Mite d'eau

Faucheux

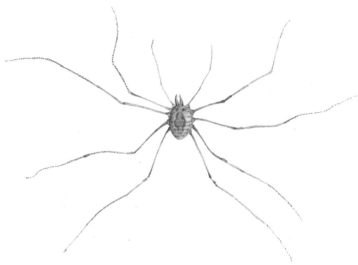

Euscorpius carpathicus
Les scorpions vivent dans les régions tropicales et subtropicales, à part quelques espèces qu'on rencontre dans les zones tempérées. Ils sont cependant connus de tous à cause de leur mauvaise réputation. Ils possèdent à l'avant des pinces menaçantes (pratiquement inoffensives pour l'homme) qui ressemblent aux pinces de l'écrevisse. L'autre extrémité du corps forme une queue terminée par un dard contenant le venin. Les piqûres des scorpions européens ne sont pas dangereuses pour l'homme tandis que celles de certaines espèces tropicales sont mortelles. Dans de nombreux pays, les statistiques montrent que les scorpions font plus de victimes que les serpents. En effet, les scorpions s'infiltrent dans les maisons où ils se cachent dans les meubles, sous les tapis, dans les chaussures ou dans les lits...
Généralement, le scorpion capture sa proie, insectes ou araignées, à l'aide de ses pinces avant. Ce n'est que si sa victime est grosse et oppose une forte résistance qu'il enfonce son dard dans la chair dudit animal jusqu'à ce que le venin ait produit son effet.
Les scorpions s'occupent attentivement de leurs petits : la femelle les porte sur son dos jusqu'à leur première mue.

Faucheux *Phalangium opilio*
Le faucheux est un arachnide à corps rond et à longues pattes filiformes ; il en a huit et non dix comme on pourrait le croire à première vue ; la première paire, légèrement plus courte que les autres n'est qu'un second appendice allongé. Les faucheux passent leur journée sur les murs ou sur les arbres et chassent la nuit. Ils se nourrissent de mouches, de fourmis, de chenilles, d'araignées, de mille-pattes, de scarabées et aussi de fruits. Certaines espèces au goût très particulier, ne se nourrissent que d'escargots et de limaces.
Tous les gamins savent que si on prend un faucheux dans ses mains, il perd une ou même plusieurs pattes qui continuent à bouger pendant un bon moment attirant l'attention de l'attaquant et donnant au faucheux le temps de filer. Les pattes peuvent continuer à se mouvoir pendant une demi-heure grâce à des cellules nerveuses situées dans le bas de la patte. Il est bien rare que les pattes arrachées repoussent.

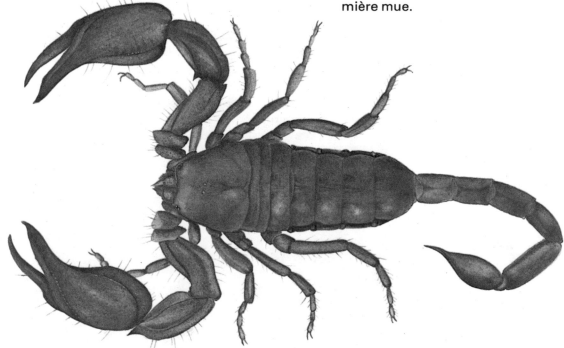

Scorpion des Carpates

Les centipèdes et les myriapodes

Ne perdez pas votre temps à les compter ; certaines espèces possèdent plus de cent pattes. Les centipèdes et les myriapodes appartenaient autrefois à la même classe, mais aujourd'hui on sait qu'ils dérivent d'ancêtres différents même s'ils se ressemblent beaucoup. Ils ont cependant une caractéristique commune : ils respirent par des trachées qui sont de petits tubes qui conduisent l'air aux organes et rejettent le gaz carbonique. Il est relativement facile de distinguer un centipède d'un mille-pattes. Ils possèdent tous deux un corps segmenté, mais les mille-pattes ont deux paires de pattes sur chaque segment tandis que les centipèdes n'en ont qu'une. Les mille-pattes (à part de rares exceptions) ont un corps cylindrique et les centipèdes un corps aplati. Les myriapodes sont herbivores ; les centipèdes étant carnivores, leur paire de pattes antérieures se sont transformées en pinces venimeuses. Les

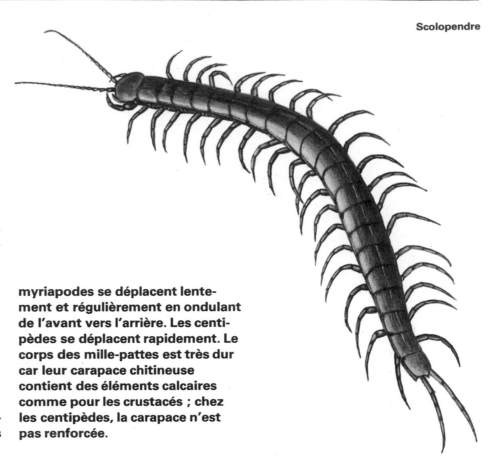

myriapodes se déplacent lentement et régulièrement en ondulant de l'avant vers l'arrière. Les centipèdes se déplacent rapidement. Le corps des mille-pattes est très dur car leur carapace chitineuse contient des éléments calcaires comme pour les crustacés ; chez les centipèdes, la carapace n'est pas renforcée.

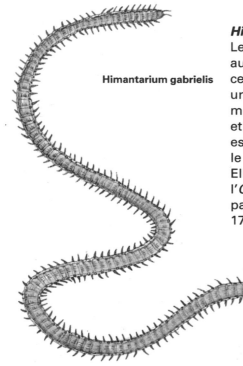

Himantarium gabrielis

Himantarium gabrielis
Les géophiles sont des centipèdes au corps long et étroit. Ils se déplacent assez lentement et possèdent une multitude de pattes. En Europe méridionale vivent l'*Orya barbarica* et l'*Himantarium gabrielis,* les deux espèces les plus longues possédant le plus grand nombre de pattes. Elles mesurent toutes deux 20 cm ; l'*Orya barbarica* a 125 paires de pattes et l'*Himantarium gabrielis* 173 !

Scolopendre *Scolopendra*
Les scolopendres sont originaires des régions tropicales et subtropicales. Il en existe plus de 1000 espèces qui pour le profane sont pratiquement identiques. Certains scolopendres ne mesurent que quelques centimètres de long mais la *Scolopendra gigantea* peut atteindre 27 cm. La morsure de ces gros centipèdes est dangereuse pour l'homme ; elle peut parfois même être mortelle.
La femelle pond ses œufs sur un monticule et les protège de son corps. Elle les humidifie ou les sèche suivant les besoins. Les petits complètement formés à la naissance restent quelque temps près de leur mère qui les protège.

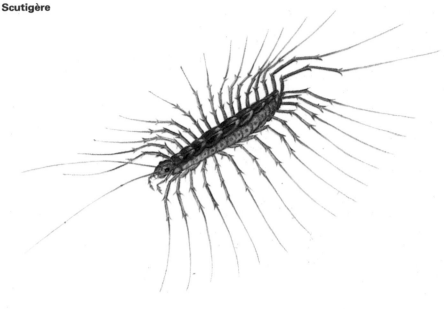

Scutigère
Scutigera coleoptrata

Les scutiformes sont des centipèdes indigènes des pays tropicaux et subtropicaux qui possèdent 15 paires de pattes leur permettant de se déplacer à une vitesse telle qu'il est pratiquement impossible de les attraper. Contrairement aux autres centipèdes, les trachées des scutiformes s'ouvrent vers l'arrière. Ils possèdent un œil à facettes qui ressemble un peu à celui des oiseaux. Le scutigère est un habile chasseur. Les extrémités de ses pattes lui servent de lasso pour prendre ses victimes.

Les petits des scutigères et des lithobies (centipèdes qui vivent sous les pierres) n'ont à la naissance que sept paires de pattes ; Ils subissent sept mues. Les pattes manquantes apparaissent au cours des quatre premières ; avec les trois dernières, ils acquièrent les caractéristiques de l'animal adulte et développent des organes sexuels.

Mille-pattes géant
Spirobolus

Les mille-pattes sont des animaux nocturnes qui se cachent dans la journée. Ils se nourrissent de végétaux en décomposition, de feuilles fraîches ou de fruits selon les espèces. A part leur carapace résistante, ils possèdent, pour se défendre, de nombreuses glandes, accrochées de chaque côté de leur corps, qui sécrètent une substance nauséabonde brune ou brun-jaune, rouge, jaune ou même incolore selon les espèces. Cette substance contient parfois du cyanure ou de l'iode. Au Mexique, les chasseurs utilisent les sécrétions des mille-pattes pour empoisonner le bout de leurs flèches. Généralement, ces sécrétions s'écoulent simplement ; cependant, certaines espèces, comme celle représentée dans cet ouvrage, peuvent projeter leur poison à une assez grande distance. Certains mille-pattes enterrent leurs œufs tandis que d'autres construisent un nid de boue mélangée à de la salive et bordé de filaments soyeux. A la naissance, les petits possèdent trois paires de pattes et les rudiments de toutes les autres qui se développent au cours des différentes mues que subit l'animal.

Mille-pattes géant

Le royaume des insectes

Les insectes forment le plus grand groupe d'animaux du monde. On connaît 1 500 000 à 2 000 000 d'espèces comprenant chacune un grand nombre d'individus.
Le corps des insectes est protégé par un squelette composé principalement de chitine, substance organique azotée sécrétée par l'épiderme. Chez les larves de mouches il est réduit à une simple membrane fine mais chez le scarabée il forme une carapace très dure. Cette carapace chitineuse est composée de segments durs reliés entre eux par des membranes souples qui permettent aux insectes de se mouvoir. Mais ils ne peuvent se développer qu'en muant. Avant de perdre leur vieille carapace, ils en préparent une nouvelle qui ne durcit qu'au contact de l'air. C'est quand il perd sa carapace et que la nouvelle n'est pas encore dure que l'insecte grandit. Au cours de ses différentes mues, l'insecte change aussi de forme. Chez certaines espèces, les jeunes insectes restent à l'état de nymphes avant de devenir adultes, au fur et à mesure qu'ils changent de peau. Chez d'autres, les jeunes insectes sont des larves qui ne subissent que deux mues avant de devenir adultes. Cette transformation rapide s'appelle une métamorphose.

Les insectes du bord de l'eau

On trouve des insectes un peu partout. Mais c'est au bord de l'eau que l'on trouve une variété infinie d'espèces qui dans certains cas ont véritablement besoin de l'eau pour se développer. Les larves par exemple vivent souvent dans l'eau pendant plusieurs années tandis que l'imago ou insecte adulte n'a que le temps de s'accoupler pour se reproduire avant de mourir.

Sialis
C'est à la fin du printemps et au début de l'été que l'on peut voir les sialis aux abords de l'eau, perchés sur des brins d'herbe, sur des troncs d'arbres et sur des pierres. La femelle pond plusieurs milliers d'œufs sur les plantes aquatiques. Les larves en naissant tombent dans l'eau où elles vivent jusqu'à l'âge adulte (environ deux ans). Puis elles sortent de l'eau et deviennent des nymphes, état intermédiaire entre la larve et l'imago, vivant sous les feuilles, dans la mousse ou simplement dans la terre. La nymphe qui est mobile quitte son abri après deux semaines environ et se transforme en sialis adulte.

Phrygane

Sialis

Phryganes
Famille *Trichoptera*
Au bord des mares ou des ruisseaux de montagne vivent les phryganes, petits insectes ressemblant à des mites. Leurs larves vivent dans l'eau où elles se construisent une sorte d'abri avec des grains de sable, des morceaux de bois, des aiguilles de pin et des coquilles de petits escargots. A la moindre menace, elles rentrent dans leurs abris.

Perle *Perla*
Demoiselle *Calopteryx*
Libellule empereur
Anax imperator

Les perles vivent dans les eaux courantes, de préférence en montagne
car leurs nymphes sont très sensibles à la pollution. Les perles adultes se posent sous les feuilles. On
les reconnaît facilement à leur
corps aplati et à leur façon de poser
leurs ailes à plat sur leur abdomen.
Les nymphes vivent de préférence
sous les pierres. Certaines espèces
sont carnivores (elles se nourrissent surtout de nymphes d'éphé-
mères) tandis que d'autres sont
herbivores.

Les demoiselles et les libellules
sont carnivores. Les demoiselles vivent près des eaux courantes tandis que les libellules préfèrent les
eaux tranquilles. Mais on peut très
bien les rencontrer loin de l'eau,
dans les clairières et dans les
champs car elles peuvent voler vite et loin ; elles peuvent atteindre
une vitesse de 90 km à l'heure. Les
nymphes des demoiselles et des
libellules sont elles aussi carnivores. Pour se procurer à manger
elles possèdent un masque, lèvre
inférieure transformée, muni d'une
paire de crochets mobiles. Au repos, le masque se replie sous la
tête.

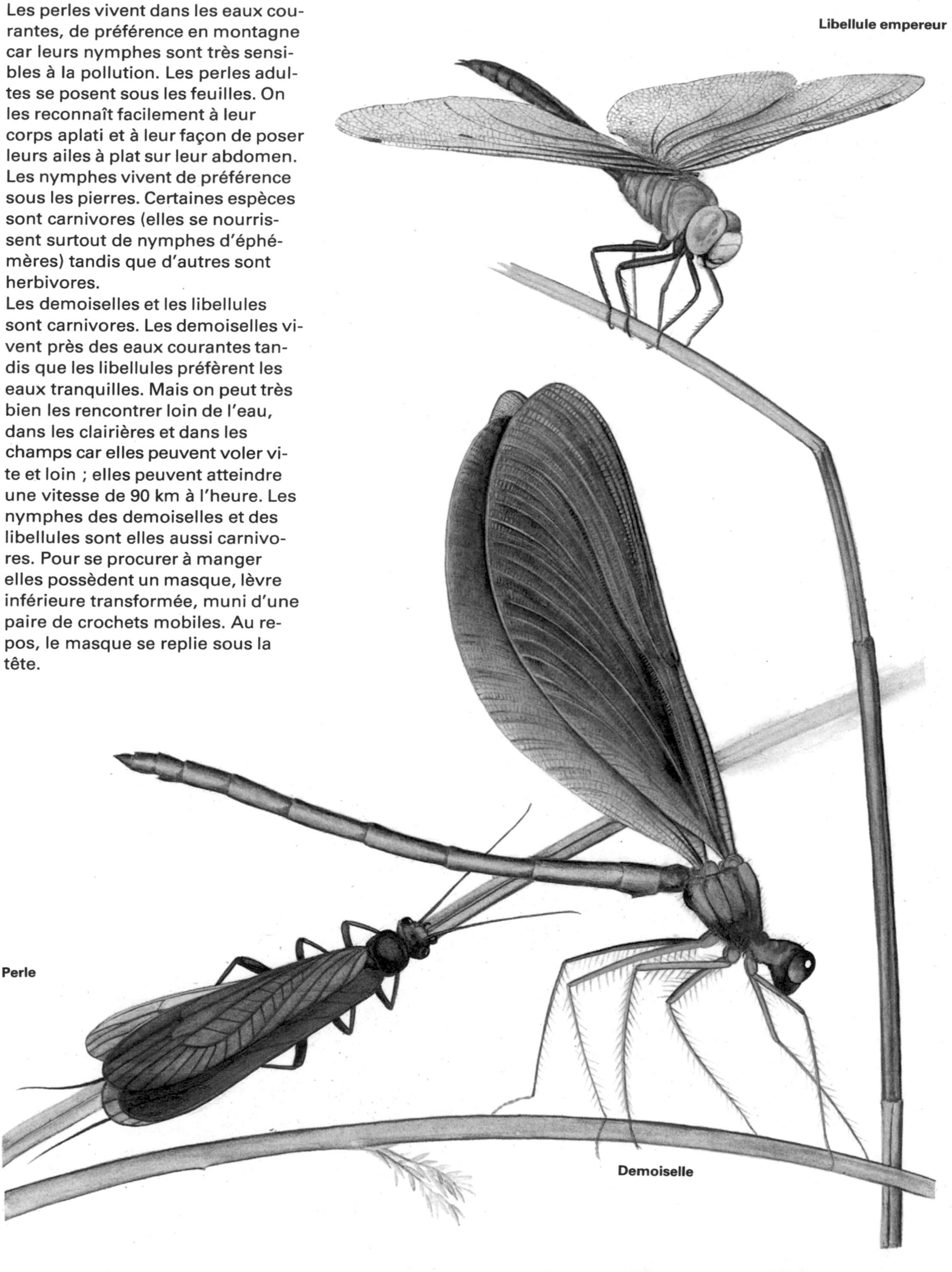

Libellule empereur

Perle

Demoiselle

Les insectes primitifs

Autrefois, on classait dans un seul et même ordre tous les insectes possédant des parties buccales broyeuses, des mandibules puissantes, des ailes antérieures coriaces et étroites et des ailes postérieures repliées longitudinalement, larges et membraneuses.

Ce groupe, qui comprend les insectes primitifs existant déjà au Carbonifère, est aujourd'hui subdivisé en différents ordres : l'un comprend les criquets, les sauterelles à antennes courtes, l'autre les grillons des fourrés (souvent appelés sauterelles à antennes longues), les vrais grillons et les taupes-grillons, un troisième les cancrelats, un quatrième les mantes et un cinquième les phasmes et les phyllies. Certains sont des insectes nuisibles, tandis que d'autres, en dévorant ces derniers se rendent utiles. Certaines espèces de grillons sont élevées en cage dans les maisons pour leur chant agréable ; les phasmes et les phyllies aussi, pour leur grande beauté.

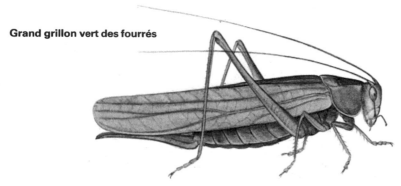

Grand grillon vert des fourrés

Grand grillon vert des fourrés
Tettigonia viridissima
Criquet géant
Phyllopora grandis

Vers la fin de l'été, les prairies, les fourrés et les arbres retentissent du grésillement des grillons verts. La femelle possède un long organe, situé sur la partie postérieure de l'abdomen, pour déposer ses œufs dans la terre. Les nymphes qui émergent au bout d'un an, se nourrissent de pucerons. Les grillons adultes qui peuvent mesurer jusqu'à 6 cm de long sont eux aussi carnivores. L'aile gauche du mâle est bordée d'une rangée de petites dents.

Le criquet géant de Nouvelle-Guinée qui mesure presque 15 cm est le plus grand des grillons des fourrés. Le mâle ne grésille pas. Généralement, on appelle criquet les grosses sauterelles migratrices qui se déplacent en groupe. Cependant, on appelle aussi criquet les grands grillons tropicaux.

Criquet du désert
Schistocerca gregaria

Contrairement aux grillons, les criquets et les sauterelles ont des antennes courtes et sont herbivores. Au cours de leur vie, ils connaissent deux phases distinctes, une phase sédentaire et une phase migratrice. Si des individus se trouvent rassemblés au cours de la phase sédentaire, leur comportement est modifié. S'ils restent ensemble pendant une génération, ils changent de forme et de couleur. La phase migratrice ne se produit que dans les régions semi-désertiques. La vie en groupe est caractérisée par une grande activité et par des variations hormonales chez l'insecte. Les jeunes insectes sans ailes deviennent des insectes adultes capables de voler au cours du voyage ; ils parcourent alors d'énormes distances. On connaît des

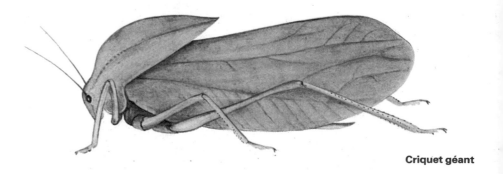

Criquet géant

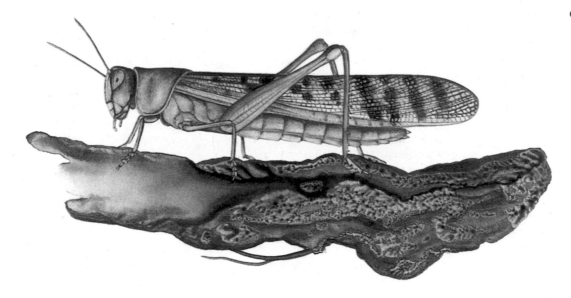

nuées de criquets qui sont parties d'Afrique, ont traversé l'Espagne, l'Asie Mineure, l'Iran pour atteindre le Bangladesh et l'Inde. Au Moyen Age ils arrivèrent jusqu'en Europe centrale. Les sauterelles et les criquets détruisent tout sur leur passage ; des récoltes entières disparaissent en l'espace d'un instant ; il n'est pas étonnant que la Bible parle des nuées de sauterelles comme de l'une des dix plaies d'-Égypte. De nos jours, de nombreux Instituts dans le monde entier font des recherches sur les criquets et s'occupent de leur destruction.

Courtilière ou **taupe-grillon**
Gryllotalpa gryllotalpa
Le taupe-grillon est un très curieux insecte. Il possède des pattes antérieures en forme de pelle qui lui permettent de creuser des galeries dans le sol pour y vivre et chasser les insectes ; il se nourrit aussi de

Courtilière

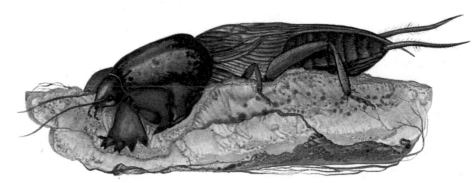

Grillon domestique

Grillon domestique
Gryllulus domesticus
Ce petit grillon brun pâle vit à l'état sauvage en Europe méridionale, en Afrique du Nord et en Asie. Dans les régions tempérées on le trouve dans les maisons, dans les cuisines et dans les boulangeries, là où il fait bien chaud. Au dehors il vit dans les décharges publiques où les débris végétaux en fermentation dégagent de la chaleur. En été, les grillons adultes s'envolent attirant un grand nombre de chauves-souris. Seul le mâle grésille en frottant ses ailes l'une contre l'autre.

racines causant des ravages dans les jardins potagers et dans les parterres de fleurs. Le taupe-grillon sort souvent de son trou, surtout la nuit ; il peut aussi voler. Ceux qui connaissent son « chant » savent que le taupe-grillon n'est pas aussi rare qu'on pourrait penser.
La femelle construit son nid sous terre ; elle pond plusieurs centaines d'œufs dont elle s'occupe. Les nymphes restent dans le nid jusqu'à la deuxième mue. Elles passent l'hiver sous terre et ne sortent qu'au printemps quand elles sont complètement adultes.

Blatte allemande
Blatella germanica

Cet insecte possède de nombreux noms usuels, blattes, cafards, cancrelats etc. qui prouvent combien il est répandu et tristement connu. On le trouve dans les endroits bien chauds, dans les boulangeries, dans les cuisines, dans les dépôts et même dans les hôpitaux. L'homme lutte avec acharnement contre ce fléau sans toutefois obtenir des résultats décisifs. Les œufs éclosent deux à trois mois après la ponte et il faut à peu près dix mois à la larve pour devenir adulte. Avec l'usage des insecticides on a cru dans un premier temps s'être débarrassé des blattes ; mais on s'aperçut bientôt qu'un grand nombre d'entre elles étaient immunisées contre ces poisons ; on utilisa donc des phosphates organiques. Les blattes sont un désastre non seulement parce qu'elles sont omnivores mais surtout parce que leurs fèces contaminent tout.

Blatte américaine
Periplaneta americana

A l'état sauvage, les blattes vivent sous les feuilles, sous l'écorce des arbres et sous les pierres. Certaines espèces vivent aussi très commodément dans les maisons du monde entier. Les blattes mangent de tout, des aliments bien sûr mais aussi les couvertures de livre qui contiennent de la colle et même le cirage. La blatte américaine vit dans les pays chauds et dans tous les ports. Elle est un peu plus grosse que la blatte commune et le mâle comme la femelle ont des ailes très développées. En dépit de son nom, elle n'est pas originaire d'Amérique mais probablement d'Afrique du Nord.

La femelle pond ses œufs dans une coque spéciale appelée oothèque qu'elle transporte sur la partie postérieure de son abdomen avant de la déposer dans un endroit approprié. Les nymphes naissent environ deux mois après la ponte ; elles se développent très lentement : il faut parfois plusieurs années pour que la nymphe atteigne l'âge adulte. Elle subit de six à douze mues. Comme nous l'avons déjà dit, la blatte est un véritable fléau mais elle ne transmet aucune maladie. Pour les savants, c'est un animal extrêmement important car on a retrouvé des fossiles d'animaux très semblables à la blatte datant d'il y a 300 millions d'années.

Blatte allemande

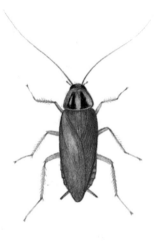

Mante religieuse
Mantis religiosa

On appelle cet insecte mante religieuse ou mante prie-dieu pour l'attitude qu'elle adopte quand elle guette une proie. Elle la saisit au moyen des épines de ses pattes antérieures qui s'articulent comme la lame et le manche d'un couteau de poche. Elle se tient immobile sur quatre pattes, les pattes antérieures jointes comme si elle priait. Malheur à l'insecte qui s'approche ; la mante religieuse, rapide comme l'éclair l'attrape et le dévore vivant. Les mantes religieuses ne mangent que des insectes à l'exception de certaines espèces tropicales qui se nourrissent aussi de petits oiseaux et de petits lézards. Les oiseaux et les reptiles sont les ennemis des mantes ; elles n'ont pour se défendre que leur couleur, verte, jaunâtre ou brunâtre, qui se confond parfaitement avec l'environnement ; on appelle ce phénomène l'homochromie. Certaines espèces ont en plus un corps en forme de brindille ou de feuille. Dans les forêts tropicales on trouve des espèces très colorées ressemblant à des fleurs pour attirer les papillons et autres insectes. L'accouplement chez la mante comporte des risques car la mante se précipite sur tout ce qui bouge même si c'est le mâle qui doit la féconder. C'est pourquoi celui-ci approche de la femelle lentement et précautionneusement ; cette ap-

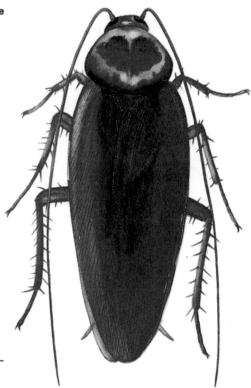

Blatte américaine

proche peut durer plusieurs heures. Dès qu'elle est à sa portée, il se jette sur elle. Mais même alors il arrive que la mante se retourne, le décapite et le mange. Cependant le

Phyllie *Phyllium siccifolium*
Les phyllies et les phasmes appartiennent à l'ordre des phasmidés, mot qui vient du grec *phasma* et qui signifie apparition. Pourquoi ce nom? D'abord pour la forme de leur corps : les phyllies ressemblent à des feuilles dans les tons verts et bruns et les phasmes à des brindilles lisses ou épineuses. Si l'on effraie une « brindille » ou une « feuille » elle se met immédiatement à se balancer sur ses pattes longues et fines pour nous faire peur et nous éloigner ; c'est la seconde raison pour laquelle on les appelle des phasmidés. Les phyllies et les phasmes vivent dans les régions tempérées.
La plupart des phyllies et des phasmes sont des insectes nocturnes ; ils passent leur journée immobiles, inobservés grâce à leur mimétisme. Certaines espèces ailées sont aussi diurnes. Depuis quelques années on les élève en appartement. Ce sont des insectes très intéressants à observer et assez faciles à élever ; chaque espèce a une seule ou plusieurs plantes préférées.

mâle a généralement le temps de la féconder avant de succomber. La femelle pond une centaine d'œufs dans un cocon spongieux qui sèche rapidement et durcit à l'air. Chaque œuf est enfermé dans une alvéole séparée qui le protège du dessèchement. Les femelles produisent environ une vingtaine de cocons au cours de leur vie. Les nymphes ne ressemblent en rien aux insectes adultes. Elles restent quelque temps suspendues au cocon par de fins filaments soyeux avant de subir une première mue qui leur permet de se disperser aux alentours. La jeune mante subit douze mues avant de devenir adulte. Les mantes religieuses adultes ont des ailes bien développées qui leur permettent de voler.

Phyllie

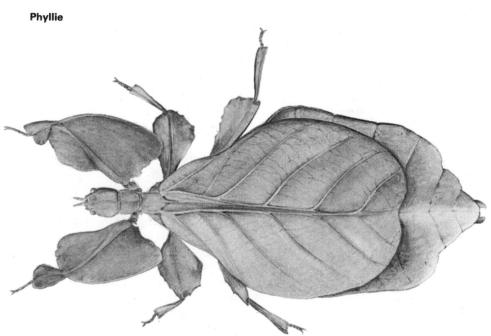

Les punaises

Chez certains groupes d'insectes on observe un allongement des lèvres et plus spécialement de la lèvre inférieure. La gaine ainsi formée leur permet de percer les tissus des plantes et des animaux pour sucer la sève dans un cas et le sang dans l'autre. C'est pour cette raison qu'autrefois ces insectes étaient regroupés dans un seul et même ordre, celui des rhynchotes, mot dérivé du grec *rhynchos* qui signifie groin. Aujourd'hui, les insectes à pièces buccales de ce type sont classés dans des ordres différents. Ce sont pratiquement tous des parasites et des insectes nuisibles qui transmettent des maladies infectieuses.

Les hémiptères, comprenant les cigales, les aphidiens et les cochenilles et les hétéroptères ou vraies punaises sont les deux ordres les plus frappants et les plus connus. Tous les insectes appartenant à ces ordres subissent une métamorphose incomplète. Les nymphes sont

Cigale de montagne

en général très différentes des adultes par la forme et par la couleur.

Les punaises ont une odeur âcre et repoussante qui certes n'inspire pas le poète contrairement à la cigale dont le « chant » exquis caractérise les pays méditerranéens.

Cigale périodique
Tibicen septemdecim
Cigale de montagne
Cicadetta montana
Chez les cigales, la femelle est muette, seul le mâle craquette. Il possède sous l'abdomen une structure spéciale constituée de deux muscles reliés à une membrane élastique bien tendue qui en vibrant produit des sons stridents. Le chant des cigales envahit les nuits d'été chaudes sans qu'on sache exactement d'où il vient. Dans certaines régions les cigales sont élevées en cage pour le plaisir d'écouter leur chant chez soi. Toutes les cigales sont herbivores. Elles percent les plantes pour en sucer la sève. Les larves vivent sous terre et ne ressemblent en rien aux adultes. Elles ont une grosse tête et des pattes antérieures robustes, bien adaptées pour creuser la terre. Elles se développent lentement. Il faut 17 ans à la cigale périodique d'Amérique pour devenir adulte. Les femelles pondent leurs œufs dans les arbres. Les larves naissent au bout de 6 semaines, tombent de l'arbre et s'enfoncent dans la terre où elles vivent pendant 17 ans. Après quoi elles sortent de terre, montent dans un arbre et deviennent adultes après une ultime mue.
Les cigales de montagne vivent sur les pentes ensoleillées d'Europe continentale. Elles émettent un son doux et long qui n'a pas la beauté de celui des espèces méditerranéennes.

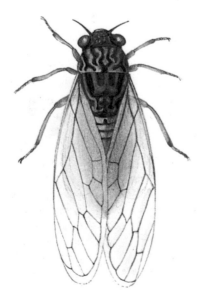

Cigale périodique

Punaises des feuilles
Famille *Miridae*

On connaît 50 000 espèces de punaises qui ne présentent pas d'énormes différences. La punaise a un corps aplati, des ailes postérieures pour voler et des ailes antérieures qui protègent les premières quand elles sont au repos. Les ailes antérieures épaisses et dures deviennent souples et membraneuses aux extrémités. La punaise subit une métamorphose incomplète.

A part quelques espèces carnivores, les punaises se nourrissent en général de plantes dont elles sucent la sève et auxquelles elles transmettent des maladies qui les détruisent.

De nombreuses punaises possèdent des glandes piqueuses qui sécrètent un liquide âcre pour éloigner les ennemis. Certaines espèces sont rouge vif; toujours dans le but de décourager l'ennemi. Un oiseau qui une fois dans sa vie a commis l'erreur de capturer une punaise rouge, ne touchera jamais plus un insecte de cette couleur. Cependant, la punaise malgré toutes ses défenses peut être victime de certaines espèces de mouches dont les larves parasitent la punaise et la tuent.

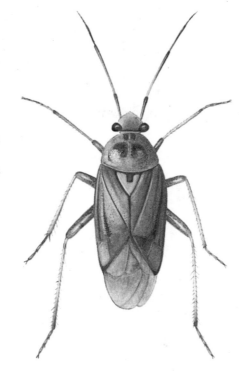

Punaise des feuilles

Ranatre d'eau
Ranatra linearis

On trouve des punaises partout, des régions polaires aux forêts tropicales, et naturellement dans l'eau. Observez une mare et vous y verrez des hydromètres et des patineurs. Les hydromètres ont de longues pattes bordées de poils durs qui leur permettent de chasser sous l'eau. Les patineurs courent sur la surface de l'eau dévorant les insectes qui tombent dans l'eau. Dans les régions aquatiques où la végétation est dense et l'eau vaseuse on ne peut voir ces insectes que lorsqu'ils font surface pour respirer.

La ranatre se déplace lentement sur le fond vaseux à la recherche de sa nourriture sur ses longues pattes, la première paire en forme de pince, ressemblant quelque peu à celle de la mante, toujours prête à attaquer. Malheur à qui l'approche. La ranatre s'élance, se saisit de sa proie, la porte à sa bouche pour en sucer les sucs.

La femelle pond ses œufs sur les feuilles des plantes aquatiques ; ils restent suspendus pendant 14 jours avant de donner naissance à des larves qui ressemblent aux adultes mais qui n'ont pas de trachées et pas d'ailes naturellement. Ils muent plusieurs fois, ne deviennent adultes qu'à la fin de l'été et passent l'hiver dans la vase.

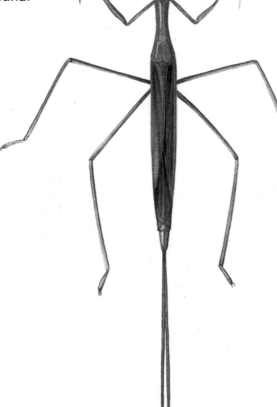

Ranatre d'eau

Les insectes nuisibles et les insectes parasites

Suivant leur nature, les insectes ont avec l'homme des relations de types différents. On distingue quatre groupes d'insectes : les insectes utiles, les insectes bénéfiques, les insectes nuisibles et ceux qui n'ont aucune importance pour l'homme de ce point de vue. Le premier groupe fournit des aliments et des matières premières comme par exemple de la soie, du miel et de la cire. Les abeilles, les bourdons, certaines mouches, les papillons, et tous les insectes qui pollinisent les plantes appartiennent au second groupe, ainsi que ceux qui détruisent les animaux et les plantes nuisibles pour l'homme.

Aphidien

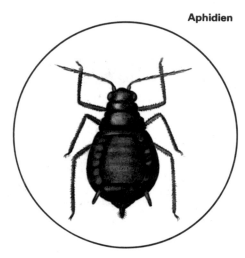

Le troisième groupe, hélas, est celui qui comprend le plus grand nombre d'espèces d'insectes qui détruisent les cultures, ravagent les forêts et s'introduisent dans les maisons, dans les entrepôts, où ils abîment tout. Ce groupe comprend aussi les parasites proprement dit qui vivent sur ou dans les animaux et parfois chez l'homme. Le dernier et quatrième groupe comprend des espèces d'insectes qui ne deviennent nuisibles qu'occasionnellement. Mais ces insectes sont peut-être encore plus dangereux que les parasites car dans certaines situations ils transmettent des maladies très graves, comme les moustiques qui donnent le paludisme, la mouche tsé-tsé qui donne la maladie du sommeil et la trypanosomiase. De nombreux Instituts dans le monde entier font des recherches très poussées sur ces insectes.

Aphidiens ou **pucerons des plantes**
Aphis
Les aphidiens sucent les sucs des plantes qui se recroquevillent et se tordent. Ce sont des insectes extrêmement nuisibles pour l'agriculture. Ils ont un cycle vital très complexe pouvant changer de forme d'une génération à l'autre. Leurs exigences aussi sont très variables : certaines espèces vivent toute leur vie sur la même plante tandis que d'autres ont besoin de plusieurs hôtes pour se développer. Une femelle peut avoir 25 filles en un seul jour qui peuvent se reproduire sans être fécondées par un mâle de huit à dix jours après leur naissance. On imagine aisément que le nombre des aphidiens augmente rapidement.

Grande guêpe sylvestre
Urocerus gigas
Peut-être avez-vous déjà rencontré dans une clairière, une grosse guêpe jaune-noir portant un long appendice sur l'abdomen. Et bien sans aucun doute, c'était une guêpe des bois ; l'appendice est un ovipositeur, muni d'une scie pour percer le bois des arbres et y déposer les œufs. Ces œufs donnent naissance à des larves sans pattes qui creusent de longs tunnels dans le bois et font leur cocon dans un berceau au fond du tunnel. Il leur faut environ un an pour devenir adultes ; dans certains cas, plusieurs années. Les tunnels qui mesurent environ 5 mm de diamètre n'en dommagent pas les arbres ; mais ils sont cependant dépréciés et ne peuvent plus servir à la fabrication de produits de grande qualité.

Mouche tsé-tsé
Glossina palpalis
A la fin du dix-neuvième siècle, la maladie du sommeil transmise par une variété de mouche tsé-tsé, la *Glossina palpalis,* fit de nombreuses victimes en Afrique, particulièrement dans les régions des grands lacs.
D'autres espèces, vivant dans des régions plus sèches, transmettent une maladie semblable aux animaux, la trypanosomiase. Les trypanosomes, animaux unicellulaires parasites du sang des vertébrés, sont transmis aux animaux et à l'homme par les piqûres de mouches tsé-tsé. Aujourd'hui on peut soigner la maladie du sommeil si elle est prise à temps. La mouche tsé-tsé n'en reste pas moins un grave problème pour l'Afrique et tous les moyens modernes sont mis en œuvre pour éliminer ce fléau.
La mouche tsé-tsé se développe

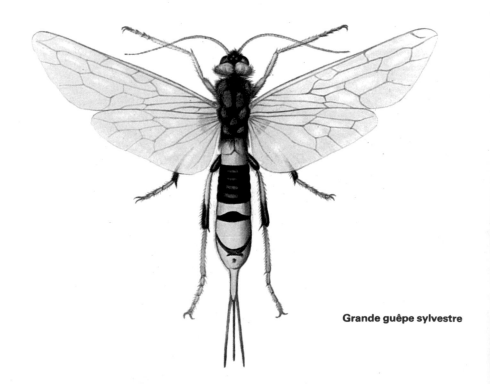

Grande guêpe sylvestre

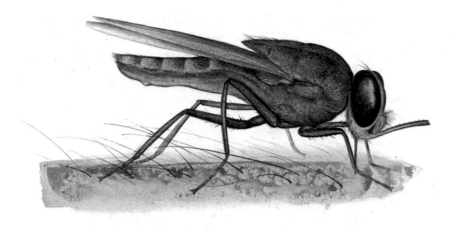

Mouche tsé-tsé

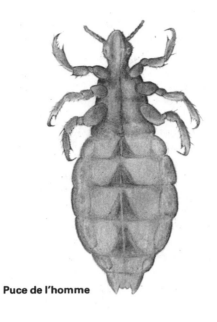

Puce de l'homme

dans les endroits humides, dans les fourrés près des rivières et des lacs. Tous les 14 jours, la femelle donne naissance à une larve vivante si développée qu'elle n'a pas besoin de nourriture. Elle s'enfonce dans la terre et en cinq heures environ se change en nymphe qui libérera un mois plus tard une mouche adulte. La mouche tsé-tsé est contaminée en suçant le sang d'une personne ou d'un animal porteur de trypanosomes. Ceux-ci passent dans le tube digestif de la mouche où ils subissent des transformations complexes de telle sorte que la mouche ne peut transmettre la maladie que trois ou quatre semaines après avoir été contaminée. A son stade initial, la maladie du sommeil est caractérisée par de la fièvre et une inflammation des glandes lymphatiques. A ce moment elle peut être soignée avec succès. Par la suite, les trypanosomes attaquent les centres nerveux causant une inflammation du cerveau et un grand affaiblissement du malade. L'organisme s'épuise et le malade meurt.

Puce de l'homme
Pulex irritans
Qui ne connaît pas la puce au corps aplati latéralement pour mieux se mouvoir dans la fourrure ou dans les plumes de ses hôtes et aux longues pattes qui lui permettent de sauter? Il semblerait que la puce devînt un parasite de l'homme quand celui-ci domestiqua le pre-

mier chien. Les puces ne parasitent que les mammifères et les oiseaux qui ont un domicile fixe, à savoir, parmi les mammifères, les rongeurs et les carnassiers, les insectivores et les chauves-souris. Il est curieux de noter que l'homme est le seul mammifère de l'ordre des primates à être attaqué par les puces. Les lémuriens et les singes qui ont un mode de vie nomade ne connaissent pas les puces. Chez les oiseaux, celles-ci préfèrent ceux qui font leur nid dans des trous comme le pivert, la mésange, le martinet, les moineaux et certaines espèces de pigeons. Certaines puces ne vivent que sur un type d'animal tandis que d'autres vont et viennent de l'un à l'autre.
Les puces pondent leurs œufs dans le nid de leur hôte ou dans les parquets chez les hommes. Les larves se nourrissent de restes organiques. Après deux semaines environ elle se transforment en nymphes ; il leur faut beaucoup de temps pour devenir adulte. La plupart des espèces sont sensibles aux secousses et aux vibrations qui peuvent se produire près d'elles ; c'est un signal qui pousse la puce adulte à sortir de son cocon car il signifie que la nourriture n'est pas loin. La puce ne peut se reproduire que si elle suce du sang. Mais la puce adulte peut aussi vivre très longtemps sans se nourrir. On a vu des puces de l'homme survivre pendant presque deux ans.

Pou de l'homme
Pediculus humanus
Le pou est plus répandu dans les sociétés occidentales que la puce. Le pou se développe pratiquement sur tous les mammifères, chimpanzé compris. Il existe deux sortes de poux de l'homme, l'une qui vit sur le cuir chevelu et l'autre dans les vêtements près de la peau. Quand les conditions d'hygiène sont telles qu'on ne peut se laver (et autrefois c'était très fréquent), les poux deviennent très gênants. Ils furent l'un des fléaux que durent affronter les soldats de la Grande Guerre dans les tranchées. Grâce aux insecticides synthétiques les poux ont pratiquement disparu. De temps en temps ils font leur apparition sur la tête des écoliers studieux ou pas.

Pou de l'homme

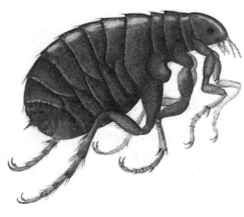

Les coléoptères

Les coléoptères connaissent une métamorphose complète se divisant en quatre phases distinctes : l'œuf, la larve, la nymphe et la phase adulte. Les coléoptères possèdent deux paires d'ailes mais seules les ailes postérieures leur permettent de voler. Les ailes antérieures ou élytres, dures et chitineuses protègent les ailes postérieures membraneuses au repos. Naturellement il y a des exceptions ; chez certains coléoptères, les ailes postérieures sont réduites ou complètement inexistantes et les élytres sont soudés, chez d'autres, les élytres sont mous, plus courts que le corps de l'insecte. Cependant, une chose est certaine, les coléoptères sont les seuls insectes à posséder des élytres.

On trouve des coléoptères dans le monde entier et dans tous les habitats, sur terre et sur l'eau. Mais c'est dans les régions tropicales et subtropicales que les espèces sont le plus variées. On estime qu'il existe 400 000 espèces de coléoptères et chaque année on en dénombre de nouvelles. Le biologiste anglais J. B. S. Haldane, interrogé par un théologien qui lui demandait comment il s'imaginait le créateur après toutes ses recherches sur la nature, répondit que, selon lui, il avait « un amour démesuré pour les coléoptères ». Il existe des coléoptères minuscules qui mesurent moins d'un mm de long et des coléoptères géants qui peuvent atteindre 20 cm.

Tous les coléoptères possèdent une carapace externe dure qui leur a valu le surnom de « chevaliers du royaume des insectes ». Elle les protège contre les maladroits qui ne regardent pas où ils mettent les pieds et contre les prédateurs. Certaines espèces possèdent des défenses supplémentaires comme le brachyne tirailleur libérant un liquide qui explose au contact de l'air! Malgré l'apparente unité de structure des adultes, les coléoptères produisent des larves très différentes, prédatrices, en forme de chenilles ou sans pattes.

Titan *Titanus giganteus*

Le titan est le plus gros coléoptère du monde. Il peut atteindre 20 cm de long, sans compter les longues antennes caractéristiques de la famille à laquelle il appartient. Le premier spécimen de cette famille fut justement un titan, trouvé mort sur le fleuve Amazone. Par la suite quelques autres spécimens furent trouvés sur l'Amazone et sur l'Oyapock. Le titan devint une rareté très recherchée des collectionneurs allemands qui payaient de 200 à 400 marks d'or pour un spécimen selon sa grosseur et son état de conservation. En 1950 on dénombrait 40 spécimens dont 30 appartenait à M. Tippmann de Vienne. Cependant, en Europe, personne n'avait jamais vu de titan vivant. Le premier à en capturer un vivant, fut le Dr. Paul A. Zahl, en 1957 ; il le découvrit dans les bureaux d'une raffinerie de pétrole à Manaus. Par la suite il en acheta 15 autres aux indigènes du pays si bien qu'il en possédait à lui seul plus que tous les entomologistes d'Amérique réunis. En 1972, une expédition américano-brésilienne en captura un assez grand nombre qui lui permit d'étudier la biologie de l'espèce. Cependant on sait encore peu de choses sur la vie de ce coléoptère.

Lucane *Lucanus cervus*

La plupart des gros coléoptères vivent dans les pays tropicaux ; mais on trouve aussi de très belles espèces dans les pays tempérés, comme la lucane, en Europe. Le mâle possède de grosses mandibules massives et mesure environ 8 cm (mandibules comprises). La femelle est plus petite et n'a pas d'aussi grosses mandibules que le mâle. La lucane passe une partie de sa vie dans les vieux chênes ; leur nombre diminue régulièrement avec la disparition de cette espèce d'arbres. Le mâle doit livrer combat aux autres mâles pour obtenir une femelle car ces dernières sont moins nombreuses. Généralement, la femelle meurt immédiatement après avoir pondu ses œufs dans les vieux chênes. Au bout de quatre à cinq ans, la larve mesure 10 cm et se transforme en nymphe. On peut

Titan

40

prédire le sexe de l'adulte dès le stade nymphal car la forme des grosses mandibules des mâles est déjà visible chez la nymphe. Le stade nymphal dure trois mois après quoi la chrysalide libère une lucane adulte qui se nourrit de la sève du chêne.

Hercule *Dynastes hercules*

L'hercule est natif d'Amérique centrale et des régions nords de l'Amérique du Sud. Le mâle possède de longues cornes sur la tête et sur le thorax qui s'ouvrent et se ferment comme des pinces lorsqu'il se déplace. Avec ses 17 cm de long (cornes comprises), c'est l'un des plus grands coléoptères du monde. Les femelles n'ont pas de cornes et sont beaucoup plus petites. Le mâle n'utilise ses cornes qu'au moment de la reproduction : il s'agrippe aux brindilles avec ses cornes et se met à tournoyer pour attirer la femelle. Les larves vivent dans le bois pourri et dans l'humus.

Goliath *Goliathus*

Le goliath vit sur les arbres, dans les forêts tropicales d'Afrique occidentale et d'Afrique centrale. Les larves préfèrent le bois pourri. Les élytres du goliath sont recouverts de fins poils veloutés extrêmement fragiles qu'un simple frottement arrache. C'est pourquoi on ne voit

que très rarement des spécimens intacts dans les collections. Le goliath comprend plusieurs espèces qui peuvent mesurer de 7,5 cm à 12 cm. Certaines sont assez communes, du moins à des périodes données de l'année tandis que d'autres sont des raretés entomologiques.

Hercule

Goliath

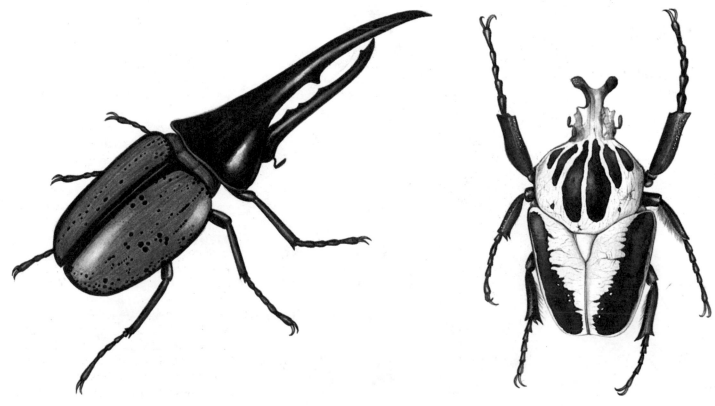

Mode de vie de diverses espèces

Si l'on considère le nombre d'espèces de coléoptères de toutes sortes, il n'est pas surprenant que leurs modes de vie soient des plus variés. Les coléoptères adaptent la forme de leur corps ou leur mode de reproduction aux lieux où ils habitent. La vie des coléoptères intéresse de nombreux savants mais aussi beaucoup de dilettantes.

Scarabée sacré

Nécrophore *Necrophorus*
Il existe de nombreuses espèces de nécrophores généralement noirs et jaunes mais parfois aussi tout noirs qui ont en commun l'attention qu'ils portent à leur progéniture. Quand un petit animal meurt, les nécrophores, attirés par l'odeur, se précipitent sur son cadavre. La femelle la plus forte chasse toutes les autres et aidée par un seul mâle creuse le sol sous le cadavre jusqu'à ce qu'il disparaisse dans la terre. Avec leurs pattes antérieures, les nécrophores modèlent la charogne en forme de boule ménageant une fosse tout autour. Puis ils injectent des sucs digestifs dans le cadavre en décomposition pour en dissoudre les tissus car les nécrophores ne peuvent pas mâcher. Les nécrophores creusent une galerie contiguë à la cavité de la charogne où la femelle pond ses œufs. Les larves naissent au bout de cinq

Nécrophore

jours. Dans l'attente, la femelle continue à injecter des sucs digestifs dans la charogne pour préparer une nourriture suffisante à sa progéniture. Après l'éclosion des œufs, les larves se réfugient dans la cavité de la charogne pour y attendre leur mère. Dès qu'elles sentent sa présence, elles se dressent et agitent leurs pattes. La mère donne une goutte de liquide brun à chacune ; elle les nourrit ainsi jusqu'à la deuxième mue. Les larves perdent leur peau toutes les douze heures ; après la seconde mue, elles s'enfouissent dans la charogne et se nourrissent seules. La mère, ayant accompli son devoir, meurt. Dans un premier temps, les larves restent unies pour décomposer plus rapidement la charogne à l'aide de leurs sucs digestifs. Six jours plus tard, ce stade se termine et les larves s'enfoncent dans la terre pour faire leur cocon qui libère un nécrophore adulte environ deux semaines plus tard.

Scarabée sacré *Scarabeus sacer*
Pour les Égyptiens, le scarabée était un animal sacré, symbole de la création et du dieu soleil. Les Égyptiens sculptaient des sceaux et des perles en forme de scarabée et ornaient leurs temples et leurs tombes de statues de scarabées.
Le scarabée est un bousier qui se nourrit principalement d'excréments d'ongulés. Il prépare une petite boule qu'il fait rouler à l'aide de ses pattes postérieures dans un endroit tranquille où il la mange. Au moment de la ponte des œufs les scarabées mâles et femelles

préparent la nourriture de leur progéniture. Ils commencent par former une petite boule d'excrément qu'ils roulent sur le sol pour la faire grossir. Quand elle est assez grosse, ils creusent un trou pour l'enterrer. La femelle lui donne la forme d'une poire au sommet de laquelle elle pond un œuf avant de reboucher le trou. La boule d'excrément privée d'air ne se dessèche pas et fournit à manger à la larve quand l'œuf éclôt. Après plusieurs mois, quand la larve a mangé toute la boule, elle se transforme en chrysalide. A la saison des pluies, quand le sol se ramollit et se couvre d'herbe fraîche, signal d'abondance d'excréments d'herbivores, le scarabée adulte sort de son cocon.

Doryphore
Leptinotarsa decemlineata
Le doryphore est un très joli insecte jaune aux élytres ornés de 10 lignes noires longitudinales. Ses larves orange-roux à tête noire et aux flancs marqués de deux rangées de points noirs sont parmi les plus jolies larves du monde des coléoptères. Beau ou pas, le doryphore cause de grands ravages dans les cultures de pommes de terre. Il n'en a pas toujours été ainsi ; autrefois, le doryphore vivait dans les montagnes Rocheuses sur la bardane du buffle, plante de la famille des solanacées. En 1850, les pionniers à la conquête de l'Ouest apportèrent des pommes de terre, appartenant elles aussi à la famille des solanacées, qu'ils plantèrent dans les champs. Dix ans après, on s'aperçut au Nebraska que le doryphore

de coléoptères

préférait les feuilles de pomme de terre. Le résultat de ce changement d'hôte fut catastrophique : les récoltes de pommes de terre furent complètement détruites. Les doryphores se répandirent rapidement. En 1864 ils firent leur apparition dans l'Illinois, en 1869 dans l'Ohio et en 1874 ils atteignirent la côte est des États-Unis. L'océan ne les retint pas longtemps. En 1922, le doryphore arriva en force en France. Naturellement, les doryphores avaient déjà traversé l'océan auparavant, sur les bateaux, mais en quantité limitée. Les deux guerres mondiales permirent aux doryphores de se développer librement car qui se souciait d'eux pendant la guerre. C'est ainsi qu'entre 1946 et 1949, ils causèrent de véritables catastrophes dans de nombreux pays d'Europe. Aujourd'hui, ils réapparaissent de temps en temps ; mais à peine sont-ils localisés qu'ils sont immédiatement exterminés.

Longicorne alpin
Rosalia alpina
Les coléoptères longicornes ont, comme leur nom l'indique, de très longues antennes recourbées vers l'arrière le long du corps ou droites sur le devant de la tête. Ces antennes rendent leur identification aisée même pour un profane. Ces coléoptères appartiennent à une famille qui comprend environ 250.000 espèces qui vivent pour la plupart dans les pays tropicaux. Ils ont été et sont encore aujourd'hui

Doryphore

les insectes préférés des collectionneurs. Les larves de ces coléoptères vivent dans le bois où elles creusent des tunnels différents selon les espèces. On imagine aisément les ravages qu'elles peuvent faire dans les régions boisées. L'une des plus jolies espèces européennes est le longicorne alpin que l'on trouve parfois au pied des Alpes, des Carpates et des Beskides et qui forme une colonie unique dans le Jura. Les collectionneurs d'une part et la disparition des forêts de hêtres d'autre part sont responsables de l'extinction de cette espèce dans certaines régions.

Dytique *Dytiscus marginalis*
Le dytique est un coléoptère carnivore aquatique aux pattes postérieures transformées qui lui servent de rames. Il respire par des trachées et doit faire surface de temps en temps pour faire ses provisions d'air ; il emporte une bulle d'air dans une alvéole prévue à cet effet, située entre l'abdomen et les

élytres qui lui permet de respirer immergé.
Au début du printemps, juste après la fonte des neiges, le dytique se reproduit. Le mâle s'accroche sur le dos de la femelle à l'aide de ventouses situées à l'extrémité des pattes antérieures et ils nagent ainsi tous les deux, parfois pendant plusieurs jours. La femelle dépose ses œufs un à un dans les plantes aquatiques qu'elle perce avec son ovipositeur. Elle pond de 500 à 1000 œufs qui donnent naissance à des larves un mois plus tard. Ces larves sont carnivores et possèdent une grosse tête et d'énormes mandibules pour prendre leurs proies. La larve enfonce ses mandibules dans le corps de sa victime, injectant des sucs digestifs pour la décomposer.
Après la troisième mue, les larves sortent de l'eau et font leur cocon sur la terre ferme, cocon qui libérera un individu adulte au printemps suivant.

Longicorne alpin

Dytique

Les insectes sociaux

Il existe deux ordres différents d'insectes sociaux : les isoptères ou termites et les hyménoptères (fourmis, abeilles, guêpes) qui forment des colonies dont tous les membres sont issus d'une seule et même reine. Ces colonies peuvent être petites comme chez certaines abeilles solitaires ou très grandes comme chez les termites et les fourmis.

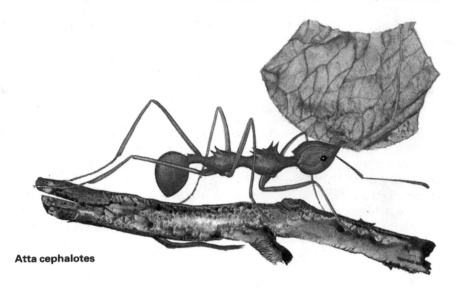

Atta cephalotes

Atta cephalotes

L'organisation sociale de ces fourmis sud-américaines n'a pas de traits marquants. Leur particularité réside dans le fait qu'elles se nourrissent de champignons qu'elles cultivent elles-mêmes dans leurs nids. Ce nid souterrain s'ouvre sur l'extérieur par une entrée en forme de cratère par laquelle les ouvrières sortent pour recueillir des morceaux de feuilles sur les arbres qu'elles rapportent dans le nid. Là, d'autres fourmis se chargent de les réduire en bouillie en les mastiquant pour former un terrain propice à la culture des champignons. Après elles, une autre caste d'ouvrières sème les spores et récolte les champignons qui permettront à la colonie tout entière de se nourrir.

Termites, un soldat et une reine

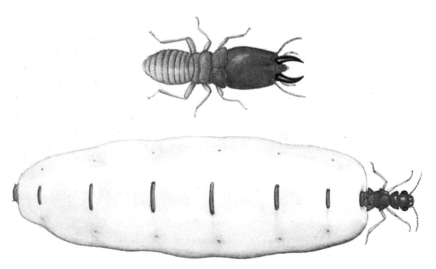

Termites
Ordre des isoptères
Les termites sont des parents proches des blattes et comme elles font partie des insectes primitifs présents sur terre il y a 250 millions d'années. On compte environ 2000 espèces de termites dont un tiers vit en Afrique. Leurs colonies ont à leur tête un roi et une reine qui vivent soit au milieu des autres termites soit dans une chambre à part située au centre du nid. Les ouvrières qui constituent la caste la plus importante appartiennent aux deux sexes. Les ouvrières comme les soldats ne peuvent vivre les uns sans les autres ; les soldats doivent même être nourris par les ouvrières. A côté de la caste des soldats et de celle des ouvrières, il existe une troisième caste comprenant des mâles et des femelles qui servent à la reproduction uniquement dans le cas où, pour une raison ou pour

une autre, le couple royal mourrait ou n'aurait plus de descendance. Les termitières sont composées d'un système complexe de chambres et de couloirs et chez certaines espèces, de jardins pour cultiver les champignons. Certaines termitières sont complètement cachées sous terre tandis que d'autres forment à l'extérieur des monticules différents pour chaque espèce.

Abeille domestique
Apis mellifera
La plupart des abeilles sont solitaires à l'exception de quatre espèces dont la plus importante est celle des abeilles domestiques, qui vivent en colonie et produisent du miel. A l'origine elles vivaient librement et construisaient leurs nids dans les arbres et dans les anfractuosités des rochers des régions boisées. Cependant, de temps immémorial, l'homme a domestiqué l'abeille, partiellement en aménageant lui-même des cavités naturelles ou totalement en construisant des ruches.
Dans chaque ruche on trouve trois castes : celle de la reine qui pond des œufs, celle des femelles ou ouvrières et à une période donnée de l'année, celle des mâles ou faux-bourdons destinés à la reproduction. Les ouvrières, qui ne vivent qu'un mois environ, s'occupent de la construction des alvéoles et de l'entretien général du nid. Au cours des trois premiers jours de leur existence, elles nettoient les alvéo-

les dans lesquelles la reine déposera ses œufs. Durant les dix jours suivants, elles s'occupent des larves qu'elles nourrissent d'un liquide sécrété par des glandes spéciales ; dans le même temps, leurs glandes sécrétant la cire se développent ce qui leur permet de construire et de réparer les alvéoles. A partir du douzième jour, elles sortent de la ruche pour aller chercher du nectar, du pollen et de l'eau.

L'implantation de nouvelles colonies chez les abeilles s'appelle l'essaimage. Quand les nouvelles femelles (les jeunes reines) sont encore enfermées dans leurs alvéoles, la reine à la tête d'un groupe important d'ouvrières quitte la ruche. L'essaim s'arrête sur une branche et envoie quelques éclaireurs pour repérer un endroit propice à l'établissement d'une nouvelle ruche. Les ouvrières se mettent

aussitôt au travail ; elles construisent des alvéoles où la reine pond ses premiers œufs. Pendant ce temps, dans l'ancienne ruche la première reine est née ; elle tue toutes les autres reines avec l'aide des ouvrières et part avec les faux-bourdons pour son vol nuptial. Dès qu'elle est fécondée, la reine rentre à la ruche et chasse les mâles ou les fait tuer par les ouvrières. Une reine vit environ quatre ans.

Les abeilles communiquent entre elles, se transmettant des informations sur les bons endroits à butiner. Les ouvrières de retour à la ruche « dansent » devant l'entrée de la ruche ; les courbes qu'elles décrivent avec leur corps, la vitesse et la direction de leurs mouvements indiquent clairement la source de nourriture. Le soleil sert de point d'orientation même s'il est caché par les nuages.

Abeille domestique

lules hexagonales en papier qui s'ouvrent vers le bas où la femelle dépose ses œufs et élève elle-même les larves. Quand les premières ouvrières naissent, elles se chargent de tout (sauf de la ponte des

Guêpe commune européenne et son nid

Mouvements d'une abeille qui « danse »

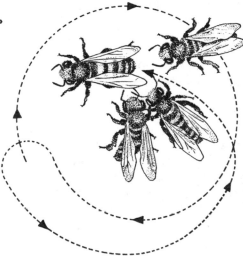

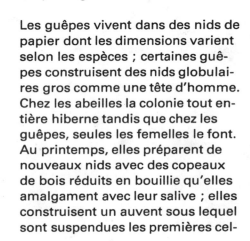

Guêpe commune européenne
Vespa vulgaris

Les guêpes vivent dans des nids de papier dont les dimensions varient selon les espèces ; certaines guêpes construisent des nids globulaires gros comme une tête d'homme. Chez les abeilles la colonie tout entière hiberne tandis que chez les guêpes, seules les femelles le font. Au printemps, elles préparent de nouveaux nids avec des copeaux de bois réduits en bouillie qu'elles amalgament avec leur salive ; elles construisent un auvent sous lequel sont suspendues les premières cel-

œufs) et se mettent à construire de nouvelles rangées de cellules. Les rangées sont reliées entre elles par des piliers de papier collé. A ce stade, les guêpes commencent à se nourrir d'insectes et de larves, surtout de mouches et de chenilles. Un nid comprend de six à dix rangées de cellules et mesure environ 23 cm de diamètre. L'enveloppe de papier qui entoure le nid le protège des variations de température. Les mâles et les femelles féconds naissent à la fin de l'été ; seules les femelles fécondées survivent à l'hiver pour fonder de nouvelles colonies au printemps.

Les papillons diurnes et les papillons nocturnes

Les papillons diurnes et les papillons nocturnes sont des insectes à métamorphose complète qui constituent l'ordre des lépidoptères. Leurs larves, appelées chenilles, possèdent des pièces buccales adaptées à la mastication tandis que celles des papillons adultes forment une trompe suceuse qui se replie sous le corps quand l'insecte est au repos. Les papillons possèdent de magnifiques ailes membraneuses couvertes de minuscules écailles auxquelles les pigments, les reflets de la lumière ou les deux à la fois donnent de somptueuses couleurs.

Les papillons diurnes et les papillons nocturnes vivent dans tous les climats, du pôle où l'on trouve surtout des espèces de petite taille aux tropiques qui peuvent se vanter de posséder les plus beaux spécimens. Les papillons sont bien moins nombreux que les coléoptères ; on compte « seulement » 100 000 espèces, mais les collectionneurs de papillons ne se comptent même pas tant ils sont nombreux. Malheureusement, il existe un grand nombre de papillons dont les larves sont extrêmement nuisibles.

Attacus atlas
Attacus edwardsi

Tous les collectionneurs rêvent de posséder de beaux spécimens de papillons exotiques aux multiples couleurs. Mais il est très difficile de prendre un papillon sans lui faire perdre ses écailles. C'est pourquoi beaucoup de collectionneurs élèvent eux-mêmes les larves, pour être sûrs d'avoir des spécimens parfaits.

L'espèce des *Attacus* appartient à la famille des saturnies qui sont de superbes papillons aux ailes marquées de taches rondes ou ocelles. L'*Attacus atlas* avec une envergure de 24 cm est le plus grand des papillons nocturnes ; l'*Attacus edwardsi* est légèrement plus petit (17 à 19 cm d'envergure) mais il est beaucoup plus coloré. L'*Attacus atlas* est natif de l'Asie du Sud-Est ; sa chenille qui mesure plus de 10 cm de long ravage les quinquinas, les citronniers, les plantations de thé et de café.

Monarque *Danaus plexippus*

Certaines espèces de papillons forment des essaims et se déplacent en groupe parcourant ainsi de grandes distances, soit occasionnellement soit pour entreprendre une véritable migration comme les oiseaux.

Le monarque d'Amérique du Nord est un papillon migrateur. En automne les monarques se rassemblent pour entreprendre un long voyage vers le sud. Généralement, ils partent du Canada en septembre et dès début novembre, arrivent dans le golfe du Mexique ; ils se posent par dizaines de milliers chaque année sur les mêmes arbres où ils restent tout l'hiver sans bouger. Ces arbres couverts de papillons aux mille couleurs, protégés par la loi, font la joie des touristes. Au printemps, l'essaim se réveille et repart vers le nord. Le voyage de retour commence en mars et se termine fin mai ou début juin. A leur arrivée, les papillons pondent des œufs et meurent. Comment la nouvelle génération qui naît au nord, retrouve le chemin du golfe du Mexique à des milliers de kilomètres au sud, est un mystère que personne encore n'a pu expliquer.

Attacus atlas

Monarque

Monarque

Apollon commun
Parnassius apollo
Les apollons sont des papillons
blancs à taches noires ou rouges
qui vivent dans les montagnes. Certaines espèces sont rares et très
recherchées des collectionneurs.
On trouve l'apollon commun, des
Pyrénées aux Balkans en passant
par les Carpates et au nord, jusqu'en Scandinavie. Son corps recouvert de longs poils lui permet de
supporter les rigueurs du climat
montagnard. La chenille qui se
nourrit de joubarbe et d'orpin met
deux ans pour devenir adulte.
Avant de se transformer en chrysalide, elle tisse un cocon qui la protégera du froid. L'apollon a un vol

Papillon de Kerguelen
Pringleophaga kerguelensis
Nous avons dit que les ailes des
papillons faisaient leur beauté. Il
existe cependant des espèces chez
qui elles sont très rudimentaires ou
tout à fait inexistantes. Dans la plupart des cas, seules les femelles

Papillon de Kerguelen

Apollon commun

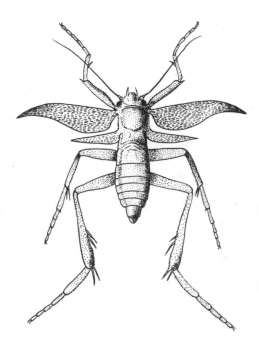

sont privées d'ailes. Les îles Kerguelen se trouvent dans l'océan Indien à 50° de latitude Sud. Ce sont
des îles battues par des vents vio-
lents qui balaient tout sur leur passage. On y trouve deux espèces de
papillons qui se sont adaptés aux
conditions climatiques. Ils ont
perdu les ailes et se déplacent sur
leurs pattes qui se sont développées.

lent et tremblotant très caractéristique ; il peut aussi planer comme
un oiseau, vol peu commun
chez les insectes.
Les apollons sont des papillons très
appréciés des collectionneurs et
très faciles à attraper, deux raisons
qui expliquent leur disparition dans
certains pays. Ils sont aujourd'hui
des espèces protégées dans de
nombreux pays d'Europe.

47

Ver à soie *Bombyx mori*

La soie est un tissu très ancien dont on retrouve la trace en Chine 2700 ans avant Jésus-Christ. Il existe de nombreuses sortes de vers à soie mais le plus important commercialement est le *Bombyx mori* qui est une espèce domestiquée. Le bombyx adulte ne vit que trois jours sans se nourrir. La femelle pond de 300 à 400 œufs. Ces œufs donnent naissance à des chenilles voraces qui se nourrissent de feuilles de mûrier, passant de 3 mm de long à 9 cm en 35 jours environ. Elles enferment leur chrysalide dans un cocon de fils soyeux. Au bout d'une dizaine de jours, on tue les chrysalides avec de l'air chaud et l'on ramasse les cocons. On dissout dans l'eau chaude la substance collante qui avec les fils soyeux forme le cocon que l'on dévide enfin. La production de la soie est une branche importante de l'industrie textile dans de nombreux pays.

Arctie *Arctia caja*

L'arctie est un très joli papillon dont la couleur des ailes antérieures diffère de celle des ailes postérieures. Au repos, ce papillon se confond avec l'environnement car ses magnifiques ailes rouge et jaune postérieures sont recouvertes par les ailes antérieures.
La chenille de l'arctie est couverte de longs poils noirs sur le dos et roux sur les flancs. En automne, elle fait son cocon et hiberne. De nombreuses chrysalides attaquées par des mouches parasites et des guêpes meurent avant d'avoir pu libérer un papillon.

Porte-queue ou machaon commun
Papilio machaon

Le machaon est un magnifique papillon diurne aux ailes arrière terminées en longues pointes gracieuses que l'on trouve dans le monde entier, en plaine comme en haute montagne. On connaît environ 600 espèces de machaons très recherchées par les collectionneurs.
Le machaon commun vit en Europe, en Asie et en Amérique du Nord. Sa chenille vit sur les ombellifères telles que le carvi, le fenouil et la carotte sauvage. Chaque segment du corps de la chenille est vert-jaune, rayé d'une bande noire et pointillé de rouge. Quand on la touche, elle sort deux cornes rouge-orange destinées sans doute à effrayer l'ennemi. Ces cornes dégagent une odeur forte rappelant celle de l'ananas ou du fenouil.

Ver à soie

Machaon

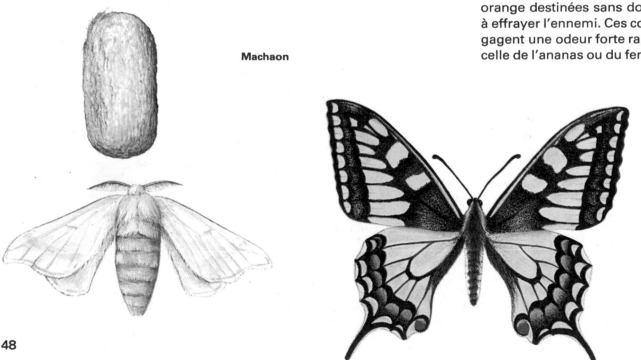

Sphinx tête-de-mort

Papillon frelon
Sesia apiformis

Il existe de nombreuses espèces d'insectes douées de mimétisme pour se protéger des prédateurs, comme par exemple le papillon frelon qui ressemble au frelon par la forme, la grosseur et la couleur. De nombreux savants soutiennent la théorie suivante et tout aussi nombreux sont ceux qui la réfutent : les oiseaux sont-ils vraiment capables de distinguer un papillon frelon d'un frelon? Pour essayer de mettre fin à cette controverse, on a fait l'expérience de donner à manger des papillons frelons et des frelons à des oiseaux qui se nourrissent habituellement d'insectes du type des frelons et à des oiseaux qui n'avaient jamais chassé les frelons. Les oiseaux du premier groupe se trompèrent une seule fois et les oiseaux du second ne mangèrent que les papillons frelons sans même goûter aux frelons. Il semblerait donc que le mimétisme soit inutile ; mais le problème n'est pas encore réglé et la controverse continue.

Sphinx tête-de-mort
Acherontia atropos

Le sphinx tête-de-mort est un papillon assez rare mais très connu grâce au dessin en forme de tête de mort qu'il porte sur le haut du thorax. Le sphinx tête-de-mort vit en Europe méridionale et en Asie du Sud ; de temps en temps il vient en Europe centrale et même jusque dans le sud de l'Angleterre. Il arrive en juin ou seulement en automne. Les femelles qui arrivent au début de l'été pondent leurs œufs sur les pommes de terre et autres membres de la famille des solanacées. Les larves vertes rayées de bleu s'enfoncent dans la terre et se transforment en chrysalide. Il est très rare qu'un papillon sorte de cette chrysalide car elle ne résiste pas à l'hiver européen.

La trompe courte du sphinx tête-de-mort ne lui permet pas de butiner les fleurs ; il entre dans les ruches des abeilles pour se nourrir de leur miel. Bien souvent il ne ressort pas vivant de la ruche et comme il est trop gros pour que les abeilles se débarrassent de son corps, elles l'enrobent de miel. Si vous capturez un sphinx tête-de-mort vivant, il se peut que vous l'entendiez couiner comme une souris.

Zygène *Zygaena filipendulae*

La zygène aux ailes noires tachetées de rouge vit dans les prairies d'Europe. La chenille de la zygène vit sur les plantes de la famille des papilionacées et la chrysalide fusiforme sur les brins d'herbe.

Le vol lent de la zygène pourrait en faire une proie facile si la nature ne l'avait dotée de défenses très efficaces. Un oiseau ne capture jamais deux fois une zygène car elle possède derrière la tête des glandes qui sécrètent un liquide jaune contenant de l'histamine et de l'acide prussique. Ce liquide donne un goût désagréable et peut parfois être mortel. La coloration brillante de la zygène est une garantie de plus ; l'oiseau la reconnaîtra facilement et ne commettra pas deux fois la même erreur.

Papillon frelon

Zygène

La vie dans la mer

Les mers et les océans couvrent 361 millions de kilomètres carrés et sont habités par des myriades d'organismes. Si l'on prend leur profondeur moyenne comme base de calcul, « l'espace vital » disponible est de 1.370 millions de kilomètres cubes. On pourrait donc penser que les océans contiennent la majeure partie des animaux vivants sur le globe terrestre. Mais cela n'est vrai que pour le nombre d'individus ; pour ce qui concerne les espèces, les chiffres sont surprenants : la mer est habitée par un cinquième seulement de toutes les espèces connues. La raison d'un chiffre si bas, s'explique par le fait que dans l'eau, les barrières sont très peu nombreuses, barrières qui en général sont à l'origine de la différenciation et de la création de nouvelles espèces.

La vie a commencé dans la mer où elle est restée confinée pendant très longtemps avant de conquérir les eaux douces et la terre. Aujourd'hui encore, la mer est peuplée

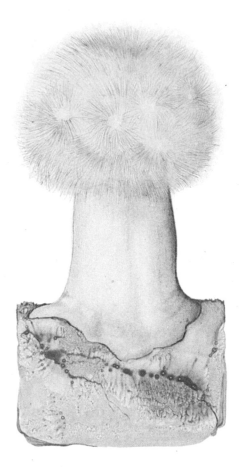

Anémone de mer plumeuse
Metridium senile

Les anémones de mer vivent près du littoral aussi bien que dans les grandes profondeurs marines. Elles appartiennent à la familles des cœlentérés, animaux surtout marins en forme de sac qui vivent accrochés sur un corps solide, ce qui ne veut pas dire qu'ils ne se déplacent pas. Ils possèdent un pied muni d'un disque-ventouse qui leur permet d'avancer ; certaines espèces gonflent leur corps et flottent librement sur l'eau.

Le corps des cœlentérés est en réalité un gros estomac dont la bouche centrale est bordée de tentacules qui les font ressembler à des fleurs. C'est avec ces tentacules urticants que les anémones se défendent et capturent leurs proies. Le sac ne contient pas de sucs digestifs mais ses parois possèdent des « doigts », contenant des cellules digestives, qui pénètrent dans le corps de la victime et absorbent de petites quantités de chair qu'elles dissolvent. Une anémone de mer rassasiée qui digère transforme son corps cylindrique en une boule ronde et ne bouge plus pendant des semaines.

Les anémones de mer n'ayant pas d'exigences particulières et supportant très bien les conditions adverses peuvent être élevées en aquariums d'eau salée. Elles peuvent vivre jusqu'à cent ans.

Oursin

d'organismes qui illustrent d'une manière vivante l'évolution des formes. Elle contient aussi des animaux que l'on peut considérer comme des fossiles vivants.

La vie dans la mer a été étudiée par un grand nombre de savants. Aujourd'hui les mers et les océans apparaissent pour nombre d'entre eux comme les seuls fournisseurs possibles de la population terrestre qui augmente sans cesse et qui épuise lentement mais sûrement les ressources de la terre.

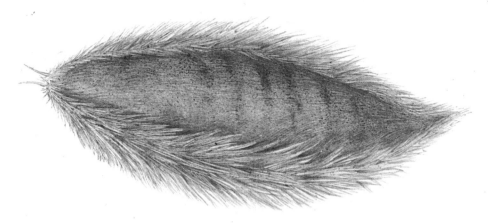

Oursin *Echinus*

Les oursins sont hérissés de piquants très espacés ou très denses, courts ou longs, mais toujours mobiles, actionnés par des muscles accrochés à leur base. La coquille calcaire de l'oursin est percée d'une myriade de petits trous par lesquels sortent des tubes annulaires qui lui permettent de se déplacer ou de se fixer sur les rochers. Entre les piquants on peut voir de petites pinces qui s'ouvrent et qui se ferment pour chasser tous les débris qui pourraient s'accumuler entre les piquants et pour retenir tout ce qui est bon à manger. La plupart des oursins se nourrissent de matières végétales ; cependant, certaines espèces apprécient aussi les petits animaux.

L'oursin européen, *Echinus esculentus,* est très répandu sur les côtes de l'Atlantique Nord et de la Méditerranée. On le pêche à l'aide d'une sorte de trident à pointes recourbées, puis on le coupe en deux pour déguster la partie supérieure nature ou avec un filet de citron. Dans certaines régions, on nettoie les coquilles d'oursins entières pour les vendre aux touristes. Certaines espèces des mers chaudes possèdent des piquants empoisonnés ; les oursins qui vivent dans les eaux plus froides occasionnent des blessures très douloureuses si par mégarde on leur marche dessus.

Aphrodite
Aphrodite aculeata

L'aphrodite est un très joli ver de la famille des annalidés qui vit dans toutes les mers d'Europe, à moitié enfouie dans le sable. Comment, direz-vous, sait-on que c'est un joli ver ? Il suffit de la sortir du sable et de la laver pour admirer ses belles couleurs irisées. Elle porte des soies dorsales grises ou brunes et des soies latérales qui brillent de mille couleurs quand elle se déplace. Ces soies se cassent facilement et pénètrent dans la peau, causant une inflammation. Ce n'est valable que pour vous qui la prenez dans vos mains, les morues et les petits requins ne s'en soucient guère qui s'en nourrissent régulièrement. L'aphrodite mesure 20 cm de long et 4 cm de large ; comme pour tous les vers marins actifs, ses organes sensoriels sont bien développés.

Sagitta

La sagitta est un ver de mer transparent au corps en forme de flèche de 14 à 20 cm de long qui appartient au plancton. Le matin et le soir on la trouve près de la surface tandis que dans la journée, elle descend dans les profondeurs pour se protéger du soleil. La sagitta est carnivore ; elle saisit sa proie entre ses mâchoires dotées de poils durs en forme de faucille. Elle mange de tout, même ses semblables.

La répartition des différentes espèces est très intéressante : chaque espèce habite dans une zone bien déterminée. Un jour un biologiste sur un bateau à l'ancre, captura deux espèces différentes de sagitta, l'une à la poupe et l'autre à la proue. La sagitta demeure une énigme pour les biologistes car on n'a pas encore pu déterminer les liens qui l' unissent aux autres espèces d'animaux.

Sagitta

51

Les mollusques

Nous avons déjà parlé des mollusques dans le chapitre consacré aux escargots et aux limaces en remarquant que la plupart d'entre eux étaient des animaux marins.

Le corps des mollusques ne présente pas de segmentation externe et seules les espèces les plus avancées possèdent une tête, un pied et un « corps ». Ce corps est mou et visqueux protégé par le manteau qui contient de nombreuses glandes et qui sécrète, chez la plupart des espèces, la coquille.

La forme de la coquille dépend de la forme du manteau. Si le corps est en spirale, la coquille sera elle aussi en spirale, forme typique des escargots. Chez les bivalves, le manteau enveloppe le corps et sécrète une coquille composée de deux valves.

Les céphalopodes comme la pieuvre, le calmar et la seiche sont les invertébrés les plus développés et les plus actifs.

Grâce à leur coquille dure, les mollusques se fossilisent facilement. Ils sont donc très importants dans les recherches sur la formation des roches.

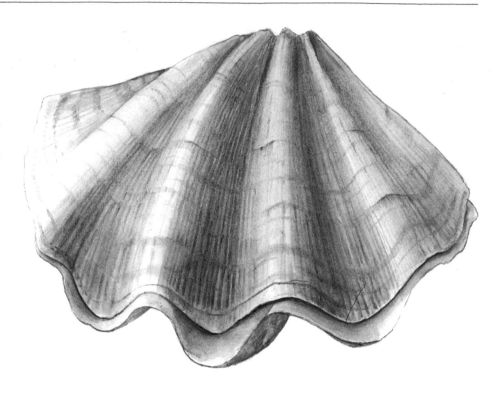

Bénitier géant

Buccin européen commun

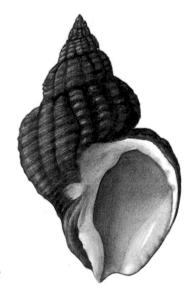

Buccin européen commun
Buccinum undatum
Le buccin vit communément dans la mer du Nord. C'est un mollusque carnivore qui perce des trous dans la coquille d'autres mollusques dont il se nourrit. Les pêcheurs le recherchent activement premièrement pour sa chair fine, deuxièmement comme appât et troisièmement pour l'empêcher de manger tous les autres mollusques comestibles. On prend généralement les buccins à l'aide de paniers garnis de poisson que l'on plonge dans l'eau à une profondeur d'environ 20 mètres. Ceux d'entre vous qui connaissent les côtes de la mer du Nord ont certainement déjà vu sur les plages les capsules vides jaunâtres de ses œufs de la grosseur d'un haricot. Les marins les appellent le « savon de la mer » qu'ils utilisent parfois pour se laver les mains.

Bénitier géant
Tridacna gigas
Le bénitier géant est véritablement le géant des mollusques bivalves. Si son corps n'est pas extraordinairement grand (l'animal en lui-même ne pèse que 10 kg), par contre, la coquille qui le protège est énorme : elle mesure 130 cm de long et pèse 500 kg. On trouve le bénitier géant dans les massifs de corail de l'océan Indien et de l'océan Pacifique. Les indigènes le ramassent pour manger les muscles qui ferment la coquille. Ils sont, paraît-il, délicieux. Les tissus du manteau renferment un grand nombre de plantes unicellulaires vertes et brunes qui vivent en symbiose avec le bénitier.

La coquille du bénitier géant est un morceau de choix pour les musées ; autrefois, il avait une fonction vraiment pratique : il servait de bénitier ou de fonts baptismaux dans les églises.

Argonaute *Argonauta argo*
Nautile nacré *Nautilus pompilius*
L'argonaute est un céphalopode dont la structure corporelle est extrêmement développée. Le mâle ressemble à une petite pieuvre dodue. La femelle, beaucoup plus grosse, sécrète une très jolie coquille spiralée qui a l'apparence du papier où elle garde ses œufs jusqu'à leur éclosion. Au moment de la reproduction, le mâle entrepose ses spermes dans un tentacule spécialement modifié à cet effet. Ce tentacule se détache du corps et flotte sur l'eau à la recherche d'une femelle ; quand il l'a trouvée, il se glisse dans le manteau et dépose les spermes dans l'orifice qui conduit aux organes reproducteurs.

Le nautile, le plus primitif de tous les céphalopodes peut être considéré comme un fossile vivant car il n'a pratiquement pas changé depuis le Paléozoïque. Il vit dans les profondeurs de l'océan Indien, là où la température est constante et loin des eaux tumultueuses ; c'est probablement pour cette raison que le nautile a survécu jusqu'à nos jours. Il est le seul céphalopode à posséder une coquille externe spiralée divisée transversalement en cavités remplies d'azote. L'animal occupe la dernière cavité et il est fixé au centre de la coquille par un long ligament. La bouche est entourée de 90 petits tentacules qui, contrairement aux autres céphalopodes, n'ont pas de disque-ventouse.

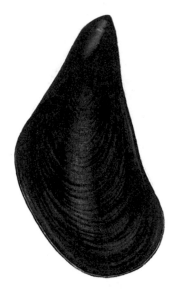

Moule européenne commune

Huître européenne commune

Huître européenne commune
Ostrea edulis
Moule européenne commune
Mytilus edulis
Les huîtres et les moules sont des coquillages comestibles ; les huîtres se mangent généralement crues avec un filet de citron tandis que les moules se font bouillir dans l'eau ou dans le vin.

On sait que les hommes préhistoriques mangeaient des huîtres car on a retrouvé un grand nombre de coquilles dans les dépôts d'ordures. Les Romains eux aussi les appréciaient au point de les faire venir des îles Britanniques. Les bancs naturels d'huîtres ne suffisant plus à satisfaire la demande, on les cultive dans des parcs à huîtres. Chez l'huître, les sexes ne sont pas séparés ; au moment de la reproduction ils se succèdent tour à tour. Dans les mers froides, les huîtres ne se reproduisent qu'une fois par

an tandis que dans les mers chaudes, elles peuvent le faire plusieurs fois. Un huître peut pondre jusqu'à trois millions d'œufs par an. Les larves flottent librement sur l'eau avant de se fixer sur un objet solide et de se changer en huître adulte. Les moules sont encore plus répandues que les huîtres dans les mers européennes car elles vivent aussi bien dans les eaux peu salées. Elles sont toujours fermement fixées aux rochers. On les cultive aussi dans les parcs à moules pour satisfaire la demande. L'Europe à elle seule en consomme 100 000 tonnes par an. Il faut cependant être très prudent et ne manger que les moules soumises à un sérieux contrôle car elles peuvent transmettre la fièvre typhoïde ou paratyphoïde.

Nautile nacré

Argonaute

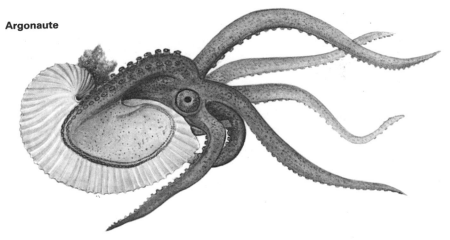

Les crustacés

Nous avons déjà parlé des crustacés dans le chapitre sur les puces d'eau et les écrevisses et nous avions noté que de nombreuses espèces étaient comestibles. Le homard, la langouste, le crabe, les crevettes roses et les crevettes grises sont les plus connus. Nous en avons tous vu au bord de la mer mais à part le fait qu'ils sont délicieux nous n'en savons guère plus à leur sujet. Dans ces conditions, il ne sera pas inutile de décrire les traits les plus caractéristiques de chacun.

qu'elle porte sur son abdomen pendant un an environ. Après l'éclosion, les larves nagent librement sur la mer et muent quatre fois avant de devenir adultes et de s'installer au fond de l'eau. Les homards se développent très lentement ; un homard de 500 g a environ six ou sept ans. On capture les homards à l'aide de filets ou de casiers à homards contenant du poisson frais ou séché en guise d'appât. Il est interdit de chasser le homard de la mi-juillet à la mi-septembre. Autrefois on trouvait des spécimens qui

Crevette grise
Crangon crangon
On appelle « crevette » tous les petits crustacés à longue queue possédant un corps mou et aplati. Les crevettes vivent dans les eaux peu profondes le long des côtes. Il n'est pas rare de les voir dans les aquariums marins. Elles sont de couleur blanchâtre légèrement transparente et mesurent de 5 à 8 cm.
Les crevettes grises vivent dans la mer du Nord et le long des côtes britanniques. On les pêche au filet ou à l'aide de trappes dans lesquel-

Homard commun

Homard commun
Homarus vulgaris
Le homard vit sur les fonds rocheux de l'Angleterre à la Norvège et dans les profondeurs de l'Atlantique. On en trouve très peu le long des côtes d'Europe occidentale et de la Méditerranée. Le homard américain vit le long des côtes atlantiques, du Delaware au Labrador.
Le homard est immédiatement identifiable par sa taille et par l'importance de ses pinces dont l'une, la gauche, est plus effilée que l'autre ; cette pince dotée de dents et de soies sensorielles sert généralement à capturer les mollusques. L'autre pince, plus grosse, dotée de dents irrégulières très dures lui permet de défoncer la coquille de sa victime. La femelle pond chaque année un grand nombre d'œufs

pouvaient mesurer 80 cm mais de nos jours, un homard de plus de 60 cm est déjà une rareté.

les elles viennent échouer à marée basse. Contrairement aux autres espèces, les crevettes grises ne changent pas de couleur à la cuisson. La pêche est parfois si fructueuse que l'on doit faire sécher le surplus et le transformer en poudre qui fournit une excellente nourriture, riche en protéines, pour le bétail.

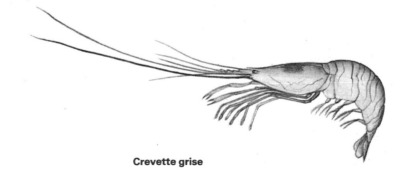

Crevette grise

Crabe commun
Carcinus maenas
On trouve le crabe commun pratiquement tout le long des côtes européennes, dans les eaux claires de la pleine mer comme dans les eaux polluées des ports. A marée basse, les crabes se cachent sous les rochers ou s'enterrent dans le sable. Ils se déplacent rapidement en avant et de côté. Le crabe qui vient à peine de muer frit dans l'huile est un met délicat.

Il est facile de distinguer une femelle d'un mâle en examinant leur abdomen. Celui du mâle est étroit et triangulaire tandis que celui de la femelle est large. Le second et le cinquième segment abdominal sont modifiés pour porter les œufs. Les larves ou zoés ne ressemblent absolument pas aux adultes ; elles possèdent une longue épine dorsale qui leur permet de flotter sur l'eau. Le second stade larvaire est caractérisé par l'apparition de grands yeux.

Bernard-l'ermite
Eupagurus bernhardus
Le bernard-l'ermite possède un corps mou asymétrique doté d'appendices d'un seul côté ; ses deux dernières paires de pattes locomotrices sont modifiées pour lui permettre de se fixer dans les coquilles abandonnées. Certaines espèces possèdent une paire de pinces modifiées qui leur servent pour fermer la coquille. Quand la coquille devient trop petite, le bernard-l'ermite déménage.

De nombreuses espèces de bernard-l'ermite transportent des anémones de mer sur leur coquille ; l'*Eupagurus bernhardus* se déplace avec des anémones *Calliactis parasitica* qui se nourrissent des restes de la nourriture du bernard-l'ermite et le protègent de ses ennemis. Il existe des relations du même type entre l'*Eupagurus prideuxi* et son anémone accompagnatrice.

Bernard-l'ermite

Les requins et les raies

Les requins et les raies appartiennent à un groupe de poissons au squelette cartilagineux et non osseux. Cependant leurs écailles sont constituées de tissus osseux, rugueux comme du papier de verre. Chez de nombreuses espèces, la peau est recouverte de petites dents pointues, constituées de dentine et d'émail tout à fait caractéristiques des poissons cartilagineux. Les dents terrifiantes du requin sont des dents épidermiques modifiées.

Nous savons tous à quoi ressemble un requin ou une raie même si parfois les requins ressemblent aux raies et vice versa. Cependant, il suffit d'examiner leurs branchies pour les identifier à coup sûr. Les branchies du requin s'ouvrent sur le côté, derrière la tête tandis que chez les raies elles s'ouvrent sous la nageoire pectorale.

Les requins et les raies sont des poissons très à la mode surtout depuis l'explosion d'un sport comme la plongée sous-marine. De nombreux livres de vulgarisation ainsi que des films (plutôt fantastiques, il faut bien le dire) nous ont amenés à faire plus ample connaissance avec eux.

Raie-manta *Manta birostris*
La raie-manta est une espèce de raie géante qui peut mesurer 7 m d'envergure et peser deux tonnes. Elle possède deux espèces de cornes mobiles sur la tête d'où le nom de diable de mer qu'on lui donne parfois. Comme toutes les autres raies, la raie-manta a un corps plat et une colonne vertébrale rigide. Elle se déplace à l'aide de ses nageoires pectorales qui ressemblent à des ailes ; quand elle nage, la raie-manta ressemble véritablement à un oiseau en vol. Elle vit en pleine mer, près de la surface de l'eau où elle trouve facilement des bancs de petits poissons et de crustacés dont elle se nourrit. Elle n'est absolument pas dangereuse, ni

pour l'homme ni pour les gros animaux. Elle se déplace la bouche ouverte, recueillant la nourriture directement dans la cavité branchiale.

La partie postérieure de la nageoire caudale est modifiée en organe de reproduction. La raie est vivipare et ne donne naissance qu'à un seul individu. L'œuf se développe à l'intérieur du corps de la mère. Le jeune poisson est rattaché aux ovaires de sa mère par la membrane vitelline à travers laquelle il se nourrit.

C'est à peu près tout ce que l'on sait de la raie-manta ; il est très difficile de l'étudier dans son élément naturel et encore plus difficile, vu sa taille, de la garder dans un océanarium.

Raie-manta

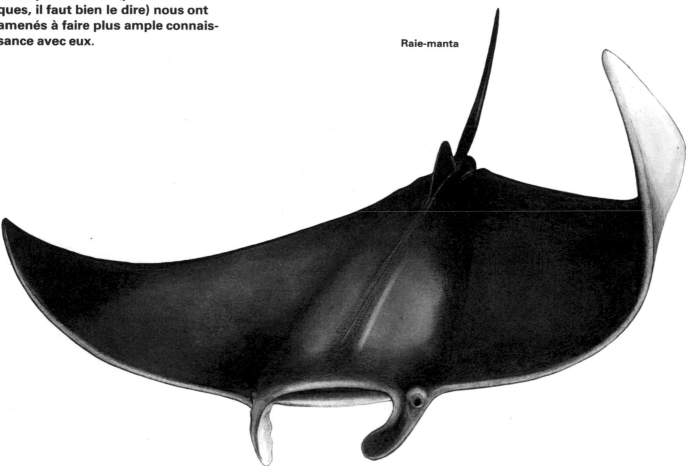

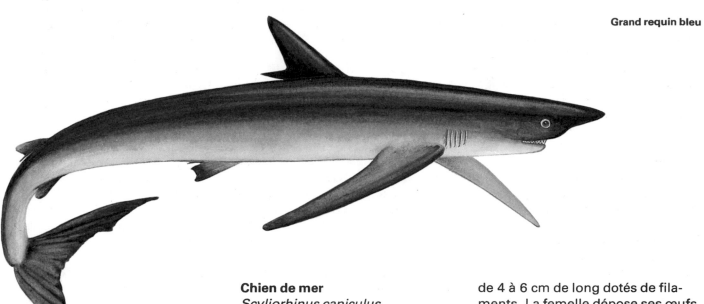

Grand requin bleu
Prionace glauca

Le grand requin bleu appartient à la
famille des requins mangeurs
d'hommes car il les attaque parfois,
de même qu'il attaque les mammifères marins tels les dauphins ; cependant les requins se nourrissent
habituellement de poissons et de
céphalopodes. La taille moyenne
d'un requin bleu est de trois mètres
de long, certains spécimens atteignent cependant six mètres. On le
trouve dans les mers des pays tropicaux, subtropicaux et tempérés. Il
est très fréquent de le rencontrer en
Méditerranée mais beaucoup
moins dans la mer du Nord. Il est
généralement autour des bancs de
harengs, de maquereaux et de
thons. Les pêcheurs ne le voient
pas d'un bon œil car il déchiquette
parfois leurs filets pour se procurer
de la nourriture sans faire d'effort.
Les requins bleus attaquent parfois
les baleiniers. Il n'est pas prouvé
qu'un requin s'en prenne à une baleine vivante mais pour ce qui est
des dauphins, la chose est sûre. Le
grand requin bleu vit en pleine mer
et ne s'approche guère des côtes.
C'est la raison pour laquelle il est
rare qu'il s'attaque à l'homme.

Chien de mer
Scyliorhinus caniculus

Le chien de mer est un petit squale
tacheté qui vit le long des côtes, du
Sénégal à la Norvège. C'est le squale le plus répandu en Méditerrannée et le plus facile à élever en
aquarium en raison de sa petite
taille : il dépasse rarement 1,5 m de
long. Son dos brun tacheté de noir
et son ventre plus clair indiquent
clairement qu'il vit sur le fond marin. Il chasse les crustacés, les mollusques et autres invertébrés marins ne dédaignant pas de temps en
temps les petits poissons. Les
chiens de mer sont ovipares. La femelle pond de 18 à 20 œufs enfermés séparément dans un long étui
de 4 à 6 cm de long dotés de filaments. La femelle dépose ses œufs
dans la végétation côtière où ils
s'accrochent avec leurs filaments.
Les jeunes chiens de mer naissent
au bout d'environ neuf mois. Le
développement de l'embryon a pu
être étudié très à fond car l'étui qui
renferme l'œuf est transparent. Un
chien de mer à peine né mesure de
9 à 10 cm de long et, contrairement
à ses parents, ses rayures sont horizontales.
On trouve très couramment le
chien de mer sur les marchés sous
le nom de « roussette », « anguille
de roche » ou « saumon de roche »,
sans doute pour allécher le client.

Les poissons que nous aimons

La pêche en mer prend chaque jour un peu plus d'importance du point de vue commercial et du point de vue nutritif. Dans de nombreux pays la pêche est un élément vital pour l'économie nationale et une source de nourriture non négligeable. Selon la FAO (organisation pour l'alimentation et l'agriculture) on pêche chaque année 50 millions de poissons et 4 millions d'autres animaux marins.

Thon *Thunnus obesus*
Morue de l'Atlantique
Gadus morhua
Le thon est un gros poisson qui peut peser jusqu'à 600 kg. La pêche au thon présente des difficultés car ces poissons, qui se déplacent en bancs, changent sans cesse de position. Comme ils nagent près de la surface de l'eau, on utilise des avions pour les repérer. On pêche le thon à la ligne et parfois au filet

La morue est le deuxième poisson du monde pour l'importance commerciale après le hareng. Elle vit dans les eaux peu profondes et fraîches, entre 40 et 250 mètres de profondeur à une température de 0° à 16° ; la température optimum se situe entre 2° et 7°. Si l'été est très chaud, le poisson ira plus au nord que prévu. Les morues n'émigrent qu'à partir de l'âge de trois ans. On les pêche au chalut ou à la ligne.

Flétan du Groenland
Hippoglossus hippoglossus
L'ordre des poissons plats comprend les flets, les flétans, les soles et les carrelets qui sont très frappants avec leurs deux yeux sur le même côté. Ils vivent sur le fond marin et nagent à l'aide de leurs nageoires dorsales et caudales. Le flétan est un poisson gras dont le foie contient 200 fois plus de vitamine A que celui de la morue. C'est un gros poisson qui peut atteindre plus de quatre mètres de long et peser plus de 300 kg. On en pêche chaque année de 20 000 à 50 000 tonnes. Commun dans tout l'Arctique, il est pêché en grande quantité sur les côtes de Norvège. Les bancs de flétans arrivent sur les côtes arctiques en mars et en avril, en Norvège en mai et en juin. On le pêche à la ligne et au chalut. En Amérique il est surtout très répandu sur la côte occidentale du Canada.

Histiophorus albicans
La mâchoire supérieure de l'histiophorus est allongée comme une lame d'épée semblable à celle de l'espadon. Il possède aussi une

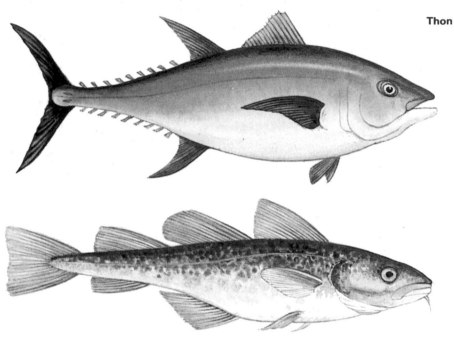

Thon

Morue de l'Atlantique

On pêche les poissons avec des filets qui sont soit des chaluts pour les espèces qui vivent sur le fond marin comme la morue soit des filets traînants pour les espèces qui vivent en surface comme le hareng.

avec des appâts de toutes sortes. Il faut être très fort pour le vaincre. Les Japonais ont mis au point un système qui envoie dans l'hameçon une décharge électrique qui assomme le poisson.

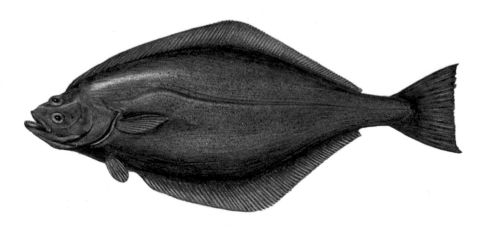

Flétan du Groenland

grande nageoire dorsale qui lui couvre pratiquement tout le dos. L'espadon comme l'histiophorus utilise la mâchoire en forme d'épée pour se défendre et pour attaquer. La pêche de l'histiophorus à la ligne est une pêche très sportive et très captivante ; il est aussi exploité commercialement, surtout par les Japonais.

Murène *Muraena helena*
En l'an 90 avant J.-C., les Romains élevaient dans leurs vivariums toutes sortes de poissons, et en particulier des murènes pour leur chair

posées dans les aquariums marins pour leur forme intéressante et pour leur réputation de poisson terrifiant. De plus, certaines espèces brillamment colorées produisent un bel effet dans l'aquarium. Certaines espèces asiatiques font l'objet d'une pêche systématique. On pêche environ 50 000 tonnes de murènes par an au large des côtes asiatiques dont plus de la moitié au Japon.

Sébaste *Sebastes marinus*
Les sébastes, jolis poissons de couleur rouge, vivent à une profondeur

de 200 à 300 mètres dans l'Atlantique Nord. Les sébastes sont vivipares. Ils fraient autour des îles Lofoten, au large des côtes de Norvège et au large des côtes de Terre-Neuve. Les femelles donnent naissance en automne à des larves de 5 à 8 mm de long qui passent à 5 cm en un an ; elles ne grandissent, par la suite, que d'un centimètre par an. On pêche généralement des sébastes qui pèsent environ 2 kg, ce qui signifie qu'elles ont à peu près 20 ans. On pêche environ 550 000 tonnes de sébastes par an.

savoureuse et délicate, qu'ils servaient lors des banquets.
La murène est un poisson carnivore qui se cache dans les rochers et dans les récifs de corail pendant le jour et qui chasse la nuit. Certaines espèces sont agressives et représentent un réel danger pour les plongeurs qui partent à la recherche de « trésors » dans les rochers sans protection.
Les murènes sont très souvent ex-

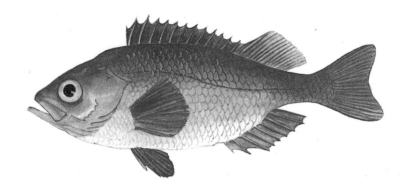

Des poissons de toutes formes

Le monde sous-marin est très vaste et il n'est pas étonnant qu'il soit varié. On dénombre 21 000 espèces de poissons de toutes formes, de toutes tailles, de toutes couleurs et de mœurs diverses. Le requin-baleine avec ses 20 m de long est le plus gros poisson du monde tandis que le gobie pygmée des Philippines qui mesure entre 7,5 et 11,5 cm est le plus petit poisson et le plus petit vertébré du monde. Certains poissons ont un

Hippocampe

Hippocampe
Hippocampus hippocampus
Avez-vous déjà vu un poisson avec une tête de cheval, une queue de singe, une poche comme les kangourous, des yeux de caméléon et la carapace d'un insecte? Un tel animal existe, c'est l'hippocampe. Il ressemble au cavalier du jeu d'échecs par la forme de sa tête et par son corps recouvert de plaques osseuses qui le font ressembler à une statuette en bois sculptée. L'hippocampe nage toujours en position verticale ; il ne possède qu'une petite nageoire dorsale et une nageoire pectorale qui lui permet de se déplacer. A plein rendement, elle se balance à droite et à gauche 35 fois à la seconde. La nageoire caudale est transformée en organe de préhension. L'hippocampe se nourrit de tout petits poissons et crustacés ; sa bouche est si petite qu'il ne pourrait en aucun cas saisir des proies plus grosses. Il se nourrit aussi en aspirant la nourriture par son groin allongé. Quand il part à la recherche de la nourriture, il se sert de ses yeux qui se meu-

vent indépendamment ; il peut, par exemple, regarder en l'air avec l'un et derrière lui avec l'autre. Il n'a pas seulement une apparence inhabituelle car son mode de reproduction l'est tout autant. Le mâle possède une large poche dont les parois sont constituées de tissus spongieux irrigués par des vaisseaux sanguins, et dans laquelle la femelle dépose ses œufs. Les petits, copies parfaites de leurs parents, sortent de la poche après quatre à cinq semaines. Le mâle a des contractions spasmodiques et éjecte ses petits un à un, montrant après chaque « naissance » des signes évidents de fatigue. Voilà une autre curiosité à ajouter à celles que nous venons de mentionner !

Poisson-papillon
Heniochus acuminatus
Les poissons tropicaux de la famille des chaetodontidés sont appelés poissons-papillons. Ils sont très joliment et très brillamment colorés et, pour cette raison, très souvent exposés dans les aquariums ma-

Poisson-papillon

corps fuselé bien adapté à la nage tandis que d'autres comme, par exemple, le flétan sont mieux adaptés à la vie sur le fond marin. On pourrait écrire des pages entières sur les poissons et leur progéniture. Certaines espèces leur accordent le plus grand soin, l'aidant à naître et transportant le frai dans leur bouche tandis que d'autres ne s'en soucient guère allant jusqu'à dévorer les petits à peine nés. Le cannibalisme le plus extraordinaire est représenté par certaines espèces de requins vivipares : les deux premiers nés dévorent tous les autres bébés requins qui sont encore dans le ventre de leur mère. Étudions à présent quelques poissons et leur mode de vie.

et de toutes tailles

Mérou américain

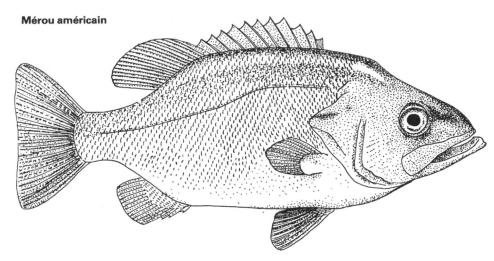

rins. Il en existe environ 150 espèces ; pour ne pas créer de confusion nous utiliserons leur nom scientifique. L'*Heniochus acuminatus* vit dans les récifs de coraux de la mer Rouge aux îles Hawaii. Suivant les régions, on l'appelle guimpe, banderole, poisson-corail ou papillon. Il appartient à l'espèce la plus consistante de toute la famille et la plus jolie. Généralement les poissons-papillons se déplacent deux par deux ou en petits bancs autour des récifs de corail. Pour se protéger, ils se réfugient dans les cavités des rochers d'où il est bien difficile de les faire sortir. On voit souvent de jeunes poissons-papillons se rassembler autour d'un gros poisson et lui mordiller tout le corps. Ils agissent comme les labres qui débarrassent des parasites le corps de certains poissons vivant dans les récifs.

Mérou américain
Polyprion americanus

La famille de la perche comprend des petits poissons qui mesurent à peine 4 cm de long ainsi que de gros poissons, d'eau douce et d'eau de mer. Les mérous et les perches marines qui peuvent atteindre deux mètres de long et peser plus de 60 kg sont les espèces les plus grosses. Elles ont une très mauvaise réputation auprès des plongeurs sous-marins car elles sont agressives. Elles ont une énorme bouche garnie de dents relativement petites. Elles se nourrissent de petits poissons et de crustacés, principalement de bernacles. Là où vivent les bernacles, près des épaves de navires, des morceaux de bois à la dérive, on trouve les perches marines.

Les mérous vivent dans les mers chaudes, principalement près des récifs de corail. On trouve le mérou américain dans les régions tropicales de l'Atlantique mais aussi en Méditerranée et de temps en temps le long des côtes de Norvège et de la mer du Nord.

Poisson-anémone
Amphiprion percula

Les récifs de corail des océans Indien et Pacifique sont habités par de petits poissons brillamment colorés qui se déplacent par saccades en se dandinant. Il en existe de nombreuses espèces qui toutes vivent en symbiose avec les anémones de mer. Le poisson-anémone évolue autour de l'anémone et se réfugie dans ses tentacules urticants dès qu'un danger le menace. L'anémone tue tous les poissons qui touchent ses tentacules sauf le poisson-anémone qui, pour plus de sûreté, est protégé par une couche de mucus. L'anémone naturellement tire, elle aussi, profit de cette association : le poisson lui fournit de petites particules de nourriture. Une seule anémone peut avoir plusieurs « pensionnaires » selon sa taille. En général, une grosse femelle et plusieurs petits poissons mâles gravitent autour d'une anémone.

Les poissons-anémones sont très fréquemment élevés dans les aquariums marins. Ils peuvent vivre sans anémone mais si on veut qu'ils prospèrent et qu'ils vivent plus longtemps, il leur faut absolument une anémone.

Poisson-anémone

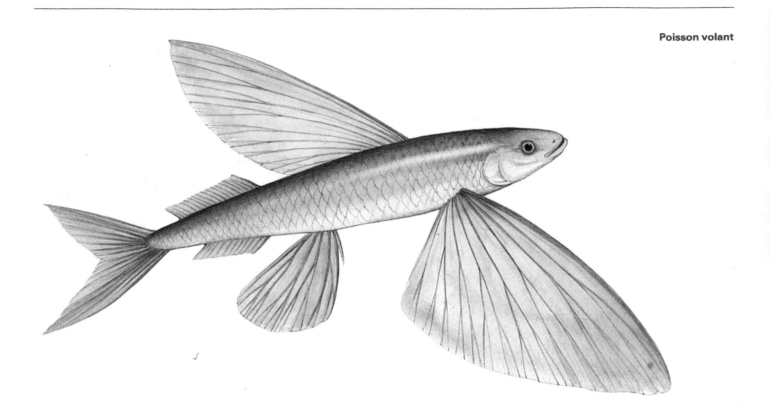

Poisson volant
Exocoetus volitans

Le poisson volant possède de longues nageoires pectorales caractéristiques, en forme d'ailes. Il ne vole pas vraiment ; il glisse sur l'eau, les nageoires déployées. Pour décoller, il prend de la vitesse juste au-dessous de la surface de l'eau avant de s'élancer dans les airs en déployant ses nageoires ; il peut ainsi couvrir 40 à 50 mètres environ à un mètre au-dessus de la surface de l'eau. S'il veut couvrir de plus grandes distances, il utilise sa nageoire caudale qui est asymétrique (le lobe inférieur est plus large que le lobe supérieur). Le lobe inférieur étant dans l'eau, le poisson volant l'agite rapidement (50 coups à la seconde) et reprend de la vitesse pour continuer sa course. Il peut atteindre 50 à 55 km à l'heure. Cette opération peut être répétée trois ou quatre fois ce qui lui permet de voler sur 200 mètres. Avec l'aide du vent, le poisson volant s'élève parfois de plus d'un mètre au-dessus de l'eau et il lui arrive de se poser sur le pont d'un navire.

Le poisson volant pond ses œufs dans les algues qui donnent naissance à de jeunes poissons avec des nageoires pectorales tout à fait normales. Quand ils atteignent 2 à 5 cm de long, les nageoires s'élargissent et ils agissent près de la surface de l'eau. Ce n'est que lorsqu'ils ont atteint 8 cm que leurs nageoires s'allongent et leur permettent de faire leurs premiers essais de vol.

Leuresthes tenuis

Petit poisson de 15 cm environ, remarquable pour son mode de reproduction. On ne le trouve que sur les côtes du sud de la Californie. Au moment du frai les poissons se rassemblent et forment des bancs de plusieurs milliers d'individus. Ils ne fraient que la nuit à marée haute entre mars et août. Quand la lune est pleine ou nouvelle, ils se laissent emporter sur les plages où ils pondent leurs œufs. La femelle s'enterre dans le sable jusqu'aux nageoires pectorales et dépose ses œufs qui sont immédiatement fécondés par les mâles. La marée ra-

Empereur rouge

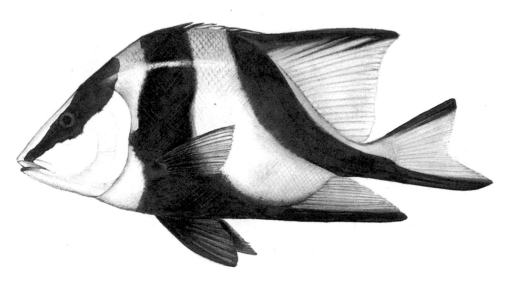

mène ensuite la femelle et le mâle dans leur habitat marin. Les œufs se développent dans le sable à une profondeur d'environ 5 cm jusqu'à la grande marée suivante, quinze jours plus tard, qui déclenche l'éclosion des œufs. Quand la mer se retire, elle emporte avec elle les jeunes poissons qui se développent rapidement ; il leur faut moins d'un an pour se reproduire à leur tour. Mais ils ne vivent que trois ou quatre ans maximum.

Empereur rouge
Lutianus sebae
Les lutianus forment un grand groupe de poissons carnivores de plus d'un mètre de long que l'on trouve dans toutes les mers tropicales où ils sont très recherchés par les amateurs de pêche sous-marine. Ils vivent généralement en bancs sur le fond marin où ils chassent de petits poissons et des crustacés. Certaines espèces vivent dans les lagunes ou dans les eaux saumâtres des mangroves. La famille des lutianus comprend des espèces jaunes, rouges ou rayées. Parfois les jeunes poissons changent de couleur en grandissant, comme par exemple l'empereur rouge : ses petits rayés noir et blanc deviennent rouge acajou. Les lutianus sont très faciles à élever en aquarium. C'est même l'un des rares poissons des récifs coralliens qu'un profane puisse mettre dans son aquarium marin.

Hérisson de mer
Diodon hystrix
Le corps du hérisson de mer est couvert de piquants comme celui du hérisson terrestre à qui il doit son nom. De plus il peut se gonfler comme un ballon. Il offre alors un spectacle comique : on dirait un ballon de football à tête de carlin et à queue de poisson. Le hérisson de mer possède un sac qu'il peut remplir d'eau ou d'air. Quand il monte à la surface, le sac est vide ; il le remplit quand il redescend pour s'alourdir. Dans ce cas, cependant, il ne change pas de forme. Ce n'est que lorsqu'il est attaqué qu'il le remplit jusqu'à ce qu'il devienne tout rond.

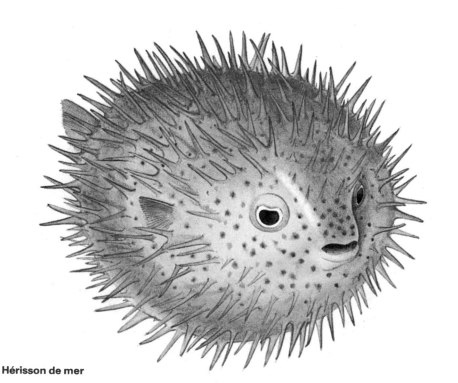

Hérisson de mer

Les poissons d'eau douce

Amie américaine

Nous n'avons parlé jusqu'à présent que des poissons de mer. Mais il en existe un grand nombre qui vivent dans les rivières, dans les étangs et dans les lacs. Et il ne faut pas oublier non plus ceux qui vivent en eau douce et en eau de mer à des périodes différentes de leur vie et qui sont très importants pour l'étude de l'évolution des poissons. On pense que les ancêtres des poissons osseux ont vécu en eau douce avant de coloniser la mer. Le saumon, par exemple, se reproduit en eau douce mais les jeunes poissons vont vivre dans la mer où ils grandissent avant de revenir dans les rivières pour se reproduire.
D'autres, au contraire, comme l'anguille de l'Atlantique Nord et le galaxia d'Australie et de Nouvelle-Zélande se reproduisent dans la mer et se développent en eau douce. Entre ces deux types de poissons on trouve les migrateurs partiels comme les flets qui se reproduisent dans la mer mais qui remontent souvent le cours des rivières pour se nourrir et les épinoches qui se reproduisent en eau douce mais qui passent souvent l'hiver dans les estuaires.

Étranges poissons américains

Arapaima *Arapaima gigas*
Les poissons d'eau douce sont généralement plus petits que les poissons de mer et atteignent rarement des dimensions gigantesques. L'arapaima d'Amérique du Sud est souvent considéré comme le plus gros de tous les poissons d'eau douce ; les Indiens prétendent qu'il peut atteindre quatre mètres et demi de long et peser 200 kg mais tous ceux qui ont été capturés ces dernières années n'ont jamais dépassé 210 cm et n'ont jamais pesé plus de 123 kg.
L'arapaima possède une vessie natatoire qui lui permet de respirer. Elle est composée de cellules qui ressemblent à des cellules pulmonaires et elle est reliée par un conduit spécial aux branchies. L'arapaima se nourrit principalement de poisson mais elle ne dédaigne pas les gastropodes, les crevettes, les plantes, les serpents, les tortues, les crabes, les grenouilles etc. Les jeunes arapaimas ne se nourrissent que de plancton. L'arapaima se reproduit en décembre et mai, période à laquelle il est très facile de distinguer le mâle de la femelle.

La femelle est de couleur brune tandis que le mâle a la tête noire et la queue rougeâtre. Chaque femelle pond 180 000 œufs qu'elle dépose dans différents trous creusés par le mâle sur le fond sablonneux. Les jeunes poissons qui mesurent environ 12 mm naissent cinq jours après la ponte ; ils sont noirs et se confondent avec le mâle auprès duquel ils se regroupent. La femelle elle aussi reste près du mâle et de ses petits pour les protéger. Dès qu'ils sont en mesure de se procurer leur nourriture, ils s'éloignent de leurs parents qui pourraient alors les dévorer.

Amie américaine *Amia calva*
Au Jurassique et au Crétacé vivait un ordre comprenant un grand nombre de poissons dont une seule espèce, celle des amies a survécu jusqu'à nos jours dans les lacs et les fleuves d'Amérique du Nord. L'amie vit en recluse dans la végétation aquatique et se retire dans les profondeurs en automne pour attendre le printemps. Dès que la température de l'eau dans les hauts-fonds atteint 16°, elle remon-

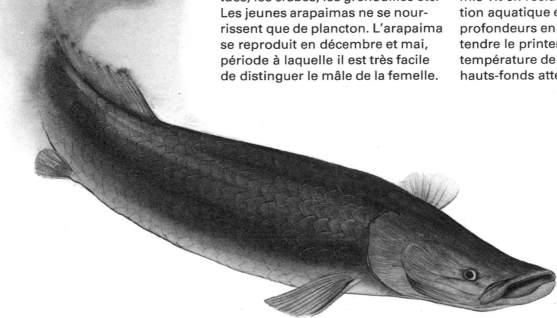

Arapaima

te se cacher dans la végétation en attendant que le mâle ait fini de préparer le nid. Les mâles construisent leur nid les uns à côté des autres dans des endroits abrités, protégés par un rocher ou par des racines d'arbres. Chaque mâle défend son nid contre les intrus. Quand une femelle s'approche, le mâle la prend délicatement par la tête et la porte dans son nid où elle pond ses œufs. Le mâle protège les œufs qui donnent naissance, huit à dix jours plus tard, à de petits poissons noirs qui restent rassem-

Poisson-pagaie
Polyodon spathula
Le poisson-pagaie vit dans le bassin du Mississippi et dans les Grands Lacs américains et doit son nom à son nez très développé et aplati. Il nage près de la surface la bouche grande ouverte dans les eaux riches en plancton. Il peut atteindre deux mètres de long et peser plus de 80 kg.
Autrefois, les indigènes du bassin du Mississippi pêchaient une grande quantité de poissons-pagaies pour sa chair et pour ses œufs dont

Lépidostée
Lepidosteus osseus
Le lépidostée est un poisson fossile tout comme le poisson-pagaie. Il appartient à un ordre qui fut à son apogée au Mésozoïque, il y a entre 70 et 220 millions d'années. Il ne reste aujourd'hui qu'une famille, comprenant sept espèces qui vivent dans les rivières d'Amérique du Nord et d'Amérique centrale, dont la plus prospère est celle des lépidostées d'Amérique du Nord. Le lépidostée vit pratiquement immobile dans la végétation

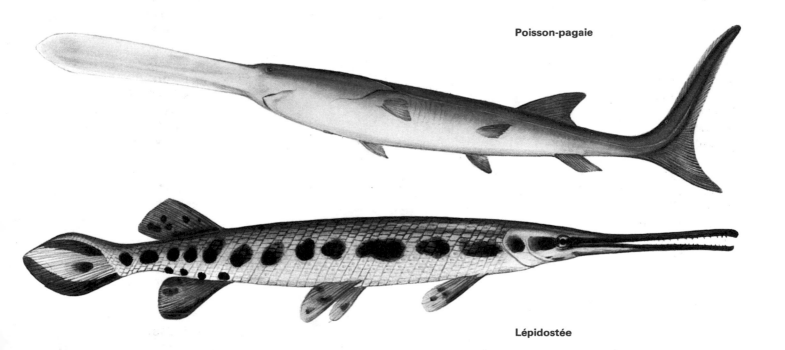

Poisson-pagaie

Lépidostée

blés autour du nid. Quand ils atteignent 9 mm de long, ils commencent à s'éloigner du nid mais ce n'est qu'environ neuf jours plus tard qu'ils quittent définitivement le nid en compagnie du mâle qui les protégera jusqu'à ce qu'ils soient capables de se nourrir de poissons.

ils faisaient une sorte de caviar. Mais aujourd'hui, le braconnage, la pêche intense, la pollution et la construction de barrages ont considérablement fait diminuer le nombre d'individus. Au nord du bassin du Mississippi, il est en voie d'extinction et dans les Grands Lacs il a déjà probablement disparu.

aquatique ; il se nourrit principalement de poisson qu'il attrape à l'aide de son long nez en forme de bec allongé. Il mange très peu et digère très lentement ; il lui faut 24 heures pour digérer une proie. Il se développe cependant très rapidement. Les larves qui naissent à la fin du printemps mesurent environ 7 mm et grandissent de 2,5 mm par jour, pour atteindre 20 cm à un an. Après quoi il ne grandit plus que de 2,5 cm par an, et cela jusqu'à ce qu'il ait atteint 1,50 m de long. Bougeant très peu, il peut utiliser toute son énergie pour se développer.

Les carnivores d'eau douce

Piranha *Serrasalmus piraya*
Les piranhas sont considérés comme les prédateurs les plus dangereux du royaume des poissons. Cependant des 18 espèces existantes, quatre seulement sont dangereuses pour l'homme, dans certaines circonstances bien précises. Le plus dangereux est le *Serrasalmus piraya* qui vit dans le São Francisco au Brésil. Avec ses 40 cm de long, c'est l'un des plus grands spécimens de cette espèce. Ses dents très pointues s'emboîtent parfaitement les unes dans les autres faisant des blessures terrifiantes. On

sont les mâles, surveillant les œufs à l'époque de la ponte, qui deviennent particulièrement agressifs. On dit que les piranhas sont attirés par l'odeur du sang mais il semblerait plus juste de dire qu'ils sont attirés par tout ce qui est insolite. Ce sont les seuls poissons qui chassent en bancs.
Dans le delta de l'Orinoco, les piranhas ont déterminé certaines coutumes des indigènes. A l'époque des inondations, qui durent plusieurs mois, ces derniers ne pouvant enterrer leurs morts dans la terre, les suspendent au-dessus

Piranha

parle de doigts coupés net et de morceaux de chair taillés comme au rasoir. Il est intéressant de remarquer qu'une même espèce peut être dangereuse dans certains endroits et tout à fait innoffensive dans d'autres. On pense que ce

de l'eau et les piranhas qu'ils appellent caribo (cannibales) dévorent la chair, ne laissant que le squelette que les indigènes font sécher, peignent et décorent avant de le déposer dans leurs cimetières bâtis sur pilotis.

Maskinongé ou **brochet américain**
Esox masquinongy
La pêche au brochet est pratiquée dans tout l'hémisphère nord (le brochet n'existe pas dans l'hémisphère sud). Les brochets vivent dans les eaux dormantes aussi bien que dans les eaux courantes. Les prés inondés et les fossés sont les endroits préférés du brochet pour la ponte. La femelle pond ses œufs sur les plantes ; une grosse femelle peut pondre jusqu'à un million d'œufs. Ces oeufs gluants se collent dans les plumes des oiseaux qui les transportent.
Il existe six espèces de brochet dont la plus grosse est celle du maskinongé de la région des Grands Lacs d'Amérique du Nord qui peut atteindre deux mètres de long et peser 50 kg. Le maskinongé décimé par la pêche est de plus en plus rare à trouver. Aujourd'hui on considère une bonne « prise » un poisson d'environ 20 kg ; le poids record enregistré au cours des dernières années est de 31,3 kg. Le maskinongé se pêche au vif et surtout en hiver.
Le brochet européen, *Esox lucius,* est plus petit que le maskinongé. Le record appartient aux Anglais avec un poisson de 25 kg, mais un brochet de 15 kg est aujourd'hui considéré comme une bonne prise. On trouve aussi le brochet européen dans les eaux saumâtres de la mer Baltique.

Maskinongé

Perche européenne

Perche européenne
Perca fluviatilis

La perche, le plus coloré de tous les poissons d'eau douce, vit en Europe et au nord de l'Asie. Elle vient bien dans les eaux calmes et tempérées mais il arrive qu'on la trouve dans les ruisseaux à truites où naturellement elle se développe plus lentement. Elle pèse généralement 500 g ; mais dans de bonnes conditions, il n'est pas rare de prendre des spécimens de 2 voire même de 4 kg. La grosseur dépend bien entendu de la nourriture disponible. Il est intéressant de noter que tant qu'elle n'a pas atteint 15 cm de long, la perche ne se nourrit que d'invertébrés. Ce n'est qu'en devenant plus grande qu'elle se nourrit de poissons y compris de ceux de son espèce.

Comme tous les poissons carnivores, la perche a une chair savoureuse, comparable à celle de la truite et du saumon. Il faut cependant prendre le soin de lui ôter la peau, pleine d'écailles rugueuses, avant de la cuisiner.

Perche verre
Stizostedion vitreum

On trouve la perche verre dans les eaux profondes et limpides, de la région des Grands Lacs et du Mississippi en Géorgie, dans l'Alabama du sud et en Pennsylvanie à l'est. Ce poisson a de très grands yeux transparents auxquels il doit son nom scientifique comme son nom usuel. Ses yeux donnent réellement l'impression d'être de verre. La perche verre est un poisson carnivore qui peut atteindre un mètre de long et peser 9 kg. Elle a une chair succulente sans petites arêtes.

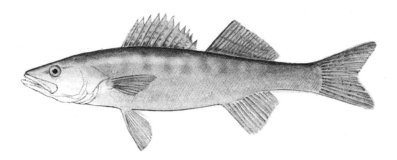

Graine de potiron
Lepomis gibbosus

On trouve les poissons-lunes dont l'exemplaire ici représenté s'appelle graine de potiron, dans la région des Grands Lacs au Texas et en Floride. Ils se déplacent généralement en bancs dans les eaux propres et froides au fond sablonneux. Ils se nourrissent de petits poissons, même s'ils sont de leur propre espèce et d'œufs, causant des ravages au moment de la ponte. C'est un poisson qu'on élève très bien en aquarium ; c'est ainsi qu'il fut introduit en Europe. Il s'est acclimaté et prospère dans son nouvel habitat. Il représente cependant une menace pour les jeunes poissons et n'est pas vu d'un bon œil par les pêcheurs.

Au moment de la ponte, le mâle prépare un nid dans le sable où la femelle pond ses œufs. Il les protège et accompagne les jeunes poissons pendant un certain temps après leur naissance.

Graine de potiron

Les saumons et les loups

Saumon atlantique
Salmo salar

Le saumon atlantique est peut-être le poisson le plus célèbre et le plus savoureux d'Europe et de l'est des États-Unis. Il représente l'exemple classique de poisson migrateur. Après avoir grandi dans la mer, les adultes remontent les rivières pour aller pondre à l'endroit où ils sont nés. Avant d'entreprendre ce long voyage, ils pèsent de 8 à 13 kg et mesurent environ 110 cm de long. La présence de graisse dans les tissus donne une belle couleur rose à sa chair. Pour retrouver leur frayère, les saumons surmontent toutes sortes d'obstacles ; certaines chutes d'eau sont envahies par les touristes à l'époque de la reproduction. Les saumons se reproduisent près des sources des rivières. Après quoi le mâle et parfois la femelle meurt. Les jeunes saumons vivent dans les rivières de deux à cinq ans avant de retourner à la mer pour continuer leur croissance qui dans de bonnes conditions peut être de 1 kg par mois.

Truite arc-en-ciel

Truite arc-en-ciel
Salmo gairdneri

La truite arc-en-ciel a été introduite dans le monde entier et s'est fort bien acclimatée. Elle est originaire de l'ouest des États-Unis où l'on trouve maintenant des truites résidentes et des truites migratrices. La popularité de la truite arc-en-ciel et son expansion s'expliquent facilement : elle résiste très bien à la pollution de l'eau et supporte tous les climats. De plus elle grossit rapidement ; en deux ans, la truite arc-en-ciel grandit de 25 cm tandis qu'il faut trois ans à la truite brune pour atteindre la même longueur. Et enfin, contrairement à la truite brune, elle n'est pas difficile et mord à l'appât naturel et artificiel toute l'année, ce qui n'est pas pour déplaire aux pêcheurs.

Ombre *Thymallus thymallus*

L'ombre, comme tous les poissons de la famille du saumon, possède une petite nageoire adipeuse qui se trouve juste devant la queue. A part cette particularité, l'ombre, avec ses grosses écailles et sa longue nageoire dorsale, est complètement différent du saumon. Il vit dans les eaux vives et aérées d'Europe mais à plus basse altitude que les truites. Il se nourrit de larves d'insectes qu'il trouve sur le fond et d'insectes qu'il vient chercher à la surface où les pêcheurs expérimentés peuvent espérer le prendre. Il doit son nom scientifique à sa chair succulente au parfum de thym.

Ombre

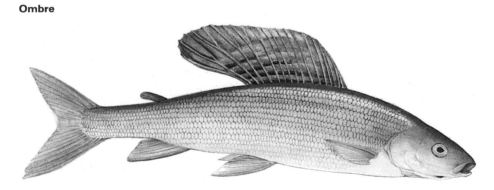

Ictalurus nebulosus

L'*Ictalurus nebulosus* qui est originaire d'Amérique du Nord fut introduit en Europe à la fin du dix-neuvième siècle pour donner un sang nouveau à l'élevage des poissons européens. On peut dire aujourd'hui que sur le plan commercial, ce fut un échec. L'ictalurus vit moins longtemps et ne se développe pas aussi bien en Europe que dans son habitat naturel. Sur le plan de l'acclimatation, cependant, la réussite est totale. L'ictalurus vit caché sur le fond des rivières, ne sortant que la nuit pour chasser. Les pêcheurs ne le recherchent pas particulièrement car il avale généralement l'appât rendant difficile la récupération de l'hameçon.

Au moment de la ponte, le mâle prépare un coin propre sur le fond sablonneux où la femelle pond ses œufs. C'est le mâle qui les surveille jusqu'à leur éclosion et qui accompagne les jeunes poissons jusqu'à ce qu'ils soient en mesure de se débrouiller tout seuls.

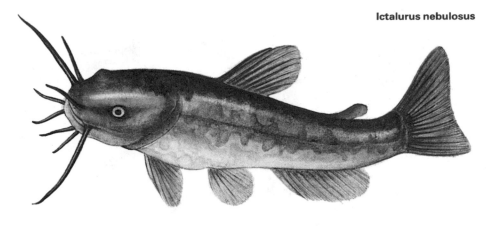

Ictalurus nebulosus

Poisson-chat à l'envers
Synodontis nigriventris
Certaines espèces de poissons-chats au dos très incurvé et au ventre presque plat, possédant trois paires de barbillons plumeux autour de la bouche et un corps lisse sans écailles, vivent en Afrique, au sud du Sahara.

Poisson-chat à l'envers

Silure glane

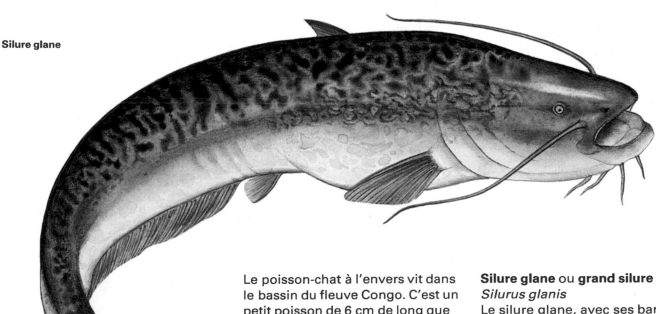

Le poisson-chat à l'envers vit dans le bassin du fleuve Congo. C'est un petit poisson de 6 cm de long que l'on élève très facilement en aquarium ; il est très connu pour son habitude de nager sur le dos. Son dos et ses flancs sont gris pâle ou crème tachetés de noir tandis que son ventre est noir, à l'inverse des autres poissons. Il se déplace généralement en bancs près de la surface de l'eau.

Silure glane ou grand silure
Silurus glanis
Le silure glane, avec ses barbillons autour de la bouche et sa peau lisse pratiquement sans arêtes, est un représentant caractéristique de la famille des poissons-chats. C'est un gros poisson qui peut peser entre 30 et 50 kg (dans des cas tout à fait exceptionnels, 300 kg). Il vit à l'abri de la lumière dans les eaux profondes des montagnes d'Europe centrale et d'Europe de l'Est.

Les carpes et leurs alliés

Carpe commune
Cyprinus carpio
La carpe actuelle descend probablement de la carpe sauvage du Danube qui existait déjà au Néolithique. On ne sait pas avec précision quand elle fut domestiquée. On pense que les Romains qui la rapportèrent de Pannonie furent les premiers à en faire l'élevage. Par la suite, l'établissement du christianisme contribua à son développement : les jours maigres on mangeait de la carpe. Chaque monastère possédait son élevage de carpes qui devait fournir à manger pour plus de cent jours maigres par an. La Chine fut, elle aussi, trois siècles avant Jésus-Christ, un centre de domestication de la carpe. De là, la carpe se répandit dans le monde entier. Il faut noter, que la carpe n'est pas du tout appréciée aux États-Unis où elle est même exterminée.
Au cours des siècles les éleveurs ont réussi des croisements et obtenu plusieurs types de carpe, dont les plus répandus sont la carpe à miroir à larges écailles métalliques et la carpe à peau lisse. Les carpes que l'on trouve sur les marchés sont généralement des carpes de trois ans qui pèsent de 1 à 2 kg. Israël est le premier producteur mondial.

Poisson amer
Rhodeus sericeus
Le poisson amer est un petit poisson coloré que l'on trouve presque partout en Europe. Son nom, dans toutes les langues, indique qu'il a un goût amer et déplaisant. Il figure cependant dans tous les manuels de zoologie pour son mode de reproduction inhabituel, dépendant de la moule d'étang.
La femelle dépose ses œufs dans la cavité du manteau de la moule tandis que le mâle libère sa laitance

sur l'orifice qui conduit à la cavité, fécondant ainsi les œufs. Les petits poissons restent dans la moule environ 14 jours jusqu'à épuisement de la membrane vitelline, après quoi ils sortent de la moule et se débrouillent seuls. Les poissons amers se reproduisent généralement deux fois par an, d'abord en mars ou en avril, puis en août. Les poissons adultes sont parmi les hôtes temporaires des larves de moules qui vivent en parasites sur leur branchies ou sur leur peau.

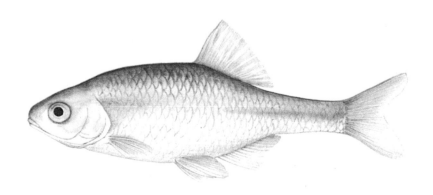

Tanche *Tinca tinca*

La tanche vit dans les bras de décharge des rivières, riches en végétation aquatique. C'est un très joli poisson aux écailles très petites et fines recouvertes d'un mucus visqueux. Certains lui ôtent la peau avant de la cuisiner, mais ce n'est pas nécessaire car les écailles se ramollissent à la cuisson et ne gâchent en rien sa chair délicieuse. Dans certains pays la tanche est préférée à la carpe et n'est battue que de peu par la truite arc-en-ciel. On élève généralement la tanche avec les carpes. Contrairement à ces dernières, elle se nourrit aussi de mollusques et si bien que ces deux poissons peuvent très bien vivre ensemble sans se gêner. La tanche se reproduit plus tard que la carpe, en juin ou en juillet. Les jeunes poissons se développent lentement mais ce n'est pas un handicap car les restaurants n'achètent que les petites tanches jusqu'à 20 cm de long, portion normale pour une personne.

La tanche a été introduite avec succès en Afrique du Sud, en Nouvelle-Zélande et à Java. Le pêche à la tanche n'est pas facile mais les pêcheurs s'y adonnent avec grand plaisir.

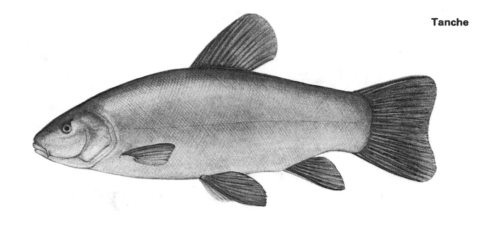

Tanche

Vairon

Vairon *Phoxinus phoxinus*

Le vairon est un petit poisson d'environ 6 cm de long très coloré qui vit en Europe dans les eaux claires, fraîches et aérées des rivières. Les vairons vivent en bancs très mobiles ; ils vont du fond à la surface de l'eau continuellement, se séparant dès qu'ils sont inquiétés et se regroupant dès que le danger est passé. La vue des vairons met les pêcheurs de truites en joie car là où il y a des vairons on peut s'attendre à prendre de grosses truites dont c'est la nourriture préférée.

Brème *Abramis brama*

Son corps très comprimé latéralement et sa bouche extensible indiquent que la brème vit au fond des rivières où elle cherche sa nourriture dans la vase. Les brèmes vivent en bancs ; vers mai ou juin, elles gagnent les eaux peu profondes pour se reproduire. La femelle peut pondre jusqu'à 300 000 œufs qu'elle dépose sur les plantes aquatiques. Les jeunes poissons restent un certain temps dans les eaux peu profondes avant de regagner le fond de la rivière pour chercher leur nourriture. La surpopulation en brèmes de certains milieux entraîne la naissance d'individus nains ou d'individus qui se développent mal.

Brème

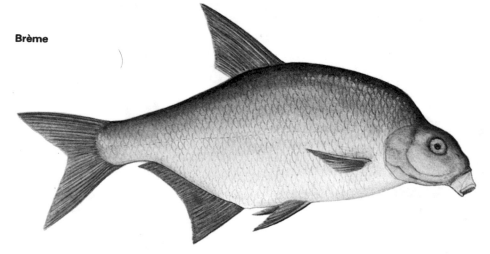

Les curiosités du monde des poissons

Gymnote

Gymnote
Electrophorus electricus
De nombreuses espèces de poissons produisent des décharges électriques comme le gymnote, poisson d'eau douce d'Amérique du Sud. Il possède un corps allongé comme celui d'une anguille, composé de 5000 à 6000 segments assemblés comme les éléments d'une batterie électrique. L'organe électrique est divisé en trois batteries, deux petites et une grosse. Quand le gymnote se déplace, une des petites batteries qui se trouvent dans la queue produit des décharges électriques toutes les 20 à 50 secondes. Ces décharges permettent la circulation dans les eaux obscures. La seconde petite batterie fournit de l'énergie à la grosse qui produit une série de trois à six ondes électriques qui durent chacune cinq millièmes de seconde. Ces ondes peuvent étourdir ou tuer la victime du gymnote. Un adulte d'environ deux mètres produit des décharges de 600 volts capables d'assommer un cheval. Un homme survivrait à une décharge isolée mais pas à une suite de décharges.

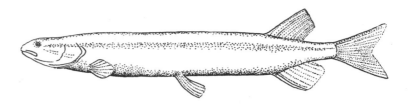

Poisson éléphant ubangi
Gnathonemus petersi
Les poissons éléphants sont également capables de produire des décharges électriques. L'organe électrique est très complexe mais les décharges sont très faibles et ne tuent pas. Elles l'orientent et favorisent la localisation des proies éventuelles. Le poisson éléphant a deux paires d'organes électriques, l'une sur le dos et l'autre sous le ventre, séparées par un tissu isolant.
Le poisson éléphant possède aussi un long appendice charnu sur la mâchoire inférieure qui lui permet de fouiller le fond de l'eau pour y trouver sa nourriture. Le mot *ubangi* est un mot africain. Il désigne les femmes de certaines tribus qui élargissent artificiellement leur lèvre inférieure.

Galaxia australien

Galaxia australien
Galaxias attenuatus
On ne trouve les galaxias que dans les rivières et près des côtes d'Afrique du Sud, d'Amérique du Sud, d'Australie et de Nouvelle-Zélande. Cette ségrégation pourrait être le résultat de la dérive des continents. Les galaxias comprennent des espèces qui, comme l'anguille de l'Atlantique, se reproduisent dans la mer mais vivent la plus grande partie de leur vie dans les eaux douces. Le galaxia australien que l'on trouve en Nouvelle-Zélande, au Chili et en Australie se reproduit en eau douce et vit dans la mer.

Poisson éléphant ubangi

Poisson-papillon

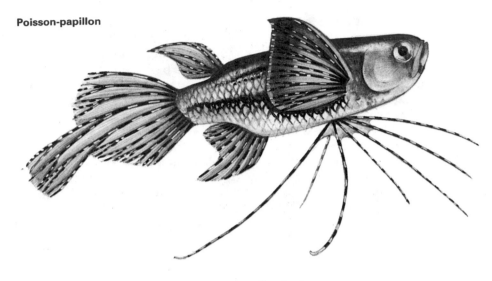

Gambusie

Poisson-papillon
Pantodon buchholzi
Le poisson-papillon vit dans les
bassins du fleuve Congo et du fleuve Niger ainsi que dans les eaux
tranquilles et les bras morts des
cours d'eau où la végétation est
très dense. Il chasse les insectes au
ras de l'eau, les nageoires pectorales déployées comme des ailes. Ces
nageoires lui font faire des bonds
qui peuvent atteindre deux mètres,
quand l'occasion s'en présente.
Pour cette raison, on l'appelle parfois le poisson volant d'eau douce.
Le poisson-papillon ne peut pas
replier ses nageoires le long de son
corps comme tous les autres poissons mais il peut les mouvoir du
haut vers le bas comme des ailes.
Le poisson-papillon passe toute sa
vie près de la surface de l'eau ; même ses œufs flottent sur l'eau et les
petits poissons à peine nés se nourrissent de minuscules insectes qui
tombent sur la surface de l'eau.

Gambusie *Gambusia affinis*
La gambusie est un petit poisson
vivipare et carnassier qui vit dans le
sud des États-Unis, de l'est du Texas à l'Alabama. La gambusie est
un poisson vigoureux qui supporte
aussi bien les basses températures
(3 ou 4°) que les hautes températures (30°) ainsi que tous les types
d'eau. C'est ainsi que l'homme
a pu l'acclimater dans les régions
infestées par les moustiques qui
transmettent la malaria ; la gambusie est l'ennemi juré de leurs larves.
Malheureusement, elle se nourrit
aussi d'œufs et de jeunes poissons
d'autres espèces. Dans certaines
régions elle a même été la cause de
la disparition d'espèces entières.

Dipneuste australien
Neoceratodus forsteri
Le dipneuste est un poisson primitif
dont les ancêtres vivaient déjà il
y a 350 millions d'années. On trouve des dipneustes en Amérique du
Sud, en Afrique et en Australie. Le
dipneuste australien est certainement le plus intéressant de toutes
les espèces connues. Il respire par
ses branchies et par une vessie natatoire spéciale ressemblant à un
poumon par laquelle il absorbe l'o-
xygène de l'air. Le dipneuste australien possède des nageoires totalement différentes de celles des
autres poissons ; elles sont cartila-
gineuses et leurs rayons ne sont
pas en éventail mais répartis de
chaque côté d'un axe central. Le
dipneuste australien peut même
marcher avec ces nageoires spéciales. Il vit dans les eaux vaseuses du
Bennet et de la Mary dans le
Queensland. Grâce à sa vessie natatoire, il peut survivre durant les
mois d'été dans les eaux pauvres
en oxygène. Bien que les dipneustes ne soient pas les ancêtres di-
rects des amphibiens, ils représentent une étape importante dans l'é-
volution du monde animal. La distribution des dipneustes, comme
celles des galaxias, dépend directement de la dérive des continents.

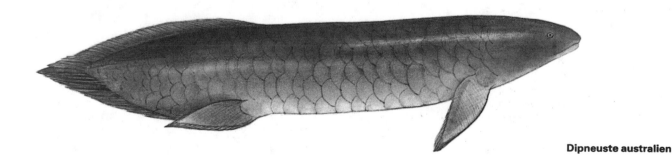

Dipneuste australien

Les amphibiens

Les amphibiens actuels sont les survivants d'un vaste groupe d'animaux autrefois largement répandu sur toute la surface de la terre. On peut diviser les amphibiens en trois groupes qui, apparemment, se sont développés indépendamment les uns des autres : le premier est représenté par les tritons et les salamandres qui possèdent un corps allongé, une longue queue et deux paires de pattes courtes ; le deuxième par les grenouilles qui n'ont pas de queue et dont les pattes de derrière sont plus longues que les pattes de devant ; le troisième groupe enfin comprend les cécilies qui n'ont pas de pattes et qui ressemblent à des vers. Tous les amphibiens ont une peau lisse qui joue un rôle important dans la respiration. A l'exception des cécilies, les amphibiens connaissent une phase larvaire au cours de laquelle ils respirent par leurs branchies et vivent dans l'eau et une phase

Salamandre maculée

adulte au cours de laquelle ils respirent grâce à leurs poumons et à leur peau. Chez certaines espèces, cette dernière suffit amplement aux besoins de l'animal si bien que leurs poumons sont très peu développés.

Cécilies et salamandres

Avec leur corps segmenté sans pattes, les cécilies ressemblent plus à des vers qu'à des amphibiens ; leurs yeux, s'ils en ont, sont tout petits et ne servent plus à voir car ils passent toute leur vie sous terre. La cécilie la plus grande mesure plus d'un mètre de long et la plus petite, un peu plus de 10 cm. Les cécilies n'ayant pas de queue, l'orifice anal se trouve à l'extrémité du corps.
Les salamandres appartiennent

à un autre groupe d'amphibiens à corps long. Mais contrairement aux cécilies, elles possèdent une queue et des pattes. Il existe des espèces aquatiques et des espèces terrestres. Chez certaines espèces, les deux sexes sont identiques tandis que chez d'autres ils se différencient, surtout chez les espèces aquatiques ; à l'époque de la reproduction, le mâle s'embellit d'une nageoire sur le dos. Les larves de salamandres respirent par des branchies.

Cécilie

Cécilie *Siphonops annulatus*
Les cécilies vivent dans les régions tropicales et subtropicales. En Amérique on les trouve du Mexique au nord de l'Argentine et sur l'Ancien Continent, en Asie du Sud-Est et dans certaines régions d'Afri-

que. Elles ne montent à la surface que lorsque des pluies diluviennes inondent le sol où elles vivent. Il n'est donc pas étonnant que l'on sache peu de choses sur leur mode de vie. Les mâles et les femelles sont semblables. Le mâle possède un organe reproducteur si bien que, contrairement aux autres amphibiens, la fécondation est interne. La femelle pond un petit nombre d'œufs relativement gros qu'elle protège jusqu'à leur éclosion. Les larves qui sortent de l'œuf ne res-

semblent que très peu aux adultes ; ils ont des yeux normalement développés, la tête d'une salamandre et des branchies internes qui s'ouvrent sur l'extérieur de chaque côté de la tête. Ils possèdent aussi une queue qui leur permet de nager car les larves à peine nées entrent immédiatement dans l'eau. Vers la fin du stade larvaire, la queue disparaît, les branchies se ferment et les jeunes cécilies commencent à respirer par leurs poumons. Elles sortent alors de l'eau pour passer le reste de leur vie enfouies sous terre. Il existe cependant des espèces de cécilies qui vivent en permanence dans l'eau. Vivant sous terre, les cécilies n'ont pas besoin d'yeux ; ils sont remplacés par des tentacules sensoriels.

Axolotl

branchies très développées et des poumons ; dans les eaux peu oxygénée, elle monte à la surface pour respirer.

Triton alpin
Triturus alpestris
Les tritons se différencient des salamandres par leur queue comprimée. Ils passent la plus grande partie de leur vie sur terre, ne retournant dans l'eau que pour se reproduire. Les mâles s'embellissent alors d'une nageoire dorsale brillamment colorée. Le triton alpin d'Europe centrale et d'Europe occidentale entre dans l'eau dès avril et n'en sort pas avant août. On ne le voit que très rarement car il vit sous les pierres, sous les souches d'arbres ou dans tout autre endroit humide, parfois même assez loin de l'eau.

Salamandre feu

Salamandre maculée
Necturus maculosus
On trouve la salamandre maculée, autre exemple de néoténie, du sud du Canada au golf du Mexique. C'est un animal nocturne qui passe ses journées sous les pierres ou enfoui dans la vase. La salamandre maculée se nourrit de vers, de larves d'insectes, d'écrevisses et de petits poissons. Avant de s'endormir pour l'hiver, elle s'accouple ; mais la femelle ne pondra ses œufs, dont le nombre varie de 18 à 800, qu'au printemps.

Axolotl
Ambystoma mexicanum
On appelle néoténie la faculté qu'ont certains animaux de se reproduire durant le stade larvaire, comme par exemple l'axolotl. On ne le trouve à l'état sauvage que dans le lac Xochimilco près de la capitale du Mexique. Il a la particularité de ne devenir adulte que dans certaines conditions ; en laboratoire, on réussit parfois à obtenir des adultes en nourrissant les larves d'hormones sécrétées par la glande pituitaire. La larve possède des

Salamandre feu
Salamandra salamandra
La salamandre feu est un amphibien européen très coloré. Les espèces d'Europe orientale sont noir brillant à taches irrégulières jaune-orange tandis que celles d'Europe

Salamandre géante

75

occidentale ont des taches jaunes disposées en bandes longitudinales. La salamandre est un animal nocturne qui ne sort le jour que par temps pluvieux. Les salamandres s'accouplent sur terre ; la femelle donne naissance dans l'eau à des larves vivantes, sans pondre d'œufs.

Salamandre géante
Megalobatrachus japonicus
La salamandre géante, avec ses 150 cm de long, est la plus grande de toutes les salamandres du monde. Elle vit dans les rivières de montagne du Japon. En août et en septembre, la femelle pond ses œufs dans des trous creusés sur le fond de l'eau ; une seule femelle pond environ 500 œufs que le mâle féconde et surveille. Après huit à dix semaines, ils donnent naissance à des larves qui flottent sur l'eau. Quand elles ont atteint 20 à 25 cm de long, elles perdent leurs branchies externes et vont vivre au fond de l'eau. Il faut environ sept ans à la salamandre géante pour atteindre sa taille définitive. Elle vit très longtemps, en captivité plus de 60 ans et il n'y a pas de raison pour qu'il n'en soit pas de même à l'état sauvage.

Grenouilles et crapauds

Les grenouilles et les crapauds sont les amphibiens les plus développés. Ce groupe comprend plus de mille espèces qui ont toutes une structure corporelle semblable. Les grenouilles et les crapauds sont les amphibiens les mieux adaptés à la vie terrestre ; seules quelques rares espèces passent toute leur vie dans l'eau. La majeure partie vit sur terre dans des endroits humides, sauf à l'époque de la reproduction. On trouve des grenouilles pratiquement partout, sauf dans la mer. Certaines espèces vivent dans les arbres, et d'autres en permanence sur terre ou dans les termitières. La peau des grenouilles sécrète un liquide qui irrite l'intérieur de la bouche, protégeant l'animal de ses éventuels ennemis ; ce liquide est encore plus efficace s'il pénètre dans le sang de la victime car il est alors mortel.

Rainette commune
Hyla arborea
La rainette possède à l'extrémité de ses doigts des coussinets adhésifs qui lui permettent de grimper dans les arbres. La presque totalité des rainettes vit dans les pays tropicaux ; seule la rainette européenne vit dans les régions tempérées de l'Ancien Monde. A l'époque de la reproduction, au printemps, elles se réunissent près d'un point d'eau ; c'est alors que l'on peut entendre les mâles coasser, surtout le soir. Les rainettes pondent leurs œufs dans l'eau. Les têtards aux reflets dorés se métamorphosent en grenouilles au bout de deux mois environ.

Rainette commune

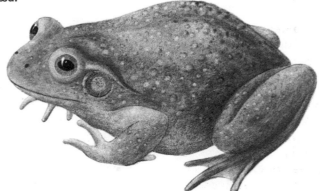

Crapaud vert
Bufo viridis

Pour beaucoup, le mot crapaud est synonyme de laideur. Mais regardez de près par exemple un crapaud commun et vous vous apercevrez qu'il a de magnifiques yeux dorés. Quant au crapaud vert, c'est sans exagération l'amphibien qui possède la plus belle couleur.

Grenouille bœuf
Rana catesbeiana

La grenouille bœuf, qui peut mesurer jusqu'à 20 cm, est la plus grande de toutes les grenouilles nord-américaines. Elle vit dans les mares, les marais et les rivières lentes, rarement hors de l'eau. Elle se nourrit d'insectes, de larves d'insectes, de vers, d'araignées, de crustacés et de mollusques ; mais elle peut aussi prendre de plus grosses proies : on a même retrouvé dans un estomac de grenouille bœuf, d'autres grenouilles, des petites tortues, de jeunes alligators et des serpents venimeux tel que le serpent corail.

La grenouille bœuf possède une voix forte et puissante qui lui a d'ailleurs valu son nom usuel. Elle coasse trois ou quatre fois de suite puis s'arrête pendant environ cinq minutes avant de reprendre son « chant ». La femelle pond jusqu'à 25 000 œufs qui flottent sur l'eau et qui donnent naissance après une semaine à des têtards dont la croissance est très lente ; il faut parfois deux ans à un têtard pour se transformer en grenouille adulte.

Crapaud vert

Crapaud à ventre roux
Bombina bombina

Cette famille de crapauds comprend quatre espèces que l'on ne trouve que sur l'Ancien Continent. A première vue, c'est un petit crapaud insignifiant au dos gris ou gris-vert. Mais dès qu'il est inquiété, il fait voir son ventre orange vif : il relève la tête, cambre le dos et tend ses pattes antérieures vers l'avant ; il se retourne même parfois rapidement sur le dos pour effrayer son ennemi. En même temps, sa peau sécrète un liquide blanchâtre venimeux.

Au printemps, les crapauds à ventre roux quittent leurs quartiers d'hiver pour se réunir au bord de l'eau et se reproduire en été. Leur coassement doux et mélodieux emplit la nature sans qu'on sache exactement d'où il vient.

On trouve le crapaud vert de l'Afrique du Nord à l'Asie centrale en passant par l'Europe continentale. Il vit aussi bien dans l'eau que sur la terre ferme et sèche des steppes. A l'époque de la reproduction, qui a lieu au printemps, les crapauds verts se réunissent près de l'eau où les femelles pondent leurs œufs ; une seule femelle peut en pondre plusieurs milliers. Le crapaud vert reste parfois dans l'eau plus d'un mois, beaucoup plus longtemps que les autres crapauds ; c'est alors que l'on peut entendre les sons mélodieux émis par le mâle qui coasse.

Le crapaud vert, qui chasse la nuit, se nourrit d'insectes, de vers et de limaçons. Il ne prend que des animaux en mouvement car ses yeux n'enregistrent que les objets qui bougent. Il avale les petits animaux tout entiers et s'aide, pour les plus gros, de ses pattes de devant pour les introduire dans sa large bouche.

Crapaud à ventre roux

Le monde des reptiles

Les reptiles d'aujourd'hui ne représentent qu'une petite partie de ce qui fut autrefois un grand groupe très diversifié. Les reptiles apparurent au Carbonifère, il y a 200 à 250 millions d'années et prospérèrent pendant environ 150 millions d'années avant d'être remplacés par les oiseaux et les mammifères. Il ne reste aujourd'hui que quatre ordres de reptiles.
Le premier ordre est représenté par

Tuatara

une seule espèce, celle des tuataras, le second par les tortues marines et les tortues terrestres, le troisième par les crocodiles et les alligators et le quatrième par les lézards et les serpents. Beaucoup d'entre vous seront certainement surpris d'apprendre que les lézards et les serpents appartiennent au même ordre et au seul groupe de reptiles à son apogée aujourd'hui.

Tuatara
Sphenodon punctatus
Le tuatara de Nouvelle-Zélande est le seul survivant de l'ordre des rhynchocéphales, reptiles ressemblant aux lézards qui prospérèrent à l'époque triasique et au Jurassique, il y a environ 170 millions d'années. A première vue, le tuatara ressemble à un gros lézard mais la structure interne de son corps est différente et très intéressante : les vertèbres de la colonne vertébrale sont creuses aux extrémités ; ses côtes sont dotées de crochets sur lesquels les muscles sont fixés et il possède un troisième œil, sur le sommet de la tête qui comprend une lentille, une rétine mais qui n'a pas d'iris. On trouve des traces d'un

œil semblable chez d'autres reptiles mais on ne sait pas quelle peut être sa fonction. Le tuatara respire toutes les sept secondes mais au repos il ne respire plus qu'une fois par heure. Il s'accouple en janvier mais la femelle ne pond qu'en octobre ou décembre et les jeunes tuataras ne naissent que douze à quinze mois plus tard.
Autrefois le tuatara était très répandu dans toute la Nouvelle-Zélande mais aujourd'hui on ne le trouve que sur quelques îles rocheuses le long des côtes nord-est de l'île du Nord et dans le détroit de Cook, entre l'île du Nord et l'île du Sud. Depuis plusieurs années déjà, le nombre de tuataras augmente grâce aux lois strictes émises par le gouvernement néo-zélandais pour la protection de l'espèce. Le tuatara n'est actif que la nuit ; dans la journée on peut le voir paresser au soleil devant son terrier qu'il ne creuse généralement pas lui-même, préférant occuper celui des puffins, si bien qu'il n'est pas rare qu'ils cohabitent.

Alligator du Mississippi
Alligator mississippiensis
Les alligators, les crocodiles, les caïmans et les gavials appartiennent à un groupe de reptiles très anciens qui comprenaient autrefois les dinosaures. Les caïmans et les alligators se différencient des crocodiles par les dents. Chez les crocodiles, les dents de la mâchoire supérieure s'encastrent dans celles de la mâchoire inférieure tandis que chez les alligators et les caïmans, les dents de la mâchoire supérieure recouvrent celles de la mâchoire inférieure. Ces deux groupes possèdent une quatrième dent plus longue sur la mâchoire inférieure visible seulement chez les crocodiles. On trouve les alligators dans le sud-est des États-Unis et en particulier dans la région du Mississippi où ils sont une espèce protégée. On élève les alligators dans des fermes spéciales pour leur peau.
Quand arrive l'époque de la reproduction, les mâles poussent de longs cris et les femelles sécrètent

Alligator du Mississippi

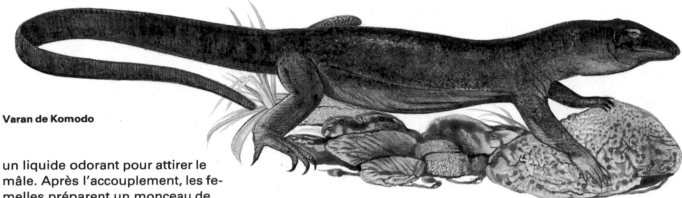

Varan de Komodo

un liquide odorant pour attirer le mâle. Après l'accouplement, les femelles préparent un monceau de végétaux dans lequel elles pondent ; la chaleur produite par leur décomposition favorise l'incubation. Lorsque les jeunes alligators naissent ils poussent des cris pour appeler leur mère qui les libère.

Varan de Komodo
Varanus komodensis
Le varan de Komodo, originaire des îles Komodo, Rintja et Flores qui se trouvent en Asie du Sud-Est, est le plus gros lézard du monde ; il peut atteindre trois mètres et demi de long et peser 150 kg. Il ne fut découvert par les Européens qu'en 1912. Les varans adorent les charognes et pour les observer de près ou les photographier, il suffit de les appâter avec un cerf ou un cochon mort pour les voir accourir en grand nombre.

Caméléon de Jackson
Chamaeleo jacksoni
On trouve les caméléons en Afrique, à Madagascar, en Inde, à Ceylan et dans le sud de l'Europe. Ils possèdent un corps aplati sur les côtés et leurs pattes griffues leur permettent de grimper aux arbres ; ils ont de gros yeux protubérants, indépendants l'un de l'autre. Ils sont capables de changer de couleur beaucoup plus rapidement que tous les autres animaux doués de ce pouvoir.
Leur manière de capturer les proies est bien connue. Le caméléon a une longue langue agile qu'il projette à grande distance pour capturer les insectes. Chez certaines espèces elle est visqueuse et chez d'autres elle est munie d'une sorte d'organe de préhension à l'extrémité. Il suffit d'un seizième de seconde pour la

Caméléon de Jackson

projeter et un quart de seconde pour la rétracter. Certains caméléons portent des casques ou des cornes sur la tête ; le caméléon de Jackson, par exemple, qui vit en Afrique orientale a trois cornes.

Monstre de Gila
Heloderma suspectum
Des trois mille espèces de lézards existantes, seules deux sont venimeuses : le monstre de Gila et l'héloderme mexicain qui sont semblables et vivent dans les régions désertiques du sud-ouest des États-Unis et au Mexique. Ils sont couverts de petites écailles convexes qui ressemblent à de petites perles. Le monstre de Gila peut atteindre 80 cm de long et l'héloderme mexicain 60 cm. Contrairement aux serpents, les glandes venimeuses de ces lézards se trouvent dans la mâchoire inférieure. Ils passent la plus grande partie de leur vie enfouis dans le sol ; ils ne sortent que la nuit par temps pluvieux. Ils sont très lents, se nourrissent d'œufs de rongeurs et d'oiseaux qu'ils capturent dans leur nid.

Monstre de Gila

Des lézards de toutes formes

Lézard ocellé

Lézard de muraille

Lézard ocellé *Lacerta lepida*
Le lézard ocellé est le plus gros et le plus joli de tous les lézards européens. Il est originaire du sud de la France, de la péninsule ibérique et du nord-ouest de l'Afrique où il vit dans les fourrés et dans les olivaies. Quand il ne peut pas se cacher dans son terrier, il grimpe aux arbres pour échapper à ses ennemis. Il mesure généralement de 60 à 70 cm de long, queue comprise. Le record de longueur est détenu par une femelle de la péninsule ibérique qui mesurait 90 cm de la pointe du nez au bout de la queue.

Lézard de muraille
Lacerta muralis
Le lézard de muraille est commun à tout le sud de l'Europe. Il mérite bien son nom car il escalade à l'aide de ses longues griffes pointues les surfaces les plus rudes. On le trouve surtout sur les murs des jardins et des vignobles de tous les pays méditerranéens.

Lézard vert *Lacerta viridis*
Le lézard vert est le second plus grand lézard européen. Il est originaire du sud de l'Europe mais on le trouve aussi à l'est jusqu'en Ukraine et au nord dans les régions plus chaudes d'Europe centrale.
A l'ouest on le trouve dans les îles anglo-normandes mais pas en Grande-Bretagne. En Europe centrale, c'est une espèce protégée, là où il existe encore, car dans de nombreux endroits il a disparu, victime des collectionneurs qui le voulaient dans leur terrarium.

Lézard de verre européen
Ophisaurus apodus
A première vue, ce lézard sans pattes ressemble à un serpent ; mais l'observation attentive de son squelette prouve que c'est bien un lézard. Sous les écailles qui recouvrent son corps, on trouve des plaques osseuses qui forment comme une armure.
Le lézard de verre qui doit son nom à sa longue queue brillante, est originaire du sud de l'Europe et d'Asie du Sud-Ouest. Il appartient à la même famille que l'orvet, autre lézard sans pattes très commun dans toute l'Europe. En Amérique, cette famille est représentée par des espèces apodes aussi bien que par des espèces aux pattes bien développées.

Lézard vert

et de toutes couleurs

Scinque à longues pattes
Eumeces schneideri
Les scinques ressemblent à des lézards à longue queue recouverts de petites écailles lisses. Leurs pattes sont courtes, parfois rudimentaires et parfois même tout à fait absentes, résultat d'une adaptation à leur mode de vie le plus souvent souterrain. Mais la famille des scinques comprend aussi des espèces qui courent fort bien et des espèces qui grimpent aux arbres (très rares).

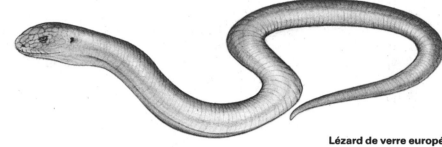

Lézard de verre européen

Scinque à longues pattes

nent à une tout autre famille. Ils vivent dans les arbres d'Amérique centrale et tout autour de la mer des Antilles. Chaque mâle défend son territoire et repousse tous les autres mâles qui s'en approchent en les avertissant par de petits mouvements rapides de leur gorge rouge ; s'il n'obtient pas le résultat voulu, il engage le combat. Le vainqueur reste vert tandis que le vaincu devient brun et abandonne le terrain.

Crapaud à cornes du Texas

Les scinques vivent dans l'humus humide des forêts tropicales aussi bien que dans les déserts où on les appelle « poisson de sable ». Et ils nagent vraiment sur le sable ; les pattes groupées près du corps, ils avancent en ondulant. On trouve le scinque à longues pattes de l'Afrique du Nord à l'Asie centrale.

Crapaud à cornes du Texas ou lézard à cornes du Texas
Phrynosoma platyrhinos
La famille des iguanes comprend des espèces tellement variées qu'on a du mal à croire qu'elles appartiennent au même groupe ; certaines vivent dans les arbres, d'autres sur terre et quelques-unes dans l'eau. Les iguanidés se nourrissent de végétaux à de rares exceptions près. Le crapaud à cornes

possède un corps court et dodu, une tête ronde, une large bouche et une petite queue. Son dos couvert d'épines en forme de cornes et sa ressemblance avec le crapaud lui ont valu son nom usuel. Les crapauds à cornes sont des animaux diurnes qui se nourrissent de coléoptères et surtout de fourmis. Au crépuscule, ils s'enfoncent dans le sable où ils passent la nuit.

Anole de Caroline ou caméléon américain
Anolis carolinensis
Les anoles représentent le groupe le plus important de la famille des iguanes. Ils sont capables de changer de couleur comme les caméléons ; c'est pourquoi on les appelle parfois les caméléons américains bien qu'ils appartien-

Anole de Caroline

Les reptiles sans pattes

Si l'on dit « reptiles sans pattes », on pense immédiatement aux serpents, même si, comme nous l'avons vu, certains lézards en sont dépourvus. Cependant, il faut bien admettre que c'est une caractéristique typique des serpents. Ceux-ci sont des lézards modifiés qui peuvent ramper et capturer de grosses proies. Les membres étant absents, les vertèbres ne sont pas différenciées ; elles sont simplement divisées en deux sections, l'une étant le corps et l'autre la queue. Toutes les vertèbres du corps sont dotées de côtes mobiles fixées sur des plaques osseuses sous la peau et actionnées par des muscles qui en se contractant font glisser le serpent. Les muscles des mâchoires et certains os du crâne sont reliés par des muscles qui permettent aux serpents de capturer de grosses proies et de les avaler. De nombreux serpents possèdent des crochets à venin qui sont des dents modifiées, situés soit à l'avant soit à l'arrière de la mâchoire supérieure. L'oreille externe est absente de sorte que les serpents n'entendent pas les bruits aériens. Leurs yeux sont recouverts d'une membrane transparente et ne se ferment jamais. Les serpents changent de peau plusieurs fois dans leur vie.

On raconte de nombreux contes fantastiques sur les serpents. Mais la vérité sur leur mode de vie est bien souvent moins séduisante.

Les serpents géants

Les serpents les plus gros appartiennent à la famille du boa. La plupart d'entre eux portent les vestiges d'une ceinture pelvienne et de deux membres postérieurs. Ces serpents ne sont pas venimeux ; ils saisissent leur victime par la tête, puis s'enroulent autour d'elle jusqu'à l'étouffer. Après quoi ils l'avalent telle quelle. Les boas et les pythons sont les gros serpents les plus connus. Il existe de nombreuses différences entre les deux espèces dont l'une réside dans leur mode de reproduction : les boas sont vivipares tandis que les pythons pondent des œufs.

Anaconda *Eunectes murinus*
Plus que tout autre serpent, l'anaconda a été l'objet de récits absolument fantastiques. On a beaucoup écrit sur sa taille et sur sa capacité d'avaler un être humain. Les Indiens prétendent qu'il peut atteindre douze mètres de long mais jusqu'à présent le plus grand spécimen connu ne mesurait que 9,40 m. La Société Zoologique de New York, voulant mettre un terme à la dispute sur la taille des anacondas offrit une récompense de 5 000 dollars à qui rapporterait un spécimen de 10 m de long ; le fait est que personne n'est encore venu la réclamer. Il n'en reste pas moins que l'anaconda est un serpent géant : un spécimen de huit mètres de long peut peser plus de 150 kg. On ne connaît que deux cas de personne attaquée par un anaconda. La première est un jeune garçon de 13 ans qui disparut soudainement tandis qu'il nageait. Un anaconda fut retrouvé à l'endroit de la noyade et tué par le père de la victime. On raconte que l'on retrouva le corps du jeune garçon dans le corps de

Anaconda

l'anaconda. La seconde est une personne adulte qui se noya et sur laquelle on retrouva des traces de constriction. Ces deux exemples tendraient à prouver que la voracité de l'anaconda n'est pas aussi formidable que certains récits voudraient le faire croire. L'anaconda, comme le boa, est vivipare. La femelle porte de 20 à 40 petits (parfois plus de 100) qui mesurent environ 80 cm.

Boa constricteur
Boa constrictor
Le boa constricteur vit dans les régions boisées et broussailleuses d'Amérique du Sud et d'Amérique centrale. Le boa adulte mesure environ cinq mètres de long et se nourrit de petits vertébrés. C'est un

serpent pacifique qui n'attaque l'homme que si celui-ci le menace. Les indigènes le savent bien et n'en ont pas peur. Les boas visitent souvent les poulaillers pour y chasser les rats. Les Indiens apprivoisent les petits boas qui les débarrassent des rongeurs nuisibles. Un serpent apprivoisé est « tabou » et il est in-

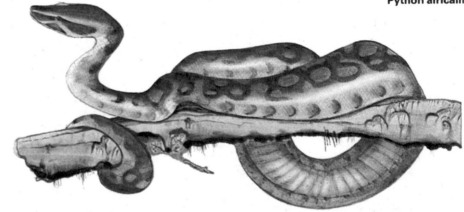

terdit de lui faire du mal. Pour les autres, naturellement l'interdiction n'est pas valable et les indigènes les chassent pour leur chair délicieuse.

Python réticulé
Python reticulatus
Le python réticulé qui vit dans les régions humides du sud-est asiatique est le plus long serpent du monde. Le spécimen le plus long

trouvé jusqu'à ce jour mesure presque 10 mètres. Il se nourrit de rongeurs et de petits ongulés ; un gros spécimen peut avaler un cochon. Il n'est donc pas étonnant que l'on raconte de nombreuses histoires sur les pythons mangeurs d'hommes ; mais en réalité on ne connaît qu'un ou deux cas d'en-

fants mangés par des pythons. Le python réticulé s'enroule autour de ses œufs et reste ainsi pendant toute la période d'incubation qui dure deux à trois mois. Il ne les abandonne que très rarement pour étancher sa soif. A la naissance les jeunes pythons mesurent de 60 à 70 cm de long ; leur croissance est très rapide au cours de la première année : ils triplent de longueur.

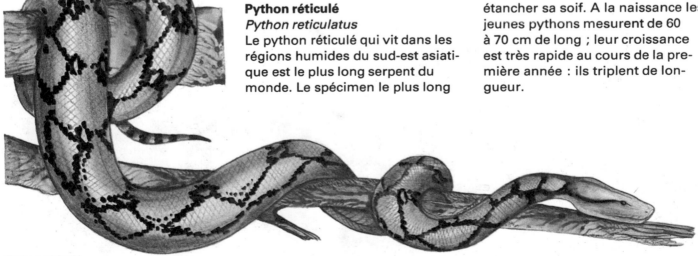

Python réticulé

Les vipères et les serpents à sonnettes

Les vipères et les serpents à sonnettes possèdent de longs crochets creux situés à l'avant de la mâchoire supérieure. La glande contenant le poison s'ouvre directement dans le crochet et le venin passe à travers une minuscule ouverture sur l'avant de la dent quand le serpent mord. Le poison contient plusieurs substances qui détruisent ou coagulent le sang.

On ne trouve les vipères que sur l'Ancien Continent, c'est-à-dire en Europe, en Asie et en Afrique. Les

Vipère commune

serpents à sonnettes sont originaires du continent américain mais on en trouve quelques-uns en Asie. La majorité des vipères et des serpents à sonnettes sont vivipares.

Vipère commune ou vipère péliade
Vipera berus

La péliade est le serpent venimeux le plus répandu en Europe. C'est aussi l'un des rares reptiles qui vivent au-delà du cercle arctique.
A l'est, on la trouve dans toutes les régions tempérées d'Asie jusqu'à l'île de Sakhaline. Les péliades se réunissent en automne en grand nombre dans un endroit donné où elles hibernent ensemble jusqu'au printemps, quand la température atteint au moins 8°. Elles se reproduisent de la fin mars à mai. Les mâles délimitent leur territoire et le défendent.
La coloration des péliades est très variable, allant du brun verdâtre au roux ; dans les tourbières, on trouve des spécimens tout noirs. La péliade est ovovivipare, ce qui signifie que la femelle garde ses œufs dans son ventre jusqu'à l'éclosion des jeunes qui se situe en août ou septembre. Chaque femelle donne naissance à environ 10 petits qui mesurent 15 cm.

Serpent à sonnettes de la prairie
Crotalus viridis

Les serpents à sonnettes possèdent un organe spécial de chaque côté des narines, petite cavité garnie de cellules nerveuses qui leur permet de sentir la chaleur à distance. Cet organe très sensible peut discerner des différences de température d'un dixième de degré et sert probablement à repérer les proies. Le serpent à sonnettes est bien connu pour le bruit qu'il fait avec sa queue composée d'anneaux cornés. Il ne perd jamais ces anneaux ; au contraire, il se forme un nouvel anneau chaque fois qu'il mue.
Les anneaux sont généralement au

nombre de 8, nombre idéal qui produit le son le plus fort. La quantité de poison produit et ses effets peuvent être différents chez une même espèce selon son habitat. C'est ainsi que les serpents à sonnettes des plaines sont trois fois plus venimeux que la même espèce vivant dans le Grand Canyon.

Détail d'une queue de serpent à sonnettes

Serpent à sonnettes de la prairie

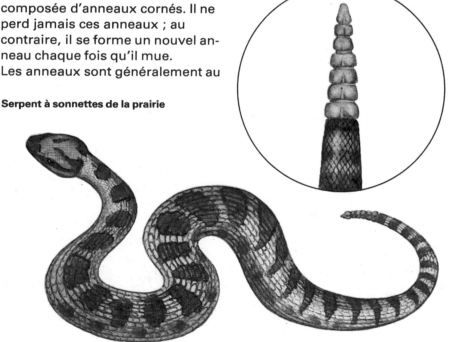

Crotale diamant de l'est américain
Crotalus adamanteus

On peut diviser les serpents à sonnettes ou crotales en différents types selon leur couleur. Il y a, par exemple, trois espèces nord-américaines qui ont des taches en forme de diamant sur le dos. Le crotale diamant de l'est américain, avec ses deux mètres et demi de long et ses 10 kg est le plus gros des trois. Les crochets à venin peuvent at-

reux de tous ces serpents est le fer de lance qui doit son nom aux indigènes de la Martinique. Son poison agit en quelques minutes entraînant la mort. Le tour de la blessure devient noir, les yeux sont injectés de sang et la victime saigne de la bouche, du nez et des oreilles. Les plantations ont aujourd'hui à leur disposition des sérums efficaces qui permettent de réduire les accidents mortels.

Crotale diamant de l'est américain

Fer de lance

Mocassin d'eau
Agkistrodon piscivorus

On trouve les agkistrodons à l'est et au centre des États-Unis et à l'est de l'Asie centrale et de l'Asie du Sud-Est. Comme les crotales, auxquels ils sont apparentés, ils agitent le bout de leur queue mais sans faire de bruit. Le mocassin d'eau d'Amérique du Nord, avec un mètre et demi de long est le plus grand de tous les serpents de cette famille. Comme son nom l'indique, on le trouve près des rivières, des lacs et des marais. Il se nourrit principalement de poissons qu'il avale tout entiers. Le mocassin d'eau est extrêmement venimeux et bien qu'il ne soit pas agressif, ceux qui travaillent dans les rizières en ont très peur car, comme tous les serpents, il attaque s'il se sent menacé.

teindre 3 cm de long et les poches à venin contiennent une grande quantité de poison qui font du crotale diamant le serpent le plus venimeux d'Amérique du Nord.
Les serpents à sonnettes ne souffrent pas de la sécheresse ; ils ne perdent de l'eau qu'en respirant et consomment 10 fois moins d'eau qu'un mammifère de la même taille. Cependant, ils ne dédaignent pas l'eau dans laquelle ils se baignent parfois.

Fer de lance
Bothrops atrox

On trouve, en Amérique centrale et en Amérique du Sud, des serpents de la famille des serpents à sonnettes mais sans « sonnette ». Ils sont très dangereux si on les dérange. Ce sont des serpents nocturnes qui passent leur journée dans l'herbe, dans les broussailles épaisses ou dans les plantations. Le plus dange-

Mocassin d'eau

Les serpents colorés

La plupart des serpents ont des couleurs peu voyantes si bien qu'ils n'attirent pas spécialement l'attention ; d'autres, au contraire, ont de très belles couleurs mais celles-ci n'attirent pas non plus l'attention car elles se confondent avec l'environnement. Mais il est aussi des serpents ornés de taches de couleurs très belles ; on trouve chez les serpents toutes les couleurs du spectre sauf le bleu. Les serpents qui viennent de muer sont les plus beaux car leur nouvelle peau est veloutée et opalescente. Les jeunes serpents sont généralement plus colorés que leurs parents.

lent et très pacifique. De plus, ses crochets sont courts si bien qu'un tissu ou des chaussures un peu épaisses offrent une protection suffisante. S'il mord une proie sans la tuer, celle-ci s'en souviendra et fera tout pour l'éviter par la suite. Plus important encore, les mammifères et les oiseaux, en voyant l'un des leurs aux prises avec un serpent corail, apprendront eux aussi à s'en détourner.

leurs parents ; leur glande à venin est entièrement développée et leur morsure peut être dangereuse. Ils se nourrissent d'insectes pendant quelque temps puis commencent à chasser les petits lézards et les petits serpents.

En général, les serpents attaquent s'ils sont surpris ; le serpent arlequin lui, cache sa tête sous son corps et se balance, probablement pour effrayer les intrus.

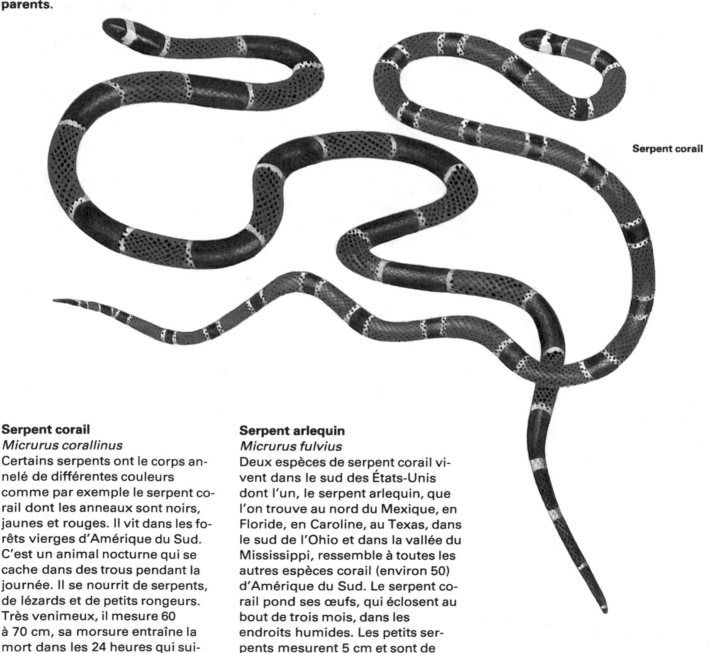

Serpent corail

Serpent corail
Micrurus corallinus
Certains serpents ont le corps annelé de différentes couleurs comme par exemple le serpent corail dont les anneaux sont noirs, jaunes et rouges. Il vit dans les forêts vierges d'Amérique du Sud. C'est un animal nocturne qui se cache dans des trous pendant la journée. Il se nourrit de serpents, de lézards et de petits rongeurs. Très venimeux, il mesure 60 à 70 cm, sa morsure entraîne la mort dans les 24 heures qui suivent. Fort heureusement, il est très

Serpent arlequin
Micrurus fulvius
Deux espèces de serpent corail vivent dans le sud des États-Unis dont l'un, le serpent arlequin, que l'on trouve au nord du Mexique, en Floride, en Caroline, au Texas, dans le sud de l'Ohio et dans la vallée du Mississippi, ressemble à toutes les autres espèces corail (environ 50) d'Amérique du Sud. Le serpent corail pond ses œufs, qui éclosent au bout de trois mois, dans les endroits humides. Les petits serpents mesurent 5 cm et sont de couleur légèrement plus claire que

Serpent arlequin

Serpent royal

Serpent de mer à bandes noires
Laticauda laticaudata
La famille des serpents de mer mérite bien son nom ; tous ses membres, que l'on trouve pour la plupart dans les mers tropicales, sont d'excellents nageurs. Certains ne sortent jamais de l'eau, tandis que d'autres, comme le serpent de mer à bandes noires, se reproduisent sur terre. La femelle pond ses œufs dans le sable et retourne immédiatement à la mer. Ils pullulent dans certaines régions et on peut les voir se déplacer en groupes de plusieurs milliers. Ils vivent dans l'océan Indien, et dans l'océan Pacifique, de Madagascar à la Californie et se nourrissent surtout de poissons.

Les serpents de mer sont encore plus venimeux que les cobras ; ils ne sont cependant pas agressifs et n'attaquent l'homme que si celui-ci les dérange ou les touche brusquement. Les pêcheurs les connaissent bien et les libèrent quand ils se prennent dans leurs filets. Dans certains pays, les indigènes les mangent, généralement fumés.

Serpent royal
Lampropeltis getulus
Les serpents royaux sont des serpents nord-américains non venimeux de la famille des couleuvres. On les appelle royaux car ils mangent toutes sortes de serpents même les venimeux contre lesquels ils sont immunisés. Ils sont très colorés, certaines espèces sont de la couleur des serpents corail, ce qui les protège des ennemis de ces derniers. Ils se nourrissent de souris, de grenouilles et de lézards ; ils ne chassent pas les serpents mais s'ils en rencontrent un, ils l'attrappent par la tête, l'écrasent et le mangent. Les serpents royaux s'accouplent au printemps et en été. La femelle pond de 10 à 30 œufs auprès desquels elle reste quelques jours ou qu'elle abandonne aussitôt. Les petits qui naissent quatre à six semaines plus tard mesurent 12 cm. Contrairement aux serpents corail, les petits des serpents royaux sont plus colorés que leurs parents. Le serpent royal est utile et on le protège car il détruit les serpents venimeux.

Serpent de mer à bandes noires

Les cobras, les mambas et autres serpents

Les serpents venimeux se divisent en trois grands groupes. Le groupe des colubridés, qui comprend les couleuvres, possède des crochets à venin canaliculés au fond de la bouche. Les membres de ce groupe sont généralement inoffensifs pour l'homme. Le groupe des vipères et des crotales qui ont de longs crochets à venin rabattables et le groupe des cobras aux crochets à venin canaliculés sur le devant de la bouche. Le venin de ces serpents agit plus sur le système nerveux tandis que celui des vipères agit plus sur le sang.

Cobra royal

dont la plus connue est celle du cobra cracheur qui projette son venin à plusieurs mètres dans les yeux de sa victime provoquant une forte irritation et même une cécité temporaire. On a vu des cobras cracher leur venin à quatre mètres ! Quand il mord, le cobra cracheur enfonce ses crochets dans le corps de sa victime et fait pénétrer le poison par des mouvements de mastication de la mâchoire. L'effet du poison dépend de la durée de la prise et de la qantité de poison qui pénètre dans la blessure. Chez l'être humain, l'état de santé général est aussi un facteur important. Les plus susceptibles de succomber sont les enfants, les personnes âgées et ceux qui ont le cœur faible.

Serpent Esculape
Elaphe longissima
On représentait toujours Esculape, le dieu de la médecine, avec un serpent enroulé autour d'un bâton. Nous connaissons tous ce symbole qui est encore aujourd'hui le symbole des médecins. Les Anciens attribuaient des pouvoirs extraordinaires aux serpents. Pour vaincre la peste qui faisait rage à Rome au temps de Brutus, les Romains apportèrent des serpents en ville et leur construisirent un temple sur une île du Tibre. Le serpent Escula-

Cobra royal
Ophiophagus hannah
Le cobra royal peut atteindre 5 m de long. C'est le plus grand serpent venimeux du monde. On le trouve en Asie du Sud-Est, de l'Inde aux Philippines.
Le cobra est très agressif, surtout à l'époque de la reproduction. La femelle construit un nid à deux étages ; elle dépose ses œufs dans la cavité inférieure et se place dans la partie supérieure pour les surveiller. Le mâle reste lui aussi près de la femelle. C'est alors que les cobras deviennent agressifs et attaquent. Cependant, les indigènes n'en cherchent pas moins les nids car ils apprécient beaucoup les œufs du cobra ainsi que sa chair. Le cobra se nourrit principalement de serpents non venimeux.

Cobra cracheur
Naja nigricollis
Les cobras les plus connus sont ceux de l'espèce *Naja*. Ce nom scientifique vient du sanskrit *naga* qui signifie serpent. Naturellement, les cobras ne vivent pas seulement en Asie ; de fait, on trouve beaucoup plus d'espèces en Afrique,

Cobra cracheur

Serpent Esculape

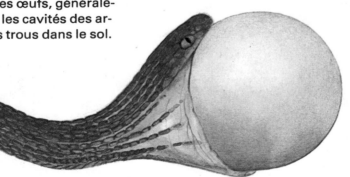

Mamba noir
Dendroaspis polylepis
Le mamba noir est le plus redouté de tous les serpents africains ; il se déplace très vite et charge l'adversaire la bouche grande ouverte avant de disparaître à toute vitesse. Son poison est très toxique. La mort survient rapidement si l'on n'administre pas immédiatement un sérum. Le mamba noir est le second plus grand serpent venimeux après le cobra. Il mesure plus de quatre mètres. Contrairement au mamba vert qui s'abrite dans les arbres, il préfère vivre en rase campagne. Il se nourrit d'oiseaux, de petits rongeurs, de lézards et de serpents. Grâce à une rangée de longues dents sur la mâchoire inférieure, le mamba peut prendre les oiseaux plus facilement. On trouve ce type de dents chez tous les serpents qui se nourrissent d'oiseaux.

Mamba noir

pe est originaire du sud de l'Europe mais on le trouve aussi au nord où l'on pense qu'il fut importé. On suppose même que les Romains en transplantèrent au cours de leurs expéditions militaires car on le trouve souvent à l'emplacement des villes construites par eux.
Le serpent Esculape vit sur les collines sèches et broussailleuses. Il grimpe dans les arbres pour capturer les petits oiseaux dans leur nid. Mais il se nourrit surtout de rongeurs. La période de reproduction se situe à la fin du printemps et au début de l'été ; les femelles ne pondent que quelques œufs, généralement cinq, dans les cavités des arbres ou dans des trous dans le sol.

Serpent mangeur d'œufs

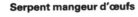

Serpent mangeur d'œufs
Dasypeltis scabra
Les œufs font partie de l'alimentation d'un grand nombre de serpents. En Afrique et en Inde certaines espèces se nourrissent exclusivement d'œufs. Des organes spéciaux facilitent leur tâche. Le serpent repère les œufs grâce à son odorat, les palpe avec sa langue, écartant les œufs pourris ou non fécondés pour ne manger que les bons. Il n'a que quelques dents mais sa bouche est tapissée d'un tissu visqueux afin que les œufs ne glissent pas. Le serpent avale les œufs entiers. Arrivés dans l'œsophage ils sont cassés par des apophyses tranchantes qui se trouvent sous les vertèbres. Derrière ces 17 ou 18 « dents » tranchantes se trouvent de larges apophyses qui broient la coquille des œufs plus six ou sept apophyses contondantes qui réduisent les œufs en un cylindre exprimant le liquide de l'œuf. Le serpent digère ce liquide et recrache les coquilles.

Les tortues terrestres et les tortues aquatiques

Les tortues terrestres et les tortues aquatiques existent depuis 200 millions d'années. Elles possèdent une carapace dans laquelle elles se retirent pour se protéger. Cette carapace comprend une partie interne ou plastron et une partie externe, généralement convexe, la carapace proprement dite, reliées par des ligaments. Contrairement aux autres animaux, l'articulation de l'épaule se trouve à l'intérieur des côtes qui sont soudées à la carapace ; les pattes ne sont pas sous le corps mais sur les côtés. La longévité des tortues est bien connue. Celle qui a vécu le plus longtemps est sans doute la tortue que le capitaine Cook offrit en 1777 aux indigènes de l'île de Tonga et qui est morte de mort naturelle en 1966 à l'âge de 189 ans.

Tortue grecque

Tortue grecque
Testudo hermanni
Il existe dans le sud de l'Europe deux sortes de tortues que l'on confond très souvent : les tortues grecques que l'on trouve dans les Balkans et en Italie et les tortues ibériques de la Méditerrannée occidentale. Autrefois ces deux espèces étaient très répandues mais les touristes et les propriétaires de terrarium inexpérimentés sont la cause de la disparition d'un grand nombre de ces tortues. Si l'on en croit les statistiques officielles, deux millions de tortues sont transportées chaque année de Yougoslavie en Allemagne ! Si l'on

pense que les touristes sont plus nombreux de jour en jour, les tortues sont destinées à disparaître si l'on ne prend pas des mesures pour les protéger. Aujourd'hui, les tortues ibériques sont déjà des espèces protégées en Espagne et en Afrique du Nord.

Tortue-boîte
Terrapene carolina
La tortue-boîte est aussi populaire aux États-Unis que la tortue grecque en Europe. Son nom usuel lui vient de son plastron qui se rabat à l'avant et à l'arrière, fermant la carapace comme une boîte. La tortue-boîte vit de préférence dans les

endroits secs ; elle évite la lumière du soleil et ne sort qu'au crépuscule. Elle se nourrit d'animaux et de végétaux, de champignons, de baies, de charognes et d'insectes. La reproduction se situe au début du printemps quand les tortues sortent de leur sommeil hibernal. Au début de l'été, la femelle pond quatre ou cinq œufs dans la terre. Certains œufs éclosent en automne de la même année tandis que d'autres hibernent et n'éclosent qu'au printemps suivant. L'iris du mâle est rouge et celui de la femelle blanc grisâtre.

Tortue-boîte

Terrapène peinte
Chrysemys picta

La terrapène peinte et la terrapène épi rouge sont deux espèces de tortues aquatiques du sud des États-Unis que l'on trouve chez tous les marchands d'animaux. A la naissance, les jeunes terrapènes brillamment colorées mesurent environ 2,5 cm et ressemblent à des pièces de monnaie munies de pattes. On en capture des milliers chaque année qui vont mourir entre les mains de propriétaires inexpérimentés. Ces tortues ont besoin de chaleur et de soleil qu'il faut leur fournir quand elles sont en aquarium avec une lampe à rayons ultra-violets. Quand elles atteignent l'âge de deux ou trois ans, elles mesurent 8 cm et commencent à perdre leurs belles couleurs. Elles se nourrissent alors de poissons et augmentent de 1,5 à 2 cm par an. Les terrapènes adultes mesurent environ 30 cm et deviennent marron-vert. A l'état sauvage, les terrapènes hibernent,

Terrapène peinte

ge est tapissé de capillaires qui leur permettent d'absorber l'oxygène de l'eau. Les tortues à carapace molle sont carnassières. Elles se nourrissent de poissons, de grenouilles, de crustacés et d'insectes et vivent toutes dans l'hémisphère nord à l'exception de la tortue à carapace molle d'Afrique qui vit au sud du Sahara. C'est une espèce assez grande qui peut mesurer facilement 100 cm.

Tortue à carapace molle de Floride
Trionyx ferox

L'ordre des *Trionyx* comprend 14 espèces qui vivent en Asie, en Afrique et en Amérique. La tortue à carapace molle de Floride qui vit dans l'eau, du sud du Canada jusqu'au Mexique, est l'espèce américaine la plus connue. Elle s'aventure fréquemment sur les berges mais ne s'éloigne jamais de l'eau. Elle nage près de la surface de l'eau ne laissant apparaître que le bout de son nez. Elle se nourrit de poissons et de grenouilles ; les plus gros spécimens capturent aussi des oiseaux. Les tortues à carapace molle enterrent leurs œufs dans le sable au bord de l'eau. Selon le climat, les petits naissent 40 à 60 jours après la ponte et restent dans les eaux peu profondes pendant quelque temps. La tortue à carapace molle de Floride adulte mesure environ 40 cm de long. Les pêcheurs la capturent à l'hameçon ou au filet pour sa chair délicieuse.

brièvement au sud, et jusqu'à six mois au nord, se réveillant au moment où la température de l'eau dépasse 10°.

Tortue à carapace molle d'Afrique

Tortue à carapace molle d'Afrique
Trionyx triunguis

Le plastron osseux des tortues est généralement recouvert de plaques cornées qui augmentent la résistance de la carapace. Chez les tortues à carapace molle, le plastron osseux n'est recouvert que d'une peau épaisse et molle. Les tortues à carapace molle sont des animaux aquatiques très bien adaptés à leur milieu : elles peuvent rester sous l'eau de 10 à 15 heures. L'œsopha-

Tortue à carapace molle de Floride

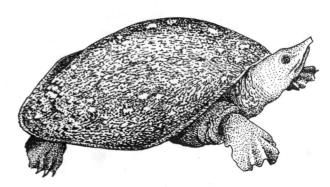

Les tortues carnivores

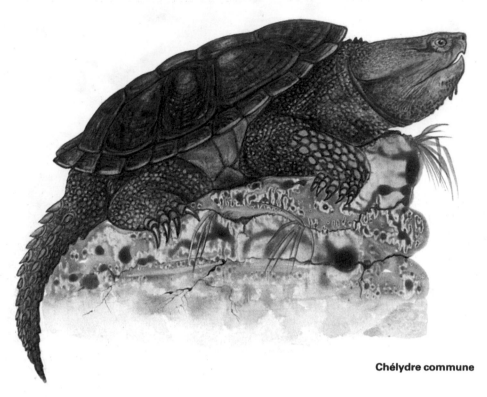

Chélydre commune

canard ; il flottait sur l'eau et avant que j'aie pu le ramener à la rive, il disparut sous l'eau. Puis, une famille de canards s'installa sur la rivière ; ils disparurent l'un après l'autre, dévorés par la tortue. Elle chassait tous les canards ; je décidai alors de poser mes lignes la nuit ; je pris deux petites tortues qui étaient très bonnes, l'une de quatre kilos et l'autre de cinq. Je l'ai prise à l'hameçon trois fois déjà mais à chaque fois elle a réussi à se libérer. Son dos est aussi large que mon canoe ; elle s'est accrochée au bord de mon bateau et m'a secoué. Elle ressemblait au diable. Comme j'ai eu peur ! » La chélydre alligator se tient sur le fond de l'eau la bouche grande ouverte. Elle possède sur la langue un appendice qui ressemble à un ver qui se tortille et s'enroule continuellement avec lequel elle prend les poissons ; il ne lui reste qu'à fermer ses mâchoires et à avaler.

Chélydre commune
Chelydra serpentina

La famille des chélydres comprend deux espèces qui vivent en Amérique dont la mieux connue est la chélydre commune. On la trouve dans les eaux calmes et lentes, du sud du Canada jusqu'à la République de l'Équateur. C'est une grosse tortue qui peut atteindre un mètre et peser 36 kg. Elle possède des mâchoires puissantes terminées par une sorte de crochet tranchant qui ressemble au bec d'un oiseau. Elle se nourrit de poissons, d'amphibiens, d'oiseaux et de mammifères qu'elle traîne sous l'eau où elle les déchiquette pour les manger. Les femelles pondent de 20 à 40 œufs sur terre. Les petits qui naissent environ 10 semaines plus tard se dirigent instinctivement vers l'eau. Nombreux sont ceux qui meurent en route car leur carapace encore molle ne les protège pas de leurs ennemis.

Chélydre alligator
Macroclemys temmincki

La chélydre alligator est le second composant de la famille des chélydres. Elle est plus grande (elle peut atteindre 140 cm) et plus grosse que la précédente. Certains spécimens peuvent peser jusqu'à 100 kg. Nous emprunterons à l'écrivain et naturaliste E. T. Seton un passage d'un de ses livres qui parle de cette tortue : « Voilà Bosikado. Je la connais bien et elle me connaît. Il y a longtemps que je lui fais la guerre ; un jour, je l'aurai. Je l'ai vu pour la première fois il y a trois ans. J'avais abattu un

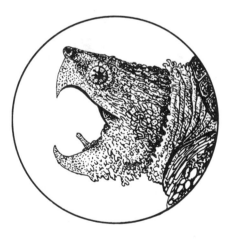

Chélydre alligator

Matamata *Chelus fimbriatus*
La matamata est une tortue aquatique du nord de l'Amérique du Sud.
Elle se tient au fond de l'eau allon-
geant son long cou vers la surface
et ne laissant apparaître que le bout
de son nez, la corps camouflé par
les algues. La matamata est une
petite tortue d'environ 40 cm de
long. Le cou à peine plus court que
le corps se rétracte latéralement. La
matamata ne sait pas nager ; dans
les eaux profondes, elle se noit. Elle
se nourrit de poissons qu'elle aspi-
re quand ils passent à sa portée.
Les mâchoires molles, bien différentes de celles des autres tortues
carnivores, font fonction de filet de
pêche.

Tortue verte *Chelonia mydas*
Les membres des tortues marines
sont transformés en ailerons. Elles
passent toute leur vie dans l'eau ;
les femelles n'en sortent que pour
pondre. La plus grosse de toutes
est la tortue-luth qui peut atteindre
deux mètres et demi de long et
peser 600 kg. Sa carapace sans
écailles cornées est recouverte d'u-
ne peau dure comme du cuir.

La tortue verte est une autre tortue
marine bien connue. Elle mesure
un mètre et demi et pèse environ
250 kg. Elle est excellente nageuse
et se déplace avec une légèreté qui
étonne pour un si gros animal. On
la trouve dans la Méditerranée, l'A-
tlantique, l'océan Indien et l'océan
Pacifique. Les femelles pondent sur
le sable toujours au même endroit
de génération en génération. Les
tortues arrivent la nuit, creusent
des trous dans le sable, pondent
environ 200 œufs et regagnent la
mer. Dans les pays où elles ne sont
pas protégées par la loi, on ramasse les œufs pour les vendre sur les
marchés. La « récolte » annuelle est
d'environ deux millions d'œufs.
La tortue verte n'est pas carnivore ;
elle se nourrit de plantes marines.
Ses mâchoires plates sont munies
de petites dents.

Tortue verte

Les maîtres de l'air

Depuis des temps immémoriaux, l'homme est fasciné par le plumage, le chant et surtout par le pouvoir qu'ont les oiseaux de voler. A part les insectes, les oiseaux et les chauves-souris sont les seuls animaux qui peuvent véritablement voler. Le squelette des oiseaux est fort et léger car la plupart des os sont creux. Certaines vertèbres sont soudées aux membres. Mais l'adaptation la plus précieuse se trouve dans le sternum qui rappelle la carène d'un navire, sur lequel sont fixés des muscles puissants qui actionnent les membres antérieurs transformés en ailes. Certains oiseaux ne savent plus voler. Les ailes et les muscles sont réduits et le sternum caréné a disparu.

Dans l'air et sur l'eau

On trouve des oiseaux pratiquement partout. Et comme les deux tiers de la surface du globe sont recouverts d'eau, il n'est pas étonnant que beaucoup d'oiseaux dépendent d'elle. Certains oiseaux vivent en permanence près de l'eau ou sur l'eau et ne s'éloignent qu'à l'époque de la couvaison. Pour d'autres la terre et l'eau ont la même importance. Les rivières, les lacs et surtout les mers sont beaucoup plus riches en nourriture que la terre et les oiseaux se sont transformés pour pouvoir l'atteindre. La caractéristique la plus frappante des oiseaux qui vivent sur l'eau ou près de l'eau sont peut-être leurs pattes palmées.

Plongeon imbrin *Gavia immer*

Pour ceux qui habitent ou qui connaissent les pays du Nord, les plongeons sont le symbole vivant d'un monde sauvage fascinant. Leur cri profond et triste et leur espèce de ricanement fou sont des sons qu'on n'oublie pas.
Les plongeons sont les seuls oiseaux volants dont les pattes situées à l'extrémité du corps s'étendent vers l'arrière comme une hélice ce qui est très commode pour nager. Mais sur terre, les plongeons sont très gauches, ils se traî-

Plongeon imbrin

Grèbe huppé

nent sur le ventre et ne peuvent pas se servir de leurs pattes pour marcher. Quand ils plongent pour prendre un poisson, ils restent sous l'eau de 30 à 45 secondes, mais s'ils sont menacés ils peuvent y rester plusieurs minutes. Des quatre espèces de plongeons connues, le plus gros et le plus beau est le plongeon imbrin qui vit en Amérique du Nord, en Islande et au Groenland.

Grèbe huppé
Podiceps cristatus

Les grèbes, que l'on trouve pratiquement dans le monde entier, sont de rapides oiseaux à plumes

lisses qui flottent sur l'eau comme des bouchons et qui plongent fort bien. Ils se nourrissent de petits poissons, d'insectes, et de crustacés. Ils avalent aussi une grande quantité de plumes. On pense que les plumes retiennent les grosses arêtes de poissons dans l'estomac jusqu'à ce qu'elles se ramollissent et puissent passer dans le tube digestif. Les jeunes grèbes sont très souvent rayés longitudinalement. Leurs parents les portent sur leur dos, bien cachés sous leurs ailes ne laissant apparaître que la tête. On connaît le cas d'une femelle qui a ainsi porté ses petits pendant plusieurs années.

Puffin *Fratercula arctica*
Son gros bec brillamment coloré et son dandinement lui ont valu le surnom de « perroquet de mer ».

Les puffins nichent en colonies dans les falaises. Ils creusent des couloirs qui se terminent par des cavités rondes dans lesquelles la femelle pond un seul œuf blanc. Le mâle et la femelle nourrissent leurs petits pendant environ 40 jours. Deux fois par jour, le matin et le soir, ils les bourrent littéralement de petits poissons. Chaque parent porte dans son bec de huit à dix poissons. Au bout de six semaines, les parents abandonnent le nid. Les petits regagnent la mer, de nuit, dès qu'ils se sentent en sécurité.

Pélican brun
Pelecanus occidentalis

Il est très facile de reconnaître un pélican grâce à sa poche de gorge élastique qui lui sert de filet de pêche. Elle a une contenance de 12 litres, trois fois plus que l'estomac. Les pélicans sont des oiseaux très sociaux. Ils nichent en colonies et vivent ensemble même en dehors de la couvaison. Au repos ils ont tous la tête tournée dans la même direction. Ils volent soit les uns derrière les autres soit en formation de V. A part le pélican brun qui plonge la tête la première pour capturer les poissons, les cinq autres espèces de pélicans pêchent ensemble en

Pélican brun

Albatros hurleur

même temps. Ils rabattent les poissons en battant l'eau de leurs ailes, vers les eaux peu profondes où ils sont engloutis dans la poche.

Albatros hurleur
Diomedea exulans

Les albatros sont les maîtres du vol plané ; il est très rare de les voir battre des ailes. Il existe treize espèces d'albatros, la plus connue est celle de l'albatros hurleur dont l'envergure dépasse trois mètres.

Les albatros nichent en colonies dans les îles. Les mâles et les femelles couvent alternativement un seul œuf blanc et nourrissent l'oisillon pendant huit mois. Le développement du jeune albatros est très lent et ce n'est qu'à l'âge de sept ans, parfois plus, qu'il peut se reproduire.

Sterne caspienne
Hydroprogne caspia

Les sternes et les mouettes appartiennent à une famille dont les membres vivent en bordure des grands cours d'eau, des lacs et sur les côtes. Les sternes sont plus peti-

Puffin

Sterne caspienne

tes que les mouettes et contrairement à ces dernières, elles ne planent pas. La sterne caspienne est la plus grande des sternes. Elle niche en colonie sur tous les continents, dans l'hémisphère sud comme dans l'hémisphère nord. Quand elle chasse, elle vole à environ cinq mètres au-dessus de l'eau ; une fois la proie repérée, elle plane un instant avant de fondre dessus.

Oie canadienne
Branta canadensis
L'oie canadienne a été pendant fort longtemps un gibier très populaire auprès des chasseurs américains. On la trouve du Labrador à l'Alaska en passant par le Canada ainsi que sur la côte orientale de la Sibérie. Comme l'oie sauvage d'Europe, on l'élevait dans un état de semi-liberté. Les individus qui s'échappèrent, formèrent d'importantes colonies très au sud de leur aire de distribution naturelle, en Angleterre, au Danemark, en Suède et même en Haute-Bavière.
L'oie canadienne niche près des lacs, dans les prairies humides, dans la toundra et dans les régions boisées.

Sarcelle *Anas crecca*
Les sarcelles sont de petits canards qui vivent en colonies sur les plans d'eau riches en végétation. Les sarcelles sont d'excellents voiliers qui peuvent atteindre 100 km/h. Contrairement aux sarcelles d'Europe occidentale, les sarcelles d'Europe du Nord et d'Europe de l'Est émigrent vers le sud, parfois jusqu'en Afrique équatoriale. Les populations d'Amérique du Nord passent l'hiver en Amérique centrale.

Canard des bois

Canard des bois *Aix sponsa*
Le canard des bois est un très joli oiseau aquatique très facile à élever. A l'état sauvage on le trouve sur les lacs et les rivières bordés de forêts où il niche. Il occupe très

Oie canadienne

souvent les nids abandonnés des piverts ou des écureuils. C'est le couple qui choisit le nid qu'il occupera pendant plusieurs années. Les petis naissent 25 jours après la ponte.

Sarcelle

Courlis cendré
Numenius arquata
Au printemps, on peut entendre le chant mélodieux du courlis dans les prairies humides et dans les landes. C'est un oiseau assez grand, d'environ 50 cm, au long bec fin et recourbé. La parade nuptiale du mâle est très curieuse à observer : il s'éloigne en battant des ailes et en chantant d'une voix flûtée ; puis soudainement, il revient en arrière en planant et en vocalisant à pleins poumons. Les oisillons à la naissance ont un bec droit ; il faut at-

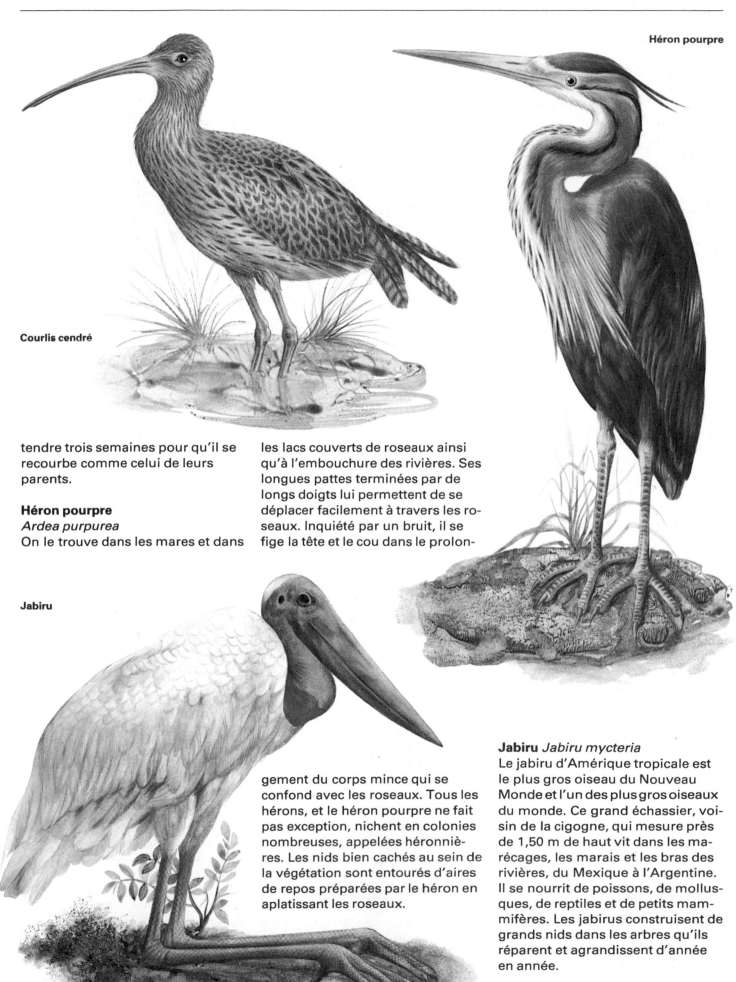

Héron pourpre

Courlis cendré

Jabiru

tendre trois semaines pour qu'il se recourbe comme celui de leurs parents.

Héron pourpre
Ardea purpurea
On le trouve dans les mares et dans les lacs couverts de roseaux ainsi qu'à l'embouchure des rivières. Ses longues pattes terminées par de longs doigts lui permettent de se déplacer facilement à travers les roseaux. Inquiété par un bruit, il se fige la tête et le cou dans le prolongement du corps mince qui se confond avec les roseaux. Tous les hérons, et le héron pourpre ne fait pas exception, nichent en colonies nombreuses, appelées héronnières. Les nids bien cachés au sein de la végétation sont entourés d'aires de repos préparées par le héron en aplatissant les roseaux.

Jabiru *Jabiru mycteria*
Le jabiru d'Amérique tropicale est le plus gros oiseau du Nouveau Monde et l'un des plus gros oiseaux du monde. Ce grand échassier, voisin de la cigogne, qui mesure près de 1,50 m de haut vit dans les marécages, les marais et les bras des rivières, du Mexique à l'Argentine. Il se nourrit de poissons, de mollusques, de reptiles et de petits mammifères. Les jabirus construisent de grands nids dans les arbres qu'ils réparent et agrandissent d'année en année.

97

Les rapaces — les oiseaux de proie

Bien que cet ordre comprenne 300 espèces différentes, tous ses membres ont des caractéristiques bien particulières qui permettent de les reconnaître à coup sûr. Comme leur nom l'indique, les rapaces ou oiseaux de proie se nourrissent d'animaux. Pour ce faire, ils possèdent un bec puissant aux bords tranchants et de fortes griffes recourbées. La plupart des rapaces chassent les oiseaux et les mammifères, mais certains se nourrissent d'insectes et d'autres de poissons. Le plus difficile à nourrir est sans aucun doute le milan des terrains marécageux. Il ne mange qu'une sorte de mollusque aquatique qu'il trouve dans les marais nord et sud-américains. Les rapaces sont tous, à quelques exceptions près, des experts en vol. Certains peuvent rester pendant des heures très haut dans le ciel, d'autres chassent dans les bois touffus tandis que d'autres encore planent en rond, toujours au même endroit, puis fondent sur leur proie.

Condor de Californie
Gymnogyps californianus
Il y a 150 ans on trouvait encore beaucoup de condors, le plus gros de tous les oiseaux américains, de l'État de Washington à la Californie. Aujourd'hui c'est l'une des espèces les plus rares du royaume des oiseaux. L'installation des pionniers dans l'ouest des États-Unis marque le début de la fin de ce bel oiseau de proie. Cependant, la chasse ne fut pas la cause principale de son extermination. La strychnine, utilisée par les propriétaires de ranches pour se débarrasser des loups et des coyotes, fut la véritable responsable de la disparition des condors,

Condor de Californie

grands amateurs de charognes. De plus, le condor se multiplie très lentement. Une femelle ne pond qu'un œuf à la fois qu'elle couve de 55 à 65 jours. Les petits ne deviennent adultes que très lentement et ne se reproduisent que lorsqu'ils ont six ou sept ans. Il fut donc très difficile de remédier à l'empoisonnement massif qu'ils avaient subi. En 1965, on ne comptait plus que 38 condors. Et il semble bien que, malgré les mesures prises pour les protéger, cette espèce soit destinée à disparaître.

Gypaète barbu
Gypaetus barbatus
La zone de distribution du gypaète, le plus grand rapace de l'Ancien Monde, s'étend des Alpes à l'Afrique, en passant par les péninsules ibérique et balkanique, jusqu'à l'Asie centrale, en passant par l'Asie Mineure. Cependant, depuis le milieu du dix-neuvième siècle, le gypaète a disparu d'Europe ; on n'en trouve que quelques rares exemplaires en Espagne et dans la péninsule des Balkans. Le gypaète se nourrit de charogne et surtout d'os qu'il brise pour en extraire la moelle dont il est très friand. Il procède de la même façon quand il capture de grosses tortues.

Gypaète barbu

Aigle chauve
Haliaetus leucocephalus
L'aigle chauve est l'emblème des États-Unis. Aujourd'hui, on ne le trouve qu'en Floride et en Alaska. Il se nourrit de poissons et occasionnellement de petits mammifères. L'aigle chauve niche dans les grands arbres. L'aire étant consolidée chaque année par le couple nicheur, il arrive que les vieux nids soient énormes. Bien que protégé, l'aigle chauve disparaît dans de nombreuses régions. Les insecticides, principalement le DDT, qui s'accumule dans le corps des poissons dont il se nourrit semble être la cause principale de sa disparition.

Autour *Accipiter gentilis*
La fauconnerie a toujours été un sport très apprécié. Beaucoup d'oiseaux se prêtent à ce sport, comme l'autour. Contrairement au faucon qui chasse en rase campagne, l'autour mène des attaques surprises

Aigle chauve

Autour

dans les régions boisées. Il est adapté pour la chasse au lapin, au faisan, au canard…
Jusqu'à un an, les jeunes autours diffèrent des adultes : ils ont la gorge rayée et le dos brun. On trouve l'autour dans les régions boisées d'Europe et d'Asie tempérée ainsi qu'en Amérique du Nord où il est cependant de plus en plus rare.

Faucon américain
Falco sparverius
Le faucon américain est très répandu en Amérique du Nord où on peut le voir perché sur les fils télégraphiques ou planant dans le ciel à la recherche d'une proie. Il se nourrit de petits rongeurs et de gros insectes comme par exemple les sauterelles.
Comme tous les faucons, le faucon américain peut être dressé pour la chasse.

Faucon américain

Les gallinacés

La poule de basse-cour est le représentant typique de la famille des gallinacés. Elle possède de larges pattes avec lesquelles elle gratte la terre à la recherche de nourriture qu'elle ramasse avec son bec. Tous les membres de cette famille se nourrissent de cette façon. Une autre particularité est la différence considérable qui existe entre le mâle et la femelle. Nous savons tous que les plumes d'une poule ne sont rien à côté du magnifique plumage d'un coq. Il en est ainsi pour la plupart des gallinacés.

Les gallinacés vivent sur le sol où ils se nourrissent et où ils font leur nid. De nombreuses espèces cependant, se perchent dans les arbres. Mais la poule elle aussi passe la nuit sur un perchoir. Les gallinacés n'aiment pas voler, ils préfèrent courir. Les muscles du thorax, bien que normalement développés, sont composés de tissus musculaires blancs qui se fatiguent rapidement. Mais l'homme ne s'en plaint pas car le blanc de poulet est un excellent morceau. Pratiquement tous les gallinacés, faisan, perdrix, tétras, dindon et beaucoup d'autres sont des animaux que l'on chasse.

Paon commun *Pavo cristatus*
Ce gros paon vit dans la jungle au sud de l'Inde et à Ceylan. Autrefois, on pouvait le voir en semi-liberté à la cour des rois. Le plumage du mâle brille de mille couleurs métalliques et les plumes à la base de la queue sont très longues et décorées de taches rondes aux couleurs de l'arc-en-ciel. Lors de la parade nuptiale, l'oiseau étale les plumes de sa queue en roue. Malgré son superbe plumage, il a un cri très désagréable qu'il fait entendre quand il va se coucher et souvent aussi par les nuits de lune. Le roi Salomon rapporta le paon en Palestine d'où il se répandit en Grèce et en Égypte. Les Grecs le consacrèrent à Junon. Les Romains, plus prosaïques, le firent passer à la casserole. Les invités des fastueux banquets de l'époque, se chatouillaient la gorge avec les magnifiques plumes de la queue du paon pour soulager leurs estomacs trop remplis.

Colin de Virginie
Colinus virginianus
Demandez à n'importe quel chasseur américain quel est le gibier le plus courant dans le sud et dans l'est des États-Unis ; il vous répondra certainement que c'est le colin. Ces espèces de cailles vivent en couple. La femelle pond jusqu'à 15 œufs qui éclosent environ trois semaines plus tard. La famille reste unie jusqu'au printemps suivant. Les colins vivent souvent en colonies de plusieurs centaines d'oiseaux. La nuit ils forment un cercle, la tête vers l'extérieur et la queue vers le centre du cercle, pour surveiller l'approche d'éventuels ennemis. En cas de besoin, les colins peuvent prendre la fuite sans se gêner les uns les autres.

Colin de Virginie

Paon commun

Perdrix grise *Perdix perdix*
La perdrix qui habitait autrefois les prairies d'Europe, s'est très bien adaptée aux terres cultivées. On la trouve près des terres meubles, dans les endroits où il est facile de se cacher. Les cultures intensives et la mécanisation de l'agriculture ont bouleversé la vie de cet oiseau que l'on chassait autrefois par milliers. La chasse est aujourd'hui réglementée voire même interdite dans de nombreux pays européens.
Au début du printemps, les champs résonnent des cris des mâles car c'est l'époque de la reproduction. Les oiseaux forment des couples qui resteront unis pendant tout l'été. A la fin avril ou au début mai, la femelle pond de 10 à 15 œufs dans un creux du sol et les couve de 23 à 25 jours. Les poussins naissent au début de juin ; ils se développent très vite et apprennent à voler en trois semaines. En automne, les familles se rassemblent parfois et forment de grandes compagnies.
La perdrix a été introduite dans de nombreux pays comme gibier. C'est sans aucun doute dans le Middle West américain qu'elle s'est le mieux acclimatée.

Dinde sauvage
Meleagris gallopavo
La dinde domestique est originaire d'Amérique. Les conquistadores espagnols la découvrirent au Mexique au début du seizième siècle. On ne sait pas exactement quand ils la rapportèrent en Europe mais ils ne durent pas tarder beaucoup car elle figure déjà comme mets de choix à la table d'Henri VII.
Depuis Jacques Ier la dinde est le plat typique des jours de fête. Sa popularité était si grande, surtout dans les pays de langue anglaise, que Benjamin Franklin voulut en faire l'emblème des États-Unis à la place de l'aigle chauve.
Les dindes sont des oiseaux qui vivent dans les régions boisées. Autrefois il y en avait beaucoup du Maine au Dakota du Sud. Cependant, la chasse intensive est responsable de sa disparition dans de nombreux endroits.
La dinde domestiquée ressemble beaucoup à son ancêtre. L'élevage

à base de sélection a produit une race de dinde blanche, à côté de la race originale couleur bronze, plus petite mais qui se développe plus rapidement.
Elle est plus facile à plumer, ses muscles pectoraux sont plus larges, ce qui signifie qu'elle donne plus de viande.

Perdrix grise

Les oiseaux percheurs

La plupart des oiseaux, indépendamment de leur espèce et de leur nombre, appartiennent à l'ordre des passériformes, du latin *passer* qui signifie moineau. Ils ont en commun la structure de leurs pattes qui possèdent trois doigts avant et un doigt arrière qui leur permettent de s'agripper aux branches quand ils se perchent. C'est d'ailleurs de là que vient leur nom usuel d'oiseaux percheurs. Ils possèdent presque tous une syrinx ou organe du chant, structure complexe qui se trouve à la base de la trachée-artère et qui leur permet de produire les sons mélodieux que nous appelons le chant des oiseaux.

Tous les oiseaux percheurs sont des oiseaux de petite taille. Les oisillons sont aveugles et dépourvus de plumes à la naissance et les parents s'occupent d'eux jusqu'à ce qu'ils soient capables de se débrouiller tout seuls.

Geai bleu *Cyanocitta cristata*

On trouve le geai bleu à l'est des montagnes Rocheuses, dans les régions boisées mais aussi près des maisons et même dans les grands parcs des villes. Les geais sont des oiseaux très prudents qui poussent de grands cris à l'approche d'un danger. Un chasseur repéré par un geai peut être sûr que tous les habitants de la forêt seront informés de sa présence. A l'époque de la couvaison, le geai devient par contre très discret. Il se cache au sommet des arbres et prend mille précautions pour ne pas révéler l'emplacement de son nid.

Geai des chênes
Garrulus glandarius

Pratiquement tout ce que nous avons écrit sur le geai bleu est valable pour le geai d'Europe et d'Asie. Ce dernier est seulement un peu plus gros et un peu moins coloré. Il a cependant sur les ailes de petites plumes rayées bleu, blanc et noir qui comptent parmi les plus belles que l'on puisse trouver et qui ont orné les chapeaux des chasseurs pendant des siècles. Le geai européen est omnivore mais les végétaux constituent environ les trois

Geai bleu

quarts de son alimentation. On le trouve là où il y a des chênes. Il contribue au renouvellement naturel des chênaies en cachant les glands dans le sol dont il ne retrouve qu'une partie, l'autre servant à la reproduction des arbres. Ce comportement est un exemple parfait de conservation de l'équilibre de la nature.

Les oisillons à peine nés sont très faciles à apprivoiser. Ils sont intelligents et apprennent très facilement. Un jeune geai en captivité peut apprendre à siffler plusieurs airs et peut même imiter la voix humaine.

Oiseau de paradis
Paradisea apoda

Les oiseaux de paradis sont sans conteste les plus beaux oiseaux du monde. Leur plumage richement coloré n'a pas d'égal. Durant la parade nuptiale le mâle étale ses ailes, découvre sa gorge aux mille couleurs et se met dans les positions les plus insolites : il sautille deçà delà, fait des pirouettes autour

des branches ou se laisse pendre la tête en bas.

On apprit l'existence de cet oiseau en Europe en 1522 quand le roi d'Espagne reçut deux peaux d'oiseaux de paradis, présent du roi de Batjan. Au seizième et au dix-septième siècle, les marins rapportèrent eux aussi des peaux de Nouvelle-Guinée, du nord-est de l'Australie et des petites îles tout alentour. Cette habitude de dépouiller

Geai des chênes

ces oiseaux donna naissance à de nombreux contes fantastiques.
Pour préparer les peaux, les indigènes ôtaient les pattes de l'oiseau si

plumes d'oiseaux de paradis ornèrent les chapeaux des dames ; de 1880 à 1890 on exporta 50 000 peaux de Nouvelle-Guinée chaque année ! De nombreuses espèces

Merle migrateur

Mésange huppée

bien qu'on racontait qu'il était obligé de voler sans s'arrêter vers le soleil et que la femelle pondait dans un creux sur le dos du mâle. Plus tard, en souvenir de ces récits,

le célèbre naturaliste Linné nomma une espèce *Paradisea apoda* qui signifie, oiseau de paradis sans pattes.
A la fin du dix-neuvième siècle, les

risquaient de disparaître mais la mode étant capricieuse, elles furent épargnées. Aujourd'hui, toutes les espèces d'oiseaux de paradis sont protégées par la loi.

Oiseau de paradis

103

Merle migrateur
Turdus migratorius

Les premiers Européens qui arrivèrent en Amérique ignoraient tout des oiseaux. Quand ils virent la grive à gorge rouge, ils la baptisèrent rouge-gorge. Aujourd'hui, pour éviter toute confusion, ce joli petit oiseau est appelé merle migrateur. Pour les Américains, le merle migrateur est l'équivalent de l'hirondelle européenne : son arrivée annonce le printemps. Le merle migrateur niche dans la partie nord des États-Unis et émigre vers les côtes des Caraïbes et d'Amérique centrale.

Mésange huppée
Parus cristatus

En hiver, dans les bois, on peut voir des nuées de petits oiseaux aller et venir d'arbre en arbre en poussant des cris à la recherche de quelque nourriture. Ces petits oiseaux sont des mésanges. En général, les nuées sont composées de différentes espèces de mésanges et parfois aussi de casse-noix et de grimpereaux. Dans les forêts de conifères d'Europe et de Sibérie occidentale, il faut y ajouter la mésange huppée.

Serin *Serinus canaria serinus*
Canari *Serinus canaria canaria*

Le serin est originaire des pays du bassin méditerranéen. Pour des raisons encore obscures il a émigré vers le nord au début du dix-neuvième siècle et colonisé l'Europe centrale, s'aventurant en Suède et jusqu'au golfe de Finlande. Les sa-

vants ont découvert avec surprise que la distribution de ce petit oiseau est liée aux fils téléphoniques sur lesquels les serins se perchent pour chanter. On trouve le canari, proche parent du serin, aux îles Canaries, à Madère et aux Açores. Il est plus gros et plus foncé que le

serin. Les Espagnols le découvrirent quand ils occupèrent les îles Canaries en 1478 et le rapportèrent en Europe. L'élevage et la sélection ont donné de nouvelles espèces aux plumages et aux couleurs variés. Les canaris d'aujourd'hui ne ressemblent absolument pas à leurs ancêtres.

Cardinal
Richmondena cardinalis

Le cardinal est un oiseau huppé des régions chaudes de l'est des États-Unis, du Mexique et du Honduras. Tout le monde l'apprécie pour ses couleurs et pour son chant mélodieux que certains comparent à celui du rossignol. La zone de distribution du cardinal se déplace depuis quelques années vers le nord et on peut le voir assez souvent dans l'État de New York où il était auparavant inconnu.

Au printemps les cardinaux vivent en couple. La femelle n'a pas le beau plumage rouge du mâle ; elle est brunâtre. En automne et en hiver, les cardinaux se réunissent en bandes et parcourent la campagne à la recherche d'un peu de nourriture. Ils se nourrissent de graines de toutes sortes. A l'époque de la couvaison, le cardinal, comme tous les oiseaux mangeurs de graines, nourrit ses petits d'insectes.

Hirondelle des cheminées
Hirundo rustica

L'hirondelle est l'oiseau le plus célèbre du monde. Ce sont de ravis-

Canari

Serin

Cardinal

sants oiseaux qui n'ont pas peur de l'homme et qui détruisent un grand nombre d'insectes nuisibles. De nombreuses espèces vivent près des maisons. Les hirondelles construisent leur nid avec de la boue mélangée à de la salive. Les hirondelles ne se posent sur le sol que pour réunir les matériaux nécessaires à la fabrication de leur nid. Elles se nourrissent exclusivement d'insectes qu'elles capturent en vol. En automne, les hirondelles forment des bandes de plusieurs milliers d'oiseaux qui partent vers l'Afrique du Sud où elles passeront l'hiver. A la fin du mois de mars ou au début d'avril, les hirondelles regagnent leur nid, messagères du printemps et symbole de fidélité au foyer. Les vieilles hirondelles reprennent leurs anciens nids et les jeunes s'en construisent de nouveaux vers lesquels elles reviendront chaque année pendant toute leur vie.

Fauvette à tête noire
Sylvia atricapilla
Les fauvettes sont de petits oiseaux aux couleurs ternes qui vivent dans les buissons. Toutes les fauvettes se ressemblent et leur identification est délicate. Seul leur chant permet de les distinguer sans même les voir. La fauvette à tête noire a un chant puissant et mélodieux qui ressemble un peu à celui du rossignol.

Hirondelle des cheminées

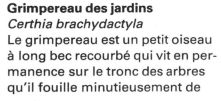

haut en bas. De couleur brune, il se confond si bien avec l'écorce des arbres qu'on ne le remarque même pas. A peine a-t-il fini sur un arbre qu'il s'envole sur un autre pour recommencer son travail tout en pépiant d'une voix douce et grêle. Son nid de lambeaux d'écorce, de mousse, de lichens et d'herbes, bordé de mousse, de toiles d'araignée et de plumes est généralement coincé sous l'écorce d'un arbre. Les parents construisent le nid ensemble et s'occupent de leurs oisillons. En cela, le grimpereau d'Europe diffère du grimpereau d'Amérique chez qui seule la femelle couve les œufs.

Grimpereau des jardins
Certhia brachydactyla
Le grimpereau est un petit oiseau à long bec recourbé qui vit en permanence sur le tronc des arbres qu'il fouille minutieusement de

Fauvette à tête noire

Grimpereau des jardins

Des familles intéressantes

Nos connaissances sur l'évolution des vertébrés sont basées sur la découverte de fossiles. Malheureusement, les oiseaux fossiles sont très rares, car le squelette des oiseaux est fragile et leurs corps se décomposent rapidement après la mort. Peu d'oiseaux meurent dans des conditions favorables à la fossilisation. C'est pour ces raisons que nous savons si peu de chose sur les relations entre les différentes espèces d'oiseaux et que les experts ont des difficultés à déterminer l'origine de certains ordres. Bien souvent il leur faut se contenter d'étudier les ressemblances entre les différentes espèces existantes sans être absolument sûrs que ces ressemblances ne sont pas de simples adaptations à un environnement donné.

On présume donc que les perroquets sont de lointains parents des pigeons et des coucous. Mais les toucans, par exemple, ressemblent par certains côtés aux calaos et par d'autres aux piverts. Ce qui démontre combien il est difficile de classer les différents ordres ; il nous faudra apprendre encore beaucoup de choses avant de pouvoir le faire avec exactitude.

Pigeon ramier
Columba palumbus

Le pigeon ramier vit dans les forêts de feuillus et dans les forêts de conifères, en plaine comme en montagne, près des hommes aussi bien que dans les endroits déserts. On le trouve dans toute l'Europe, dans l'ouest et le sud de l'Asie et au nord-ouest de l'Afrique. Dans les régions nordiques, le pigeon est migrateur ; il part vers le sud et le sud-ouest en septembre et en octobre pour revenir vers son nid dès mars.

Le pigeon ramier pond généralement deux œufs dans son nid qui, comme celui de toutes les espèces de pigeons, est extrêmement sommaire. Il peut avoir de deux à trois couvées par an. Il se nourrit de glands, de graines de conifères et de céréales.

Perroquet gris d'Afrique
Psittacus erithacus

Le plus vieil oiseau empaillé connu, est un perroquet gris d'Afrique de l'époque de Charles II d'Angleterre qui appartint, paraît-il, au duc de Lennox et de Richmond. Mais il est certain qu'il était déjà domestiqué à l'époque des Tudor et que Henri VIII en possédait un. Il devint encore plus populaire grâce au livre de Robert Louis Stevenson, L'Ile au Trésor dans lequel un des personnages se promène toujours avec un perroquet parlant sur l'épaule.

C'est cette faculté de parler (le perroquet gris d'Afrique est sans doute le perroquet qui parle le mieux) qui l'a rendu populaire. Les vieux oiseaux ne s'apprivoisent jamais tout à fait, c'est pourquoi il est préférable de s'en procurer un tout jeune. Les jeunes perroquets ont les yeux noirs tandis que chez les oiseaux adultes, l'iris est couleur ivoire.

Pigeon ramier

Perroquet gris d'Afrique

Perruche ondulée
Melopsittacus undulatus
La perruche ondulée est le symbole de l'Australie au même titre que le kangourou et c'est l'espèce domestiquée la plus répandue dans le monde. Elle fut rapportée d'Australie en 1840 par John Gold. Les perruches ondulées sauvages sont vertes, jaunes ou bleues. L'élevage et la sélection ont produit des espèces de toutes les couleurs. Le nombre de perruches ondulées domestiquées augmente chaque année. Elles ont un chant moins déplaisant que les autres perroquets, sans sons discordants et perçants. On peut leur aprendre à parler assez facilement si on les élève et les nourrit dès leur plus jeune âge. Les mâles sont généralement plus doués que les femelles, mais ce n'est pas une règle absolue.

Perruche ondulée

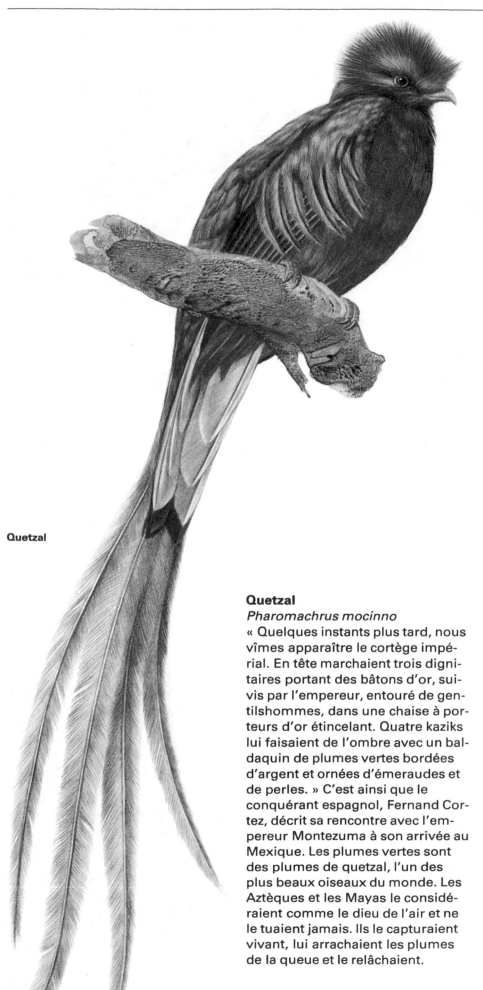

Quetzal

Quetzalcóatl, dieu principal des Aztèques, était représenté par un serpent à plumes de quetzal. Aujourd'hui le quetzal, symbole de paix et de liberté est l'emblème du Guatemala et la seconde plus grande ville du Guatemala porte son nom. C'est aussi l'unité monétaire de ce pays.

Le quetzal niche dans les cavités. Le mâle et la femelle couvent alternativement les œufs en prenant bien soin de ne pas endommager leur magnifique queue. Le mâle par exemple dont on aperçoit la tête hors du nid, rabat ses plumes sur son dos.

Toucan à gorge jaune
Ramphastos sulfuratus

La principale caractéristique du toucan est son gros bec long brillamment coloré. En dépit de ses dimensions, le bec comme le corps de cet oiseau est très léger car il est creux, renforcé par de fines plaques cornées. On ne sait pas très exactement à quoi sert ce curieux bec ; il a peut-être un rôle à jouer au moment de la parade nuptiale et dans l'orientation visuelle. Les toucans en effet ont tous un plumage semblable et ne se différencient que par la couleur de leur bec. Les toucans ont une intelligence comparable à celle des corbeaux. Ils sont originaires d'Amérique du Sud où les indigènes les apprivoisent. A la naissance, les oisillons ne ressemblent en rien à leurs parents. Ils ont un bec court et large dont la partie inférieure est plus longue que la partie supérieure. On peut distinguer les jeunes de leurs parents même quand ils ont tout leur plumage car leur bec reste plus court que celui de ces derniers pendant plusieurs mois.

A l'état sauvage, les toucans se nourrissent de fruits mais ils ne dédaignent pas, à l'occasion, un petit oiseau, un lézard ou une rainette.

Ara hyacinthe
Anodorhynchus hyacinthinus

Les aras d'Amérique du Sud sont sans conteste les plus beaux perroquets du monde. On les reconnaît facilement à leur taille importante, à leur bec massif et à leur longue

Quetzal
Pharomachrus mocinno

« Quelques instants plus tard, nous vîmes apparaître le cortège impérial. En tête marchaient trois dignitaires portant des bâtons d'or, suivis par l'empereur, entouré de gentilshommes, dans une chaise à porteurs d'or étincelant. Quatre kaziks lui faisaient de l'ombre avec un baldaquin de plumes vertes bordées d'argent et ornées d'émeraudes et de perles. » C'est ainsi que le conquérant espagnol, Fernand Cortez, décrit sa rencontre avec l'empereur Montezuma à son arrivée au Mexique. Les plumes vertes sont des plumes de quetzal, l'un des plus beaux oiseaux du monde. Les Aztèques et les Mayas le considéraient comme le dieu de l'air et ne le tuaient jamais. Ils le capturaient vivant, lui arrachaient les plumes de la queue et le relâchaient.

Toucan à gorge jaune

queue, souvent plus longue que leur corps. Bien que peu coloré, en comparaison avec les autres aras, le ara hyacinthe est cependant l'un des plus beaux. Les Indiens de la tribu Xavanti l'élèvent depuis des temps immémoriaux pour ses plumes dont ils ornent leurs costumes de fête.

On connaît très mal la vie du ara hyacinthe à l'état sauvage ; nos connaissances sont basées principalement sur l'observation d'oiseaux en captivité. On ne sait même pas de quoi il se nourrit en liberté, sans doute de graines et de fruits. Son bec puissant lui permet de rompre une coquille de noix et sa langue charnue de prendre tous les morceaux qui se présentent. Il n'est pas rare de voir le ara tenir adroitement sa nourriture dans une

Ara hyacinthe patte.

Les oiseaux nocturnes — les hiboux

Les hiboux forment un ordre distinctif facile à identifier. Ils se caractérisent par leurs gros yeux situés sur le devant de la tête et délimités par un disque facial. La tête large repose sur un cou très court mais néanmoins très mobile. Le plumage est doux et duveteux ce qui permet au hibou de voler sans faire aucun bruit.

Les hiboux chassent des proies vivantes et pour ce faire, ils sont équipés d'un bec puissant crochu et de longues serres pointues. Ils ont la vue perçante et l'ouïe fine. Dans la journée, leur vue est comme celle de tous les autres oiseaux mais la rétine possédant beaucoup plus de cellules sensibles à la lumière que la normale, ils voient beaucoup mieux la nuit. Leurs oreilles se présentent sous forme de grands orifices. De nombreuses espèces d'hiboux repèrent leur proie grâce à leur ouïe plus qu'à leurs yeux car il leur est plus facile d'entendre une souris ou tout autre petit animal courant dans l'herbe que de le voir.

Chouette effraie

Hulotte

Chouette effraie *Tyto alba*

A l'origine, la chouette effraie vivait dans les arbres et dans les cavités rocheuses mais aujourd'hui, on la rencontre de préférence dans les vieux bâtiments, les clochers ou les ruines.

On trouve la chouette effraie dans le monde entier. Elle vit en couple pendant toute sa vie et niche toujours dans le même nid. C'est un animal très utile qui tue beaucoup de rongeurs, en particulier les campagnols qui constituent 70 % de son alimentation. Quand les campagnols pullulent, la chouette effraie peut avoir plusieurs couvées tandis que lorsqu'ils se font rares, il arrive que la chouette n'ait pas un seul petit.

Hibou fouisseur
Speotyto cunicularia

Le hibou fouisseur à longues pattes vit dans les prairies de l'est à l'ouest des États-Unis de l'Amérique centrale jusqu'à la Terre de Feu. Il creuse parfois lui-même son terrier mais le plus souvent il occupe celui de certains rongeurs ; en Amérique du Nord il s'abrite dans les terriers des chiens de prairie. En plus du hibou et du chien de prairie

Hibou fouisseur

on risque d'y trouver aussi, très souvent, un serpent à sonnettes. En traversant les prairies où les hiboux fouisseurs abondent, on peut les voir plantés devant leur terrier généralement situé dans un endroit surélevé. Ces hiboux sont de très bons coureurs. Quand un danger

Grand duc de Virginie

Grand duc de Virginie
Bubo virginianus
On trouve le grand duc de Virginie dans toutes les régions boisées d'Amérique du Nord. Il chasse la nuit dans les clairières et à la lisière des forêts. Très puissant, le grand duc de Virginie s'attaque facilement au canard, au lièvre et au lapin mais il se nourrit principalement de petits rongeurs.

Chouette harfang
Nyctea scandiaca
La chouette harfang est sans doute la plus belle de toutes les chouettes. Elle vit dans les toundras arides de l'Arctique tout autour du pôle Nord où le soleil ne se couche pas pendant de longs mois. C'est pourquoi la chouette harfang chasse de jour comme de nuit. Elle niche par terre généralement sur des monticules ce qui lui permet de surveiller les alentours. Le mâle est presque tout blanc tandis que la femelle a des taches noires sur la gorge, le dos et les ailes.

menace, ils se raidissent, exécutent quelques pliés sur leurs longues pattes et disparaissent en un clin d'œil dans leur terrier ou s'envolent en rasant le sol.
Au crépuscule, les hiboux fouisseurs partent à la chasse de petits mammifères, d'amphibiens et d'insectes qu'ils attaquent silencieusement et rapidement. Ils dévorent les petites proies sur-le-champ et emportent les plus grosses dans un endroit tranquille.

Hulotte ou chat-huant
Strix aluco
La chouette hulotte est sans doute l'espèce la plus répandue en Europe mais on la trouve aussi dans le sud de l'Asie et au nord-ouest de l'Afrique. Elle vit principalement dans les bois mais aussi dans les parcs et les jardins. Elle chasse la nuit en volant silencieusement sur son territoire à la recherche d'une proie. Elle se nourrit de rongeurs et

parfois d'oiseaux, d'amphibiens et d'insectes.
La hulotte niche dans les cavités. Seule la femelle couve les œufs ; le mâle reste auprès d'elle et la nourrit. Elle commence à couver dès qu'elle a pondu le premier œuf si bien que l'on peut voir dans un même nid des petits à peine nés tout blancs et de jeunes oiseaux à plumes grises. Au bout de sept semaines les jeunes hulottes deviennent indépendantes de leurs parents ; dès la quatrième semaine elles sortent de leur nid sans pourtant s'en éloigner.

Chouette harfang

Les oiseaux inaptes au vol

Le vol est le mode de locomotion caractéristique des oiseaux. On ne sait pas encore exactement comment les oiseaux en arrivèrent à voler. On pense que leurs ancêtres couraient et grimpaient aux arbres en s'aidant de leurs membres postérieurs et planaient grâce à leurs membres antérieurs largement écartés et couverts de plumes. Il existe cependant des oiseaux qui ne volent pas. On peut les diviser en deux groupes : ceux qui n'ont pas de bréchet sur lequel s'accrochent les muscles pectoraux (les ratites) et ceux dont l'aptitude au vol s'est progressivement amenuisée comme chez certaines espèces insulaires de râles, de cormorans, de canards et de perroquets. Les oiseaux sans bréchet sont parfois rangés dans un sous-ordre à part mais des études récentes ont révélé qu'ils n'étaient pas aussi proches qu'on le croyait. La plupart de ces oiseaux sont de gros oiseaux comme l'autruche.

Parmi les oiseaux qui volent on distingue les bons voiliers et les médiocres. En effet certaines espèces planent pendant des heures tandis que d'autres ne volent que d'une branche à l'autre. Il y a ceux qui vivent pratiquement en permanence dans le ciel, y dormant même. Certains oiseaux sont de vrais acrobates aériens qui peuvent faire du surplace, voler de côté ou en arrière. Si les oiseaux inaptes au vol sont de gros oiseaux, les acrobates sont généralement de très petits oiseaux.

Kiwi

Autruche *Struthio camelus*
L'autruche est le plus grand oiseau du monde. Un mâle adulte mesure environ deux mètres et demi de haut et pèse plus de 100 kg. Un œuf d'autruche pèse un kilo et demi. L'autruche vit aujourd'hui dans les savanes d'Afrique mais autrefois on la trouvait aussi en Asie Mineure et en Arabie. Le mâle est noir avec des ailes et une queue blanche. Son cou et ses pattes sont rouges, plus foncées au moment de la couvaison qu'en temps ordinaire. La femelle est brun grisâtre. Contrairement aux autres ratites, chez qui seul le mâle couve et s'occupe des petits, les autruches mâle et femelle s'alternent auprès de leur progéniture : le mâle couve la nuit et la femelle le jour.

Kiwi *Apteryx australis*
Le kiwi est un oiseau nocturne qui vit dans les forêts de Nouvelle-Zélande. Il se nourrit de vers et d'insectes qu'il repère grâce à son odorat très développé. Pendant la saison sèche il se nourrit de fruits et de feuilles.
Le kiwi pond un ou deux gros œufs de 500 gr, ce qui représente un cinquième ou un quart de son poids. La période d'incubation dure de 75 à 80 jours.

Autruche

et les acrobates du ciel

à chaque mouvement car la lumière se réfracte dans les cellules transparentes de ses plumes qui recouvrent un pigment noir.
Les colibris se nourrissent d'insectes et de nectar qu'ils atteignent au fond des fleurs grâce à leur long bec et à leur langue tubulaire.

Martinet alpin *Apus melba*
Le martinet alpin est un exemple parfait de structure corporelle aérodynamique. C'est un excellent voilier qui peut atteindre la vitesse de

Émeu

Martinet alpin

Émeu
Dromiceius novaeholandiae
Le deuxième plus grand oiseau du monde est l'émeu qui vit dans les plaines semi-arides d'Australie. Pendant la couvaison, le mâle qui couve les œufs seul, ne quitte pas son nid pendant huit semaines. En temps normal, les émeus se déplacent en petits groupes. Ils se nourrissent de fruits, de graines, de feuilles, d'herbes et d'insectes. Ils ont une préférence marquée pour les chenilles qu'ils détruisent en grand nombre. Ils poussent de drôles de cris pour des oiseaux : le mâle émet des sons gutturaux répétés tandis que la femelle beugle.

Colibri à gorge rouge
Archilochus colubrius
Les colibris sont de petits passereaux d'Amérique, grands acrobates aériens. Certains sont minuscules, pas plus gros qu'un bourdon tandis que d'autres sont un peu plus gros qu'un moineau. Grâce à leur habilité en vol et à leurs nécessités alimentaires, on trouve les colibris dans le monde des fleurs qu'ils partagent avec les insectes. Avec le bout de leurs ailes, ils forment de petits huits si rapidement que l'œil humain ne les perçoit pas. Un colibri en vol change de couleur

160 km/h. Le martinet d'Asie qui vole à 300 km/h est le plus rapide de tous. Les martinets se nourrissent exclusivement d'insectes qu'ils capturent en vol. Ils ne se posent jamais sur le sol. Ils nichent au flanc des rochers abrupts. Quand ils ne sont pas dans leurs nids, les martinets sont dans l'air où ils s'accouplent et dorment. La plupart des martinets vivent dans les pays tropicaux. Les espèces qui nichent dans les régions plus froides comme le martinet d'Europe et le martinet alpin n'y passent que trois mois par an.

Colibri à gorge rouge

113

Les curiosités du monde des oiseaux

La nature a toujours quelque surprise en réserve. Examinons à présent les curiosités du monde des oiseaux qui est l'un des plus fascinant pour l'homme. En étudiant la vie des oiseaux, il découvrit des phénomènes qu'il n'arrivait pas toujours à expliquer. Les récits des marins du seizième et du dix-septième siècle semblaient des contes fantastiques. Seules les études récentes ont pu éclaircir ces phénomènes. Comment croire que des nids d'oiseaux sont comestibles ou que des oiseaux construisent des nids de compost pour y couver leurs œufs ?

Dindon-brosse
Alectura lathami

C'est en Australie, continent plein de curiosités, que vivent les oiseaux qui ne couvent pas leurs œufs. Comme les reptiles, ils pondent dans des endroits où la chaleur sera suffisante pour les faire éclore. On appelle ces oiseaux des mégapodiidés ou des bâtisseurs de monticules. Le premier nom vient du grec et signifie « grand pied ». Le second, pour être précis, ne s'applique qu'aux oiseaux qui construisent des monticules de terre et de végétaux dans lesquels les femelles pondent. Les végétaux

en fermentation fournissent la chaleur nécessaire à l'incubation. Le dindon-brosse, qui n'a en commun avec le dindon que le cou rouge déplumé, appartient à ce second type d'oiseau. Certaines espèces de mégapodiidés des îles Salomon pondent dans le sol réchauffé par la vapeur qui s'échappe des volcans en activité. D'autres espèces pondent dans des crevasses rocheuses remplies de terre et chauffées par le soleil. Les mégapodiidés qui ne vivent pas dans les pays tropicaux doivent contrôler la température du nid et ajouter ou ôter des végétaux selon le temps.

Collocalia
Collocalia inexpectata

Certaines espèces de martinets indo-australiennes consolident leur nid avec leur salive ; deux espèces, dont l'une est la collocalia, n'utilisent que leur salive pour le construire. Ces nids, connus sous le nom « d'hirondelles » font partie de la cuisine orientale depuis des siècles. Les plus recherchés sont les nids des grottes calcaires des côtes d'Indochine. Les martinets possèdent un système d'écholocation pour se diriger dans l'obscurité semblable à celui des chauves-souris. Si le premier nid est détruit, les

Collocalia

oiseaux en construisent un autre d'aussi bonne qualité que le premier. Mais le troisième est de qualité inférieure car l'oiseau n'a plus assez de salive et doit la mélanger à diverses brindilles. Les deux premiers sont vendus tels quels. Le troisième est débarrassé de ses impuretés. Il est vendu par les marchands chinois sous le nom de « dents de dragon », riches en protéines.

Oiseau-lyre *Menura superba*
L'oiseau-lyre, oiseau légendaire célèbre pour sa somptueuse queue qu'il déploie lors de la parade nuptiale, ne se rencontre qu'à l'est de l'Australie. En automne, il prépare plusieurs aires de parade au sommet de monticules de terre et de végétaux qu'il construit lui-même. Il commence par chanter, perché sur une branche d'arbre puis il descend sur l'un de ces monticules sans cesser son chant harmonieux et enfin il déploie sa longue queue en forme de lyre et la rabat sur son dos. Il continue à danser ainsi voilé, accompagné par les notes joyeuses de son chant qui devient de plus en plus perçant puis qui cesse d'un seul coup ; il replie alors sa queue et s'envole sur un autre monticule où il recommence son spectacle.

Dindon-brosse

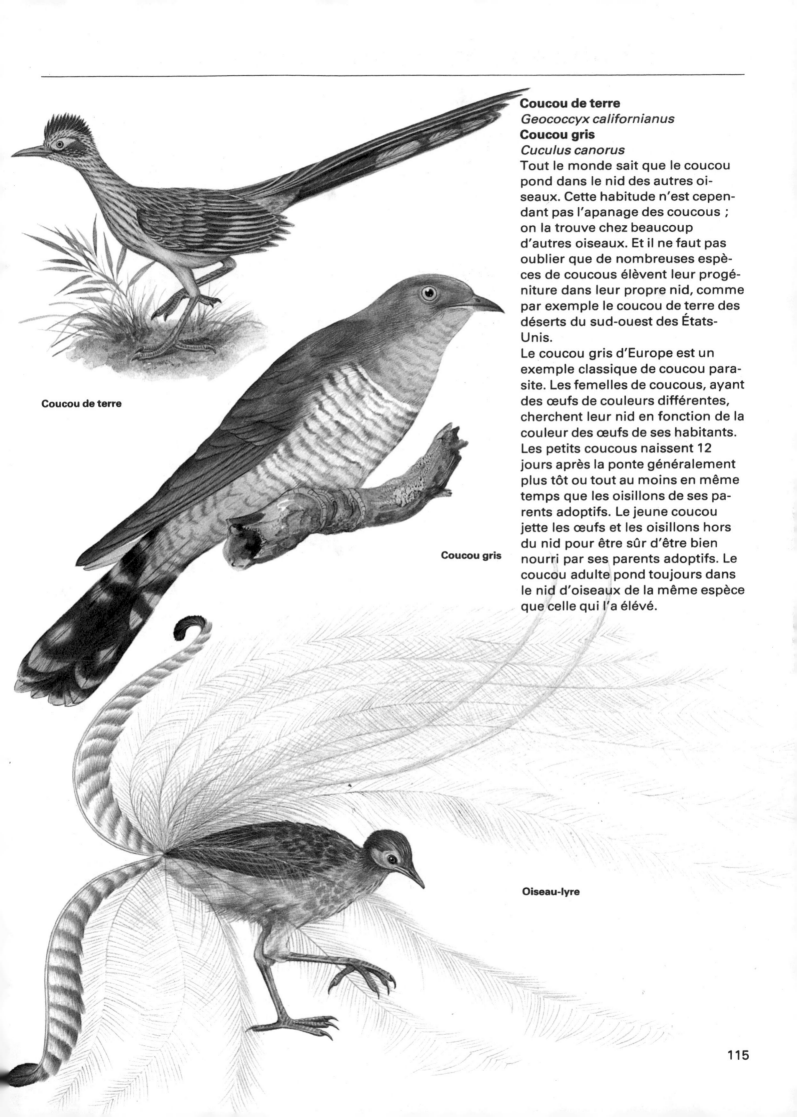

Coucou de terre
Geococcyx californianus
Coucou gris
Cuculus canorus

Tout le monde sait que le coucou pond dans le nid des autres oiseaux. Cette habitude n'est cependant pas l'apanage des coucous ; on la trouve chez beaucoup d'autres oiseaux. Et il ne faut pas oublier que de nombreuses espèces de coucous élèvent leur progéniture dans leur propre nid, comme par exemple le coucou de terre des déserts du sud-ouest des États-Unis.

Le coucou gris d'Europe est un exemple classique de coucou parasite. Les femelles de coucous, ayant des œufs de couleurs différentes, cherchent leur nid en fonction de la couleur des œufs de ses habitants. Les petits coucous naissent 12 jours après la ponte généralement plus tôt ou tout au moins en même temps que les oisillons de ses parents adoptifs. Le jeune coucou jette les œufs et les oisillons hors du nid pour être sûr d'être bien nourri par ses parents adoptifs. Le coucou adulte pond toujours dans le nid d'oiseaux de la même espèce que celle qui l'a élévé.

Coucou de terre

Coucou gris

Oiseau-lyre

115

Les monotrèmes et les marsupiaux

Les mammifères les plus étranges et les plus primitifs sont les monotrèmes ou mammifères ovipares que l'on trouve en Australie, en Tasmanie et en Nouvelle-Guinée où ils ont survécu grâce à l'isolement de l'Australie pendant des millions d'années. Les monotrèmes sont un curieux mélange de caractères reptiliens et de caractères typiques des mammifères, comme le pelage et le sang chaud. Le squelette par contre est reptilien : leur ceinture scapulaire est identique à celle du lézard. Leur système de reproduction ressemble plutôt à celui des oiseaux mais l'embryon se développe plus lentement et les petits naissent beaucoup moins développés. Il existe aujourd'hui deux familles de monotrèmes, les échidnés et les ornithorynques.

Échidné
Tachyglossus aculeatus
L'échidné ou fourmilier-hérisson appartient à la même famille que l'ornithorynque bien qu'il ne lui ressemble pas du tout. Le corps est couvert de piquants, la tête et le dessous du corps de poils. Les puissantes griffes des pattes de devant servent à creuser la terre et la longue griffe du second doigt d'une des pattes de derrière sert à nettoyer les piquants. L'échidné se nourrit de fourmis et de termites qu'il attrape à l'aide de sa longue langue. Il n'a pas de dents ce qui

fait qu'il avale une grande quantité de terre et de cailloux qui facilitent la digestion comme chez les oiseaux. La femelle porte ses œufs dans une poche qui se forme au moment de la couvaison. Au nord du Queensland et en Nouvelle-Guinée vit une espèce d'échidné plus grande à bec plus long et recourbé et dont les épines du milieu du dos sont remplacées par de gros poils noirs.

Ornithorynque
Ornithorhynchus anatinus
L'ornithorynque mérite bien son

Échidné

Ornithorynque

nom qui signifie bec d'oiseau car il possède en effet un bec corné ressemblant à celui du canard. Il est très bien adapté à la vie aquatique : sa queue est plate comme celle du castor, ses pattes sont palmées et ses oreilles et ses yeux se couvrent d'une membrane quand il plonge sous l'eau. La femelle creuse sur la berge des cours d'eau un terrier dont elle obstrue l'entrée quand elle est prête à pondre. Les petits qui naissent deux semaines après la ponte tètent leur mère. Ils n'ouvrent les yeux qu'au bout de onze semaines et quittent le terrier six semaines plus tard suivis par leur mère.

Les marsupiaux

Les marsupiaux étaient autrefois beaucoup plus répandus que de nos jours ; on les trouve maintenant aux Amériques et surtout en Australie et dans les îles qui l'entourent. En raison de leur isolement ils ont évolué en produisant diverses formes suivant leur habitat. C'est pourquoi on peut voir des marsupiaux dans les forêts tropicales et dans les régions semi-désertiques, sous terre et dans les arbres où certaines espèces peuvent même sauter de branche en branche. Les marsupiaux sont carnivores

Opossum
Didelphis virginiana

L'opossum de Virginie vit dans les forêts d'Amérique du Nord. Il possède une queue préhensile écailleuse dont il se sert pour se déplacer dans les arbres et se pendre aux branches. L'opossum est omnivore mais il préfère la viande ; il se sert de ses pattes de devant, très agiles, pour capturer les petits animaux. Il peut faire le mort en cas de danger, comportement assez fréquent chez les oiseaux mais tout à fait exceptionnel chez les mammifères : son corps devient flasque, ses yeux se ferment et l'animal laisse pendre sa langue.

L'opossum peut avoir jusqu'à 18 petits à la fois mais il n'en élève généralement que six car les autres ne peuvent pas se nourrir. Les petits quittent la poche de leur mère environ deux semaines après leur naissance.

L'opossum est activement recherché pour sa fourrure épaisse.

Lagotis *Macrotis lagotis*

Le lagotis est un marsupial omnivore qui creuse des trous coniques pour se procurer à manger. Aujourd'hui il a pratiquement disparu, décimé par les chasseurs de fourrure.

Opossum

aussi bien qu'herbivores sans compter les espèces qui se nourrissent du nectar des fleurs. Les plus grands mesurent deux mètres de haut et les plus petits atteignent à peine la taille d'une souris. Ils doivent leur nom à la poche marsupiale de l'abdomen de la femelle dans laquelle elle transporte ses petits. Cependant certains marsupiaux ont des poches moins développées que d'autres et quelques espèces en sont même totalement dépourvues. Le nombre des petits varie lui aussi d'une espèce à l'autre et le nombre de mamelles de la femelle peut varier de deux à vingt-sept.

Lagotis

Koala

Kangourou arboricole
Dendrolagus goodfellowi
On a du mal à se représenter un kangourou dans un arbre ; cela paraît absurde. Et pourtant ces kangourous existent dans les forêts vierges de Nouvelle-Guinée, des îles environnantes et du nord du Qeensland. Les kangourous arboricoles passent une bonne partie de leur temps au sol mais dorment dans les arbres. Ils dorment assis, la tête entre les jambes. Ce sont des animaux nocturnes qui se nourrissent de feuilles, de fruits et d'insectes. Les kangourous se laissent glisser la queue la première le long des troncs d'arbres pour gagner le sol ; mais s'ils sont en danger, ils sautent directement sur le sol et disparaissent dans les fourrés. Des témoins affirment qu'un kangourou arboricole peut sauter d'une hauteur de 15 m. Les kangourous arboricoles vivent en petits groupes composés d'un mâle et de plusieurs femelles. On a très peu d'informations à leur sujet : il est difficile de les observer dans leur environnement naturel et ils sont peu communs dans les zoos.

Kangourou roux
Megaleia rufa
C'est en 1629, dans les îles Abrolhos au large des côtes sud-ouest de l'Australie, que le capitaine Pelsat vit pour la première fois un wallabie dont il fit une description détaillée.
Aujourd'hui nous connaissons 55 espèces de kangourous et de wallabies qui appartiennent tous à la familles des macropodes, du latin *macropus* qui signifie « grand pied ». Les kangourous possèdent de courtes pattes de devant et de larges pattes de derrière. Quand ils broutent, ils se déplacent lentement sur leur quatre pattes en faisant glisser leur longues pattes de derrière vers l'avant ; mais quand ils se déplacent rapidement, ils font de grands bonds uniquement avec leur pattes de derrière et se maintiennent en équilibre avec leur queue longue et lourde. Ils peuvent atteindre une vitesse de 40 km/h et faire des bonds de 8 m de long. On a même vu des kangourous sauter

Koala *Phascolarctos cinereus*
Le koala est sans aucun doute l'animal le plus populaire d'Australie. Avec ses yeux ronds et son nez comme un bouton, il ressemble à un ours en peluche. Il vit dans les arbres où il dort roulé en boule à l'enfourchure des branches, ne chassant que la nuit. Le koala se nourrit exclusivement de feuilles et de bourgeons d'eucalyptus et qui plus est, chaque genre, d'une espèce d'eucalyptus différente. Les koalas de la côte est par exemple ne se nourrissent que d'eucalyptus tacheté ou d'arbre à suif et ceux de l'État de Victoria d'eucalyptus résineux. De plus ils ne se nourrissent que de certaines feuilles car le feuillage des arbres est vénéneux à un certain stade de sa croissance.
A l'époque de la couvaison, le mâle réunit un petit harem dont il s'occupe très bien. Après 25 à 30 jours de gestation, les femelles donnent naissance à un petit koala qu'elles transportent d'abord dans leur

poche pendant six mois puis sur leur dos pendant six autres mois. La population des koalas augmente lentement car ils ne se reproduisent qu'à partir de quatre ans. Il y a une centaine d'années seulement, l'Australie pullulait de koalas ; aujourd'hui on n'en dénombre plus que quelques milliers. Ce déclin fut causé par deux épidémies, l'une en 1887–1889 et l'autre en 1900–1903 qui décimèrent une grande partie de la population et par l'homme qui leur fit une chasse impitoyable. Dans les années vingt, 200 000 koalas étaient vendus sur le marché intérieur australien et deux millions exportés chaque année. De nos jours les koalas sont strictement protégés par la loi. De nombreux essais ont été fait pour élever les koalas en captivité dans les zoos. Mais tous furent infructueux, car il est impossible de faire accepter au koala une nourriture autre que celle de son Australie natale.

une barrière de deux mètres de haut !

Il y a peu de différence entre un wallabie et un kangourou : les espèces dont les pattes de derrière dépassent 25 cm sont généralement appelées kangourous.

Il a fallu très longtemps pour comprendre comment les kangourous se reproduisent et surtout comment les petits kangourous rejoignent la poche de leur mère ; et il n'y a rien d'étonnant à cela quand on pense que les petits de la plus grande espèce de kangourou sont gros comme des haricots (à peine 2 cm de long à la naissance). Aujourd'hui on sait tout sur les kangourous car la naissance et le transfert des petits dans la poche ont été

Kangourou arboricole

observés maintes fois et même filmés.

Les kangourous femelles ont toujours un embryon prêt à se développer ; on appelle ce phénomène une gestation latente. Après avoir eu des petits, la femelle s'accouplera de nouveau mais les œufs fertilisés ne se développeront que lorsque les petits n'auront plus besoin de téter.

Le kangourou roux, l'une des espèces de kangourous les plus grandes, vit dans les plaines et les régions sèches du territoire australien. Le mâle de cette espèce est roux et la femelle bleu-gris ; chez les vieux mâles la gorge et la poitrine deviennent roux foncé, souvent bordées de pourpre. Les kangourous roux vivent en troupeaux d'une douzaine d'individus. Ils sont un peu plus nombreux que les autres types de kangourous mais bien menacés par la civilisation.

Kangourou roux

Les insectivores

L'ordre des insectivores est composé d'un grand nombre de petits mammifères. Exception faite de l'Australie et d'une grande partie de l'Amérique du Sud, on les trouve dans le monde entier dans tous les types d'habitats, sur terre, dans l'eau et sous terre. Ce sont tous des animaux de petite taille qui mènent une existence nocturne très discrète qui nous empêche de nous rendre compte combien ils sont nombreux. Prenons par exemple les musaraignes : beaucoup parmi nous n'en ont jamais vu et pourtant elles sont partout, dans les jardins, les parcs, les champs et les bois. Dans les régions chaudes, où les conditions sont particulièrement favorables à leur mode de vie, on les compte par millions.

Tous les insectivores sont prédateurs et possèdent de petites dents pointues. les zoologistes s'intéressent beaucoup aux adaptations que subit cet ordre suivant les différents types d'environnements.

Hérisson

Hérisson *Erinaceus europaeus*
Les hérissons sont sans doute les animaux sauvages les plus connus et les plus facilement observables. Comme chacun sait, ils sont revêtus de piquants et se roulent en boule quand un danger les menace. Ils réussissent ainsi à échapper à plus d'un ennemi bien que certains carnassiers et oiseaux de proie comme le hibou grand duc sachent très bien vaincre leur résistance. On les rencontre en Europe, en Afrique (sauf dans les forêts tropicales) et en Asie (sauf dans les

régions du sud). Le hérisson européen est bien connu de tous ; on le voit souvent au crépuscule, surtout au printemps et en automne. Il se nourrit de limaces, d'escargots, de vers, d'insectes et mange aussi des œufs d'oiseaux ainsi que des oisillons. Le hérisson ne dédaigne pas les serpents venimeux comme les vipères. Il n'est pas immunisé contre leur venin, comme on a tendance à le croire bien souvent et il ne les vainc que par son adresse. Il attaque le serpent avec les piquants très durs qu'il a sur la tête, lui broie le museau et le mange.
Il est très rare de découvrir un nid de hérisson fait de feuilles, d'herbes et de mousse car la femelle le dissimule dans les fourrés et dans les broussailles. Les petits naissent avec la peau lisse et les piquants apparaissent peu après.

Condylure étoilé
Condylura cristata
Chaque famille d'animaux comprend des espèces qui nous étonnent et les taupes ne font pas exception. On trouve dans l'est des États-Unis une taupe à fourrure rêche, à la queue aussi longue que le corps, et dont le museau, entouré de 22 tentacules charnus qui lui permettent de repérer la nourriture, ressemble à une fleur ou à une anémone de mer.

Détail du nez

Condylure étoilé

120

Potamogale

Potamogale *Potamogale velox*
Le potamogele avec ses 50 cm de long, est l'un des plus grands insectivores. On le trouve dans les forêts tropicales d'Afrique, du Nigeria à l'Angola. Il possède une queue aplatie qui lui sert de gouvernail et de pagaie. Le potamogale n'a pas de doigts palmés comme les autres mammifères aquatiques et il nage à la manière d'un serpent. Sa tête rappelle un peu celle du requin car comme lui il a la bouche sous le museau. Le potamogale est un animal nocturne très répandu mais discret, il est très rare de le rencontrer. Pendant la journée il se

cache dans la végétation dense ou dans un trou au bord de l'eau dont l'entrée est submergée. C'est là que la femelle fait ses petits, généralement deux, ce qui est très peu pour un insectivore.

Comme tous les insectivores, le potamogale est un habile prédateur qui se nourrit surtout de crustacés et en particulier de crabes, mais aussi d'insectes, de mollusques, d'amphibiens et de poissons.

Musaraigne étrusque
Suncus etruscus
Il existe environ 200 espèces de musaraignes qui toutes contribuent

au maintien de l'équilibre naturel en dévorant des insectes, des vers et des escargots. L'homme ne peut que se féliciter de la présence des musaraignes qui l'aident à préserver ses cultures.

La musaraigne étrusque appartient à l'espèce des musaraignes à dents blanches qui fréquentent les régions tempérées de l'Ancien Continent. Elle est totalement absente en Australie. Certaines espèces sont relativement grandes, comme la musette des régions chaudes d'Asie et d'Afrique qui peut atteindre 26 cm de long, mais la plupart des membres de cette famille sont de petite taille. La musaraigne étrusque qui mesure moins de 4 cm est le plus petit mammifère du monde. Elle ne pèse que 2 grammes et vit dans le sud de l'Europe, en Afrique et en Asie.

Toutes les musaraignes à dents blanches subissent des augmentations de population à intervalles réguliers sans que l'on sache très bien pourquoi. Ce phénomène est depuis quelque temps l'objet de recherches intensives. Les musaraignes à dents rouges sont plus répandues, on en voit en Amérique du Nord et même en Alaska.

Musaraigne étrusque

Les mammifères volants — les chauves-souris

Les vertébrés ont conquis les airs sous trois formes : sous forme de serpents volants, d'oiseaux et de chauves-souris. Les chauves-souris ont apporté au problème du vol une solution différente de celle adoptée par les oiseaux. L'aile est constituée par une membrane se déployant du bras jusqu'à la jambe ; des muscles puissants accrochés sur le bréchet comme chez les oiseaux permettent à la chauve-souris de faire fonctionner ce dispositif. Les chauves-souris appartiennent à un groupe de mammifères très anciens ; on a retrouvé des fossiles qui prouvent qu'elles sont apparues sur terre juste après la disparition des dinosaures, il y a environ 60 millions d'années. Apparemment elles ont évolué à partir d'un même ancêtre que les insectivores. Les formes primitives devaient probablement ressembler à des insectivores arboricoles qui capturaient des insectes volants. **Les chauves-souris sont divisées en deux groupes ; le premier comprend les grandes espèces qui vivent dans les pays tropicaux et subtropicaux de l'Ancient Continent et qui se nourrissent principalement de fruits. On les appelle aussi chauves-souris frugivores. Le second groupe comprend surtout des espèces prédatrices. Les différentes espèces qui se ressemblent beaucoup physiquement ont cependant chacune leurs particularités dues aux transformations qu'elles ont subies pour s'adapter à leur environnement.**

Chauve-souris frugivore des Indes
Pteropus giganteus

Les chauves-souris frugivores vivent en Afrique, en Asie et en Australie. L'espèce la plus connue est la chauve-souris frugivore des Indes qui vit en colonies. On reconnaît facilement les arbres où vivent les chauves-souris car ils ruissellent de fèces et d'urine formant sur le sol une couche de guano (déjections). Les chauves-souris frugivores dorment suspendues par les pattes aux branches des arbres et enroulées dans leurs ailes membraneuses. Elles ne se réveillent qu'au crépuscule pour partir à la chasse toutes ensemble causant de gros dégâts dans les plantations de fruits et dans les vergers. Au petit matin, elles regagnent leurs arbres et s'endorment. Si l'on exclut la période de reproduction, les chauves-souris ne se touchent jamais ; que ce soit à la chasse ou sur les arbres elles maintiennent toujours une certaine distance entre elles. Comme tous les animaux qui vivent en colonies, les chauves-souris frugivores doivent respecter un certain ordre social : les individus les plus forts, qui appartiennent à la classe la plus élevée, dorment sur les plus hautes branches. Plus un individu dort bas plus son rang dans l'échelle sociale est inférieur. La raison de ce système est simple : les chauves-souris n'excrètent que sur leurs arbres ; et bien évidemment ceux qui sont sur les branches hautes sont plus à l'abri. Les femelles qui nourrissent leurs petits se trouvent immédiatement sous le mâle le plus puissant.

Dans certaines régions, on mange la chair des chauves-souris. Il faut la cuisiner avec des herbes et des épices pour masquer son goût âcre très particulier.

Chauve-souris frugivore des Indes

Détail de la tête

Vampire commun

Détail de la tête

me et dernière espèce est le vampire à pattes velues, espèce très rare qui vit au Mexique, en Amérique centrale et au Brésil. La membrane et le corps de cette chauve-souris sont recouverts de longs poils doux.

Pendant la journée, les vampires se cachent dans les grottes ou tout autre endroit sombre. A la nuit tombée ils quittent leur repère en volant au ras du sol à la recherche d'une proie. Ils se posent sur leur victime endormie si doucement que celle-ci ne s'éveille même pas.

Ils enfoncent leurs incisives acérées dans la peau et lèchent le sang qui sort de la plaie ; ils ne sucent pas le sang. Leur salive contient des substances anticoagulantes. Le vampire commun attaque les mammifères et à l'occasion l'homme. Le vampire à ailes blanches n'attaque que les oiseaux. Le vampire à pattes velues attaque les oiseaux et parfois les mammifères.

La perte de sang ne constitue pas un danger en soi, ce qu'il faut redouter c'est la transmission de la rage.

Vampire commun
Desmodus rotundus

Le nom suffit à vous glacer le sang. Mais pourtant, la plupart des vampires sont insectivores ; seules trois espèces se nourrissent exclusivement de sang. L'une de ces trois espèces est le vampire commun que l'on trouve du nord du Mexique à l'Argentine, au Chili et en Uruguay. Ils sont facilement identifiables par leurs oreilles pointues et la membrane lisse tendue entre les deux pattes de derrière. Le vampire à ailes blanches est beaucoup moins courant que le précédent. Il vit dans les régions tropicales d'Amérique du Sud, du Venezuela au Pérou et au Brésil ainsi qu'à Trinidad et au Mexique. Comme son nom l'indique, la membrane est blanche. La troisiè-

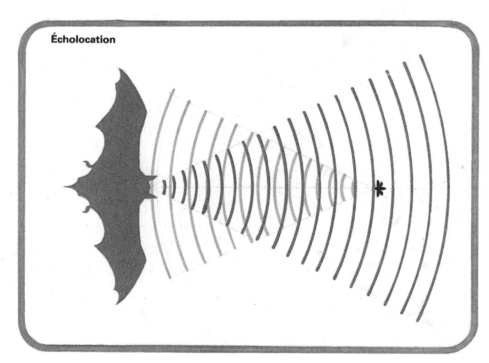

Écholocation

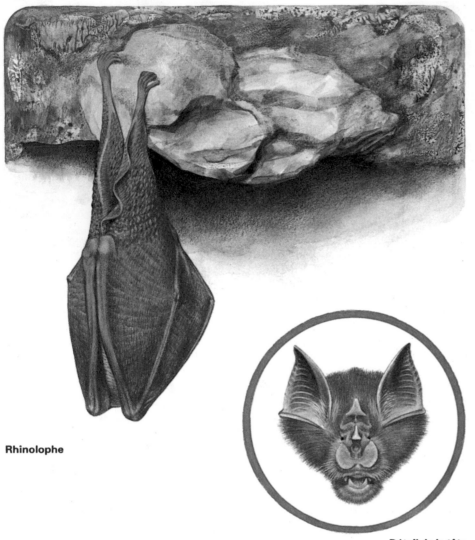

Rhinolophe

Rhinolophe
Rhinolophus ferrumequinum

Les rhinolophes, chauves-souris dont le nez porte un appendice en forme de fer à cheval, constituent un groupe à part. La plupart vivent dans les régions tropicales d'Afrique et d'Asie, au nord-est de l'Australie et dans les îles Salomon. On connaît trois autres espèces qui, elles, vivent dans les régions tempérées d'Europe centrale. On en trouve même deux espèces en Angleterre.

Les rhinolophes ont une façon très intéressante de repérer un objet à l'aide d'ondes ultra-sonores ; ce phénomène d'écholocation est très commun chez les chauves-souris mais chez les rhinolophes il est très perfectionné. Contrairement aux autres chauves-souris, ils émettent les ultra-sons par le nez. Chaque signal dont la fréquence est de 80–100 kHz (un kHz étant égal à 1000 cycles par seconde), dure un dixième de seconde, ce qui signifie que les ondes renvoyées par des objets situés à moins de 15 m parviennent à la chauve-souris avant la fin du signal. Ce système d'orientation par émission ininterrompue de signaux est beaucoup plus précis que celui des autres chauves-souris.

Détail de la tête

Grand murin

Détail de la tête

Oreillard

Grand murin *Myotis myotis*

Les chauves-souris repèrent les objets dans l'espace grâce à la réflexion des ondes ultrasonores. Elles émettent par l'intermédiaire de la bouche des séries de sons extrêmement courts de deux à trois millièmes de seconde dont la fréquence est de 30 à 70 kHz. Ces sons à haute fréquence sont trop aigus pour que l'oreille humaine les capte.

On trouve les grands murins en Europe centrale et en Europe de l'Est où ils vivent très souvent en colonies comprenant des milliers d'individus. En été les femelles se séparent des mâles pour élever leur progéniture. Les mâles et les femelles passent l'hiver dans les caves, les cavernes ou dans les puits de mines, serrés les uns contre les autres. Les cachettes où ils vivent en été sont souvent très éloignées des quartiers d'hiver, parfois de plusieurs centaines de kilomètres.

Grand murin : détail de la tête

Oreillard *Plecotus auritus*

Quand on regarde un oreillard, on a l'impression qu'il est énorme. Mais ce sont ses oreilles, aussi longues que son corps, qui produisent cette impression. Au repos, il les replie le long de son corps ne laissant pointer que le lobe interne ou tragus. En vol, il les déplie et les pointe en avant. Bien qu'il appartienne à une espèce très commune, on ne connaît pas exactement ses zones de distribution. On sait seulement qu'il vit en Europe, de l'Angleterre et de la Scandinavie au nord de l'Italie, jusqu'aux montagnes de Bulgarie et d'Asie centrale au Japon. En été les femelles vivent en colonies avec leurs petits. En hiver mâles et femelles se retirent dans des endroits sombres et protégés. L'oreillard ne parcourt jamais de grande distance en vol. On peut le voir autour des arbres à la recherche d'insectes.

Les chauves-souris sont des animaux utiles par le fait même qu'elles détruisent une grande quantité d'insectes. Dans de nombreux pays cependant, l'homme en abattant les vieux arbres et en détruisant les abris préférés des chauves-souris a permis à des espèces d'insectes autrefois inoffensives de se multiplier, à tel point qu'elles sont devenues une véritable menace pour toutes les grandes régions agricoles. Le nombre des chauves-souris diminue progressivement ; aujourd'hui, elles font partie des espèces protégées pratiquement dans tous les pays où l'on essaye de remplacer de différentes façons leurs abris perdus.

Les primates

L'origine des primates est à rechercher chez les insectivores et il existe encore aujourd'hui des animaux qui expliquent leur évolution. Dans la jungle de l'Asie du Sud-Est vivent de petits animaux qui ressemblent à des écureuils avec une bouche d'insectivore et le comportement d'un primate, ce sont des musaraignes arboricoles. Elles ressemblent aux espèces qui vécurent il y a 70 à 75 millions d'années et qui furent à l'origine de nombreuses espèces parmi lesquelles, les primates. Il fallut pourtant attendre encore 5 ou 10 millions d'années pour qu'apparaissent les premiers vrais primates. Ce n'est qu'il y a environ 50 millions d'années qu'ils donnèrent naissance à l'ordre des singes. Dès le début on distingue deux branches qui diffèrent entre autres par la forme du nez et la position des narines. L'une comprend les platyrhinies à nez long et plat et aux narines écartées et la seconde les catarhiniens à nez allongé et aux narines rapprochées comme chez l'homme. Les platyrhiniens se sont développés sur le continent américain. Leurs ancêtres vivant en Amérique du Nord, passèrent en Amérique du Sud il y a 30 à 40 millions d'années quand l'Amérique du Sud était séparée du Nord depuis au moins 10 millions d'années. Par la suite, quand les deux continents furent de nouveau réunis, quelques espèces se déplacèrent vers le nord sans pourtant dépasser le Mexique. La seconde branche, celle des catarhiniens, provient de Fayoum en Égypte où l'on a retrouvé des traces des plus anciens primates datant de la période oligocène, il y a 28 à 32 millions d'années. A cette époque, Fayoum se trouvait au bord de la mer dans une région de forêts tropicales denses entrecoupées de savanes où vivaient deux sortes de primates dont l'une a donné les grands singes et l'autre les babouins et les guenons. Il y a environ 30 à 15 millions d'années, la seconde sorte a donné naissance à une nouvelle branche de primates se nourrissant uniquement de feuilles.

Atèle de Geoffroy ou **singe-araignée**
Ateles geoffroyi
Le singe-araignée est un exemple typique de platyrhinien ; il possède toutes les caractéristiques du singe américain. A l'origine, tous les singes étaient arboricoles ; par la suite, les espèces les plus développées abandonnèrent leur habitat primitif. Les platyrhiniens restèrent sur les arbres et s'adaptèrent de mille façons à leur environnement. Certains, par exemple, possèdent une queue préhensile dont ils se servent comme d'une « cinquième main ». L'animal peut se pendre par la queue et s'en servir pour saisir des objets. Le singe-araignée a la queue préhensile la plus perfectionnée. Le bout de cette queue, le dernier tiers, est pelé et marqué de nombreuses lignes qui ressemblent aux empreintes digitales de l'homme. Elle possède aussi des muscles puissants qui lui permettent d'agripper tous les objets, petits et grands.
Le singe-araignée geoffroy appartient à l'une des espèces qui quittèrent l'Amérique du Sud pour s'installer au nord.

Atèle de Geoffroy

Mandrill
Mandrillus sphinx

Les babouins, comme les guenons, vivent en Afrique. Ils ont quitté les arbres pour vivre dans les savanes découvertes ou dans les régions rocheuses semi-désertiques. Deux espèces seulement sont restées fidèles à la forêt dont l'une est l'espèce du mandrill. Le mâle adulte avec son museau bariolé de bleu et de rouge est l'un des singes les plus colorés. Chez tous les babouins, il existe des différences très marquées entre les sexes. Les mâles sont parfois jusqu'à deux fois plus gros que les femelles. Chez la femelle des babouins, la surface des organes génitaux est très enflée ; elle devient souvent rouge vif au moment du rut, sauf chez la femelle du mandrill où l'arrière-train devient noir.

Le mandrill vit dans les forêts tropicales du Cameroun au Gabon. Ce babouin vit surtout par terre ; il ne monte dans les arbres que la nuit ou quand un danger le menace.

Patas

Patas ou singe roux
Erythrocebus patas

Les patas appartiennent à la famille des guenons bien que leur mode de vie soit différent. Les guenons sont des animaux arboricoles que l'on ne trouve qu'en Afrique, au sud du Sahara. Les patas vivent dans les savanes et dans les régions semi-désertiques. Ils possèdent de longs membres qui permettent d'atteindre la vitesse de 56 km/h en cas de danger. Les patas sont des animaux très sociaux qui vivent en troupes comprenant jusqu'à trente individus. On a même vu en Afrique occidentale des troupes comprenant 100 individus. Chaque troupe consiste en un harem avec un mâle dominant.

Mandrill

127

Les grands singes

Quand on dit grand singe on imagine tout de suite un gros animal sans queue marchant sur deux pattes bien que très souvent il s'appuie sur les membres antérieurs. Si l'on compare le squelette d'un grand singe avec celui d'un homme, on est frappé par leurs caractères communs. Les grands singes possèdent exactement les mêmes organes que l'homme ; ils ne diffèrent que par leurs dimensions et quelquefois aussi par leur forme. Les grands singes souffrent des mêmes maladies que l'homme alors que les autres primates sont immunisés. Mais malgré cela, on ne peut pas dire que l'homme descend du singe. Ce sont deux espèces distinctes qui descendent d'une espèce ancestrale commune apparue au Miocène ou au Pliocène, il y a 10 à 15 millions d'années. On croit souvent que les grands singes sont beaucoup plus intelligents que les petits singes, mais il est bien difficile de juger le niveau d'intelligence des animaux. Les expériences faites sur des primates dits « inférieurs » ont montré qu'ils sont capables de résoudre les mêmes problèmes que les primates supérieurs. Le capucin par exemple (que l'on classe parfois parmi les primates « inférieurs ») réussit à obtenir sa nourriture posée hors de sa portée en faisant intervenir un rat présent dans la cage où a lieu l'expérience. Un tel comportement dénote sans aucun doute une intelligence supérieure. On croit généralement que l'intelligence dépend de la grosseur du cerveau ou plus exactement du poids du cerveau par rapport au poids du corps (poids que l'on obtient en mesurant le volume de la boîte crânienne). C'est fondamentalement vrai mais il ne faut pas oublier, par exemple, que l'homme de Neanderthal avait une « boîte crânienne » beaucoup plus grande que celle de l'homme moderne.

Orang-outan *Pongo pygmaeus*
L'orang-outan, « homme de la forêt » en malais, vit dans la jungle de Sumatra et de Bornéo. Les Dyaks de Bornéo l'appellent « mais » ou « monyet marah besar » qui signifie grand singe roux. Les orangs-outans, sont en danger de disparition car l'homme gagne de plus en plus de terrain sur la jungle qui est indispensable à leur survie. Selon les statistiques de l'Union internationale pour la conservation de la nature et des ressources naturelles, on dénombre 3700 orangs-outans à Bornéo et un millier environ à Sumatra. Les orangs-outans sont des animaux solitaires qui ne vivent que très rarement en groupes et jamais à plus de trois ou quatre. Généralement ces groupes comprennent un mâle et un ou deux jeunes singes ou un couple d'adultes. Les mâles sont deux fois plus gros que les

Orang-outan

femelles et peuvent parfois même peser trois fois plus. Ils ont la tête plus longue et des bourrelets sur les joues. Ils ont une poche sur la poitrine qui amplifie leur voix. La femelle n'a pas de bourrelets sur la figure et sa poche est toute petite. Les orangs-outans ne sont actifs que le jour. Le soir ils se construisent un abri dans les arbres pour dormir. Ils sont frugivores.

Gorille *Gorilla gorilla*
Le gorille est le plus grand, le plus gros et le plus beau de tous les singes. Il vit dans la jungle africaine, du sud du Nigeria à l'embouchure du fleuve Congo, à l'est des monts Itombwe et des volcans des monts Kahuzi et Virunga. On trouve aussi une colonie de gorilles isolée au nord-ouest de l'Ouganda dans la forêt « impénétrable » de Kayonza. Un gorille pèse en moyenne 180 kg et mesure 175 cm. Le plus gros mâ-

le jamais capturé jusqu'à ce jour, fut prit au Zaïre, près du village de Tschibinda. Il mesurait 195 cm et pesait 241 kg. Les gorilles qui vivent dans les zoos deviennent eux aussi très gros, en raison du régime alimentaire auquel ils doivent s'adapter et du manque de mouvement. Le record absolu revient à un gorille mâle du nom de Phil qui vécut au zoo de Saint Louis de 1941 à 1958. Il mesurait 180 cm pour un poids de 388 kg.

Les gorilles vivent en groupes de trois à trente individus qui comprennent au moins un mâle à dos argenté et plusieurs femelles. Si le groupe comprend plusieurs mâles à dos argenté, le rang de chacun est déterminé par la taille et en conséquence par l'âge.

Les gorilles sont herbivores et se nourrissent de fruits, de feuilles et d'écorce d'arbre.

Gorille

Chimpanzé

Chimpanzé *Pan troglodytes*
C'est sans doute l'anthropoïde le plus proche de nous. Il vit dans les forêts équatoriales de Guinée et du Congo, de l'Ouganda au lac Tanganyika sans jamais descendre au sud du fleuve Congo. On le trouve aussi dans la savane et dans la montagne jusqu'à 3000 mètres d'altitude.

Le chimpanzé vit en petits groupes de huits membres ou en solitaire. Plusieurs groupes de chimpanzés peuvent s'associer pour un temps puis se diviser à nouveau. Le seul lien durable est celui qui unit la femelle à ses petits. Les chimpanzés, contrairement aux autres primates, s'aident mutuellement ; on a même vu des chimpanzés mettre de la nourriture de côté pour leurs compagnons. Les chimpanzés sont omnivores.

Drôles de dents, drôles d'animaux

Occupons-nous à présent des édentés, groupe d'animaux étranges qui semblent venus d'ailleurs. Leur nom est trompeur car en réalité, la plupart des édentés ont des dents et le tatou géant en possède même plus qu'aucun autre animal terrestre. Les mammifères qui appartiennent à l'orde des édentés, comme les fourmiliers, les paresseux et les tatous, sont très différents les uns des autres tant par leur aspect physique que par leur façon de vivre. On les trouve en Amérique du Sud et en Amérique centrale.

On en vient alors à se demander ce qui unit ces animaux bizarres. Et bien se sont les dents, quand ils en ont. Les dents des paresseux et des tatous ne sont pas recouvertes d'émail comme chez les autres mammifères ; leurs racines sont découvertes si bien qu'elles poussent continuellement, ce qui est tout à fait normal, car manquant d'émail elles s'usent très vite. Les édentés ont aussi en commun une série de joints entre les vertèbres qui lient toute la colonne vertébrale.

Il n'y a pas très longtemps (en terme d'évolution) que les édentés ont atteint leur « âge d'or ». A l'époque glaciaire ils avaient la taille d'un éléphant et vivaient sur le sol dans les pampas de Patagonie. On a découvert à Ultima Esperanza une grotte où vécurent il y a 10 000 ans des paresseux géants. Les restes d'os et de peaux, les traces de feu et d'herbes sèches indiquent qu'ils furent surpris et tués par asphyxie. A cette époque, l'homme n'avait pas les armes adaptées pour tuer de si gros animaux.

Grand fourmilier
Myrmecophaga jubata
Les fourmiliers sont les seuls édentés qui n'usurpent pas leur nom : ils n'ont pas une seule dent. Ils sont dotés d'un museau particulièrement allongé et étroit ; les mâchoires sont jointes et ne s'ouvrent pas. Le seul orifice buccal se trouve à l'extrémité du museau. Les fourmiliers éventrent les fourmilières au moyen de leurs longues griffes et atteignent les insectes grâce à leur langue visqueuse qui mesure 50 cm de long. Ils avalent naturellement beaucoup de terre, de pierres et de bois mais leur estomac possède des muscles assez puissants pour broyer le tout.

Grand fourmilier

Paresseux à deux doigts

Tatou à neuf bandes
Dasypus novemcinctus

Le tatou semble véritablement porter une armure. Son dos est protégé par une carapace constituée de petites plaques osseuses encastrées dans la peau. Cette armure est composée de bandes reliées entre elles par des joints de peau qui la rendent élastique. Le nombre de bandes varie selon les espèces et détermine le nom que l'on donne à chacune d'entre elles. Le tatou à neuf bandes, par exemple, possède une armure composée de neuf bandes mobiles.

On trouve les tatous de la pampa argentine à l'Amérique centrale ; la zone de distribution du tatou à neuf bandes s'étend même jusqu'au sud des États-Unis. Généralement, les femelles donnent naissance à deux petits. Chez le tatou à neuf bandes, cependant, un seul œuf fécondé donne quatre individus identiques du même sexe. Les femelles du tatou à sept bandes peuvent avoir huit et même douze petits identiques.

Récemment on a découvert que les tatous étaient souvent atteints d'une maladie semblable à la lèpre et ils sont ainsi devenus des animaux expérimentaux dans la lutte contre cette terrible maladie.

Paresseux à deux doigts ou unau
Choloepus didactylus

Le paresseux passe toute sa vie suspendu aux branches des arbres par les pattes qui se terminent en crochets. Ses poils poussent du ventre vers le dos si bien que, malgré sa position suspendue, il ne craint pas les pluies diluviennes des tropiques qui glissent sur sa fourrure. Les paresseux ne méritent pas leur nom d'édentés ; ils ont 20 dents dont certaines très pointues et très puissantes peuvent provoquer des blessures profondes. Les paresseux sont herbivores ; leurs quatre dents de devant très affilées leur servent de sécateur. Toutes les autres dents sont plus ou moins uniformes. On sait très peu de chose sur les paresseux et comme ils vivent la nuit il est très difficile de les observer. Il existe deux sortes de paresseux, le paresseux à deux doigts et le paresseux à trois doigts. Tous les paresseux ont trois doigts sur les pattes de derrière. Le paresseux à deux doigts inquiet émet de petits cris chevrotants qui lui a valu son nom vernaculaire de unau. Le paresseux à trois doigts émet des cris plus aigus qui lui ont valu le nom vernaculaire de ai.

Tatou à neuf bandes

Les mammifères carnivores

Le carbone est à la base de toute vie sur terre. Il passe, d'une manière complexe mais assez simple à expliquer, à travers tous les organismes vivants aujourd'hui comme il y a des millions d'années. Seules les plantes vertes peuvent transformer la matière inorganique inerte en matière organique vivante grâce à l'eau et au soleil. En présence de lumière, les plantes transforment le bioxyde de carbone, l'eau et les minéraux qu'elle contiennent en substances organiques tels que le sucre, les graisses et les protéines. C'est pourquoi on appelle les plantes vertes des productrices de base. Elles utilisent une partie de l'énergie qu'elles produisent pour croître, se développer et se reproduire. L'énergie qui reste dans la plante est utilisée par tous les autres membres de la communauté. Et les herbivores qui se nourrissent de plantes sont des consommateurs primaires. Eux aussi utilisent une partie de leur énergie pour chercher leur nourriture, grandir et vivre. Cependant, l'énergie qu'ils accumulent est supérieure à celle qu'ils dépensent. Il faut bien se rendre compte que c'est toujours la même énergie solaire utilisée par les plantes que l'on retrouve dans les tissus des herbivores. Certains animaux ne peuvent utili-ser les plantes et doivent chercher leur énergie chez les herbivores. Ce sont les carnivores. Quand un tigre capture un cerf, il se procure de l'énergie « de seconde main » si l'on peut dire ; c'est un consommateur secondaire. Les consommateurs primaires et secondaires rejettent le bioxyde de carbone dans l'air d'où il est de nouveau absorbé par les plantes. Mais cela ne représente qu'une partie du cycle. Toutes les plantes et tous les animaux meurent ; une partie de leur énergie peut être réabsorbée par un autre animal (par exemple un vautour qui mange un tigre mort), mais la plus grande partie retourne à la terre; les corps sont décomposés par les bactéries, les champignons, les vers et autres organismes et réduits en substances minérales simples qui sont de nouveau utilisées par les plantes. Bien que nous ayons simplifié le processus pour le rendre le plus clair possible, il est évident que l'énergie s'affaiblit au cours du cycle. Elle est d'autant plus faible qu'on arrive au sommet de la pyramide. A la base de la pyramide on trouve les plantes vertes et au sommet les carnivores et parmi eux, les plus caractéristiques sont les carnassiers ou mammifères mangeurs de chair.

Les canidés

Les canidés sont les carnassiers les plus anciens et leur histoire remonte à environ 40 millions d'années. Ils possèdent un museau allongé et un grand nombre de dents qui indiquent qu'ils se nourrissent principalement de viande mais que de temps en temps ils mangent des végétaux; ils ont l'ouïe et l'odorat très développés. Tous les membres de la famille des canidés ressemblent soit au loup soit au renard si bien qu'il est très facile de les identifier.

On trouve des canidés dans tous les types d'environnements, du désert à la forêt vierge, des îles Falkland aux plus hautes montagnes. Cependant, en Nouvelle-Zélande, en Australie, en Nouvelle-Guinée et à Madagascar ils ont été introduits par l'homme.

Renard commun *Vulpes vulpes*
Nous connaissons tous le renard sinon pour l'avoir vu du moins pour avoir lu des contes où il est toujours décrit comme un animal rusé et astucieux ; il est très rare de le voir à l'état sauvage car c'est un animal peureux qui évite l'homme. Le renard commun est roux. On le trouve dans tout l'hémisphère nord ainsi qu'en Australie et en Nouvelle-Zélande où il a été introduit. Le renard a la réputation de voler les poules; mais les statistiques faites sur des renards morts montrent qu'elles ne sont que très rarement à son menu. Les renards se nourrissent principalement de souris et de campagnols, de grenouilles, d'escargots, de limaces et d'insectes. A certaines périodes de l'année, ils complètent leur alimentation en mangeant des végétaux. Si l'occa-

Renard commun

Coyote

sion s'en présente ils ne dédaignent pas les charognes surtout en hiver quand la nourriture est peu abondante. Les renards qui vivent près des villes rôdent dans les décharges publiques où ils trouvent des détritus et bon nombre de rats. Le rut a lieu entre décembre et février. Après 52 jours de gestation, la femelle donne le jour à une portée de quatre petits en moyenne. Ceux-ci sont aveugles pendant une dizaine de jours. Le mâle apporte la nourriture à la femelle qui reste auprès de ses petits pendant cette période. Vers l'âge d'un mois les petits commencent à sortir de leur tanière mais les parents continuent à les nourrir. Les renardeaux quittent leurs parents à l'âge de deux mois. Ils sont adultes et aptes à la reproduction dès la fin de l'année. La fourrure du renard est très re-

cherchée. A part les renards roux communs, il y a le renard croisé qui possède une bande noire le long de la colonne vertébrale et souvent aussi en travers des épaules et le renard argenté, dont la fourrure n'a pas de prix. Le renard argenté très rare mais aussi le plus demandé, est maintenant élevé dans des fermes spécialisées.

Coyote *Canis latrans*
Pratiquement tous les livres qui traitent de l'Ouest américain mentionnent le coyote, considéré, à juste titre, comme l'animal typique de cette région. Autrefois, le coyote vivait dans les prairies de l'Ouest américain et sur les plateaux rocheux du nord du Mexique. Au cours des 400 dernières années, il a gagné du terrain vers le nord et vers l'est. Au seizième siècle, on le

trouvait sur tout le territoire mexicain et au dix-neuvième siècle il gagna même le Canada et l'Alaska. A l'est, le premier coyote fut tué en 1912 dans l'État de New York et aujourd'hui il rôde à peu près partout, sauf dans les États du Delaware et de Rhode Island. La plupart des États concernés offrent une récompense pour chaque coyote tué. Et bien qu'on en tue 90 000 par an, le nombre de coyotes reste inchangé car ses facultés d'adaptation lui permettent de maintenir une population stable. Il mange de tout, des rongeurs, des oiseaux, des reptiles, des insectes et des charognes sans dédaigner des végétaux. Le rut a lieu entre janvier et mars. Deux mois plus tard, la femelle met bas une portée de 6 à 10 petits qui quittent le terrier à l'âge de deux mois en compagnie de leurs parents.

Loup

Loup *Canis lupus*
Le loup vit ou vivait en Europe, dans les régions tempérées d'Asie et en Amérique du Nord. Naturellement, il existe des différences entre les loups, suivant les régions. Les loups du sud sont généralement plus petits que ceux du nord. Pourtant, les loups des îles arctiques au large du Canada sont de petits loups blancs. Mais ce genre d'exception est assez fréquent dans la nature. Les plus grands loups sont dans les régions boisées de Sibérie et du Canada. Ils pèsent environ 80 kg et parfois même plus de 100 kg. Les loups diffèrent aussi par la couleur de leur poil ; la plus grande diversité se rencontre chez les loups d'Amérique du Nord où une bande peut comprendre des loups dont la couleur varie du noir au blanc. A l'origine, le loup vivait dans tous les types d'habitats à l'intérieur de sa zone de distribution. L'homme l'a toujours considéré comme un ennemi mortel qu'il fallait supprimer à tout prix. Et bien que l'on sache aujourd'hui que c'est une erreur, cette opinion est encore très répandue. De nombreux parcs nationaux américains refusent encore d'accueillir des loups. Le problème de la protection des loups a été confié à une commission spéciale de l'Union internationale pour la conservation de la nature. Dans certaines régions il n'y a désormais plus rien à faire. Les loups vivent en famille. La période de reproduction se situe en février. Deux mois plus tard, la femelle donne naissance à une portée de quatre à six louveteaux qui se développent au même rythme que les autres canidés. Ils ouvrent les yeux environ dix jours après la naissance mais restent dans leur tanière beaucoup plus longtemps avec leur mère. Quand ils commencent à sortir, ils sont nourris par leurs parents ; d'abord de la nourriture régurgitée, puis de petits animaux. Les louveteaux restent avec leurs parents pendant deux ans ne s'éloignant que lorsque leur mère met de nouveau bas. La famille forme une bande qui parfois s'unit à d'autres bandes pour chasser de gros animaux. Au nord, ils chassent les rennes et les caribous et plus au sud les wapitis. Les loups sont de très bons coureurs ; ils peuvent couvrir de 40 à 80 km en une nuit.

Chien

Tous les savants sont d'accord pour affirmer que le chien fut probablement le premier animal domestique. Et ils pensent que cette domestication aurait eu lieu il y a environ 12 millions d'années quand l'homme de l'époque glaciaire, chasseur de mammouths, de chevaux sauvages, d'aurochs et de bisons fit la connaissance des loups qui comme lui suivaient les déplacements des troupeaux de bêtes. Ils sont représentés sur les magnifiques fresques des grottes où l'homme s'abritait à la fin de la période glaciaire. Ils étaient sans doute attirés par les ordures et par l'odeur de la chair fraîche. La domestication du loup a peut-être commencé par un morceau de viande pris de la main de l'homme ou par l'élevage d'un louveteau au sein de la communauté. Nous ne le saurons

jamais. Ce processus de domestication commença dans plusieurs endroits à la fois. On a retrouvé les restes d'un crâne de petit chien sur la côte est du Danemark qui date d'il y a 10 000 à 12 000 ans. On a également retrouvé des restes de cette période près de Moscou. L'homme utilisa le chien pour chasser et pour protéger son campement. On peut se rendre compte de la façon dont ils vivaient en observant les coutumes des aborigènes d'Australie qui vivent encore aujourd'hui comme l'homme à l'âge de pierre. L'anthropologiste M. J. Meggit qui a étudié leurs comportements, écrit : « Un jour, un groupe de chasseurs de la tribu des Walbiris, tomba sur les traces d'un dingo à la poursuite d'un kangourou. Ils suivirent la piste toute la journée pour être présents à la mise à mort. Mais ils arrivèrent avant le dingo et

tuèrent le kangourou avec leurs lances et leurs boomerangs. Ils vidèrent l'animal et le rapportèrent au campement. Comme c'était l'habitude, ils jetèrent les entrailles au dingo. » Mais l'homme depuis fort longtemps déjà élève le chien pour son plaisir. Chez les Égyptiens comme chez les Incas et les Mayas on trouve des peintures de chiens qui ressemblent à ceux que nous connaissons aujourd'hui. L'élevage et la sélection ont donné un grand nombre de races. Mais malgré les différences marquées qui existent entre ces races, beaucoup plus grandes que dans les autres groupes de mammifères, même un enfant reconnaît un chien, que ce soit un bouledogue, un saint-bernard, un teckel ou un pékinois. Le chien, descendant du loup, est devenu l'ami de l'homme.

Les chiens domestiques

Les félidés

De tous les carnassiers, les félidés sont les mieux équipés pour chasser les proies. Leurs griffes acérées sont leur arme la plus caractéristique. Au repos, les griffes sont enfermées dans une gaine située sur la dernière phalange du doigt qui est rétractile. Quand l'animal est prêt à fondre sur sa proie ou à livrer bataille, les griffes sortent de leur gaine. Tous les félidés ont une petite tête ronde, une mâchoire courte et des dents peu nombreuses qui sont cependant extrême-

Chat sauvage
Felis silvestris

Le chat sauvage est commun à toutes les régions tempérées. Selon certains savants, le terme de chat sauvage englobe plusieurs groupes de chat de formes semblables qui vivent dans des habitats différents. Le premier groupe comprend les chats d'Europe, que l'on trouve de l'Écosse à la Transcaucasie et en Asie Mineure et qui ressemblent à nos chats tigrés. Le second groupe comprend les chats cafres d'A-

frique. Contrairement aux précédents, ils ne fuient pas l'homme ; on les trouve souvent près des maisons. Comme nous le verrons par la suite, cette particularité fut un facteur important dans leur domestication. Le troisième groupe comprend les chats sauvages des steppes et des déserts d'Asie.

Le chat sauvage européen a disparu dans de nombreuses régions. En Grande-Bretagne on ne le trouve plus qu'en Écosse, en Allemagne dans les massifs du Harz et d'Eifel. Ils sont relativement nombreux dans les Carpates. Les chats sauvages vivent dans les forêts épaisses et broussailleuses. Ce sont des animaux solitaires qui ne se réunissent qu'au moment de l'accouplement en février. La femelle met bas dans un endroit sec et bien caché. Les petits ressemblent aux chatons de nos chats domestiques, joueurs et drôles. On dit souvent que les chats sauvages déciment le gibier, mais si l'on examine le contenu de leur estomac, on s'aperçoit que 90% de leur alimentation est constitué par des souris et des campagnols et 10% par des oiseaux et des lézards.

Chat sauvage

Le chat domestique

L'ancêtre du chat domestique est probablement le chat cafre d'Égypte. On a retrouvé des fossiles de chats vivants dans les maisons qui datent de la civilisation Badari, 4000 ans av. J.-C. Cependant, ce n'est qu'à partir de 2000

ment efficaces pour saisir et déchiqueter la viande. Les canines sont longues et peuvent facilement tuer ; les molaires servent à découper la viande. Leur langue est munie de protubérances pointues et dures qui servent de râpe pour détacher la viande des os. La plupart des félidés sont dotés d'une vue perçante ; leurs pupilles se dilatent dans l'obscurité et se contractent à la lumière intense comme l'objectif d'un appareil photo.

Chat domestique

Ocelot

sée de savants du monde entier pour persuader les gouvernements des pays concernés de prendre les mesures qui s'imposent.

Lynx américain
Lynx rufus
On trouve le lynx américain du Canada jusqu'au Mexique dans tous les types d'habitats, dans les hautes montagnes comme dans les régions désertiques, dans les forêts subtropicales humides comme dans les régions couvertes de cactus. Naturellement, selon les habitats, la forme et la couleur varient. Le plus grand est le lynx canadien à queue claire et le plus petit est le sinaola, à peine plus grand qu'un chat domestique.
Le lynx américain n'a pas peur de l'homme, il s'aventure même près des villes. Il ne chasse pas le chat domestique ; on a même vu les deux espèces s'accoupler.

ans av. J.-C. que l'on peut parler de chat domestique avec certitude. Les chats sauvages d'Afrique étaient des sujets prédisposés, si l'on peut dire, à la domestication ; ils n'ont pas peur de la civilisation, au contraire elle leur offre de nombreux avantages et en particulier un grand nombre de rongeurs faciles à attraper.

Ocelot *Leopardus pardalis*
L'ocelot est très répandu en Amérique du Sud, en Amérique centrale et dans le sud des États-Unis. Certaines espèces sont à peine plus grosses qu'un gros chat domestique et d'autres, comme celles qui vivent dans les forêts tropicales de Guyane et d'Amazonie, sont aussi grosses qu'un petit léopard. Les ocelots des forêts tropicales sont généralement de couleur sombre avec de grosses taches rondes tandis que ceux des steppes sont de couleur claire avec de petites taches. Ils se nourrissent de souris, de lézards et de jeunes ongulés. On les tue par milliers chaque année pour leur belle fourrure et ils sont en voie d'extinction dans de nombreux pays. L'Union internationale pour la conservation de la nature et des ressources naturelles a nommé une commission compo-

Lynx américain

Puma

Guépard *Acinonyx jubatus*
A la différence des autres félins, le guépard ne peut pas rétracter ses griffes ; il s'ensuit qu'il chasse différemment. Poursuivant ses victimes à toute vitesse sur ses longues pattes, il court à 75 km/h et peut même dépasser les 100 km/h dans le sprint final. Le guépard vit en solitaire ou en couple dans les savanes, chassant le jour et dormant la nuit. Il se nourrit principalement d'antilopes. Il s'approche du troupeau, choisit sa victime, s'élance sur elle, la plaque au sol, puis il la prend par le cou et la traîne dans un endroit abrité pour la dévorer. Le guépard ne parcourt jamais de grandes distances en courant, s'il n'attrappe pas sa proie très vite, il abandonne la poursuite.
Autrefois, on trouvait les guépards sur tout le territoire africain, à l'exception des régions de forêts et en Asie, de l'Arabie à la Transcaucasie. Aujourd'hui, ils ont pratiquement disparu d'Asie et leur nombre ne fait que diminuer en Afrique où ils sont considérés comme une espèce en voie de disparition.

Puma *Puma concolor*
Lion de montagne, cougouar, puma sont les noms que l'on donne à un félin que l'on trouve surtout en Amérique du Nord. Le puma vit ou du moins vivait du sud-ouest de l'Alaska et du centre du Canada jusqu'à la Terre de Feu en passant par l'Amérique du Nord et l'Amérique du Sud. Dans la zone nord il a pratiquement disparu. On ne le trouve plus que dans les montagnes inaccessibles de la côte Pacifique et en Floride. De la frontière mexicaine en descendant vers le sud, le puma est encore très répandu.
Selon les régions, la taille du puma change. Les plus gros peuvent atteindre 110 kg et les plus petits seulement 25. On peut voir parfois des pumas tout noirs ou albinos. La fourrure de l'adulte est unie tandis que celle des jeunes est couverte de taches sombres.

Guépard

Les grands félins

Les grands félins, le lion, le tigre, le léopard et le jaguar, sont très différents des félins dont nous venons de parler. Les petits félidés miaulent tandis que les grands félins rugissent. Il existe aussi des différences de comportement (les grands félins, par exemple, mangent allongés) et bien d'autres petits détails discernables seulement par un expert.

Les grands félins sont originaires de l'Ancien Continent. Seuls les jaguars vivent en Amérique du Sud d'où ils ont gagné le sud des États-Unis.

Nous connaissons tous les grands félins pour les avoir étudiés à l'école ou pour les avoir vus au zoo. Cependant, ce sont les animaux les moins connus au niveau scientifique. Ils ont toujours été considérés comme de magnifiques trophées de chasse, jamais comme des animaux intéressants à connaître. Ce n'est que très récemment que l'on s'est mis à étudier leur mode de vie.

Lion *Panthera leo*

Il suffit de voir un beau lion mâle à crinière rousse pour se convaincre, s'il en était besoin, que c'est vraiment le roi des animaux. Il orne les armoiries et les insignes royaux de nombreux pays, symbole de force, de courage et de majesté. On l'appelle aussi parfois « le roi de la jungle », mais c'est une erreur, car les lions ne vivent pas dans la jungle et n'y ont jamais vécu. On les trouve en terrain découvert parsemé de fourrés et d'arbres. Le lion est le seul félin social, il vit en troupes ou bandes de 20 à 30 membres. Chaque bande se compose de plusieurs lionnes et de leurs lionceaux et d'un ou plusieurs mâles adultes. Le lion peut courir à une vitesse de 60 km/h et faire des bonds de 12 m de long. On a même vu un lion sauter une barrière de trois mètres et demi de haut. Généralement, les lions restent au sol. Cependant, dans certaines régions de l'Ouganda les lions dorment communément dans les arbres.

La vie d'une bande de lions est fort intéressante. Ce sont les lionnes qui chassent mais les lions qui mangent les premiers. Les lions sont adultes à l'âge de deux ans et n'atteignent la maturité qu'à l'âge de cinq ans. Les lionceaux mâles sont chassés de la bande par les mâles adultes. Quand ils sont assez forts, les jeunes lions se mettent à la tête d'une bande déjà formée d'où sont rejetés les vieux mâles. Après une période de gestation de 105 à 112 jours, la lionne met bas de 2 à 5 lionceaux qu'elle allaite pendant près de trois mois et qui ne deviennent totalement indépendants qu'à l'âge d'un an. La mortalité est très grande chez les lionceaux ; ils souffrent de malnutrition car ils sont les derniers à avoir le droit de manger, après les lions et les lionnes. Dans les régions où l'on pratiquait régulièrement la chasse aux lions mâles, les lionnes chassaient et mangeaient immédiatement en même temps que les lionceaux. Le nombre des lions augmenta qui eurent besoin de se nourrir. L'homme avait rompu l'équilibre de la nature et en subissait les conséquences.

Lion

Léopard *Panthera pardus*

On se demande souvent quelle différence il y a entre une panthère et un léopard. La réponse est simple : aucune. La distinction fut introduite par les chasseurs qui appelaient les spécimens les plus gros des panthères et les plus petits des léopards. Aujourd'hui nous savons que la différence de taille est déterminée par le sexe, les panthères étant des mâles et les léopards des femelles. Il faut cependant noter que l'on continue à appeler panthères noires les léopards noirs. Ce qui nous amène à nous poser une autre question : le léopard noir appartient-il à une espèce différente de léopards ? La réponse est encore non. Ce n'est qu'une variation de couleur à l'intérieur d'une seule et même espèce. Les léopards noirs sont nombreux dans les hautes montagnes et dans les forêts tropicales d'Éthiopie, du Sikkim, de la Thaïlande et de la Malaysia. Le léopard a une zone de distribution très étendue qui englobe l'Afrique, à l'exception du Sahara, qui va jusqu'à l'Asie Mineure en passant par le Sinaï et qui se prolonge à travers l'Asie du sud-ouest jusqu'à l'Extrême-Orient et au sud de Java.
Le léopard est le plus habile de tous les carnassiers. C'est un excellent grimpeur ; il traîne ses victimes, pour la plupart des ongulés de taille moyenne, dans les arbres afin que les lions et les hyènes ne puissent les lui dérober. Il n'est pas rare de voir un jeune bœuf pendu dans les branches d'un arbre à 6 m au-dessus du sol. On a vu aussi un léopard, tenant dans sa gueule un bélier sauvage, sauter sur un rebord de rocher à 3 m au-dessus du sol. Le léopard a disparu dans de nombreuses régions. Espérons qu'il sera préservé dans les régions où on le trouve encore.

Jaguar *Panthera onca*

Le jaguar est le seul grand félin vivant sur le continent américain. Il est plus trapu que le léopard et sa queue ainsi que ses pattes sont

Jaguar

plus courtes. Il pèse autant qu'un tigre sans en avoir la taille. Le poids moyen d'un jaguar est de 100 kg environ. Les plus gros spécimens se trouvent dans la région du Mato Grosso au Brésil. Le jaguar vit dans les forêts épaisses aussi bien que dans les régions semi-désertiques du sud de l'Argentine et du sud-ouest américain. Dans les forêts tropicales d'Amérique du Sud inondées pendant plusieurs mois par an, le jaguar se perche dans les arbres pendant toute la période que durent les inondations. C'est un excellent grimpeur et un bon nageur : il entre dans l'eau pour chasser les caïmans, les tortues et les poissons. Il se nourrit aussi de cabiais et de tapirs.

Les jaguars sont des animaux solitaires qui ne vivent en couple qu'au moment du rut. Si deux mâles désirent la même femelle, ils se battent jusqu'à ce que mort s'ensuive. La gestation dure treize semaines et la portée comprend de un à quatre petits. La femelle allaite ses petits pendant environ trois mois, toutefois ces derniers restent avec elle pendant un an et même parfois plus. Les jaguars noirs sont très recherchés par les zoos. On connaît des jaguars encore plus rares, de couleur blanc crème que l'on trouve de temps en temps dans les montagnes de Guyane.

Tigre *Panthera tigris*
Le tigre et le lion, d'aspect physique bien différent, ont une structure interne très semblable. Seul le crâne présente des différences notables. Il est évident que les deux espèces sont apparentées. Leur biologie est cependant totalement différente. Le tigre, contrairement au lion, est un solitaire qui vit dans la forêt et dans la jungle et non seulement dans les forêts chaudes et humides mais aussi dans la taïga sibérienne au climat glacial.

On rencontre le tigre en Asie et à l'ouest dans les montagnes du Caucase d'où il descendait autrefois vers la Turquie. Il semblerait qu'on le voit de nouveau de plus en plus fréquemment dans ces régions. A l'est la zone de distribution du tigre s'étend vers le fleuve Amour jusqu'en Extrême-Orient et au-delà, à travers la Corée et l'est asiatique vers le sud, en Inde, à Sumatra, à Java et à Bali. Bien évidemment, le tigre d'Asie est différent du tigre de Sibérie et de Mandchourie. Le tigre de Mandchourie qui doit supporter les rigueurs du froid a une fourrure plus longue et plus épaisse. Il est aussi plus gros. Les plus petits tigres sont ceux de Sumatra, de Java et de Bali mais ils y sont très peu nombreux comme d'ailleurs sur toute leur aire de distribution.

Tigre

La famille des belettes

Les animaux de la famille des belettes possèdent un corps allongé cylindrique, de courtes pattes et généralement des glandes dégageant une odeur forte qui servent à communiquer et souvent aussi à se défendre. Ce sont les seuls caractères physiques visibles à première vue qu'ils aient en commun. La famille des belettes comprend les martres, les blaireaux, les loutres et les belettes naturellement. Tous les animaux de cette famille possèdent une fourrure de haute valeur très demandée par les pelletiers. De nombreuses espèces ont d'ailleurs payé fort cher ce privilège.

Les membres de la famille des belettes sont répandus dans le monde entier, à l'exception de l'Australie et de la Nouvelle-Zélande où l'on a cependant essayé de les introduire sans grands résultats.

Hermine

Hermine *Mustela erminea*
On trouve l'hermine en Europe (sauf dans les pays méditerranéens), dans le nord de l'Asie, au Japon et en Amérique du Nord. Elle vit en plaine comme en haute montagne. Depuis des temps immémoriaux, on chasse l'hermine pour sa fourrure qui autrefois ornait tous les vêtements d'apparat. En été son pelage est brun ; le ventre, la gorge et la face interne des pattes sont blancs et le bout de la queue, noir. Le pelage d'hiver est d'un blanc pur à l'exception du bout de la queue qui reste noir. Les plus belles hermines sont celles qui vivent dans les pays froids ou dans les montagnes. Dans les régions plus tièdes, son pelage change peu en hiver. L'hermine est active surtout la nuit. Elle se nourrit de rongeurs et d'oiseaux. Elle a deux périodes de rut mais une seule portée car les œufs fécondés au printemps se développent immédiatement tandis que les œufs fécondés en été ne se développent qu'au printemps suivant. C'est un phénomène assez courant parmi les membres de la famille des belettes.

Vison américain
Mustela vison
L'élevage du vison américain est sans aucun doute l'élevage d'animaux à fourrure le plus répandu aujourd'hui. A l'origine, le vison américain vivait dans les forêts, de l'Alaska à la Californie. Mais la demande devint si grande et la chasse si difficile que l'on créa des fermes spécialisées pour en faire l'élevage. Le vison sauvage est brun foncé mais on a obtenu grâce à la sélection de nouvelles couleurs qui ont une grande valeur commerciale. Comme le soleil et la pluie abîment la fourrure des visons, ils vivent en cage couverte. La préparation des menus pour les visons est une vraie science à part. Les résultats sont remarquables et la fourrure des visons d'élevage est de beaucoup supérieure à celle des visons sauvages.

Loutre de mer
Enhydra lutris
La fourrure de la loutre de mer a toujours été une fourrure très précieuse, c'est pourquoi cet animal a été victime d'une chasse sans merci. Ce n'est que quand l'espèce fut sur le point de disparaître que l'on prit des mesures pour la proté-

Vison américain

ger. Il existe deux races de loutre de mer : l'une petite et de couleur foncée qu'on trouve du Kamtchatka aux îles Aléoutiennes, tout le long de la côte Pacifique nord jusqu'à la Colombie britannique, l'autre, plus grosse et de couleur brune, vit le long de la côte Pacifique, de l'État de Washington à la Basse-Californie. La loutre de mer passe la plus grande partie de sa vie dans l'eau. Elle se nourrit d'oursins, de mollusques, de crabes et d'une très petite quantité de poissons. Pour manger, la loutre se met sur le dos et tient sa nourriture entre ses pattes de devant. C'est un animal très habile et plein de ressources.

Les loutres de mer vivent généralement en groupes comprenant des dizaines d'individus et parfois même des centaines. La femelle ne donne naissance qu'à un seul petit, parfois à des jumeaux. Sur terre elle transporte son petit dans sa gueule et dans l'eau entre ses pattes de devant. Les loutres de mer sont très serviables et très joueuses.

Loutre de mer

Blaireau américain
Taxidea taxus

On trouve le blaireau américain de la Colombie britannique et du Saskatchewan au Texas, à la Californie et au Mexique. Il se nourrit de chiens de prairie et de rongeurs qu'il déterre avec ses pattes puissantes. Le blaireau a une force exceptionnelle. Une expérience typique consiste à lui faire soulever une plateforme portant un cheval et son

cavalier. Et il y réussit fort bien. Les blaireaux creusent de grands terriers qui peuvent atteindre 10 m de profondeur et où la femelle met bas à la fin de l'été. Les blaireaux américains des régions froides s'endorment quand vient l'hiver, mais ce n'est pas une réelle hibernation. Les blaireaux du sud font de même pendant les périodes de grande sécheresse.

Mouffette ou sconse
Mephitis mephitis

La mouffette est réputée pour son odeur malodorante. Comme presque tous les membres de la famille de la belette, elle possède des glandes malodorantes situées près de l'anus. Elles servent généralement

Mouffette

Blaireau américain

à délimiter le territoire de l'animal ; chez la mouffette, elles se transforment aussi en arme de défense. En cas de danger, l'animal se retourne, lève la queue et arrose l'ennemi d'un jet irritant et dégageant une odeur nauséabonde. Il peut atteindre une cible à une distance de trois mètres et demi.

En dépit de sa puanteur, la mouffette est recherchée pour sa fourrure très demandée. Les mouffettes sont aussi élevées dans des fermes spéciales où l'on a bien soin de leur enlever leurs glandes.

Les ours

L'évolution des ours est étroitement liée à celle des chiens et l'on peut même dire qu'ils leur sont apparentés. Les ours marchent sur la plante des pieds, contrairement aux autres carnivores qui marchent sur les doigts. Ils ont de petites incisives et de grosses molaires, car ils se nourrissent de viande et de végétaux qu'ils écrasent avec leurs molaires. L'histoire de l'ours est relativement récente, le premier ours étant apparu il y a environ 15 millions d'années. Les ours sont des animaux du nord. Il n'y a que quelques millions d'années qu'ils sont descendus vers l'Amérique du Sud et le sud-est asiatique. Il existe aujourd'hui sept espèces d'ours, seuls les hyènes et les protèles sont encore moins nombreux. Les sept espèces sont : l'ours brun, l'ours noir d'Amérique ou baribal, l'ours noir d'Asie, l'ours jongleur des Indes et de Ceylan, l'ours des forêts équatoriales de l'Asie du Sud-Est, l'ours à lunettes des Andes et l'ours polaire des régions arctiques de l'hémisphère nord. Les ours ont une fourrure épaisse de couleur uniforme à l'exception de taches blanchâtres ou jaunâtres chez certains ou de taches sur la tête comme chez l'ours à lunettes. Chez les ours, le sens le plus développé est l'odorat suivi de l'ouïe ; leur vue est assez faible. Il suffit d'ailleurs d'observer un ours pour se rendre compte de l'importance des différents sens. Il a un nez très souple qui tourne dans toutes les directions quand il renifle. Les oreilles, bien que petites, sont, elles aussi, très mobiles ce qui permet à l'ours de déterminer avec exactitude la provenance des bruits. Les yeux sont tout petits et il est bien évident que l'ours ne les utilise pas beaucoup.

On a l'habitude de croire que les ours sont des animaux tranquilles un peu patauds, c'est ainsi qu'on les décrit dans les contes de fée et qu'ils sont présentés aux enfants. Mais il n'en est rien, les ours sont des bêtes féroces dont il faut se méfier. Il est très difficile de savoir ce qu'ils préparent car ils ont des muscles faciaux peu développés. Un chien qui va mordre a une expression hargneuse mais un ours qu'il soit de bonne humeur ou prêt à l'attaque a toujours la même tête. C'est pour cette raison que les ours sont parmis les animaux les plus dangereux des zoos.

Ours kodiak
Ursus arctos middendorffi
L'ours brun vit en Europe, en Asie et en Amérique du Nord. Au nord il ne dépasse pas les forêts, en Asie il ne dépasse pas les montagnes de l'Himalaya et au sud les plateaux mexicains. Naturellement, les ours se différencient suivant les climats et les habitats. A l'ouest et au centre des États-Unis on trouve des ours grisâtres appelés grizzlis qui ont une réputation d'extrême férocité, en réalité ils ne sont ni meilleurs ni pires que les autres ours.

Ours kodiak

144

Les plus gros ours bruns vivent en Alaska et dans les îles voisines comme le Kodiak, l'Afognak, le Montagne et l'Amirauté. Ces ours brun-roux à pattes noires sont énormes.

L'ours kodiak, par exemple, mesure 3 m de long et pèse environ 800 kg. Le zoo de Berlin possède un spécimen d'ours kodiak qui pèse 1200 kg. .

A la naissance les oursons mesurent de 20 à 30 cm et pèsent 500 grammes. Ils naissent aveugles, sourds et presque sans poils. Ils ouvrent les yeux quand ils ont trois semaines et ce n'est qu'à sept semaines qu'ils commencent à entendre. L'odorat, si important chez eux, ne se développe pas avant l'âge de deux mois. Les oursons dépendent de leur mère pendant très longtemps. Quand ils commencent à sortir de leur tanière, vers trois mois, ils ressemblent à des ours en peluche et on imagine difficilement qu'ils deviendront un jour d'énormes bêtes. A partir de trois mois, ils grandissent rapidement et à un an ils sont à la moitié d'un ours adulte. Ensuite leur croissance redevient lente et n'atteint la taille adulte qu'à l'âge de 10 ans.

Ours noir d'Amérique ou **baribal**
Euarctos americanus
L'ours noir américain est celui que les touristes photographient dans les parcs nationaux de l'Amérique du Nord. Autrefois les ours et l'ours noir en particulier étaient un gibier précieux pour les Indiens et pour les blancs, sa peau servait de couverture, on mangeait sa chair et sa graisse fournissait la lumière et des onguents. La disparition des forêts a chassé l'ours de ses terrains de chasse et a causé son extinction dans beaucoup d'endroits. Le nombre des ours noirs cependant ne fait qu'augmenter. On en dénombre aujourd'hui plusieurs centaines de milliers.

Bien qu'on les appelle des ours noirs, leur couleur peut varier, certains sont brun cannelle, d'autres, très rares, comme l'ours de Kermode de la Colombie britannique, sont blancs ou gris-bleu argenté. L'ours noir américain est un solitaire qui se nourrit de fruits et de petits vertébrés.

Comme nous l'avons déjà dit, l'ours noir vit aussi dans les parcs nationaux. Malgré les pancartes qui invitent à la prudence, la moitié des accidents qui se produisent dans les parcs, sont dus à l'imprudence des touristes qui s'approchent des ours noirs. L'ours noir américain est probablement la seule espèce d'ours qui n'a pas eu à souffrir de la civilisation.

Le panda géant, le coati et la genette

Panda géant

Panda géant
Ailuropoda melanoleuca
Le panda géant vit dans les forêts de bambou de la Chine. Son existence fut pendant longtemps entourée de mystère. Les peintures chinoises anciennes représentaient souvent une sorte d'ours noir et blanc qui ressemblait plus à un animal imaginaire qu'à un animal réel. Mais de temps en temps on entendait parler de cet étrange ours qui vivait au cœur de l'Asie. Le père Armand David, missionnaire en Chine, qui avait fait connaître en Europe de nombreuses plantes et de nombreux animaux jusqu'alors inconnus, se mit à la recherche de cet ours légendaire en 1868 et 1869. Il chercha longtemps sans succès jusqu'au jour où il vit chez un fermier la peau d'un ours qu'il reconnut immédiatement. Après quoi il ne lui fut pas difficile de persuader les chasseurs locaux de lui en capturer un dont il envoya la peau et le squelette à Paris. C'est ainsi que le

monde entier fit la connaissance du panda. Aujourd'hui le panda n'est plus classé dans la famille des ours ; il appartient à une famille dont il est le seul représentant. Le transfert du premier panda géant dans un zoo fut une entreprise gigantesque et coûteuse : il fut payé 25 000 dollars. Et ce n'était que le début des difficultés car le panda géant ne se nourrit que de pousses de bambou et de feuilles ; là où c'est possible on peut faire pousser le bambou sinon il faut le faire venir par avion. Aujourd'hui de nombreux zoos ont leur panda. On ne sait pas combien il y a de pandas à l'état sauvage car ils habitent un petit territoire difficile d'accès. Le panda est le symbole du Fond international pour la protection de la nature. Le panda roux, *Ailurus fulgens,* qui vit dans l'Himalaya, est beaucoup plus répandu que le panda géant. Avec sa queue rayée bien fournie et sa tête de chat, il ressemble à un raton-laveur.

Coati à museau blanc
Nasua narica
Les coatis appartiennent à une famille de mammifères carnassiers qui vivent en Amérique du Sud et en Amérique centrale ; ils ressemblent un peu à l'ours et un peu à la belette. On dénombre quatre espèces de coatis dont la plus connue est celle du coati à museau blanc. Les coatis possèdent un long museau flexible avec lequel ils fouillent tous les trous à la recherche de nourriture. Ils se groupent en plusieurs centaines d'individus qui s'entraident. Des expériences effectuées sur des coatis ont montré qu'ils sont capables d'exécuter des taches difficiles et qu'ils ont un comportement étonnamment logique. Le coati à museau blanc est originaire des forêts du sud de l'Amérique du Nord d'où il a gagné l'Amérique centrale et la Colombie. Contrairement aux autres membres de cette famille, les coatis sont actifs le jour. A la

période du rut, les mâles se battent farouchement pour obtenir les faveurs des femelles. A la naissance, les petits sont beaucoup plus développés que les oursons et que tous les autres petits de cette famille. Ils pèsent 200 grammes, ouvrent les yeux le onzième jour et commencent à manger de la nourriture solide le vingtième. Ils sont complètement indépendants à l'âge de deux mois.

Genette *Genetta genetta*
Les genettes, les civettes, les mangoustes et autres carnassiers apparentés, forment une famille qui comprend 36 ordres représentant environ 70 espèces dont la plupart vivent en Asie et en Afrique. Il existe une espèce de mangouste et une de genette en Europe méridionale, dans la péninsule ibérique et dans le sud de la France. Toutes les genettes se ressemblent : elles ont des pattes courtes, un corps allongé et une longue queue annelée. Les genettes sont des animaux gracieux, faciles à apprivoiser ; les Égyptiens les apprivoisèrent bien avant les chats. Tous les membres de cette famille possèdent des

glandes malodorantes situées près de l'anus. La genette et quelques autres espèces possèdent en plus une grosse glande entre l'anus et l'orifice génital qui sert à délimiter le territoire occupé par l'animal. Les genettes sont des animaux nocturnes. Elles se nourrissent d'insectes, de petits vertébrés et de fruits. Autrefois on chassait la genette pour sa fourrure qui ornait les habits de cérémonie. Quand Charles Martel vainquit les Arabes à Poitiers en 732, il trouva dans son butin de guerre de nombreux vêtements ornés de peaux de genette ce qui lui donna l'idée d'instituer l'ordre de la Genette réservé aux chevaliers du plus haut rang.

Coati à museau blanc

Genette

Les lièvres, les lapins et les pikas

Certains lecteurs seront étonnés de ne pas trouver les lièvres et les lapins dans le chapitre sur les rongeurs. Ils ont sans aucun doute des dents de rongeurs mais si l'on regarde l'histoire des lièvres et des rongeurs, on s'apercevra qu'il y a environ 60 millions d'années, au début du tertiaire, ils constituaient deux espèces distinctes. Ils ne peuvent être aujourd'hui classés dans le même groupe sous prétexte qu'ils ont quelques caractères communs. En mangeant, le lapin remue la mâchoire d'un côté à l'autre comme une chèvre ou une vache tandis qu'un cochon d'Inde ou une souris la remue d'avant en arrière! Et si vous examiniez un crâne de lièvre ou de lapin, vous verriez qu'ils ont quatre incisives sur la mâchoire supérieure, deux de chaque côté, tandis que les ron-

geurs n'en ont que deux, une de chaque côté. On pourrait citer ainsi bien d'autres différences qui prouvent que les deux groupes n'appartiennent pas au même ordre.

Lièvre *Lepus europaeus*
Le lièvre, habitant des steppes, s'est très bien adapté à la vie dans les champs ; on le trouve aussi dans les forêts d'arbres à feuilles caduques. Il est originaire d'Europe (si l'on exclut l'Irlande et la péninsule ibérique), de l'Oural et, à travers l'Asie centrale et l'Asie Mineure, de l'est et du sud de l'Afrique. Il

Lièvre bleu

Lièvre

a été introduit comme gibier en Australie, en Nouvelle-Zélande et en Amérique. Dans certains endroits on l'appelle le lièvre brun. Le lièvre ne creuse pas de terrier, il s'abrite dans des gîtes, petits évasements à peine creusés dans l'herbe ou dans les fourrés qu'il ne quitte que le soir pour aller chasser. Il prend toujours soin de ne pas laisser de traces derrière lui en effectuant des virages à angle droit et en bondissant de droite et de gauche. La hase met bas dans le gîte ; elle a généralement deux petits, parfois trois mais rarement quatre. Si les conditions sont favorables, une hase peut avoir jusqu'à cinq portées par an. Les levrauts sont totalement indépendants au bout d'un mois. Le lièvre est végétarien. C'est un visiteur peu apprécié dans les jardins où il cause de gros dégâts.

Lièvre bleu ou lièvre variable *Lepus timidus*
On appelle cette espèce de lièvre, le lièvre variable parce qu'il devient blanc au début de l'hiver, seul le bout de ses oreilles reste noir. En été il est brun teinté de gris ce qui lui vaut parfois le nom de lièvre bleu. Il est natif du nord de l'Europe, de l'Asie et de l'Amérique. Dans les régions froides d'Amérique, il reste blanc toute l'année, ce qui lui vaut le nom de lièvre arctique. Dans les montagnes d'Europe, en Écosse, en Irlande et dans les Alpes on trouve une espèce intermédiaire entre le lièvre commun et le lièvre arctique, vestige de l'époque glaciaire. On trouve le lièvre bleu de l'océan Arctique aux montagnes de l'Asie centrale. Il n'a pas de gîte, il s'abrite dans les rochers. La hase peut avoir des portées de huit levrauts.

Lapin américain

phique. N'ayant pas d'ennemis naturels, les lapins de garenne proliférèrent et l'on dut les exterminer. Le lapin domestique descend du lapin de garenne. L'élevage sélectif a donné de nombreuses races dont certaines sont élevées pour leur chair, d'autres pour leur fourrure et d'autres encore simplement pour le plaisir de tout un chacun : ce sont les lapins nains.

Pika *Ochotona rutila*
Contrairement aux lièvres et aux lapins, les pikas qui appartiennent au même ordre, ont quatre pattes de longueur égale et de courtes oreilles rondes. Ils forment dans les herbages de montagne d'Asie et d'Amérique du Nord des colonies dont chaque membre occupe un

Lapin américain
Sylvilagus floridianus
On emploie souvent indifféremment le mot lapin ou lièvre ; en règle générale, les lièvres ne creusent pas de terriers et leurs petits sont couverts de poils et ont les yeux ouverts à la naissance tandis que les lapins habitent dans un terrier, et ont des petits nus et aveugles à la naissance. Le lapin américain vit dans les bois et les prairies du sud des États-Unis et du nord-est du Mexique. Il n'a pas peur de l'homme si bien qu'on le trouve dans les jardins, aux abords des villes et même dans les parcs. La population du lapin américain varie tous les cinq ans ; durant cinq ans, il pullule et les cinq ans suivants, il devient rare. Cette alternance affecte aussi la population des renards qui se nourrissent principalement de lapins. En hiver, quand les arbres sont dépouillés, le lapin américain a du mal à se cacher et est souvent victime des grands ducs. Les lapins américains vivent sur des territoires délimités. A l'intérieur du territoire du mâle, les femelles délimitent elles aussi leur territoire.

Lapin de garenne

Lapin de garenne
Oryctolagus cuniculus
Autrefois, l'aire de distribution du lapin de garenne couvrait toute l'Europe, mais il fut repoussé par les glaces dans les régions méditerranéennes occidentales. Les Phéniciens et les Romains le réintroduisirent en Europe du Sud. Ils en faisaient l'élevage pour sa chair délicate ; de nombreux lièvres s'échappaient ce qui contribua à son expansion en Europe du Sud. Pour ce qui est du nord, ce furent les moines qui se chargèrent de le répandre car ils élevaient eux aussi les lapins de garenne dont ils mangeaient les embryons durant les périodes de jeûne. Aujourd'hui on trouve le lapin de garenne de l'Angleterre à l'Ukraine. Il fut introduit par l'homme dans de nombreuses régions. En Australie et en Nouvelle-Zélande, le résultat fut catastro-

territoire. Le pika a l'étrange habitude de ramasser et de mettre de côté le foin. Les terriers sont reliés, par des sentiers bien tracés, aux endroits où ils entreposent l'herbe qu'ils coupent au ras de terre dans les champs et qu'ils amènent près de leur terrier pour la faire sécher. Si le temps est menaçant, ils rentrent le foin dans leur terrier et ne le ressortent que lorsque le soleil réapparaît. Le foin est entreposé en gros tas bien ordonnés, pour un poids total qui peut varier de 8 à 20 kg selon l'importance de la colonie. Le pika de Mongolie fixe le foin au sol avec des pierres pour que le vent ne l'emporte pas. Les pikas hibernent et ils doivent avoir suffisamment de provisions pour passer l'hiver. Les espèces qui vivent dans les montagnes d'Asie centrale où la neige ne tient pas, ne font pas de provisions de foin.

Pika

Le plus grand ordre des mammifères :

L'ordre des rongeurs comprend plus de la moitié de toutes les espèces de mammifères, c'est-à-dire, plus de 300 ordres représentant environ 3000 espèces dont plusieurs présentent des variations selon les habitats. En tout, on connaît 5000 formes de rongeurs et on en découvre de nouvelles chaque année. La plupart des rongeurs sont de petits animaux. Quand on pense rongeur, on pense immédiatement au rat brun. Il est vrai que de nombreuses espèces lui ressemblent mais il ne faut pas oublier que l'ordre des rongeurs comprend aussi des types différents tels que l'écureuil, le hamster et le porc-épic. Aujourd'hui, comme au début du tertiaire, il y a des millions d'années, les rongeurs se distinguent de tous les autres ordres de mammifères. Il n'existe pas un seul fossile qui pourrait faire penser à une forme de transition entre les rongeurs et les autres ordres de mammifères. Les rongeurs sont présents pratiquement partout ; ils sont, avec les chauves-souris, les seuls mammifères supérieurs natifs d'Australie. L'ordre des rongeurs comprend des espèces qui vivent sous terre, dans les déserts, dans l'eau ou dans les airs. Le plus gros rongeur, le cabiai d'Amérique du Sud pèse environ 50 kg et le plus petit, la souris naine ne mesure que deux centimètres de plus que la musaraigne étrusque qui est le plus petit mammifère du monde. Les rongeurs sont des animaux nuisibles, porteurs de maladie. Ils ont cependant de très belles fourrures.

Écureuil gris
Sciurus carolinensis
L'écureuil gris est originaire de l'est des États-Unis. Introduit en Angleterre, depuis le siècle dernier, il s'est étendu du parc de Woburn dans tout le sud de l'Angleterre et au nord jusqu'à l'Écosse. Dans de nombreux endroits il a remplacé l'écureuil roux. Les gardes forestiers ne le voient pas d'un bon œil car il dévaste les forêts ; il se nourrit de graines et de fruits et grignote l'écorce des arbres et les jeunes pousses. Il construit deux nids : un nid hivernal, fait de brindilles, dissimulé derrière un arbre pour élever les petits et des nids estivaux, constitués de feuilles fraîches où il se repose.

Chien de prairie
Cynomys ludovicianus
Les chiens de prairie, apparentés aux écureuils et aux marmottes, vivent en colonies et constituent de véritables villes. Leur terrier se compose d'un puit vertical de plusieurs mètres de profondeur dont l'entrée est marquée par un monti-

Écureuil gris

Chien de prairie

cule sur lequel le chien de prairie monte la garde. Quand un danger menace il se met à aboyer comme un chien ce qui lui a valu son nom vernaculaire. Autrefois les colonies de chiens de prairie étaient énormes ; les terriers reliés entre eux formaient de gigantesques complexes. Sur une surface de 65 000 kilomètres carrés, on dénombrait une centaine de milliers de chiens de prairie ! La transformation des prairies en cultures a causé de grands ravages dans leur population.

les rongeurs

Porc-épic arboricole du Canada

ralement naissance à un seul petit, couvert de longs poils noirs et de courts piquants mous.

Gerboise naine
Salpingotus crassicauda
Les gerboises possèdent de longues pattes postérieures et se déplacent par bonds à la manière des kangourous. Ce sont des animaux nocturnes qui vivent dans les steppes et dans les régions désertiques à végétation clairsemée. Elles se nourrissent d'insectes et de racines ; quand il pleut et que les plantes poussent de tendres feuilles vertes, c'est pour elles un vrai festin.
La gerboise naine, la plus petite de toutes les gerboises, vit dans les régions semi-désertiques d'Asie centrale. Elle creuse son terrier sous les rochers où les femelles mettent bas. En hiver et durant les périodes de sécheresse, les gerboises vivent dans un état de torpeur.

Castor *Castor fiber*
Le castor est le second plus gros rongeur après le cabiai ; il peut peser plus de 30 kg. Tout le monde connaît l'habileté du castor qui construit des barrages de boue et de branches pour régulariser le niveau de l'eau des ruisseaux et des rivières. Avec leurs grosses incisives, ils peuvent abattre un arbre de 70 cm de diamètre. Ils se construisent aussi des abris dont l'entrée donne sous l'eau et qui comprennent de nombreuses chambres.
La fourrure du castor, très belle et très résistante, est toujours très demandée sur le marché des peaux.

Porc-épic arboricole du Canada
Erethizon dorsatum
Les porcs-épics d'Amérique du Nord et d'Amérique du Sud sont très différents de ceux que l'on trouve sur l'Ancien Continent ; ils appartiennent même à un sous-ordre différent. Ils ont cependant, comme les autres, des piquants, mais seulement sur la queue ; le reste du corps est recouvert de longs poils durs. Le porc-épic arboricole du Canada vit en Amérique du Nord dans les forêts de conifères, de genévriers et de peupliers. Son alimentation change selon les saisons. Au printemps, il grignote les fleurs et les chatons des saules, des peupliers et des érables. Plus tard, quand les feuilles apparaissent, il se nourrit de feuilles de tremble et de mélèze. En été, il complète son menu avec différentes herbes et en hiver il se nourrit principalement de pin, de sapin dont il grignote l'écorce.
La période du rut se situe en automne ou au début de l'hiver. Le mâle frotte la femelle de son nez et l'arrose d'urine pour éloigner ses rivaux. Après une gestation de 210 à 217 jours, la femelle donne géné-

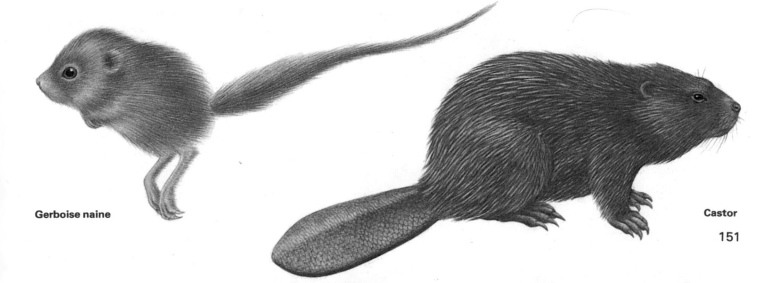

Gerboise naine

Castor

Rat brun ou rat commun
Rattus norvegicus

On a tendance à confondre le rat brun avec le rat noir ou rat de navire. Le rat noir préfère les endroits secs ; sa queue est plus longue que son corps, ses oreilles sont plus grosses et son nez plus pointus que ceux du rat brun. Ce dernier préfère les endroits humides ; sa queue est plus courte que son corps. Le rat noir est plus ancien ; il était déjà connu des Romains. Le rat brun est probablement arrivé en Europe avec les peuples d'Asie centrale, les Huns et les Mongols. Il s'adapte plus facilement que le rat noir qu'il a remplacé dans de nombreux endroits. Les deux espèces sont les hôtes de la mouche porteuse de la peste bubonique ; au Moyen Age des villes entières étaient victimes de ce fléau.

Mulot à cou jaune
Apodemus flavicollis

Le mulot à cou jaune est le mulot le plus répandu en Europe centrale. Il ressemble beaucoup à la souris des champs et au mulot commun ; il est seulement plus gros, pouvant peser 40 g contre les 25 de la souris des champs.

Le mulot à cou jaune est un excellent grimpeur. Il se nourrit de végétaux, d'insectes, de larves et d'araignées. Il occupe souvent les nids d'oiseaux abandonnés où la femelle donne le jour à trois ou cinq portées annuelles de deux à neuf petits.

Souris *Mus musculus*

On pense qu'elle est originaire d'Asie mais aujourd'hui, on la trouve dans le monde entier. Certaines espèces vivent encore dans les champs tandis que d'autres se sont parfaitement habituées à vivre dans les maisons. La souris se faufile partout ; il lui suffit de trouver un petit trou de 9 mm pour entrer dans une maison. La souris domestique vit en colonies. Pour se repérer, elle marque ses traces avec de l'urine et la sécrétion de ses glandes malodorantes. Elle se reproduit à une vitesse stupéfiante. Une femelle donne naissance à une moyenne de cinq portées par an de cinq petits, ce qui signifie qu'une nouvelle génération naît toutes les huit semaines.

La souris domestique a cependant quelque mérite, surtout dans le domaine scientifique. Pratiquement tous les médicaments sont testés sur les souris avant de l'être sur d'autres animaux plus proches de l'homme.

Rat d'eau oriental
Hydromys chrysogaster

L'Australie est le pays des monotrèmes, des marsupiaux et des souris, les seuls mammifères terrestres supérieurs natifs de ce continent. On trouve le rat d'eau oriental dans les marais, le long des rivières et dans les criques de Tasmanie et le long de la côte est de l'Australie. Il est bien adapté à la vie dans l'eau ; il possède une longue tête allongée et ses narines sont situées sur le bout du museau. Ses poils sont

Campagnol des champs
Microtus arvalis

Pour la plupart d'entre nous, le campagnol des champs est tout simplement une « souris », bien qu'il appartienne à une toute autre famille. Il est cependant très facile d'identifier un campagnol des champs ; contrairement à la souris, il a une queue courte et de petites oreilles à peine visibles. Il vit dans les champs dans des terriers situés près de la surface du sol. Le campagnol se nourrit de plantes et d'insectes. La fécondité de la femelle est ahurissante. Une seule portée peut comprendre jusqu'à sept petits et elle peut avoir six portées par an. Théoriquement, un couple, ses enfants et ses petits-enfants peuvent donner naissance à 25 000 campagnols en un an. Naturellement dans les conditions de vie normale, de nombreux petits périssent victimes de leurs ennemis. La

Rat d'eau oriental

Campagnol des champs

courts et très épais et ses pattes sont palmées. Le rat d'eau oriental est un animal nocturne. Il se nourrit de moules et de mollusques, crabes et écrevisses ainsi que de poissons, d'œufs d'oiseaux et d'oisillons. Il creuse un long terrier composé de deux chambres dont l'une contient un nid fait d'herbe, d'écorce et de brindilles et l'autre un garde-manger rempli d'os et de coquilles. Le rat d'eau oriental est un animal utile car il détruit les escargots aquatiques qui sont les hôtes de la douve du foie du mouton.

Spalax

Spalax
Spalax microphthalmus

Le spalax est un rongeur qui vit sous terre. Son corps cylindrique lisse et ses oreilles minuscules lui permettent de se déplacer dans les galeries souterraines sans difficultés. Ses petits yeux, pas plus gros que des graines de pavot, sont couverts d'une membrane. Il possède une tête aplatie et un gros nez. Le spalax creuse des galeries avec son museau qu'il déblaie avec ses larges incisives. Il se nourrit principalement de racines et de tubercules pouvant causer de grands ravages dans les champs. Il sort rarement de son terrier et seulement la nuit. Il a l'ouïe très fine ; au moindre bruit, il disparaît sous terre.

belette, le renard, le chat, le hibou, la buse et la crécerelle se nourrissent principalement de campagnols. D'autre part, les cicognes, les mouettes et autres oiseaux ne les épargnent pas non plus. Les étés secs sont particulièrement favorables à leur multiplication et l'on peut avoir près de 30 000 campagnols à l'hectare. Cependant, elles disparaissent aussi rapidement qu'elles apparaissent. Car si les conditions sont favorables pour les campagnols, elles le sont aussi pour leurs ennemis naturels. De plus, les maladies se développent plus facilement et la grande concentration augmente leur agressivité et diminue leur fécondité. Toutes ces raisons font que leur nombre diminue rapidement et rentre dans la normalité.

Les ongulés et les animaux à cornes

L'ordre des ongulés comprend de nombreuses espèces qui possèdent toutes des sabots. Les ongulés descendent d'animaux qui vécurent dans des forêts humides avant de se transformer en animaux de prairies : un pied à cinq doigts est bien adapté au sol mou des marécages mais un sabot convient mieux au sol dur des prairies. C'est pour cette raison que les ongulés ont un nombre réduit de doigts (les chevaux n'en ont qu'un). Les ongulés marchent sur la pointe de leur pied. Certains sont dotés d'un coussin fibreux sous la plante du pied, comme par exemple, l'éléphant dont le sabot est divisé en ongles. Le cheval marche sur la partie externe et dure de son sabot, le centre concave et mou ne touchant pas le sol. Les chameaux et les lamas sont dotés d'un coussin élastique sous le troisième et le quatrième doigt dont ils ne se servent pas pour marcher. Les ongulés se divisent en deux groupes : les paridigitidés à deux ou quatre doigts et les imparidigitidés à un ou trois doigts. La plupart des ongulés sont herbivores à part

les porcs qui sont omnivores et certains cerfs et antilopes qui se nourrissent occasionnellement de chair. L'appareil digestif des herbivores est adapté pour digérer des aliments contenant une grande quantité de cellulose. Il contient des bactéries et des protozoaires qui facilitent la digestion et qui sont par ailleurs une source importante de protéines. Les protozoaires sont présents, par exemple, dans l'appendice et le gros intestin du cheval et dans la panse des ruminants. L'estomac des ruminants comprend quatre compartiments ayant chacun une fonction bien déterminée dans la digestion. La nourriture s'entasse dans la panse puis passe dans le bonnet où elle est partiellement digérée avant d'être régurgitée dans la bouche pour être mâchée une seconde fois. Après quoi elle descend dans le feuillet où elle est débarrassée de son eau et comprimée avant d'être digérée dans la caillette. Les chameaux ne possèdent que trois compartiments.
La plupart des ruminants ont des cornes sur l'os frontal de forme et

de consistance diverses selon les espèces. Les cornes de la girafe sont recouvertes de peau, celles des antilopes et des buffles d'une couche de corne et celles de la famille du cerf sont des bois osseux qui tombent chaque année. Les cornes du rhinocéros sont d'origine tout à fait différente, il s'agit de protubérances composées de longues cellules épidermiques qui ne sont pas fixées sur le crâne. La peau des ongulés est percée de nombreux trous conduisant à des glandes à sécrétion odoriférante qui jouent un rôle important dans la communication entre les animaux de même espèce ou d'espèce différente. Chez le cerf, elles sont situées sur la peau, devant les yeux, chez le chevreuil et le chamois, entre les cornes, chez les dik-diks sur le front et sur les joues. Certaines antilopes et certains moutons ont des glandes près du museau, et de nombreux cervidés et bovidés entre les doigts. Ce ne sont là que les exemples les plus frappants ; les glandes peuvent aussi être sur le dos, sur la queue, près des organes sexuels etc.

Rhinocéros de l'Inde

Zèbre

Rhinocéros de l'Inde
Rhinoceros unicornis

Le rhinocéros a trois doigts à chaque pied ; c'est donc un imparidigitidé. Le corps du rhinocéros de l'Inde est couvert d'une épaisse peau qui forme plusieurs plaques ; c'est d'ailleurs une caractéristique commune à tous les rhinocéros d'Asie. Les rhinocéros d'Afrique ont au contraire la peau lisse. Il existe cinq espèces de rhinocéros: le rhinocéros de l'Inde à une corne et à cinq plaques, le rhinocéros de Java à une corne et à trois plaques, celui de Sumatra à deux cornes et à trois plaques et deux espèces africaines, le rhinocéros blanc qui est le plus gros mammifère terrestre après l'éléphant, et le rhinocéros noir dont la lèvre supérieure est allongée et flexible. Les deux espèces sont dotées de deux cornes. La peau épaisse du rhinocéros ne possède pas de glandes sécréteuses ; ils délimitent leur territoire avec leurs excréments. Toutes les espèces de rhinocéros sont menacées par les chasseurs qui les tuent pour leur corne (ils auraient, paraît-il, des pouvoirs de guérison infaillible) et surtout par l'altération et la destruction de leur habitat. Les trois espèces asiatiques sont maintenant très rares. Le rhinocéros blanc semble se reprendre dans les réserves d'Afrique du Sud. La femelle après une gestation de un an, un an et demi donne naissance à un seul petit, dont elle s'occupe pendant deux ans. Le nombre des naissances étant inférieur au nombre des morts, les rhinocéros disparaissent peu à peu.

Zèbre
Equus burchelli boehmi

Les zèbres sont les chevaux rayés d'Afrique. Selon vous, le zèbre est-il noir rayé de blanc ou blanc rayé de noir? Pour avoir la réponse, il suffit de regarder le quagga, espèce disparue au siècle dernier ou le zèbre de Burchell, d'un brun roux à raies noires. Plus on va vers le nord plus la peau devient blanche et plus les raies sont foncées. Il existe trois espèces de zèbres vivantes : le zèbre des montagnes du sud et du sud-est de l'Afrique, le zèbre de Burchell, originaire de l'est et du centre de l'Afrique et le zèbre de Grévy du nord-est de l'Afrique. Autrefois, avant que les blancs occupent l'Afrique, les troupeaux de zèbres parcouraient les plaines en compagnie des gnous et des autruches. On les chassait pour leur chair et pour se divertir. Aujourd'hui on peut voir les zèbres dans les parcs nationaux et dans les réserves. Chaque troupeau, ayant à sa tête un étalon, est composé de zèbres femelles et de leurs petits. Les jeunes étalons vivent séparément. Les femelles quittent le troupeau pour mettre bas. La période de gestation dure 11 mois chez le zèbre de Burchell, 12 mois chez le zèbre de montagne et 13 mois chez le zèbre de Grévy. Les zèbres sont la nourriture préférée des lions. Mais ils doivent aussi se méfier des léopards et des hyènes. L'homme a tenté de domestiquer le zèbre pour remplacer le cheval dans les régions où vit la mouche tsé-tsé qui transmet une terrible maladie aux chevaux. Mais ces tentatives n'ont pas eu beaucoup de succès. Le zèbre a le cœur plus faible que celui des chevaux et il ne peut porter des charges trop lourdes. On a obtenu de meilleurs résultats avec un croisement stérile entre le zèbre et le cheval. Ces hybrides sont élevés encore aujourd'hui dans des fermes au sud-ouest et à l'est de l'Afrique.

Éléphant africain

Loxodonta africana

L'éléphant se caractérise, entre autres traits, par sa trompe qui est un nez allongé dont il se sert pour examiner les objets par le toucher et l'odorat. Il a un cou court assez rigide qui ne lui permet pas d'atteindre le sol avec la bouche. Il porte la nourriture à sa bouche avec sa trompe ; elle lui sert aussi pour boire. Les petits éléphants ne sachant pas encore se servir de leur trompe tètent leur mère.

Les défenses sont des incisives modifiées de la mâchoire supérieure qui poussent continuellement. L'éléphant s'en sert pour arracher l'écorce des arbres, pour écraser les troncs de baobabs et pour creuser. A part ces défenses, l'éléphant a une ou deux molaires de chaque côté de la mâchoire. Quand elles sont usées elles sont remplacées par de nouvelles molaires et cela six fois au cours de la vie de l'éléphant. Il a des glandes sécréteuses sur les tempes qui commencent à fonctionner vers l'âge de deux ans.

Les éléphants vivent en troupeaux comprenant plusieurs centaines d'individus. Les femelles qui ont eu des petits ont une position privilégiée dans le groupe. La gestation dure de 19 à 22 mois. La femelle a un seul petit à la fois, il mesure environ un mètre et pèse 90 kg. Elle s'occupe attentivement de lui pendant deux ans. Les jeunes éléphants deviennent adultes à l'âge de 13 ans au plus tôt, dans bien des cas, beaucoup plus tard. L'éléphant africain peut atteindre des proportions gigantesques. Les spécimens qui mesurent trois mètres et demi ne sont pas rares ; le plus gros éléphant qui fut tué par M. Fenykov, le 13 novembre 1955 en Angola mesurait 3,95 m de haut et pesait 12 tonnes ! On a aussi beaucoup de détails sur les défenses d'éléphant qui ont toujours été très recherchées : la plus longue défense jamais vue mesurait 3,45 m et la plus lourde pesait 117,5 kg. On dit généralement que les éléphants vivent vieux mais si l'on en croit les études les plus récentes, ils vivent en moyenne de 40 à 50 ans. L'éléphant adulte a un seul ennemi naturel et c'est l'homme. Les jeunes éléphants sont parfois victimes des lions.

Éléphant africain

Sanglier

Pécari à collier
Dicotyles tajacu
Sur le continent américain, les porcs sauvages se sont développés indépendamment de ceux de l'Ancien Continent et forment une famille à part avec des différences anatomiques bien marquées. Les pécaris, c'est ainsi qu'on les appelle, ont les incisives supérieures pointées vers le bas contrairement aux porcs de l'Ancien Continent qui les ont pointées vers le haut et en avant. Les pécaris possèdent aussi de grosses glandes sécréteuses situées sur leur train arrière qu'ils frottent sur les arbres ou sur tout autre objet les entourant ainsi que sur leur propre corps. Quand deux animaux se rencontrent, ils se frottent l'un contre l'autre et s'imprègnent de leur odeur ; les membres du troupeau peuvent ainsi se reconnaître. Si un intrus se présente, il est immédiatement chassé. On trouve les pécaris en Amérique du Sud et en Amérique centrale mais le pécari à collier a gagné du terrain vers le nord, jusqu'au Texas. Les femelles du pécari ont moins de petits que les porcs, généralement deux de couleur légèrement plus claire que les adultes.

Sanglier
Sus scrofa
Les porcs sont des paridigitidés. Ils ont une alimentation beaucoup plus variée que la plupart des autres ongulés. Ils se nourrissent de végétaux, d'invertébrés et de petits vertébrés, d'œufs d'oiseaux et de charogne. On a même des exemples de sangliers tuant et dévorant des chevreuils. Il y a des sangliers dans les forêts d'Europe, d'Afrique du Nord, dans le sud de l'Asie, en Mandchourie et jusqu'au Japon et en Asie du Sud-Est dans les îles de la Sonde. Naturellement, selon les pays, on a des espèces de taille et de couleur différentes. Le plus gros sanglier vit en Sibérie ; le mâle adulte peut peser 350 kg. Les sangliers vivent en groupes, à l'exception des vieux mâles qui sont des solitaires et qui ne rejoignent les femelles qu'au moment du rut en hiver. Les femelles ont des portées de six à douze marcassins au pelage rayé après une période de gestation de 16 à 20 semaines.
Le porc domestique descend du sanglier. Ces ancêtres sont à re-chercher parmi les races originaires du sud de l'Asie. Il existe de nombreuses races qui se sont développées grâce à l'élevage et à la sélection.

Pécari à collier

Hippopotame

Hippopotamus amphibius

L'hippopotame est apparenté au porc. Il vit uniquement en Afrique près des fleuves et des lacs, loin des grandes forêts tropicales. Les hippopotames passent leurs journées dans l'eau ou couchés au soleil. Ils ne regagnent la terre ferme que la nuit pour brouter en empruntant toujours le même chemin. Les mâles délimitent leur territoire en le couvrant de leurs excréments qu'ils étalent avec leur queue. Quand ils se battent, surtout au moment du rut, ils procèdent de la même façon, étalant leurs excréments avant de charger. La femelle donne naissance à un seul petit de 30 kg environ dans l'eau. L'hippopotame est un excellent nageur et un très bon plongeur ; il peut rester immergé de 4 à 6 minutes et si c'est nécessaire, plus d'un quart d'heure.

Chameau de Bactriane à deux bosses

Camelus ferus

Les chameaux et les lamas d'Afrique du Sud sont des ruminants primitifs. Il existe deux sortes de chameaux, le chameau à une bosse ou dromadaire et le chameau à deux bosses ou chameau de Bactriane. Les dromadaires sont les bêtes de somme traditionnelles d'Afrique du Nord, d'Arabie et du Moyen-Orient. Le chameau de Bactriane est originaire d'une vaste région qui s'étend de l'Asie Mineure à la Mongolie et au nord de la Chine en passant par l'Asie centrale et l'Himalaya. On trouve encore quelques rares spécimens de chameaux sauvages dans le désert de Gobi. Partout ailleurs, le chameau est un animal domestique. Les bosses des chameaux sont remplies de réserves de graisse. Un chameau bien nourri a de belles bosses bien droites, un chameau mal nourri ou malade a des bosses molles comme des sacs vides.
Le chameau peut voyager longtemps sans boire car il possède des poches spéciales dans l'estomac. Ces poches se ferment et peuvent contenir de petites réserves d'eau qui lui permettent de supporter des périodes de trois à douze jours sans boire.

Chameau de Bactriane

158

Girafe

Giraffa camelopardalis

Peu d'animaux attirent les visiteurs dans les zoos comme la girafe ; avec ses 4,5 m c'est le plus grand mammifère ; certains mâles atteignent même six mètres de haut ! La girafe possède un long cou qui lui donne la possibilité de brouter les feuilles à grande hauteur. Malgré sa longueur inhabituelle, le cou de la girafe a 7 vertèbres comme chez tous les autres mammifères, homme ou souris. Elle possède aussi une longue langue flexible et rapeuse qui lui permet d'arracher les feuilles des arbres. La girafe est un ruminant ; elle avale une première fois puis régurgite la nourriture pour la mâcher une seconde fois. On peut voir très nettement

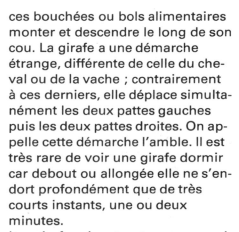

Girafe

ces bouchées ou bols alimentaires monter et descendre le long de son cou. La girafe a une démarche étrange, différente de celle du cheval ou de la vache ; contrairement à ces derniers, elle déplace simultanément les deux pattes gauches puis les deux pattes droites. On appelle cette démarche l'amble. Il est très rare de voir une girafe dormir car debout ou allongée elle ne s'endort profondément que de très courts instants, une ou deux minutes.

Les girafes vivent en troupeaux paisibles sans grande contrainte. Les individus passent facilement d'un troupeau à un autre. Les mâles se battent parfois à la période du rut, mais ce sont des combats symboliques, les deux adversaires se contentent de se donner des coups d'épaule. La femelle donne naissance à un seul petit (très rarement à des jumeaux) après une gestation de 13 à 14 mois. Elle accouche debout, c'est dire que le nouveau-né tombe de haut. Ce dernier mesure environ 170 cm et pèse de 40 à 50 kg.

Aujourd'hui, les girafes vivent dans les savanes africaines. Elles formaient autrefois, au tertiaire, une grande famille répandue aussi aux Indes et dans le sud de l'Europe.

Cerf commun et wapiti
Cervus elaphus

Les cervidés sont caractérisés par leurs andouillers bien que certaines espèces primitives comme le musc ou le cerf d'eau chinois n'en aient pas. Chez la plupart des espèces, seuls les mâles en possèdent, mais chez les rennes, les femelles comme les mâles sont dotées de bois. Le cerf commun ou cerf rouge est le plus répandu en Europe. Son aire de distribution couvre aussi l'Afrique du Nord, les régions tempérées d'Asie et l'Amérique du Nord. Les espèces américaines et sibériennes sont appelées wapitis. Quand les premiers Européens arrivèrent en Amérique, ils virent cet énorme cerf et lui donnèrent le nom du plus gros cerf européen, l'élan ; c'est encore de cette façon qu'on le nomme en Amérique du Nord.

Les bois du cerf rouge sont très ramifiés. Du bois principal poussent de nombreux cors. Il semblerait que les bois soient un signe de puissance plutôt qu'une arme. Les mâles les utilisent dans les combats qui sont des espèces de joutes rituelles. Les bois du cerf rouge tombent entre février et avril, ceux des jeunes cerfs un peu plus tard. Au printemps et en été quand les bois repoussent, les cerfs s'éloignent du troupeau. En automne, les bois sont de nouveau durs ; c'est alors que commence la période du rut et que le cerf brame à tous les échos. Au printemps, la femelle s'éloigne du troupeau pour mettre bas entre fin mai et début juin. Le jeune faon est prêt à suivre sa mère quelques minutes à peine après la naissance. Il reste auprès d'elle jusqu'à l'automne suivant. Les cerfs se nourrissent d'herbe ; ce sont des animaux craintifs qui ne sortent qu'à l'aube ou au crépuscule.

Élan
Alces alces

L'élan est le plus grand des cervidés. On en trouve différentes races en Europe du Nord, en Asie du Nord et en Amérique du Nord. Les plus gros élans sont en Alaska, dans le Yukon et en Colombie britannique. L'élan d'Alaska mesure 2,20 m au garrot et pèse plus de 900 kg. Les élans européens beaucoup plus petits mesurent environ 170 cm et pèsent 600 kg. L'élan possède d'énormes andouillers palmés ; le record appartient à un spécimen de l'Alaska avec des andouillers de 194 cm de large ! Le record européen n'est que de 122 cm.

Les élans sont des animaux solitaires qui ne se groupent que très rarement. Ils vivent de préférence dans les zones marécageuses boisées. En été, ils se nourrissent de plantes aquatiques, surtout de nénuphars. Autrement ils mangent les feuilles des arbres à feuilles caduques, saule, peuplier, tremble et bouleau.

La saison du rut se situe en automne, de la mi-septembre à la mi-octobre. Les mâles engagent des combats féroces pour conquérir les femelles. Le mâle victorieux reste avec la femelle pendant toute la période du rut puis il l'abandonne pour une autre femelle. Les petits naissent généralement à la fin mai ou en juin. Les jeunes femelles ne donnent naissance qu'à un seul petit tandis que les plus vieilles ont souvent des jumeaux ou des triplés. Les petits élans sont sans défense à la naissance et restent cachés pendant deux ou trois jours avant de s'aventurer dans les bois et dans l'eau. De très nombreux petits périssent noyés, tandis que d'autres meurent victimes des bêtes de proie, surtout des ours. La mortalité chez les petits élans est très élevée : 25 % à 43 % au cours de la première année. Cependant, dans les régions où les ennemis naturels ne sont pas trop nombreux, la population des élans peut augmenter d'une façon impressionnante. Quelques élans introduits sur une île de la côte est des États-Unis se sont tellement multipliés en dix ans qu'ils ont pratiquement épuisé toutes les ressources disponibles !

En Suède et en URSS on a tenté de domestiquer l'élan pour en faire une bête de trait, une bête de somme et même pour le transformer en monture. L'élan est un animal fort, endurant et rapide et les résultats de ces expérimentations sont prometteurs.

Élan

Grand koudou

Bighorn

Ovis canadensis

Autrefois, le bighorn était très répandu de l'Alaska au Mexique. Mais, chassé pour sa chair aussi bien que pour le plaisir, il a été pratiquement exterminé. L'introduction du mouton domestique en Amérique qui apporta de nombreuses maladies contre lesquelles le bighorn n'était pas immunisé fut aussi une catastrophe pour l'espèce, d'autant plus que l'extermination des carnassiers ralentissait l'élimination des individus faibles ou malades.

Bighorn

Grand koudou

Tragelaphus strepsiceros

Un grand nombre d'espèces d'antilopes vivent en Afrique à l'exception de quelques rares espèces en Asie. Le pronghorn d'Amérique du Nord appelé communément antilope, n'est pas une vraie antilope ; il appartient à une famille apparentée. L'antilope royale, la plus petite antilope vit dans la jungle, à l'ouest de l'Afrique, elle mesure à peine 30 cm au garrot. La plus grosse est l'éland du Cap qui mesure près de 180 cm et pèse une tonne. Cependant, le grand koudou est l'espèce qui possède les plus grandes cornes. Ces belles cornes à double spirale (100 à 120 cm, record mondial 178 cm), sont une trophée que tout chasseur aimerait avoir chez lui. Le grand koudou vit dans les régions broussailleuses d'Afrique, au sud du Sahara.

Le bighorn est un gros animal (un mâle mesure 105 cm au garrot). La femelle a de petites cornes droites tandis que le mâle à de grosses cornes recourbées vers l'arrière. Les cornes d'un gros mâle mesurent environ 1 m de long (le record est de 125 cm). Pendant la période du rut, les mâles engagent de féroces combats. Ils s'affrontent debout sur leurs pattes de derrière, puis se jettent l'un sur l'autre la tête en avant avec une force telle que l'on peut entendre le bruit des têtes qui se heurtent à 1,5 km de distance.

Bison d'Amérique
Bison bison

L'histoire du bison d'Amérique montre comment l'homme peut détruire la nature. Autrefois, d'énormes troupeaux de bisons parcouraient la prairie américaine ; on estime qu'ils étaient environ 60 millions. Ils étaient chassés par les Indiens qui cependant ne mettaient pas en péril leur existence. L'arrivée des blancs fut le commencement d'une extermination massive. L'avance vers l'Ouest et la construction d'un chemin de fer furent à l'origine de massacres inimaginables pour se fournir en viande. Un chasseur, Billy Tilghman tua 3300 bisons en sept mois et le célèbre Buffalo Bill, 4280. Le massacre atteignit son apogée en 1867, quand l'Union Pacific Railroad arriva à Cheyenne dans le Wyoming, coupant les troupeaux en deux et empêchant la migration. En 1893, il ne restait plus que 1100 bisons et deux ans plus tard, seulement 800. En 1871, une proposition de loi pour la protection des bisons, présentée au Congrès ne fut pas approuvée. Une société privée, l'American Bison Society, fut fondé en 1905 grâce aux efforts de William T. Hornaday, directeur du parc zoologique de New York. Il réunit tous les bisons survivants en captivité et en offrit 15 au gouvernement américain pour qu'il les place dans la réserve de Wichita dans l'Oklahoma. En octobre 1907, les bisons furent lâchés dans un enclos de 3000 hectares où ils se plurent et prospérèrent. Aujourd'hui il y a environ 8000 bisons aux États-Unis et un troupeau important au Canada.

Le bison d'Amérique est un énorme animal qui mesure de 150 à 180 cm au garrot et qui pèse entre 360 et 890 kg.

Bison d'Amérique

Les mammifères marins

La vie a commencé dans la mer ; c'est là que les premiers organismes vivants apparurent et c'est là aussi que l'évolution se fit. Puis vint le temps où certains groupes d'animaux quittèrent l'eau pour occuper la terre et les airs. Nous avons vu de nombreux exemples illustrant cette évolution. La plupart des organismes cherchent à s'adapter aux environnements les plus divers pour vivre et se reproduire. Les poissons sont sans doute des animaux aquatiques mais il existe cependant des espèces qui quittent l'eau pour la terre. De même, certains oiseaux sont retournés vers l'eau, patrie de leurs lointains ancêtres. Cela est vrai aussi pour certains mammifères. Leur nouveau mode de vie les a tellement transformés que nous avons du mal à reconnaître le groupe auquel ils appartiennent.

Manchot

Otarie de Californie
Zalophus californianus
Les phoques et les otaries, dont les membres sont transformés en nageoires appartiennent à l'ordre des pinnipèdes. Ce sont des mammifères carnassiers qui se sont adaptés à la vie dans l'eau. Ils possèdent un corps en forme de torpille et des nageoires très souples. L'otarie de Californie est l'espèce que l'on voit le plus souvent dans les zoos.

Otarie de Californie

Les manchots
Les manchots sont inaptes au vol mais ce sont d'excellents nageurs et de très bons plongeurs, comparables sur ce plan aux dauphins. Leurs ailes se sont transformées en nageoires puissantes couvertes de petites plumes écailleuses très serrées.
Les manchots sont originaires de l'hémisphère sud. La plupart d'entre eux vivent dans les eaux froides de l'Antarctique mais on en trouve aussi le long des côtes australiennes, en Amérique du Sud et en Afrique. Le plus gros manchot est le manchot royal qui mesure 120 cm de haut ; la femelle ne pond qu'un œuf que les parents tiennent au chaud chacun leur tour dans un repli du bas-ventre. Cette espèce de manchot ne construit pas de nid. Le manchot papou qui vit dans les îles de l'Antarctique, construit un nid bordé d'herbe et autre matériau végétal au sommet d'un monticule de terre où la femelle pond généralement deux œufs.

Lamantin

Lamantin
Trichechus manatus
Le lamantin ressemble au phoque
extérieurement mais ils n'ont rien
en commun. Le lamantin est herbi-
vore et c'est un ongulé, revenu à la
mer qui a transformé son corps. Il
vit le long des côtes de l'Atlantique
et remonte les rivières de la Floride
au nord du Brésil. C'est un gros
animal de 4 m de long pesant jusqu'à 600 kg. Il peut rester sous l'eau
pendant un quart d'heure et même
dormir sous l'eau en remontant de
temps en temps pour respirer.

Baleine bleue
Balaenoptera musculus
Tous les mammifères qui ont quitté
la terre pour retourner dans l'eau
y ont cependant passé quelque
temps, à l'exception des baleines.
Elles ne peuvent absolument pas
vivre hors de l'eau ; si elles
échouent par hasard sur le rivage,
elles meurent. La baleine bleue est
le plus gros mammifère vivant. Le
mâle, qui est généralement plus petit que la femelle, peut atteindre
32 m de long. La plus grosse femelle jamais capturée mesurait

33,27 m et pesait environ 200 tonnes. Cet animal gigantesque, qui vit
dans les océans entre l'Arctique et
l'Antarctique se nourrit de très petites plantes qu'il filtre au moyen de
ses fanons ; il mange aussi de pe-

Baleine bleue

tits crustacés, des mollusques et
des poissons de la taille du hareng.
Un baleineau à peine né mesure de
6 à 9 m. La femelle donne naissance à un seul petit, très rarement
à deux, après un an de gestation.

165

Les végétaux

Le monde des plantes est un monde riche, varié et complexe. Les plus petites plantes sont constituées d'une seule cellule visible au microscope. Les plus grandes sont les séquoias de Californie qui atteignent plus de 100 m de haut.

Comme les animaux, les plantes sont classées suivant leur complexité. Au bas de l'échelle on trouve les algues à cellule unique et certains varechs un peu plus évolués. Ces plantes se distinguent aussi par leur mode de reproduction très simple.

A l'échelon supérieur on trouve les bryophites (les mousses et les hépatiques), fougères et prê-

les. Elles ont une structure et des méthodes de reproduction un peu plus complexes.

La diminution des besoins en eau des plantes est l'un des principaux facteurs de leur évolution. La plupart des algues se développent dans un milieu humide qui leur permet de survivre et de se reproduire. Mais par exemple la fougère est faite de telle sorte qu'elle se dessèche difficilement et n'a besoin d'humidité qu'au moment de la reproduction, quand les cellules mâles doivent rejoindre les cellules femelles pour les féconder. Le point culminant de cette évolution est représenté par les gymnospermes et par les plantes à fleurs qui

peuvent se reproduire sans eau et même survivre longtemps à la sécheresse.

La famille des gymnospermes, qui signifie « graine nue », comprend les conifères ainsi qu'un certain nombre d'autres plantes dont les graines sont à l'air libre. Il existe peu de gymnospermes, tandis que les plantes à fleurs ou angiospermes (graine enfermée) sont beaucoup plus nombreuses. Ce groupe renferme à lui tout seul plus d'espèces que tous les autres groupes réunis. Elles ont su s'adapter aux milieux les plus divers si bien que l'on en trouve dans le monde entier. A part les fleurs des champs et des haies bien connues, ce groupe comprend de minuscules plantes d'eau, des cactus et un grand nombre d'arbres.

Le travail des plantes

Une plante à fleurs comprend une racine, une tige et des feuilles qui remplissent des fonctions différentes et bien déterminées. (Nous nous occuperons plus tard de la fleur qui possède une structure reproductive particulière).

La racine fixe la plante au sol et absorbe l'eau. En général, une plante possède une racine principale ou primaire qui se divise en racines secondaires fines comme des cheveux pour se frayer un chemin entre les particules que renferme le sol. L'eau et les sels minéraux passent dans les vaisseaux conducteurs (xylène) pour atteindre la tige.

La tige sert de lien entre les feuilles et les racines. L'eau monte à travers le xylène de la tige et les substances nutritives sont distribuées par

Les végétaux

d'autres vaisseaux conducteurs, le phloème.
Les feuilles constituent la partie la plus importante de la plante car ce sont elles qui exécutent les deux procédés vitaux de la plante que sont la transpiration et la photosynthèse.

La transpiration, évaporation de l'eau, se fait à travers de petits pores appelés stomates qui se trouvent sous les feuilles. La transpiration permet à la plante de renouveler sans cesse ses provisions d'eau et de sels minéraux et de bien supporter la chaleur ; en effet quand il fait chaud, la plante perd beaucoup plus d'eau que lorsqu'il fait frais.

La photosynthèse est le processus qui permet aux plantes de produire leur propre nourriture. Seules les plantes peuvent le faire. Ce procédé est le fondement de la vie sur terre ; les plantes produisent la nourriture, les animaux mangent les plantes ou d'autres animaux.

La photosynthèse comme presque tous les processus qui affectent les organismes vivants est le résultat d'une longue suite de réactions chimiques. Pour simplifier disons que c'est la synthèse du gaz carbonique (CO_2) et de l'eau (H_2O) en simples sucres tels que le glucose ($C_6H_{12}O_6$). Durant ce processus, il se dégage de l'oxygène (O_2) qui quitte la plante par les stomates.

La plante tire son énergie du soleil (rendu par « photo » dans le mot photosynthèse). Les cellules de la plante renferment des corps minuscules

Les produits de la photosynthèse descendent des feuilles aux racines. L'eau monte vers les feuilles à travers la tige.

appelés chloroplastes qui contiennent un pigment vert, la chlorophylle. Ce pigment transforme l'énergie solaire en énergie chimique qui permet d'obtenir la photosynthèse.

Une partie des sucres produits sont emmagasinés sous forme d'amidon qui sert à produire la cellulose qui tapisse les parois des cellules des plantes ou que la plante retransforme en sucre pour sa respiration.

La respiration est pratiquement le phénomène inverse de la photosynthèse. L'oxygène de l'air se mêle au sucre pour former de l'eau et du gaz carbonique. La photosynthèse et la respiration créent un échange continu de gaz entre l'atmosphère et la plante, à travers les stomates. Durant la phase de respiration, la plante comme l'animal prend l'oxygène et libère du gaz carbonique. Dans la journée, par la photosynthèse, la plante prend le gaz carbonique et libère de l'oxygène. Elle libère beaucoup plus d'oxygène qu'elle n'en absorbe si bien qu'elle contribue au réapprovisionnement de l'atmosphère en oxygène.

Les sucres, l'amidon et la cellulose sont des hydrates de carbone, composés chimiques de carbone, d'hydrogène et d'oxygène. Les plantes, pour vivre, ont aussi besoin d'azote, pour fabriquer en particulier des protéines. Malheureusement, les plantes ne peuvent utiliser l'azote présent dans l'atmosphère (78%) ; elles tirent l'azote dont elles ont besoin des nitrates présents dans le sol. Cependant, les légumineuses (les pois et les haricots) possèdent des racines noduleuses qui contiennent des bactéries de l'espèce *Rhizobium* qui peuvent fixer l'azote de l'air et le transformer en aminoacides, constituants fondamentaux des protéines. Les plantes tirent aussi du sol du potassium, du calcium, du phosphore, du magnésium, du soufre et du fer.

Les plantes fabriquent dans leurs cellules un grand nombre de produits utiles à leur survie, comme les alcaloïdes, les tannins et les glucosides qui éloignent les animaux. Certaines plantes sont spécialisées dans la fabrication de produits chimiques utiles à l'homme.

Les diverses façons de se procurer de la nourriture

Toutes les plantes ne sont pas vertes. Les champignons par exemple ne contiennent pas de chlorophylle. C'est d'ailleurs pour cette raison que certains biologistes prétendent que ce ne sont pas des plantes et les rangent dans le groupe des protistes avec les bactéries, les protozoaires (animaux unicellulaires) et les algues unicellulaires. Quoi qu'il en soit, les champignons ne produisent

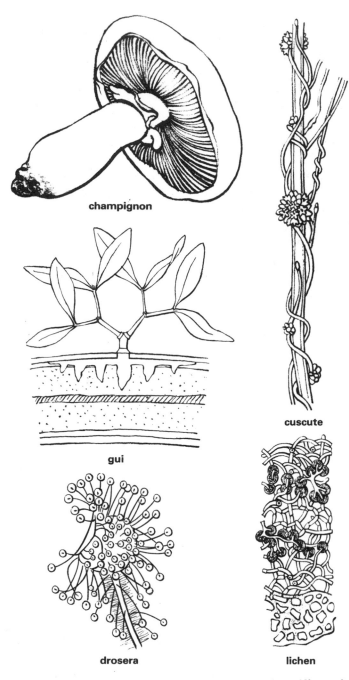

champignon

gui

cuscute

drosera

lichen

Les grands champignons sont les corps fructifères des petits champignons saprophytes. La cuscute et le gui sont des parasites. Les droseras sont des plantes carnivores. Les lichens sont constitués par l'association symbiotique d'un champignon et d'une algue.

pas leur nourriture. Ils doivent se procurer les substances organiques à l'extérieur.

Certains champignons et bactéries jouent un rôle important dans le cycle vital : ce sont les saprophytes, petits organismes qui vivent de plantes mortes et de tissus animaux. Pour ce faire ils produisent des enzymes (composés organiques qui facilitent les réactions chimiques sans s'y fondre et qui transforment les composés organiques pour pouvoir les absorber. Ils produisent

ainsi des composés inorganiques qui peuvent être utilisés par les plantes.

Certains saprophytes vivent en symbiose avec d'autres plantes. La relation qui existe entre une légumineuse et des bactéries *(Rhizobium)* qui se trouvent dans les nodules de sa tige est une symbiose. Les bactéries fournissent de l'azote à la plante qui lui donne en échange des hydrates de carbone. Les champignons vivent aussi en symbiose. Par exemple, un lichen qui ressemble beaucoup à une plante simple est en réalité la combinaison d'une algue et d'un champignon. L'algue produit de la nourriture pour tous grâce à la photosynthèse et reçoit des minéraux ainsi qu'une protection contre la lumière et la sécheresse.

Un certain nombre de champignons vivent en symbiose avec des arbres. Le mycélium du champignon, masses de filaments ou hyphe, s'enroulent et se confondent avec les racines de la plante pour former un mycorhize. Le champignon reçoit des substances organiques simples et assiste l'arbre dans sa croissance.

Certaines plantes vivent en parasite sur d'autres plantes et se nourrissent à leur dépens. C'est le cas de la cuscute qui commence par vivre normalement avant de trouver un hôte satisfaisant. Elle s'enroule autour de son hôte et au moyen de crampons, s'incruste dans ses tissus. Ses racines se fanent et meurent. Le gui est une autre plante à fleurs parasite. Cependant il produit sa nourriture par photosynthèse et ne demande à son hôte que de l'eau et des sels minéraux. C'est un parasite partiel.

Certaines plantes ont résolu le problème de l'alimentation en devenant carnivores. La dionée gobe-mouches, la drosera, l'utriculaire, la grassette et la népenthès capturent des insectes, digèrent leurs tissus et absorbent les substances chimiques qu'elles en retirent.

De la graine à la plante

La plupart des plantes à fleurs se reproduisent grâce aux graines ou ovules. A l'intérieur de chaque ovule se développe un embryon qui possède une radicule qui deviendra une racine, une tigelle qui fournira la tige de la plante et un ou deux cotylédons qui donneront les feuilles. La graine peut aussi avoir un réservoir à provisions, endosperme ; c'est alors une plante endospermique. Si par contre les réserves ont été absorbées par les cotylédons, la graine est dite non-endospermique. Dans les deux cas, le jeune plant vit sur ses réserves jusqu'au moment où il est suffisamment développé pour pourvoir seul à ses besoins.

Les végétaux

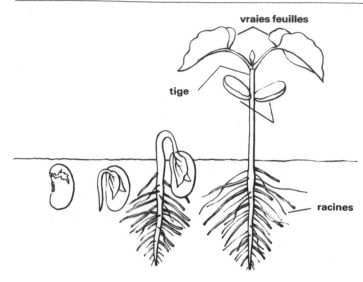

vraies feuilles

tige

racines

Quand un haricot vert germe toute la graine, à l'exception de la radicule, sort du sol. Bien que les cotylédons deviennent verts, ils n'ont pas la forme de feuilles et ne jouent aucun rôle dans la photosynthèse. Le jeune plant se couvre de feuilles et les cotylédons se fanent.

Pour germer, une plante a besoin d'une température appropriée et d'humidité. Quand ces conditions sont réunies, la graine absorbe l'eau, s'enfle et sort de son enveloppe. La radicule s'enfonce dans le sol et la tige commence à pousser. Il existe deux types de germination : la germination hypogée quand le cotylédon reste à l'intérieur de la graine (la fève) et la germination épigée quand les cotylédons sortent de la graine, deviennent verts et commencent la photosynthèse (le ricin). La radicule forme la première racine. La pointe de la racine est recouverte d'une coiffe qui la protège. Derrière la pointe se situe la zone pileuse composée de minuscules radicelles qui absorbent l'eau. Au fur et à mesure que la racine grandit, ces radicelles meurent tandis que d'autres naissent plus avant sur la racine. La tigelle se développe et devient la tige de la plante sur laquelle apparaissent les deux premières feuilles. La germination est terminée, la jeune pousse commence à croître.

Les racines

Les racines fixent la plante au sol. Certaines plantes ont de grosses racines primaires qui pénètrent profondément dans le sol. La carotte a une racine pivotante et seules les racines secondaires procèdent à l'alimentation de la plante. Le dahlia et l'orchidée ont de grosses racines renflées appelées tubercules. La racine primaire et les racines secondaires du sapin ne sont pas très développées. Il est fixé au sol par un système de racines latérales. Les herbes ainsi qu'un grand nombre

d'autres monocotylédones ont des racines fines et longues en faisceaux. Ces racines filamenteuses sont très utiles pour recueillir l'eau à la surface du sol. Elles peuvent aussi s'enfoncer dans le sol comme c'est le cas des céréales dont les fines racines descendent jusqu'à deux mètres de profondeur pour atteindre l'eau.

Les racines ont pour fonction principale l'absorption de l'eau et des sels minéraux. Mais elles peuvent aussi respirer ou servir de point d'appui. Les racines du palétuvier ressemblent à des échasses. Les racines du cyprès des marais respirent et sortent de la boue comme des piques. Les racines aériennes de certaines épiphytes tropicales (plantes qui vivent sur les branches des arbres) sont constituées d'un tissu spongieux qui absorbe l'eau de l'atmosphère. L'orchidée tropicale possède le même type de racines qui contiennent parfois en plus de la chlorophylle qui lui permet de faire la photosynthèse.

Certaines plantes grimpantes ont des racines spéciales qui leur permettent de pousser sur les murs et sur les arbres. Les plantes parasites comme la cuscute et le gui enfoncent leurs racines dans le tissu de leur hôte. Les plantes les plus simples ne possèdent que des racines filamenteuses pour se fixer sur le sol, les rochers ou les arbres.

Il existe différentes sortes de racines.

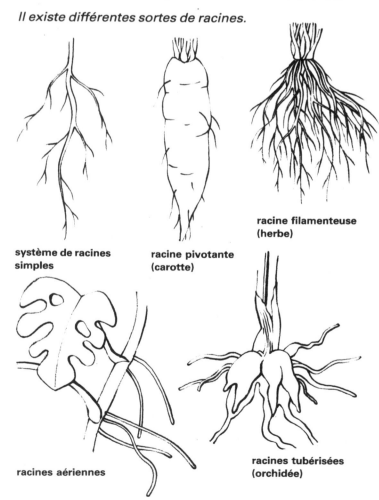

système de racines simples

racine pivotante (carotte)

racine filamenteuse (herbe)

racines aériennes

racines tubérisées (orchidée)

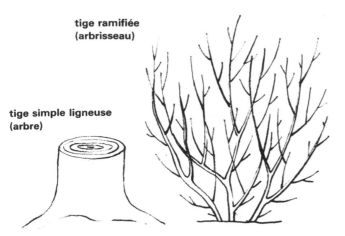

**tige simple ligneuse
(arbre)**

**tige ramifiée
(arbrisseau)**

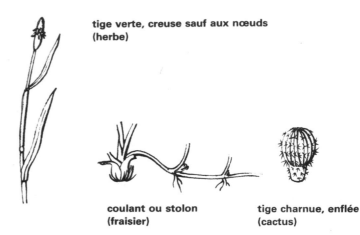

**tige verte, creuse sauf aux nœuds
(herbe)**

**coulant ou stolon
(fraisier)**

**tige charnue, enflée
(cactus)**

Les tiges peuvent être ligneuses ou vertes (herbacées), ces deux catégories comprenant de nombreuses variantes.

Les tiges

La structure et la grandeur d'une tige dépend des besoins de chaque plante. Les tiges les plus grosses sont les troncs d'arbres.

Les jeunes tiges et les tiges des herbacées sont vertes et flexibles. Elles sont renforcées en certains points par des fibres résistantes qui leur permettent de se tenir droit (collenchyme, sclerenchyme). Les plantes qui ont des tiges pérennantes au-dessus du sol se transforment généralement en bois, comme les arbres qui ne possèdent qu'une racine sortant du sol et les arbustes qui en possèdent plusieurs fixées dans le sol ou à sa surface. Seule la partie inférieure de la tige des sous-arbrisseaux est ligneuse, la partie supérieure herbacée perd ses feuilles chaque année.

La tige ligneuse représente le xylène (tissu conducteur de l'eau) de la plante. Chaque année l'arbre se couvre d'une couche supplémentaire de xylène. Le bois le plus ancien situé au centre perd son rôle de conducteur. Si l'on regarde un tronc en coupe on peut voir les cercles annuels de xylène qui permettent de déterminer l'âge de l'arbre.

Il existe de nombreux types de tiges. Parfois, comme chez les plantes grasses, la tige prend la forme d'un réservoir épais et charnu pour garder l'eau. Les plantes grimpantes ont des tiges flexibles qui leur permettent de ramper sur le sol ou de s'accrocher à l'aide de crampons. Certaines plantes produisent de longues tiges fines appelées stolons qui servent de point de départ à une reproduction végétative. Il existe aussi des tiges souterraines. La « racine » du céleri-rave est constituée par la base gonflée de la tige et par la partie supérieure gonflée elle aussi de la racine. Les rhizomes sont de longues tiges horizontales et souterraines qui servent pour les réserves aussi bien que pour la reproduction végétative. Le tubercule de la pomme de terre porte des bourgeons qui donneront naissance aux pommes de terre. Les oignons sont de courtes tiges entourées de feuilles épaisses et charnues et les bulbes sont des tiges gonflées dont les feuilles se sont transformées en écailles. L'oignon comme le bulbe sont aussi des organes de reproduction végétative.

Les feuilles

Bien que la fonction principale de la feuille soit pratiquement la même quel que soit le type de plante, il existe une grande variété de forme de feuilles. Cependant, on peut remarquer que les dicotylédones (plantes qui ont deux cotylédons dans leur graine) ont de larges feuilles et que les monocotylédones (qui n'ont qu'un cotylédon dans leur graine) ont de longues feuilles minces veinées. La feuille des dicotylédones est généralement fixée à la branche par un pétiole tandis que les monocotylédones bien souvent n'en ont pas. Les feuilles des graminacées comprennent une base engainant la tige et un limbe. A la jonction du limbe et de la gaine on a parfois une ligule et un limbe divisé en deux auricules.

Les feuilles peuvent être linéaires comme celles des graminacées, lancéolées (fines, en forme de lance), ovées (ovales), orbiculaires (rondes), palmées (formées de larges lobes), pennées (composées de plusieurs folioles). Certaines feuilles possèdent une ou plusieurs projections au point d'origine des feuilles appelées stipules.

La disposition des feuilles sur la tige varie elle aussi. Elles peuvent être opposées (naissant au même point de chaque côté de la tige) ou verticillées (partant toutes d'un même niveau de l'axe qui les porte) ou bien encore en rosette (étalées en cercle près du sol).

Les feuilles peuvent subir de nombreuses variations. Les feuilles des oignons sont des réserves de nourriture, les deux feuilles du lithrope font

Les végétaux

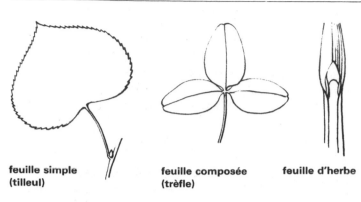
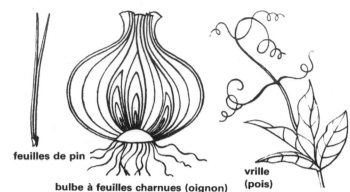

feuille simple
(tilleul)

feuille composée
(trèfle)

feuille d'herbe

feuilles de pin

bulbe à feuilles charnues (oignon)

vrille
(pois)

Les feuilles, organes de base de la photosynthèse se présentent sous des formes multiples. Un grand nombre d'entre elles sont adaptées pour grimper le long des murs ou pour servir de sacs à provisions.

des réserves d'eau, les épines du mûrier, les vrilles du pois et les « racines filamenteuses » de la fougère d'eau sont toutes des feuilles transformées. Les petites feuilles modifiées dont la fonction principale n'est plus la photosynthèse et qui même parfois ne la réalisent pas sont appelées cataphylles comme les feuilles protectrices externes d'un bourgeon. On appelle bractée une petite cataphylle qui naît à la base de la tige d'une fleur et bractéole celle qui naît sur la tige de la fleur.

Les fleurs

Les fleurs sont aussi des feuilles modifiées. Les ancêtres des plantes à fleurs avaient des feuilles porteuses de spores qui se sont transformées peu à peu pour donner les magnifiques fleurs que nous connaissons aujourd'hui.
Le réceptacle se trouve à l'extrémité de la tige (pédoncule) sur laquelle s'insèrent les pièces florales, sépales, pétales et organes reproducteurs de la fleur. Les sépales généralement verts, forment le calice et protègent la fleur quand elle est en bouton. Ils s'ouvrent sur une rangée de pétales souvent très colorés qui forment la corolle. Parfois les sépales aussi sont brillamment colorés et il est impossible de les distinguer des pétales. On appelle alors l'ensemble le périanthe.
Il existe différentes formes de corolles.

On peut classer les fleurs selon leur forme : les fleurs régulières ou actimorphe, irrégulières, à symétrie bilatérale ou zygomorphes. Les pétales de la corolle, parfois même tout le périanthe, peuvent être désunis. Cependant, dans la plupart des cas ils sont unis pour former un tube.
Les fleurs représentent une phase capitale du processus de reproduction. L'étamine est l'organe sexuel mâle des végétaux à fleurs comprenant le filet et l'anthère. C'est une structure bilobée,

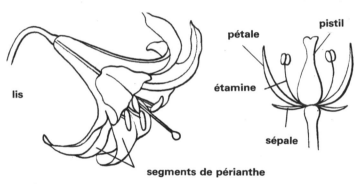

pétale

pistil

étamine

lis

sépale

segments de périanthe

Dans le lis on ne distingue pas les sépales des pétales qui forment le périanthe. D'autres fleurs ont des sépales verts et des pétales colorés.

chaque lobe contenant deux poches pleines de pollen. Chaque grain de pollen contient un noyau mâle. Les carpelles qui forment le pistil sont les pièces femelles de la fleur. Au sommet de chaque carpelle se trouve un stigmate (surface de réception du pollen) qui se trouve souvent lui même à l'extrémité d'un long style. Chaque carpelle contient un ovaire qui à son tour renferme un ou

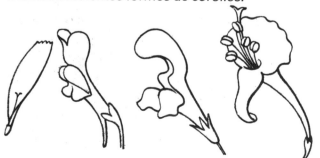

en forme de langue
(pissenlit)

en éperon
(orchidée)

labié
(ortie blanche)

bilabié
(chèvrefeuille)

sphérique
(airelle)

discoïde
(pomme de terre)

tubulaire
(jonquille)

plusieurs ovules. Chaque ovule contient une cellule femelle ou oosphère.

Les fleurs unisexuées, qui ne possèdent pas en même temps les organes de reproduction mâles et femelles ne sont pas rares. Les fleurs mâles ou staminées n'ont que les étamines ; les fleurs femelles ou pistillées n'ont que le pistil. Au contraire les fleurs bisexuées possèdent en même temps des fleurs mâles et des fleurs femelles.

Les fleurs peuvent être simples ou inflorescentes, organisées en groupement précis. Il existe deux types principaux de groupements : en grappe et en cyme.

Une grappe a un axe principal qui porte des tiges et des fleurs. Mais il existe des grappes différentes comme par exemple celle de l'épi dont les

Il existe différentes formes d'inflorescence.

INFLORESCENCE EN GRAPPE

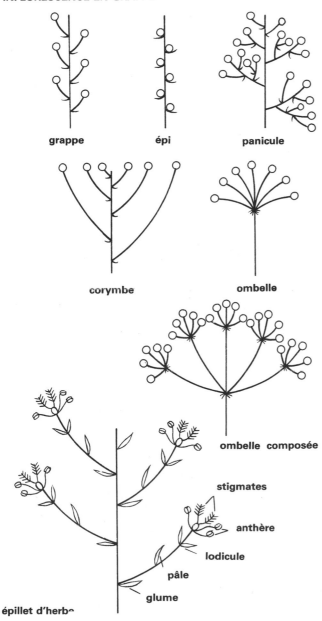

grappe   épi   panicule

corymbe   ombelle

ombelle composée

stigmates

anthère

lodicule

pâle

glume

épillet d'herbe

tiges des fleurs sont pratiquement inexistantes ; le spadice est une sorte d'épi possédant un axe principal charnu ; et le chaton est un épi tembant de fleurs mâles. La panicule est une grappe composée ; le corymbe est une grappe où toutes les fleurs sont à peu près sur un même plan ; l'ombelle n'a pratiquement pas d'axe principal ; le capitule a un axe aplati et élargi. L'inflorescence de l'herbe est de loin la plus compliquée. Elle est composée d'épillets qui se décomposent en glumes, bractées membraneuses situées à la base de chaque épillet parfois poilues ou barbues et en lemmes, situés au-dessus des glumes. Au niveau des aisselles de ces lemmes se trouve la tige de la fleur. Chaque tige possède une bractéole. Les sépales et les pétales ou lodicules sont pratiquement inexistants. Au-dessus se trouvent les étamines pendantes et le pistil aux stigmates plumeux.

L'axe principal du cyme ne se développe pas. La poussée se fait sur les axes secondaires. Le nom que l'on donne à ces inflorescences dépend du nombre des axes qui se développent à partir d'un même point.

La pollinisation

La pollinisation, transfert du pollen de l'étamine au stigmate, est menée à bien par les insectes, le vent et plus rarement par l'eau. Dans certaines régions tropicales, elle se fait par les oiseaux (colibri) et par les mammifères (chauve-souris, galago).

Les plantes pollinisées par le vent possèdent de longues anthères qui produisent une grande quantité de pollen et des stigmates larges et plumeux pour le recueillir facilement. Les fleurs pollinisées par le vent comme les graminacées et les espèces à chatons ont peu, sinon aucun pétale,

INFLORESCENCE EN CYME

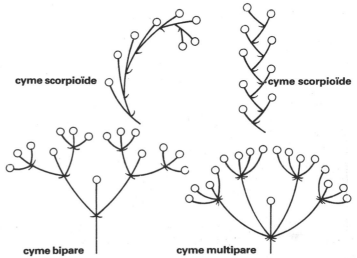

cyme scorpioïde   cyme scorpioïde

cyme bipare   cyme multipare

Les végétaux

qui entraverait la dispersion du pollen. Au contraire, les plantes pollinisées par les insectes ont des fleurs brillamment colorées pour les attirer. Les insectes sont particulièrement attirés par le bleu et le mauve, certains même sont sensibles aux couleurs ultraviolettes que l'œil humain ne peut pas voir. En échange de la pollinisation, les insectes prennent le nectar des fleurs, produit par des glandes appelées nectaires qui se trouvent à base des pétales.

Un grain de pollen en germination émet ce qu'on appelle le tube pollinique qui se développe tout au long du style jusqu'à l'ovaire. La cellule mâle descend dans le tube et féconde la cellule femelle dans l'ovule. Ce transfert qui s'effectue au sein d'une même fleur est appelé auto-fécondation. Mais les plus belles plantes et les plus vigoureuses s'obtiennent par la fécondation croisée, passage du pollen d'une plante à une autre. Nombre de fleurs sont dotées de mécanismes pour éviter le plus possible l'auto-fécondation. De nombreuses plantes pollinisées par le vent ont des fleurs unisexuées, portant des fleurs mâles et des fleurs femelles sur un même pied (plantes monoïques) ou sur des pieds séparés (plantes dioïques). Les fleurs pollinisées par les insectes sont, elles aussi, dotées de mécanismes complexes qui favorisent la fécondation croisée. Prenons par exemple la pensée : l'insecte ne peut pénétrer dans la fleur que d'une seule façon. Ce faisant il découvre le stigmate qui sera de nouveau caché quand l'insecte s'envolera chargé de pollen qu'il portera sur d'autres fleurs. Certaines plantes pollinisées par les insectes produisent plusieurs sortes de fleurs. La primevère par exemple en produit deux sortes qui portent les étamines et les stigmates dans des positions différentes.

Chez certaines fleurs les étamines et les stigmates

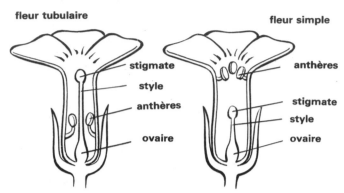

Il y a deux sortes de primevère. Quand un insecte se pose sur une fleur tubulaire, il remplit de pollen la partie antérieure de son corps. Quand il se pose sur une fleur simple il tire le pollen du stigmate. Dans le même temps, il remplit de pollen la partie postérieure de son corps qu'il pourra ensuite transférer au stigmate d'une fleur tubulaire.

parviennent à maturité à des époques différentes. La pollinisation se fait quand le pollen des anthères est déposé sur les stigmates d'une fleur dont l'ovaire est mûr.

Les fruits et les graines

Après la fécondation, une fleur transforme ses ovules en graines et son ovaire en fruit. Parfois d'autres pièces interviennent dans la formation du fruit et l'on obtient ce qu'on appelle un faux fruit.

Il existe différents types de fruits. Leur différence provient de l'origine et de la structure du péricarpe (partie externe du fruit) et du nombre de graines qu'ils contiennent. Il existe deux groupes principaux : les fruits indéhiscents qui se dispersent avec les graines et les fruits déhiscents qui s'ouvrent pour les libérer.

Les fruits indéhiscents peuvent être secs ou char-

Déhiscence, indéhiscence et faux fruits.

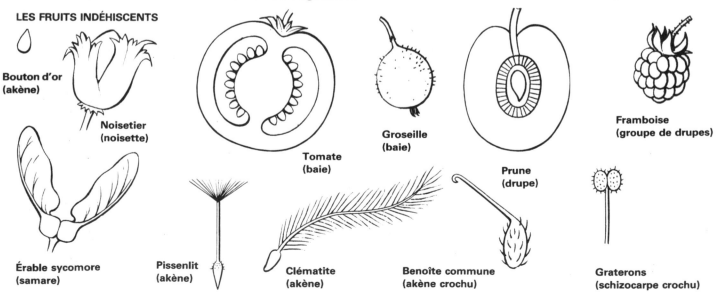

LES FRUITS INDÉHISCENTS

Bouton d'or (akène)

Noisetier (noisette)

Tomate (baie)

Groseille (baie)

Prune (drupe)

Framboise (groupe de drupes)

Érable sycomore (samare)

Pissenlit (akène)

Clématite (akène)

Benoîte commune (akène crochu)

Graterons (schizocarpe crochu)

nus. Un akène est un fruit sec issu d'un seul carpelle contenant une seule graine ; les fruits du bouton d'or et du sycomore sont des akènes. Le sycomore produit des akènes à ailettes ou samares. Les fruits du pissenlit sont aussi appelés akènes bien qu'ils soient légèrement différents des précédents. La noix est aussi un fruit sec issu de deux ou plusieurs carpelles contenant une seule graine et dont le péricarpe est généralement ligneux ; les fruits du noisetier sont les noisettes et les fruits du chêne, les glands. Une baie est un fruit charnu à plusieurs graines dont le péricarpe est composé de trois couches successives : la peau ou épicarpe, la pulpe ou mésocarpe et l'endocarpe. La groseille, l'airelle, la tomate, le concombre, et l'orange sont des baies. Une drupe est un fruit charnu contenant une seule graine et possédant un endocarpe lignifié qu'on appelle noyau. La prune, la pêche ainsi qu'un grand nombre de baies et de noix sont des drupes. La mûre par exemple est composée d'un bouquet de minuscules drupes et la noix de coco est une drupe à épicarpe et mésocarpe fibreux que l'on enlève généralement au moment de la cueillette. Tous les fruits déhiscents sont secs quand ils sont mûrs. Le type de fruit le plus courant est la capsule. Les fruits secs disposent d'une variété de systèmes d'ouverture destinés à libérer les graines. La capsule du pavot s'ouvre par plusieurs pores et le dessus de la capsule du plantain se soulève comme un couvercle. Les capsules des fruits de la famille des choux sont divisées en deux par une membrane. Les longues capsules qui appartiennent à ce type, comme par exemple la ravenelle sont appelées siliques ; les courtes et en forme de sac comme la bourse-à-pasteur sont appelées silicules. Les gousses ou légumes sont des fruits qui s'ouvrent par deux fentes opposées, comme le pois et le cytise. Les follicules au contraire ne s'ouvrent que par une seule fente comme celles de l'aconit. Les schizocarpes sont des fruits qui se brisent en mille morceaux ; chaque morceau comprend une graine et un morceau de péricarpe. La pomme, la fraise et l'églantine sont des faux fruits. Seul le trognon de la pomme est un vrai fruit, le reste de la pulpe est formé par le réceptacle gonflé. Le réceptacle rouge et charnu de la fraise porte de minuscules akènes. Chez l'églantine, les akènes se trouvent à l'intérieur du réceptacle. Les faux fruits proviennent parfois de l'ensemble des fleurs d'une inflorescence. Le fruit qui en naît comprend des morceaux de tige, de bractée, de sépales et de pétales. L'ananas et la figue appartiennent à ce type de fruit.

La dispersion des graines

Pour s'implanter dans de nouveaux endroits et pour donner de l'espace aux nouvelles pousses, les plantes doivent disperser leurs graines le plus loin possible. Le vent est un excellent agent de dispersion surtout pour les petites graines légères. Certains fruits sont en forme de parachute comme l'aigrette du pissenlit et la longue plume de la clématite. Le sycomore, l'érable et le frêne ont des fruits à ailettes pouvant planer longtemps.

De nombreuses graines sont dispersées par les animaux. Les fruits juteux sont dévorés et les graines transitent dans le tube digestif des animaux sans dommage. Les écureuils font des réserves de noisettes. Celles qu'ils oublient germent dans la réserve. Certains fruits sont munis de crochets qui leur permettent de s'accrocher dans la fourrure des animaux.

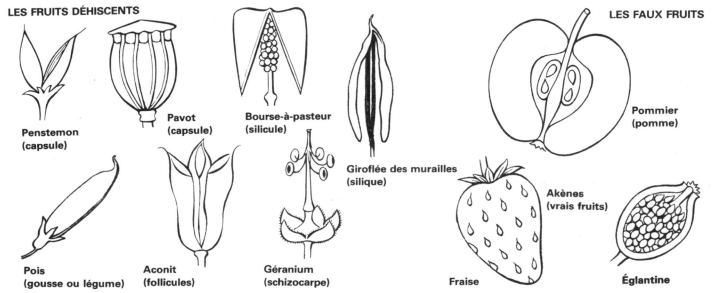

LES FRUITS DÉHISCENTS

Penstemon
(capsule)

Pavot
(capsule)

Bourse-à-pasteur
(silicule)

Giroflée des murailles
(silique)

Pois
(gousse ou légume)

Aconit
(follicules)

Géranium
(schizocarpe)

LES FAUX FRUITS

Pommier
(pomme)

Akènes
(vrais fruits)

Fraise

Églantine

Les végétaux

Certaines plantes possèdent des systèmes explosifs pour disperser leurs graines. Quand la cosse d'un pois est sèche, les deux moitiés qui la composent se séparent avec un bruit sec et projettent les graines. Les fruits de l'impatiente éclatent sous l'effet de la pression de l'eau.

La distribution des plantes

La distribution des plantes dépend principalement du climat et de la géographie. Les biologistes divisent le monde végétal en un certain nombre de biomes, communautés écologiques de plantes et d'animaux qui sont : la forêt tropicale, la forêt d'arbres à feuilles caduques, la forêt de conifères, la prairie tropicale, la prairie des régions tempérées, les régions montagneuses et les régions polaires.

La température à la surface de la terre augmente des pôles à l'équateur où elle est la plus forte. Les forêts tropicales se trouvent dans des régions où la température dépasse 27° toute l'année et où les pluies sont abondantes. La poussée des plantes est continue (les variations saisonnières de température étant minimes) et les arbres sont pour la plupart toujours verts. On trouve dans ces forêts de nombreuses espèces exotiques comme les orchidées épiphytes ; les épiphytes sont des plantes qui vivent sur les branches des arbres.

Dans les régions de pluies moins abondantes, on trouve la prairie tropicale ou savane, riche en plantes herbacées et en massifs broussailleux et buissonneux. Dans les régions désertiques ou semi-désertiques les précipitations d'eau sont inférieures à 250 mm par an. Dans le désert, la température peut atteindre 70°. Seules des plantes ayant subi des transformations particulières peuvent survivre dans de telles conditions.

Dans les régions tempérées, les précipitations sont modérées et les saisons bien différenciées. En été, la température varie de 10° à 20° et les hivers sont doux ou très froids. Les forêts des régions tempérées sont constituées d'arbres à feuilles caduques et de conifères. Les arbres à feuilles caduques perdent leurs feuilles en automne et connaissent une phase de repos pendant l'hiver. Autrefois l'hémisphère nord était recouvert de vastes forêts d'arbres à feuilles caduques qui ont été coupés pour fournir du combustible et du matériel de construction et remplacés par des terrains agricoles.

De même, de nombreuses prairies ont disparu pour laisser la place à l'agriculture. Les prairies tempérées comprennent les prairies de l'Amérique du Nord, les pampas de l'Amérique du Sud et les steppes de l'Eurasie.

Les conifères sont présents dans tout l'hémisphère nord mais les grandes forêts de conifères se trouvent au nord du cercle arctique, dans la taïga. Les précipitations y sont peu abondantes, les hivers longs et froids, les étés courts et frais. Les conifères sont des arbres très résistants qui supportent très bien le manque d'eau et les sols pauvres.

Les régions les plus froides du monde sont les régions polaires. L'Antarctique est presque totalement recouverte de glace et dépourvue de végétation. On trouve quelques rares spécimens le long des côtes, dans la toundra, quelques graminées, des lichens, des mousses et des plantes à fleurs. Elles survivent à une température de l'ordre de −60°.

Les zones de végétation en montagne varient avec la température et reflètent les zones principales de végétation que l'on trouve sur la terre. Aux pieds des montagnes, la végétation est semblable à la végétation de la région environnante. Puis on trouve des bandes de conifères et de prairies herbacées. Au-dessus de ces bandes, juste avant la ligne de neige, une végétation de montagne semblable à la toundra. Les plantes des prairies herbacées alpines ont certaines particularités. Elles poussent le plus souvent en rosettes près du sol pour profiter au maximum de sa chaleur et pour se protéger du vent. Elles sont souvent couvertes de poils qui retiennent la chaleur.

La géographie joue, elle aussi, un rôle important dans la distribution des plantes. On trouve sur tous les continents pratiquement les mêmes biomes. Cependant certaines plantes ne poussent que dans certaines régions. L'explication de ce phénomène se trouve dans l'histoire de la terre. Les plantes à fleurs subirent une évolution au crétacé (il y a 65 à 135 millions d'années). A ce moment la terre se fendait pour former les continents que nous connaissons aujourd'hui. Si bien que les plantes à fleurs se développèrent sur des continents différents limités par des océans. A l'intérieur d'un continent des barrières naturelles empêchent la propagation des plantes. C'est le cas des montagnes qui arrêtent la propagation des plantes aimant la chaleur. Aujourd'hui chaque espèce pousse dans une région et dans des conditions déterminées. Certaines ne se développent que dans une région bien précise, d'autres se répandent dans diverses régions. Un petit nombre de plantes que l'on trouve dans le monde entier sont, pour la plupart, des herbes folles propagées par l'homme.

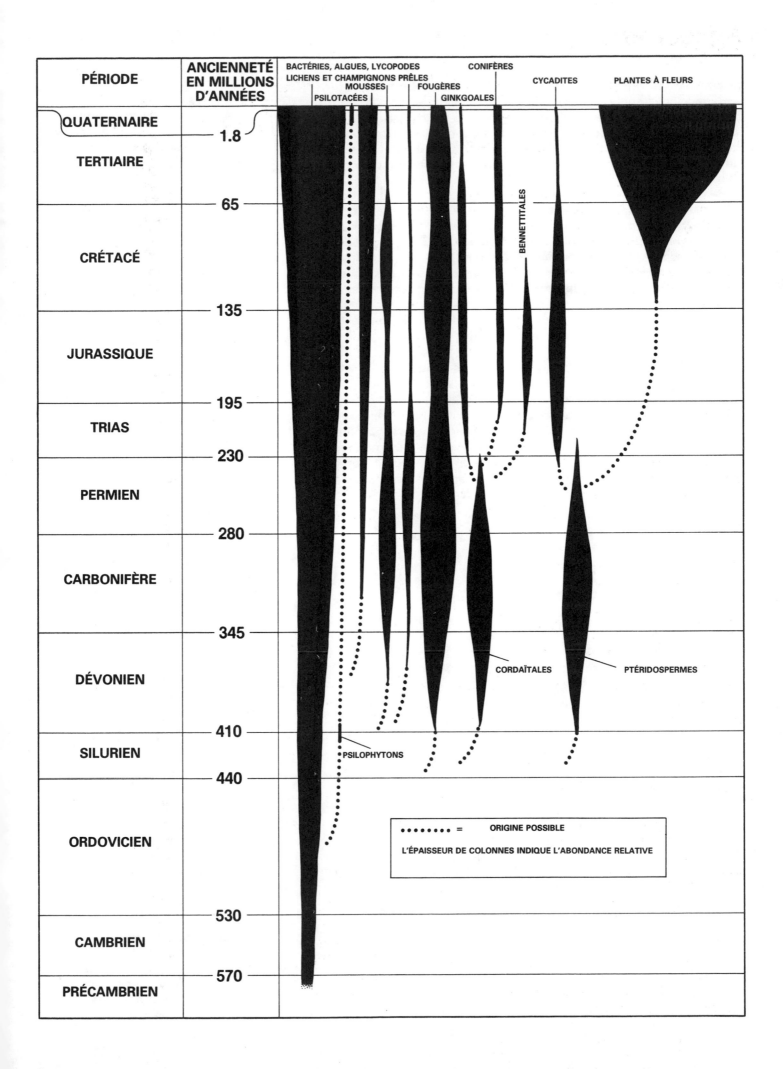

Les fleurs de printemps

L'arrivée du printemps en Europe est annoncée par un grand nombre de fleurs. Certaines montrent leur nez quand il gèle encore, suivies rapidement par les autres qui indiquent la fin de l'hiver.

Toutes les fleurs de printemps ont des réserves de nourriture dans leurs tubercules, leurs rhizomes ou leurs bulbes. C'est ce qui leur permet de pousser, de fleurir et de donner des fruits très rapidement. Les espèces précoces préfèrent généralement les sols humides, aux abords des rivières ou près des forêts d'arbres à feuilles caduques. Avant que les arbres n'aient eu le temps d'avoir des feuilles, les fleurs de printemps ont déjà fleuri. Leurs feuilles et leurs tiges sèchent et leur vie redevient souterraine jusqu'au printemps suivant.

Chélidoine *Ficaria verna*

Le développement de cette plante est très rapide. Il commence généralement en avril, parfois même en mars et se poursuit jusqu'en mai. La chélidoine se charge rapidement de feuilles et de fleurs. Elle produit très peu de graines, parfois même aucune. Elle surmonte facilement ce handicap grâce à la reproduction végétative. Elle produit de petits bulbes ou bulbilles. Il en existe deux sortes. Les uns poussent sur les racines sous terre, les autres, les bulbilles blancs, poussent aux aisselles des feuilles basses. Ils ressemblent à des grains de blé. Quand les feuilles et la tige meurent, ils tombent sur le sol et sont emportés par les eaux de pluie. Ils hibernent et de nouvelles plantes naissent au printemps suivant.

Les jeunes pousses tendres et délicates peuvent être mangées en salade. En grandissant les feuilles deviennent amères et vénéneuses.

Chélidoine

Quintefeuille de printemps

Perce-neige commun
Galanthus nivalis

La neige n'a pas complètement disparu quand les premières perce-neige apparaissent. C'est une fleur très connue souvent appelée « la messagère du printemps ». Les trois longs pétales blancs comme neige marquent la fin de l'hiver et les trois larges pétales blancs bordés de vert pâle annoncent l'approche du printemps.

feuilles n'apparaissent que beaucoup plus tard.

Plante médicinale très importante au Moyen Age, on l'utilisait pendant les épidémies de peste et de choléra. De nos jours, on utilise encore les propriétés médicinales de son rhizome pour soigner la toux. Dans l'Antiquité, on préparait des mixtures d'herbes pour rendre invulnérables les guerriers qui partaient. Sa racine entrait dans la préparation de ces mixtures.

Perce-neige commun

Nivéole de printemps

Les clochettes cachent un pistil et six étamines renfermant des anthères jaunes prêtes à recevoir les insectes. Les fourmis se chargent de la dispersion des graines et reçoivent en échange un succulent repas contenu dans un appendice accroché à chaque graine.

La perce-neige résiste vaillamment grâce à un petit bulbe souterrain qui chaque printemps donne deux longues feuilles minces et une fleur. La perce-neige pousse dans les bois et les bosquets près des rivières. On la cultive aussi dans les jardins où il n'est pas rare de trouver des fleurs doubles.

Nivéole de printemps
Leucojum vernum
La nivéole de printemps fleurit peu après la perce-neige, le long des ruisseaux et dans les régions boisées. Comme la perce-neige elle possède un bulbe souterrain qui produit une fleur entourée de trois ou quatre feuilles. La nivéole meurt peu après la floraison.

Quintefeuille de printemps
Potentilla verna
Les fleurs dorées de la quintefeuille de printemps apparaissent en mars sur les bords ensoleillés des rivières et dans les prés. Ses larges feuilles forment un tapis piqueté de bourgeons et de fleurs à courtes tiges. Les feuilles basses ont de cinq à sept folioles au duvet régulier. C'est ce qui permet de distinguer la quintefeuille de printemps de la quintefeuille de sable dont les feuilles gris-vert sont couvertes d'un duvet en forme d'étoile.

Pétasites vulgaire
Petasites hybridus
Dans les montagnes, le printemps éclate d'un seul coup. Dès que la neige a disparu, les fleurs commencent à pousser. Le pétasites est parmi les premières. Ses bouquets de petites fleurs forment un tapis rose au bord des ruisseaux. Chaque « fleur » est en réalité une inflorescence comme celle de la marguerite, de la famille des composées. Les

Pétasites vulgaire

Une promenade dans les prés

A la fin du printemps et au début de l'été, les prairies regorgent de fleurs multicolores : les marguerites blanches, les jacinthes des bois, les lychnides roses des prés et les pissenlits jaunes. C'est aussi l'époque où toutes les graminées fleurissent. Les fleurs des prés ont toutes un point commun, un grand besoin de soleil. A l'ombre des arbres et des haies elles s'étiolent. Il existe diverses sortes de prés. Les fleurs que l'on y trouve diffèrent selon la nature du sol (calcaire, sablonneux ou argileux) et sa richesse en eau (marécageux ou sec).

Bouton d'or des prés

Chardon bleu

il donne l'impression d'être sec. La partie supérieure se détache et le vent l'emporte à travers la campagne en dispersant ses fruits (akènes doubles).

Bouton d'or des prés
Ranunculus acris
Les fleurs jaunes du bouton d'or donnent un éclat doré aux prés. Et pourtant, les troupeaux l'évitent car il contient du poison.

Chardon bleu
Eryngium campestre
Le chardon bleu d'Europe centrale, malgré son nom, appartient à la famille des ombellifères comme le persil. Le chardon bleu est une plante vivace même si en automne

Lychnis fleur de coucou
Lychnis flos-cuculi
Le lychnis fleurit à la fin du printemps. Ses pétales rose-rouge aux bords découpés s'épanouissent en quatre lobes longs et étroits. De profil ils ressemblent à la crête d'un coq.

180

Polygala commune
Polygala vulgaris
De nombreuses espèces de polyga-
las poussent dans les prés d'Europe. La plus répandue est la polygala
commune. Ses fleurs sont généralement bleu-vert, parfois roses ou
blanches.
On trouve la polygala dans le mon-

compactes rouges entourées de
bractées rouge-brun. Il existe de
nombreuses espèces d'œillets aux
fleurs roses, rouges ou blanches.
Cette espèce de *Dianthus* qui en
grec signifie « fleur divine » fut appelée *carthusianorum* en l'honneur
des frères Karthauser, naturalistes
du dix-huitième siècle.

Œillet sauvage

Lychnis fleur de coucou

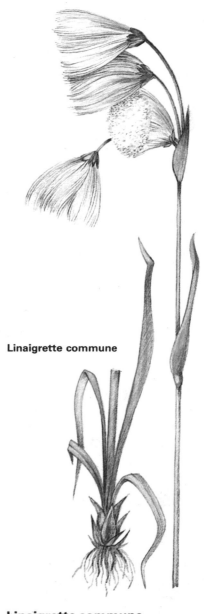

Linaigrette commune

Polygala commune

de entier. Il en existe des espèces
herbacées, des sous-arbrisseaux et
des espèces grimpantes.

Œillet sauvage
Dianthus carthusianorum
Le poète fait appel à l'œillet sauvage quand il a la nostalgie de sa terre
natale, de ses collines ensoleillées,
de ses prairies et de ses pâturages.
L'œillet sauvage a des fleurs

Linaigrette commune
Eriophorum latifolium
Les fruits (akènes) de la linaigrette,
boules blanches argentées, se ba-
lancent dans le vent des marécages
et des prairies humides. C'est pour
cette raison que les Grecs la nom-
mèrent *Eriophorum*, « porteur de
laine ».

181

Les plantes d'eau

Certaines plantes d'eau ont simplement leurs racines dans l'eau ; d'autres sont partiellement ou complètement recouvertes d'eau ; d'autres encore flottent à sa surface, comme la lentille d'eau. Les feuilles et les fleurs du nénuphar ainsi que le potamot à larges feuilles flottent aussi tout en étant ancrés dans la vase par des rhizomes. Leurs tiges qui poussent jusqu'à atteindre la surface de l'eau contiennent de l'air pour les aider à flotter. Les stigmates de ces plantes se trouvent sur le dessus des feuilles.

Les plantes qui poussent dans les endroits humides où l'eau est peu profonde, comme la massette, le roseau, et la laîche ont des feuilles fines comme de l'herbe et des racines entrelacées qui se fixent dans la vase.

Nénuphar blanc
Nymphaea alba

Les fleurs du nénuphar se ferment en fin d'après-midi et disparaissent sous l'eau à la nuit tombée. Tôt le matin, elles réapparaissent et ne s'ouvrent que si le soleil brille. Elles suivent sa course de son lever à son coucher.

Les nénuphars ont de larges feuilles rondes et de jolies fleurs blanches très particulières. Les sépales sont verts à l'intérieur et blancs à l'extérieur. Ils sont disposés en spirale, plus petits et plus étroits vers le centre de la fleur où leur blancheur est mise en valeur par le jaune des étamines qui couvre l'ovaire et le stigmate.

Massette *Typha latifolia*

L'illustration montre les « tisonniers », inflorescences de la massette qui pousse dans les eaux calmes et tranquilles. Les fleurs femelles forment un épi marron velouté appelé aussi spadice de 30 cm de long terminé par une « queue » de fleurs mâles. Les fleurs femelles pollinisées par le vent se transforment en akènes blancs lanugineux. Le duvet maintient les graines à la surface de l'eau pendant deux ou trois jours. La massette est une plante décorative et originale tout en étant très utile. Son rhizome contient de l'amidon, des protéines et du sucre. On la fait sécher pour obtenir une farine avec laquelle on fait du pain, des crêpes, des biscuits et même du pain d'épice. Le pain de masset-

Nénuphar blanc

Massette

te est délicieux accompagné de jeunes pousses de massette bouillies dont le goût délicat rappelle celui des asperges (c'était déjà un des plats préférés des Chinois 200 ans av. J.-C.). On peut terminer ce savoureux repas avec une tasse de café obtenu en faisant griller les rhizomes. Les rhizomes qui restent pourront être donnés aux cochons. On utilise aussi les feuilles de massette pour faire des paniers, des nattes, des chapeaux, des pantoufles, des sacs et beaucoup d'autres choses encore. Les tiges peuvent servir de combustible et le duvet des graines de rembourrage.

Lentille d'eau commune
Lemna minor
La surface des étangs, des mares d'eau et cours d'eau lents est parfois recouverte d'une pellicule verte composée de minuscules plantes à fleurs (2,5 à 4 mm de diamètre) appelées lentilles d'eau. Chaque plante est composée d'une sorte de feuille ronde de la taille d'une lentille portée par une seule tige. Mais en réalité, la lentille d'eau n'a pas de feuilles mais une simple tige adaptée pour flotter sur l'eau. La lentille d'eau, le plus petit des angiospermes existants n'a que très rarement des fleurs ; elle se reproduit facilement et rapidement par une sorte de bourgeonnement.

Petite utriculaire
Utricularia vulgaris
On l'appelle utriculaire car ses feuilles fines comme des fils portent des utricules. Les fleurs jaunes se trouvent au centre sur une seule tige. Cette plante flotte librement sur les eaux chaudes et calmes. L'utriculaire est une plante carnivore. Les utricules sont dotés de poils durs qui s'écartent quand un animal les touche. Il tombe dans l'utricule où il est digéré par les enzymes. Des glandes spécialisées rejettent l'eau hors de l'utricule et le piège est de nouveau prêt à fonctionner.

Petit utriculaire

Lentille d'eau commune

Potamot à larges feuilles
Potamogeton natans
On trouve les fleurs à longs épis du potamot à la surface des eaux douces et calmes. Le vent pollinise les épis qui disparaissent sous l'eau. Les fruits qui sont des akènes tombent au fond de l'eau ou bien sont emportés par les animaux. Certains restent dans l'épi qui part à la dérive.

Potamot à larges feuilles

Les graminées

Toutes les graminées ont des inflorescences en forme de panicule ou d'épi, leurs fleurs pollinisées par le vent sont très petites et leurs feuilles sont longues et étroites. Certaines plantes appartenant à d'autres familles, comme la laîche ou le statice, ressemblent beaucoup aux graminées. Mais elles n'ont pas les tiges creuses et arrondies qui distinguent d'une façon toute particulière les graminées.

Pâturin lisse

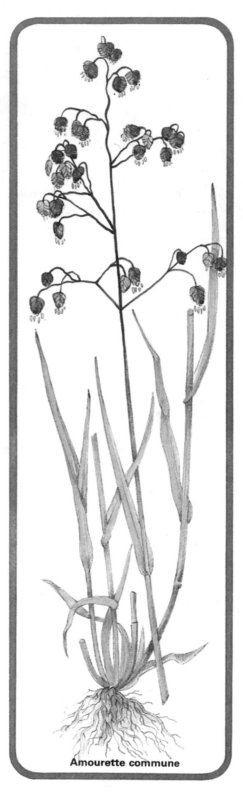

Amourette commune

Laîche des bois
Carex sylvatica
La laîche des bois comme toutes les autres laîches ressemble à une graminée. Cependant, contrairement à celle-ci, elle a des tiges résistantes et triangulaires.
La laîche des bois a des épis flexibles disposés sur une longue tige fine et un épi terminal droit, l'épi mâle. Les épis latéraux, épis femelles, donnent de petits fruits crochus.
On trouve la laîche dans les bois, le long des rivières, dans les fourrés et dans les pâturages.

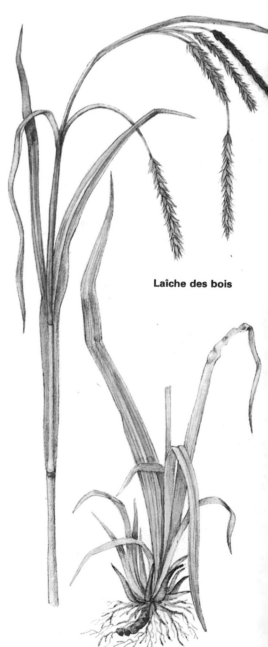

Laîche des bois

Pâturin lisse
Poa pratensis
Le pâturin, plante très répandue dans les prés et dans les pâturages pousse sur tous les sols. Il forme des bouquets solides et compacts bien adaptés pour les pelouses et les stades.

Amourette commune
Briza media
L'amourette avec ses longues tiges surmontées de panicules en forme de cœur est une plante très jolie à voir. On la fait sécher pour en faire des bouquets très décoratifs. La grande amourette qui pousse en Europe du Sud est encore mieux adaptée à cette utilisation.

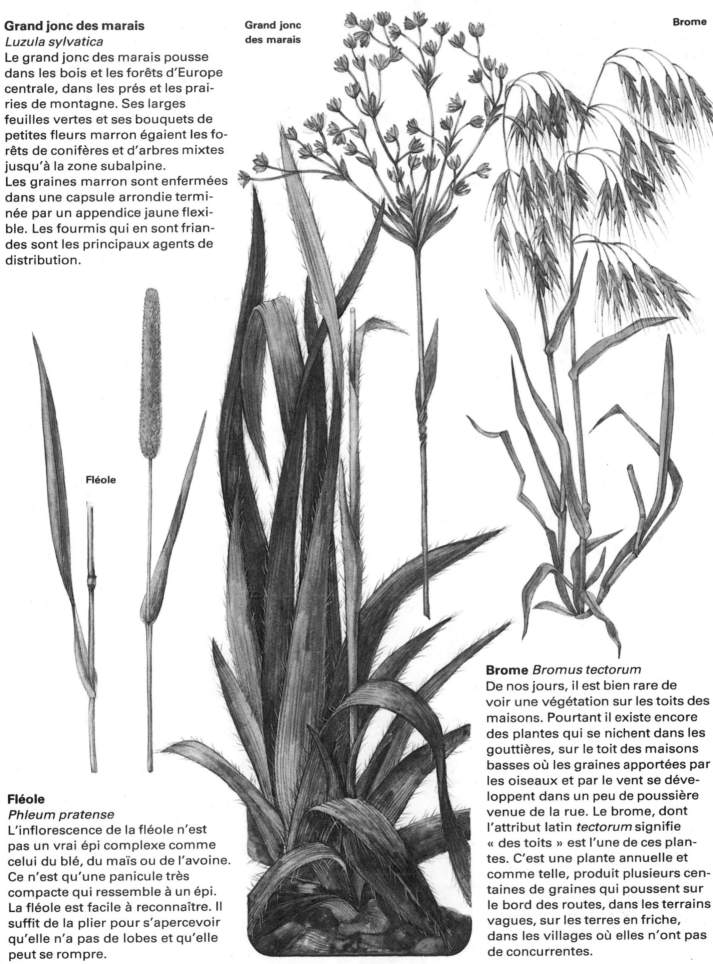

Grand jonc des marais
Luzula sylvatica
Le grand jonc des marais pousse dans les bois et les forêts d'Europe centrale, dans les prés et les prairies de montagne. Ses larges feuilles vertes et ses bouquets de petites fleurs marron égaient les forêts de conifères et d'arbres mixtes jusqu'à la zone subalpine.
Les graines marron sont enfermées dans une capsule arrondie terminée par un appendice jaune flexible. Les fourmis qui en sont friandes sont les principaux agents de distribution.

Grand jonc des marais

Brome

Fléole

Fléole
Phleum pratense
L'inflorescence de la fléole n'est pas un vrai épi complexe comme celui du blé, du maïs ou de l'avoine. Ce n'est qu'une panicule très compacte qui ressemble à un épi. La fléole est facile à reconnaître. Il suffit de la plier pour s'apercevoir qu'elle n'a pas de lobes et qu'elle peut se rompre.

Brome *Bromus tectorum*
De nos jours, il est bien rare de voir une végétation sur les toits des maisons. Pourtant il existe encore des plantes qui se nichent dans les gouttières, sur le toit des maisons basses où les graines apportées par les oiseaux et par le vent se développent dans un peu de poussière venue de la rue. Le brome, dont l'attribut latin *tectorum* signifie « des toits » est l'une de ces plantes. C'est une plante annuelle et comme telle, produit plusieurs centaines de graines qui poussent sur le bord des routes, dans les terrains vagues, sur les terres en friche, dans les villages où elles n'ont pas de concurrentes.

185

Les plantes et la civilisation

Le développement des plantes utiles à l'homme suit le développement de la civilisation. Les plantes que nous connaissons aujourd'hui ne sont plus ce qu'elles étaient à l'origine. L'homme les a transformées pour en augmenter le rendement.

tion d'amidon, de gluten, de malt et d'alcool.

On cultive le blé depuis toujours. On a retrouvé des espèces sauvages en Asie, dans les steppes du Pamir. A partir de là, le blé s'est répandu un peu partout, a subi des transformations pour devenir tel que nous le connaissons aujour-

Maïs *Zea mays*

Le maïs est l'une des trois céréales les plus cultivées dans le monde, les deux autres étant le blé et le riz. Il est originaire d'Amérique du Sud où on le cultivait déjà il y a 7000 ans. On pense que les Indiens firent des croisements à partir d'une sorte de maïs plus fruste. Depuis la culture sélective a donné toutes les variétés que nous connaissons aujourd'hui.

Le pop corn est une variété très populaire. Ses grains en pointe, blancs et boursouflés éclatent quand on les chauffe. Le maïs doux que l'on mange en légume en est un autre. Le maïs à cosse est considéré comme étant la plus ancienne variété de maïs. Les épis femelles ainsi que les grains sont enfermés dans un tégument. Les variétés de maïs nain sont couvertes de poils. Il existe aussi des variétés à feuilles rayées que l'on cultive dans les jardins pour son aspect décoratif.

Les grains de maïs sont généralement jaunes ou blancs. Mais ils peuvent être aussi orange, violets, bleus, bleu-noir, roses et rouges. Il existe une variété de maïs appelé arlequin en raison de ses grains multicolores.

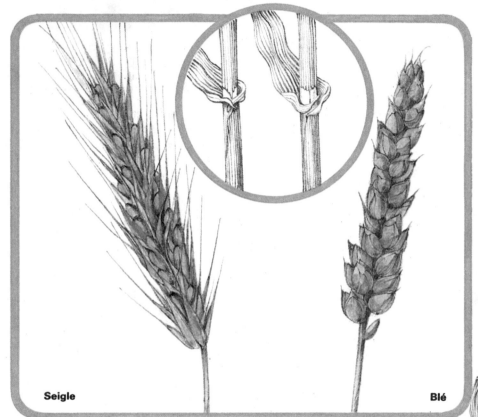

Seigle   Blé

Blé *Triticum aestivum*
Seigle *Secale cereale*

Les céréales sont cultivées dans le monde entier. Ce sont des graminées très différentes de celles que l'on trouve à l'état sauvage dans les prairies, car la culture et la sélection les ont transformées. Quoi qu'il en soit, la structure de l'épi, les fleurs, les grains, les racines fibreuses et creuses et les tiges articulées prouvent qu'elles appartiennent à la famille des graminées.

Les grains de céréales, qui sont les fruits de la plante, contiennent de l'amidon, des protéines, des sucres et des matières grasses. A part la farine, les céréales produisent la matière première pour la produc-

d'hui. On cultive le blé sur les sols riches dans le monde entier.

Le seigle est moins ancien que le blé. Il vient lui aussi d'Asie, et plus exactement du Caucase où il était considéré comme une herbe indésirable dans les champs de blé et d'avoine. En Europe, dans les régions froides, il fut bien vite apprécié. Il préfère d'ailleurs les climats un peu rudes. Il donne une farine noire qui peut plaire ou ne pas plaire ; en tout cas, le pain de seigle est une denrée courante en Europe. On utilise la paille de seigle, plus longue que celle des autres céréales, dans la literie, pour recouvrir les toits, pour fabriquer du papier, des nattes et des chapeaux.

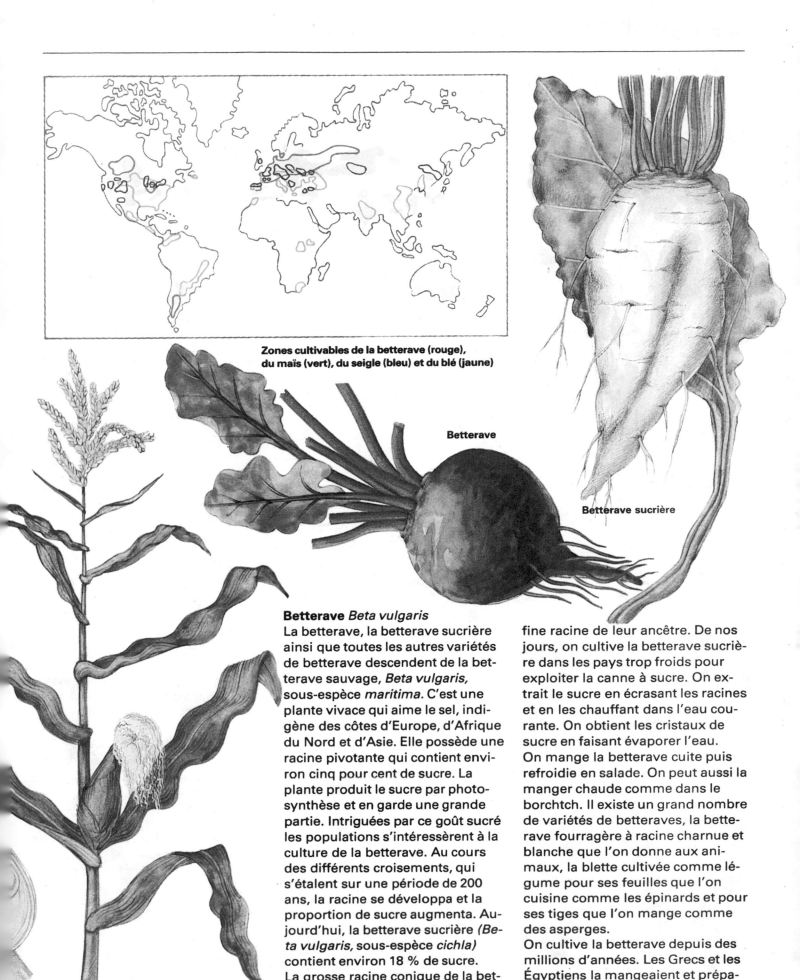

Zones cultivables de la betterave (rouge),
du maïs (vert), du seigle (bleu) et du blé (jaune)

Betterave

Betterave sucrière

Maïs

Betterave *Beta vulgaris*

La betterave, la betterave sucrière ainsi que toutes les autres variétés de betterave descendent de la betterave sauvage, *Beta vulgaris*, sous-espèce *maritima*. C'est une plante vivace qui aime le sel, indigène des côtes d'Europe, d'Afrique du Nord et d'Asie. Elle possède une racine pivotante qui contient environ cinq pour cent de sucre. La plante produit le sucre par photosynthèse et en garde une grande partie. Intriguées par ce goût sucré les populations s'intéressèrent à la culture de la betterave. Au cours des différents croisements, qui s'étalent sur une période de 200 ans, la racine se développa et la proportion de sucre augmenta. Aujourd'hui, la betterave sucrière *(Beta vulgaris,* sous-espèce *cichla)* contient environ 18 % de sucre. La grosse racine conique de la betterave sucrière et la racine rouge de la betterave est bien différente de la fine racine de leur ancêtre. De nos jours, on cultive la betterave sucrière dans les pays trop froids pour exploiter la canne à sucre. On extrait le sucre en écrasant les racines et en les chauffant dans l'eau courante. On obtient les cristaux de sucre en faisant évaporer l'eau.

On mange la betterave cuite puis refroidie en salade. On peut aussi la manger chaude comme dans le borchtch. Il existe un grand nombre de variétés de betteraves, la betterave fourragère à racine charnue et blanche que l'on donne aux animaux, la blette cultivée comme légume pour ses feuilles que l'on cuisine comme les épinards et pour ses tiges que l'on mange comme des asperges.

On cultive la betterave depuis des millions d'années. Les Grecs et les Égyptiens la mangeaient et préparaient des médicaments à base de betterave.

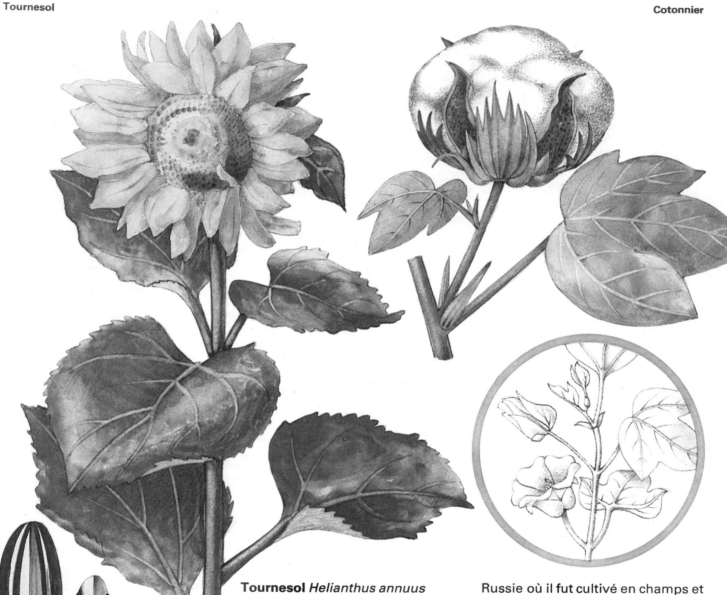

Tournesol *Helianthus annuus*
Le tournesol est le reflet du soleil
sur la terre. Il lui ressemble par la
forme et par la couleur de ses fleurons qui entourent un disque
central. Il suit la course du soleil de
son lever à son coucher. Le tournesol est une plante robuste qui peut
atteindre trois mètres de haut ; ses
fleurs en forme de marguerite,
composées d'environ 2000 fleurons
peuvent mesurer 50 cm de diamètre.
Aujourd'hui, le tournesol est une
plante très utile, mais il n'en fut pas
toujours ainsi. Il a une histoire
complexe et intéressante. Il est natif du Mexique où les Indiens sculptaient des images de tournesols en
or qu'ils adoraient. En 1510, les Espagnols le rapportèrent en Europe
et le cultivèrent dans leurs jardins.
Au dix-huitième siècle il arriva en

Russie où il fut cultivé en champs et
sélectionné pour donner des fleurs
et des graines de plus en plus grosses. Les graines de tournesol devinrent rapidement une friandise très
appréciée. A la fin du dix-neuvième
siècle, on découvrit que le tournesol contenait une très bonne huile
et on entreprit de le cultiver en
grand en Russie et en Europe centrale.
La structure de la fleur est ingénieu-
se. Les pétales jaune d'or des fleurons attirent les insectes pour polliniser les fleurs. Les insectes se posent sur la fleur à la recherche du
nectar qui se trouve dans les fleurons les plus jeunes. Après la pollinisation, les fleurons se ferment, se
fanent et tombent. Ils sont remplacés par une masse compacte d'akènes qui mûrissent successivement
de l'extérieur au centre du disque.

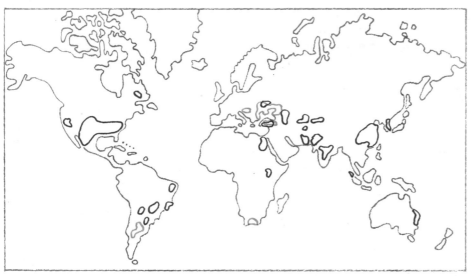

**Zones cultivables du coton (rouge)
et du tournesol (vert)**

Cotonnier *Gossypium*
Prenez une fibre de coton et une fibre de lin et essayez de les casser. La fibre de coton se brise immédiatement tandis que celle de lin résiste beaucoup plus. A côté des différences de résistance, il existe aussi des différences de qualité qui proviennent de l'origine des fibres. Les fibres de lin proviennent de la tige de la plante où elles forment des faisceaux compacts. Celles du coton sont des poils longs et fins fixés aux graines du cotonnier.
Il existe plus de 50 variétés de cotonnier qui se présentent sous forme de plantes herbacées, ou d'arbustes.
Le cotonnier est originaire d'Asie et d'Amérique centrale. Ses fleurs sont jaunâtres ou blanches, semblables à celles de la mauve, plante de la même famille. Elles font place à des capsules qui éclatent pour libérer une touffe de coton et de graines jaune ou blanche suivant la qualité. Les fibres sont utilisées pour faire du fil, du drap et du coton hydrophile. Les graines fournissent une huile utilisée dans l'industrie alimentaire ainsi que dans plusieurs autres industries. Les tourteaux qui restent après extraction de l'huile fournissent une excellente nourriture pour le bétail. Il ne faut donc pas s'étonner si l'on a surnommé le cotonnier le roi des plantes utiles.

Lin *Linum usitatissimum*
Les tiges longues et fines du lin portent de petites fleurs bleu ciel qui font place à des capsules qui contiennent des graines. Certaines variétés de lin sont cultivées pour leur fibre que l'on utilise dans l'industrie textile, d'autres ne sont cultivées que pour extraire l'huile des graines. On a aussi réussi à obtenir une sorte de lin dont on peut utiliser à la fois les fibres et les graines. Le lin est l'une des plantes les plus anciennes, cultivé pour sa fibre depuis quatre ou cinq millions d'années. On a retrouvé des bandelettes de lin sur les momies égyptiennes. Dans l'Antiquité, les Grecs comme les Palestiniens portaient des chemises de lin. De nos jours, le lin est toujours aussi demandé

malgré la découverte des fibres synthétiques. Le lin a un grand rival, le coton. Dans certains pays le lin ne sert plus qu'à fabriquer du linge de maison.
Les variétés de lin qui produisent de l'huile ont des tiges plus courtes et plus ramifiées et surtout de plus grosses graines qui contiennent 50 % d'huile. Autrefois cette huile servait à faire la cuisine mais de nos jours on ne l'utilise plus que dans l'industrie, pour préparer des vernis et divers composés. Le lin combiné avec du liège réduit en poudre donne le linoléum.
Le lin est aussi une plante médicinale. Pour les brûlures, on utilise un mélange de graines de lin écrasées et d'eau de chaux ; les graines sont aussi un laxatif doux.

Les intrus

Dans les champs et les jardins, l'homme fait la guerre aux mauvaises herbes, plantes qu'il n'a pas semées de sa main. On peut les détruire avec une binette ou avec des herbicides. Avec le temps, on peut espérer s'en débarrasser. L'extirpation des mauvaises herbes est parfois tellement efficace que l'espèce risque même de disparaître.

Cependant ces mauvaises herbes ne sont pas toutes nuisibles, bien au contraire. Grâce à la grande quantité de graines qu'elles produisent et à leurs facilités d'adaptation, elles sont en mesure de coloniser rapidement de nouvelles régions. Elles peuvent ainsi récupérer des terres ruinées par l'homme. Le barbeau et la nielle des champs par exemple libèrent de l'acide carbonique et des phosphates qui enrichissent le sol. De nombreuses « mauvaises herbes » ont des propriétés médicinales comme par exemple, l'ortie brûlante, le pissenlit, le chiendent et le liseron.

Chénopode *Chenopodium album*
Orache brillante *Atriplex nitens*
Ces deux plantes qui appartiennent à la famille des chénopodiacées se ressemblent beaucoup. Mêmes feuilles, mêmes tiges de 1 à 2 mètres de haut. Elles ont une floraison blanchâtre (minuscules poils glandulaires et sphériques), à l'exception de la partie supérieure des feuilles de l'orache qui sont brillantes. Leurs petites fleurs forment de petits bouquets ronds. Les fleurs du chénopode ont un périanthe distinct qui se dessèche pour protéger l'akène. L'orache brillante n'a pas de périanthe ; chaque fleur et ensuite les akènes sont enfermés dans des bractéoles persistantes qui ressemblent à la coquille d'un bivalve.

Ces deux plantes s'implantent rapidement sur les sols fertiles tels que le compost, les tas d'ordures, et les accotements des routes. Elles produisent une énorme quantité de graines ; une seule chénopode peut porter jusqu'à 100 000 graines. Très curieusement, ces deux plantes appartiennent à la même famille que la betterave et que l'épinard.

Patience frisée

Patience frisée *Rumex crispus*
Si vous n'arrivez pas à débarrasser votre jardin ou votre pré de la patience, c'est sans doute parce que vous ne coupez pas toutes les racines. Il suffit d'un petit morceau de racine pour que la patience repousse.
Les feuilles de la patience contiennent de l'acide oxalique qui leur donne un goût amer. Les feuilles de printemps sont tendres, surtout celles de l'oseille commune *(Rumex acetosa)*, et peuvent être mangées en salade ou utilisées pour donner du goût aux potages.

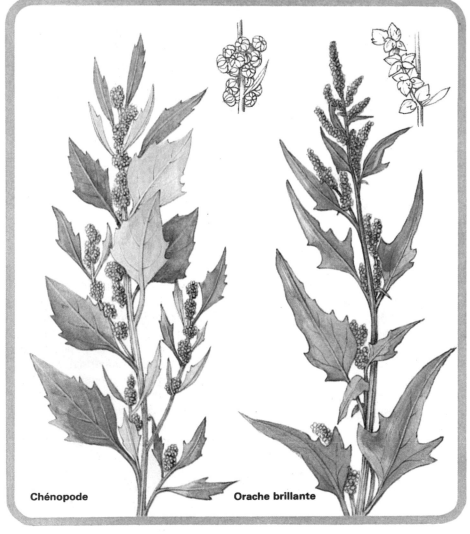

Chénopode

Orache brillante

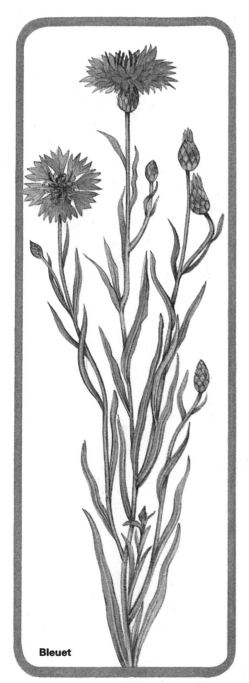

Bleuet

te. Toutefois, la fécondation ne se fait pas immédiatement car le stigmate mûrit plus tard, après les anthères. L'insecte transporte le pollen qu'il a ramassé sur un fleuron dont le stigmate est mûr.

Ortie brûlante
Urtica dioica
L'ortie blanche est une plante peu sympathique à cause des démangeaisons qu'elle provoque si on la touche. La plante tout entière, à l'exception de la partie supérieure des feuilles, est recouverte de longs poils irritants qui contiennent de l'acide silicique. Ces poils creux pi-

L'ortie est aussi une plante utile. Elle contient une grande quantité de chlorophylle que l'on extrait de la plante séchée et qui sert de colorant pour les aliments, les savons, les parfums et les tissus. L'ortie est riche en vitamines et donc très précieuse. La soupe et la salade d'ortie sont des mets très appréciés surtout accompagnés de pissenlit ou d'œufs brouillés. C'est aussi une excellente nourriture pour les oisons et les poulets. Les poules nourries de graines d'ortie bouillies pondent plus d'œufs. On utilise aussi l'ortie brûlante dans la préparation de crèmes et de shampooings car elle régénère le cuir chevelu et active la poussée des cheveux.

Ortie brûlante

Ortie blanche

Bleuet *Centaurea cyanus*
La fleur du bleuet est composée de deux sortes de fleurons : de grands fleurons à l'extérieur qui attirent les insectes. Ces fleurons sont généralement bleus mais ils peuvent aussi être violets, roses ou blancs ; des fleurons tubulaires bleu-violet au centre qui contiennent le nectar et qui facilitent la pollinisation croisée. Les filaments des anthères sont réunis dans un tube et réagissent aux stimuli mécaniques. Quand un insecte se pose sur la fleur et se couvre de pollen, le tube se contracte et découvre le stigma-

quent la peau comme des aiguilles. La pointe du poil se casse libérant l'acide qui cause les démangeaisons. Il existe, à Java et en Inde des espèces d'ortie dont les piqûres sont aussi dangereuse qu'une morsure de serpent.
Il existe deux sortes de fleurs d'ortie, toutes deux vertes et minuscules. D'une part des fleurs seulement mâles avec des étamines et d'autre part des fleurs seulement femelles avec des carpelles. Ces deux sortes de fleurs poussent sur des plantes différentes. L'ortie brûlante est dioïque.

Ortie blanche *Lamium album*
Les feuilles de l'ortie blanche ressemblent à celles de l'ortie brûlante mais elles ne piquent pas. La plante tout entière est recouverte de duvet et les fleurs sont labiées. Elles sont blanches et disposées en verticille sur la tige angulaire.
L'ortie blanche fleurit du printemps à l'automme. Ses fleurs blanches produisent une grande quantité de drogue médicinale que l'on obtient en faisant sécher les pétales et en faisant bien attention qu'elles ne noircissent pas.

Les guérisseurs verts

Autrefois, l'utilisation des plantes médicinales était l'apanage des magiciens et des sorcières qui s'appuyaient plus sur la superstition et la foi que sur des données scientifiques.

Cependant, les effets bienfaisants des plantes médicinales n'étaient pas seulement le résultat de la magie et de la superstition. Peu à peu, les gens apprirent à connaître les plantes réellement efficaces. Ce savoir fut transmis de génération en génération et même utilisé en médecine véritable.

Avec le développement de la chimie, les médicaments préparés par l'homme supplantèrent les plantes médicinales. On s'aperçut cependant que dans de nombreux cas, les produits pharmaceutiques n'étaient pas aussi efficaces que les substances naturelles. Si bien que les médicaments extraits des plantes ont leur rôle à jouer dans le traitement des maladies au même titre que ceux fabriqués par l'homme.

Aspérule odorante
Asperula odorata

La masse sombre des feuilles verticillées de l'aspérule odorante est ravivée par de minuscules fleurs blanches. L'aspérule pousse surtout dans les forêts d'arbres à feuilles caduques et en particulier dans les forêts de hêtres. En se fanant elle développe un parfum de coumarine très agréable. On extrait des feuilles une substance calmante. Il ne faut cependant pas en abuser car l'absorption en trop grand quantité de cette substance pourrait provoquer un empoisonnement.

Bouillon blanc
Verbascum thapsus

Les épis dorés du bouillon blanc ornent les collines rocailleuses, les pâturages et les talus le long des voies ferrées de juillet à septembre. La plante supporte très bien le manque d'eau. Les feuilles cotonneuses sont disposées de façon

à recevoir la pluie et la longue racine pivotante s'enfonce profondément dans le sol.

L'une des plus jolies espèces de molène, le bouillon blanc, est bisannuelle. La première année elle donne une rosette de larges feuilles poilues près du sol. L'année d'après une longue tige droite de plus de 2 mètres, couverte de fleurs jaunes sur environ 3 cm, pousse au centre de la rosette. Au centre de la corolle circulaire (composée de cinq pétales soudés) on trouve cinq étamines dont trois plus courtes et couvertes de poils laineux blancs. Les fleurs s'ouvrent successivement du bas vers le haut. Avec les pétales et les étamines séchés, on prépare une tisane efficace contre la toux.

Aspérule odorante

Bouillon blanc

Chicorée *Cichorium intybus*
Selon la légende, la chicorée serait
une jeune fille ensorcelée qui attend patiemment son bien-aimé au
bord des routes. On trouve la chicorée dans les fossés, en bordure de
haies, dans les prairies sèches et
sur le bord des routes. Ses fleurs
sont les fleurs typiques de la famille
des marguerites (des composées)
si ce n'est pour les fleurons qui sont
tous rayés.
Les fleurs s'ouvrent tôt le matin et
se ferment après-midi. Ce comportement commun à de nombreuses
plantes est dû au changement d'in-
tensité de la lumière, au changement de température ou aux deux.
Les feuilles basses de la chicorée

ressemblent à celles du pissenlit.
Elles sèchent quand la chicorée
fleurit. Chaque fruit (akène) est cer-
clé d'un rang de minuscules
écailles. La racine cylindrique contient un lait blanc composé d'inuline (20 %) et d'intybine, substance
amère qui favorise la digestion, les
fonctions biliaires et urinaires et qui
excite l'appétit.
Au dix-huitième siècle une variété
de chicorée améliorée fit son apparition. Les racines de cette chicorée
sont séchées, grillées et réduites en
poudre ; elle peut remplacer le café. L'endive est une autre variété de
chicorée blanchie dans l'obscurité
que l'on mange crue en salade, ou
cuite.

Chicorée

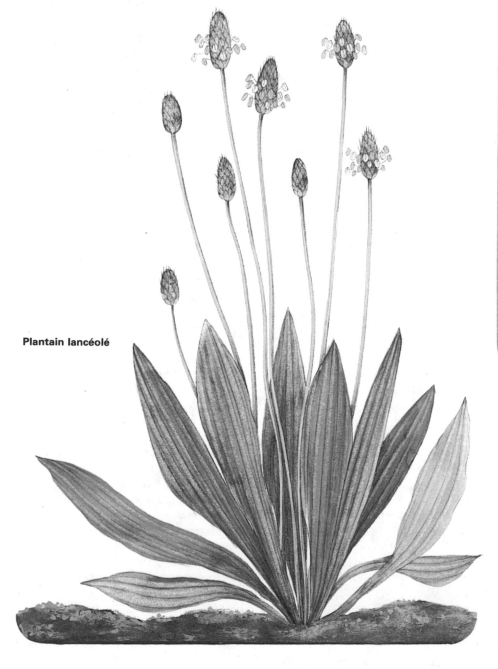

Plantain lancéolé

Plantain lancéolé
Plantago lanceolata
Les petites fleurs brunâtres du
plantain sont munies d'anthères
jaunes qui s'élèvent au-dessus des
quatre pétales. Les longues tiges
angulaires qui portent les courts
épis de fleurs s'élèvent au centre
d'une rosette de feuilles. On peut
appliquer les feuilles fraîches sur
les blessures et sur les piqûres de
guêpes. Les feuilles donnent aussi
un jus que l'on mélange avec du
sucre pour obtenir un sirop contre
la toux particulièrement adapté aux
enfants.

Alchemille commune

Consoude commune
Symphytum officinale
Cette plante médicinale est utilisée pour ressouder les os cassés, pour soigner les bleus et les blessures qui ont du mal à se cicatriser. Au Moyen Age on l'utilisait beaucoup pour préparer des onguents. On appliquait des cataplesmes de consoude sur les gencives enflées et sur les varices ; elle soulageait aussi les arthritiques et les goutteux. Bien qu'elle contienne du mucilage, efficace contre la toux et le mal de gorge, elle est très peu utilisée de nos jours.
C'est la « racine noire », rhizome noir à l'extérieur et blanc à l'intérieur qui contient les substances bénéfiques. La tige angulaire qui portent les feuilles est couverte de poils durs. Elle est ramifiée vers le haut et se termine par des bouquets compacts de clochettes rouge-violet. La consoude pousse dans les prairies humides, au bord des rivières et dans les fossés.

Consoude commune

Orpin commun

Alchemille commune
Alchemilla vulgaris
Il est difficile de croire que cette plante à petites fleurs insignifiantes vert-jaune appartient à la même famille que la rose. Les petites fleurs n'ont pas de pétales et les réceptacles donnent des fruits (akènes) sans fécondation.
Ses petites feuilles rondes ressortent particulièrement bien au milieu de la végétation des prairies. Les jeunes feuilles sont plissées. En grandissant elles se déplient et forment une sorte de tuyau au centre duquel brille une goutte d'eau, qui n'est pas une goutte de rosée ; la plante rejette à la surface des feuilles à travers des pores l'eau en excès. Les alchimistes (c'est de là que vient son nom) utilisaient cette « rosée céleste » pour découvrir la pierre philosophale et l'élixir de jeunesse. Les feuilles séchées peuvent servir dans le traitement des blessures, de la diarrhée et des saignements de nez.

Orpin commun *Sedum acre*
Les feuilles et les tiges des plantes grasses sont des réserves d'eau. Par temps sec, elles réduisent leur transpiration. Les plantes d'orpin mesurent de 5 à 15 cm de haut et forment un épais tapis vert qui se couvre de petites fleurs jaune vif étoilées en juin et en juillet.
L'orpin commun est vénéneux. Ses feuilles contiennent des alcaloïdes. On les utilisent en petite quantité pour préparer des infusions qui font baisser la pression. Les doses trop fortes provoquent des vomissements que l'on administre pour cette raison en cas d'empoisonnement. Les feuilles charnues contiennent du mucilage qui a un effet calmant et rafraîchissant et que l'on utilise depuis toujours pour les blessures, les ulcères, les cors et les maladies de la peau provoquées par des champignons.

Millepertuis

Hypericum perforatum

Le mot latin *perforatum* signifie percé. Si l'on regarde par transparence une feuille de millepertuis elle apparaît couverte de petits points transparents qui ressemblent à des trous. Mais la feuille n'est pas percée ; elle renferme simplement de minuscules vésicules de silice. Les fleurs jaune doré sont parsemées de petits points noirs qui sont des glandes contenant des tanins et une substance rouge. Cette substance rougit le lait des animaux qui mange du millepertuis. Autrefois on croyait que ces animaux étaient ensorcelés. Le millepertuis est une plante médicinale très ancienne. On l'utilisait pour traiter les maladies de la vésicule biliaire, de l'appareil digestif, des reins, des poumons, des glandes et des nerfs ; ainsi que pour les rhumatismes, les saignements de nez, l'irritabilité et l'insomnie. On préparait une huile à base de millepertuis pour soigner les brûlures, les blessures qui ne se cicatrisaient pas et les hémorroïdes. La substance rouge qui se trouve dans les petites fleurs jaunes fut à l'origine d'un grand nombre de superstitions.

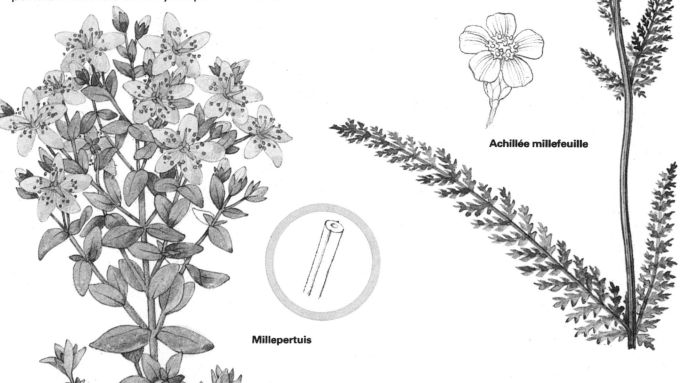

Achillée millefeuille

Millepertuis

On peut voir tout au long de l'été sur les talus, dans les prairies et en bordure de haies les panicules de fleurs jaunes du millepertuis. Il existe aussi une sorte de millepertuis sans trou à tige carrée.

Achillée millefeuille

Achillea millefolium

Les drogues sont extraites aussi bien des feuilles que des fleurs de l'achillée. Le seul inconvénient c'est qu'elle est très difficile à casser en morceaux ; il vaut mieux l'arracher tout entière.

L'achillée a de minuscules fleurs d'un blanc terne ou roses selon les variétés. Les feuilles et la tige ont un parfum très particulier. L'achillée est l'une des plantes médicinales les plus utilisées. Absorbée en trop grande quantité ou pendant trop longtemps elle peut provoquer des éruptions ou des vertiges. La drogue sous forme d'infusion stimule les fonctions gastriques et la circulation du sang. Elle a aussi un pouvoir calmant sur la toux. On l'utilise en solution pour soigner les éruptions, les blessures suppurantes et les gerçures ; en gargarisme pour calmer l'inflammation des gencives.

L'achillée pousse au bord des routes, sur les talus, dans les prairies sèches et en bordure de haies.

195

Les vitamines et l'assaisonnement par

Les plantes ne contiennent pas que des substances médicinales ; elles contiennent aussi des substances nécessaires aux gens bien portants comme les vitamines. Les citrons, le raifort, les carottes, que nous connaissons bien contiennent des vitamines. Mais bien d'autres plantes en sont pourvues. Les feuilles de la primevère qui n'est pour la majorité d'entre nous que la première fleur du printemps, contiennent de la vitamine C.

Acore *Acorus calamus*

L'acore est une plante subtropicale des marais, originaire d'Asie du Sud et de l'Est, qui arriva en Europe au seizième siècle. Plante vigoureuse, elle fleurit mais ne donne pas de fruit dans notre hémisphère. Ses baies rouges ne se développent que sur sa terre natale. Son épi de minuscules fleurs verdâtres est appelé spadice et pousse sur une tige qui ressemble à une feuille.

Grâce à ses rhizomes rampants, l'acore se multiplia rapidement dans tout l'hémisphère nord. Il suffisait d'un petit morceau de racine transporté par l'eau dans un endroit approprié pour fonder une nouvelle colonie. Le rhizome contient une huile essentielle très amère, beaucoup d'amidon et du mucilage. Il active le métabolisme et soigne les dérangements intestinaux. On fabrique des liqueurs en faisant macérer le rhizome et d'autres herbes dans l'alcool. Les jeunes rhizomes secs produisent une substance aromatique qui sert à parfumer la bière, les crèmes au lait, les gâteaux et les compotes.

L'huile essentielle est utilisée en parfumerie et en cosmétique.

Coucou *Primula veris*

Les primulacées comme le coucou et la primevère font immédiatement penser au printemps. Et en effet ce sont elles qui les premières mettent un peu de soleil dans les bosquets, dans les prairies, dans les pâturages et au bord des rivières d'Europe. Ce sont aussi des plantes médicinales et aromatiques.

Avec les fleurs on prépare des infusions contre les vertiges, les crampes et la migraine. Les fleurs et les racines contiennent de la saponine qui est bonne pour les poumons et pour les reins. Les feuilles contiennent de la vitamine C.

Les primulacées possèdent deux types de fleurs. Certaines ont de longs styles et des étamines courtes, les autres de courts styles et de longues étamines ce qui favorise la pollinisation croisée par les insectes.

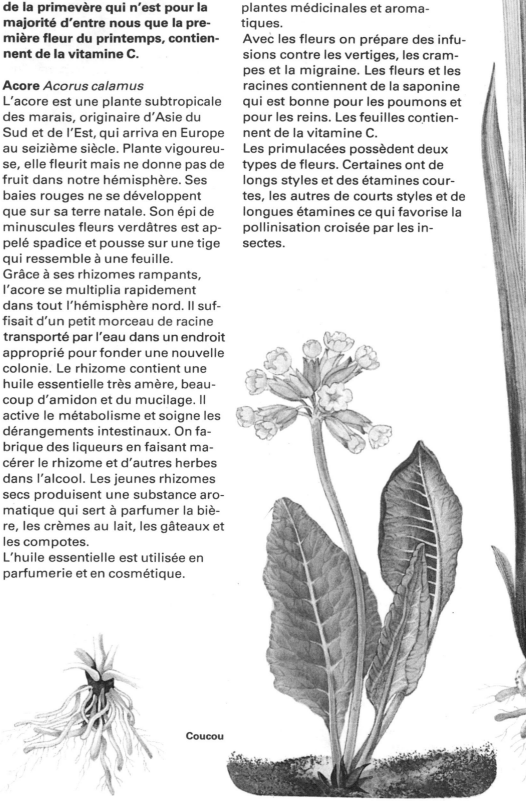

Acore

Coucou

les plantes

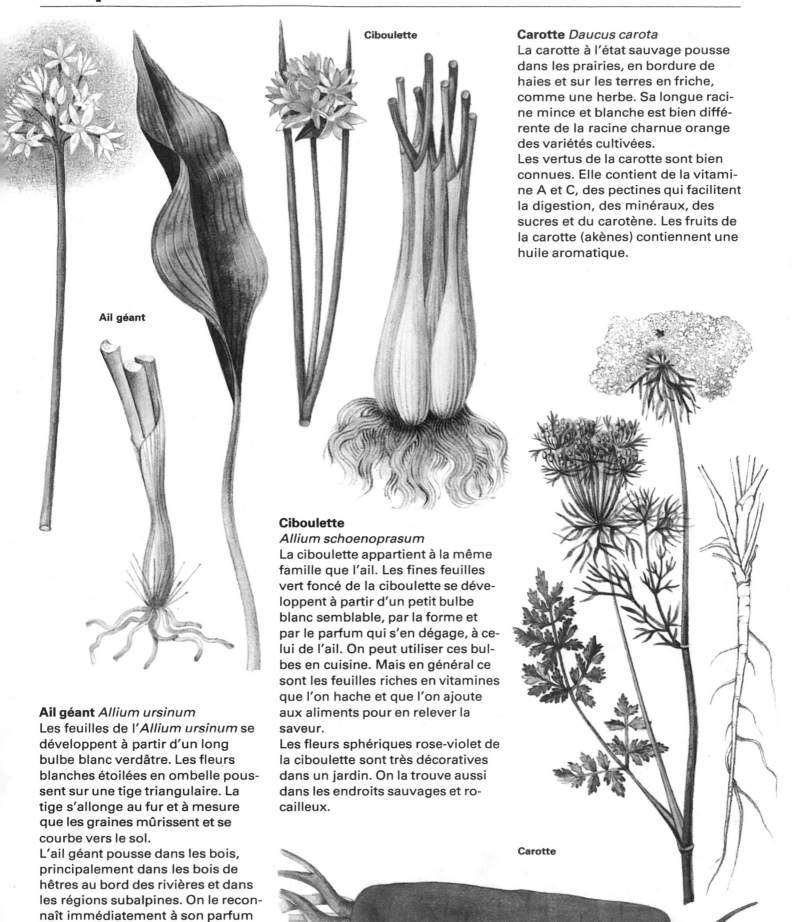

Ciboulette

Carotte *Daucus carota*
La carotte à l'état sauvage pousse
dans les prairies, en bordure de
haies et sur les terres en friche,
comme une herbe. Sa longue racine mince et blanche est bien différente de la racine charnue orange
des variétés cultivées.
Les vertus de la carotte sont bien
connues. Elle contient de la vitamine A et C, des pectines qui facilitent
la digestion, des minéraux, des
sucres et du carotène. Les fruits de
la carotte (akènes) contiennent une
huile aromatique.

Ail géant

Ciboulette
Allium schoenoprasum
La ciboulette appartient à la même
famille que l'ail. Les fines feuilles
vert foncé de la ciboulette se développent à partir d'un petit bulbe
blanc semblable, par la forme et
par le parfum qui s'en dégage, à celui de l'ail. On peut utiliser ces bulbes en cuisine. Mais en général ce
sont les feuilles riches en vitamines
que l'on hache et que l'on ajoute
aux aliments pour en relever la
saveur.
Les fleurs sphériques rose-violet de
la ciboulette sont très décoratives
dans un jardin. On la trouve aussi
dans les endroits sauvages et rocailleux.

Ail géant *Allium ursinum*
Les feuilles de l'*Allium ursinum* se
développent à partir d'un long
bulbe blanc verdâtre. Les fleurs
blanches étoilées en ombelle poussent sur une tige triangulaire. La
tige s'allonge au fur et à mesure
que les graines mûrissent et se
courbe vers le sol.
L'ail géant pousse dans les bois,
principalement dans les bois de
hêtres au bord des rivières et dans
les régions subalpines. On le reconnaît immédiatement à son parfum
violent. Certaines variétés d'*Allium*
contiennent des substances qui soi-
gnent les troubles intestinaux.

Carotte

Les plantes toxiques et leur usage médical

Il ne faut pas détruire les plantes toxiques car ce serait nous priver d'un grand nombre de médicaments très efficaces. En effet, certains poisons administrés en petite dose peuvent être salutaires. Mais il est très important de bien connaître ces plantes pour éviter les accidents.

Nielle des champs

Nielle des champs
Agrostemma githago
La nielle des champs est une très jolie herbe. Ses feuilles sont couvertes de poils gris soyeux et ses fleurs ont une douce couleur violet-rouge. Les sépales de la nielle sont soudés à la base et leurs extrémités effilées recouvrent les pétales. Quand la fleur est fécondée, les pétales tombent mais le calice reste pour protéger la capsule jusqu'à sa maturation. Les sépales se dessèchent alors et la capsule s'ouvre pour libérer plusieurs centaines de graines, toutes vénéneuses car elle contient de la saponine. Parfois, si on n'y prend garde, les graines restent accrochées dans les céréales et la farine que l'on obtient est amère et inutilisable. La nielle tend à disparaître des champs, éliminée par les produits chimiques.

Parisette *Paris quadrifolia*
Les baies appétissantes mais traîtresses de la parisette se trouvent dans les régions boisées. Les fruits brillants bleu-noir sont blottis entre quatre feuilles, parfois trois, parfois cinq, six ou sept.
Les baies sont les plus toxiques car

elles contiennent de la saponine. Autrefois on croyait que la parisette protégeait des maladies contagieuses, mais quand on sait combien elle est dangereuse, ce traitement paraît pour le moins douteux.

Digitale pourprée
Digitalis purpurea
Les bienfaits de la digitale pourprée sont connus depuis des centaines d'années et aujourd'hui encore l'industrie pharmaceutique en fait

Parisette

grand usage. Les feuilles contiennent de la digitoxine et de la digitaline qui sont des glucosides utilisés pour le traitement de certaines maladies du cœur. On obtient une plus grande quantité de glucosides en cueillant les plantes d'un an pendant l'après-midi pour les faire sécher.
On cultive industriellement la digitale pourprée ainsi que la *Digitalis lanata* dont les feuilles contiennent environ quatre fois plus de glucosides. La digitale est aussi cultivée dans les jardins. Deux ans après la plantation une longue tige se développe portant des fleurs tombantes en forme de doigt de gant. La digi-

tale pousse aussi dans les clairières et dans les bois, mais il vaut mieux l'éviter car elle est vénéneuse. Les capsules contiennent une énorme quantité de graines ; une seule plantes peut en contenir jusqu'à 350 000 !

Belladone
Atropa belladonna
Une plante vénéneuse qui embellit, c'est surprenant. Mais c'est un fait. Les belles dames romaines l'utili-

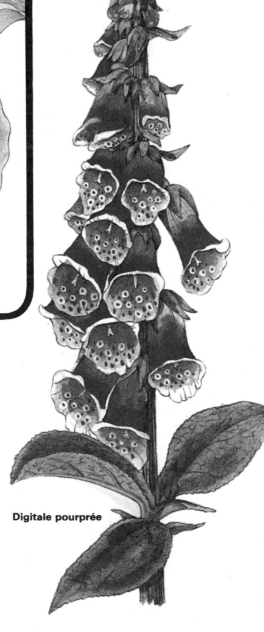

Digitale pourprée

saient pour agrandir la pupille de l'œil. Elles mâchaient les feuilles de belladone ou buvaient le jus de ses baies, courant le risque d'un empoisonnement chronique dans le seul but d'être belles. Le nom générique de la plante vient d'Atropos, la plus âgée des trois Parques qui coupait le fil de la vie ; le nom spécifique se rapporte à la beauté de ces belles vaniteuses car *bella donna* signifie belle dame en latin. La plante tout entière est extrême-

Belladone

ment vénéneuse. Elle contient des alcaloïdes très toxiques (hyosciamine et atropine) qui affectent le système nerveux. Les médecins utilisent l'atropine pour ses propriétés sédatives et pour dilater la pupille de l'œil quand il faut l'examiner ou l'opérer. L'atropine contracte les muscles et dilate la pupille facilitant la tâche du chirurgien.
Si vous rencontrez cette plante herbacée aux clochettes violet-brun, prenez garde !

Safran des prés
Colchicum autumnale
La fleur du safran des prés, de la famille du crocus, resplendit en automne. Les bouquets de feuilles vert clair apparaissent au printemps, meurent au milieu de l'été et les petites fleurs rose pourpre délicates parsèment les champs d'herbes roussies. La partie inférieure de la fleur est un long tube blanc qui se termine par un bulbe souterrain renfermant l'ovaire. Au printemps suivant le safran des

prés produit des feuilles et une courte tige portant une capsule. Les naturalistes du Moyen Age appelaient ce phénomème *filius ante patrem* qui signifie « le fils avant le père ». Ils croyaient que la plante donnait des fruits avant de donner des fleurs.
Toute la plante est vénéneuse, en particulier les graines qui contiennent un alcaloïde, la colchicine qui retarde la division directe des cellules et donc les tumeurs. Elles soulage aussi les goutteux. On utilise également un dérivé moins toxique de la colchicine dans le traitement de la leucémie.

Safran des prés

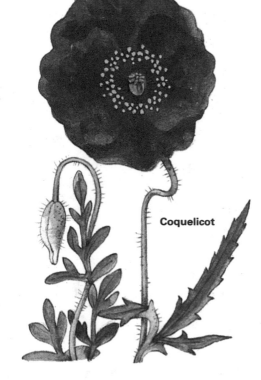

Coquelicot

Coquelicot *Papaver rhoeas*
Au début du printemps, les coquelicots rouge vif envahissent les champs de céréales. S'ils satisfont l'œil du profane, les cultivateurs considèrent le coquelicot comme une mauvaise herbe qui nuit à leur récolte et dont il faut se débarrasser. Le déracinement systématique du coquelicot dans les champs de céréales l'a contraint de se réfugier aux abords des champs, en bordure de haies, le long des routes et dans les champs en friche.
Le bouton du coquelicot se redresse quand la fleur éclôt. Les sépales poilus s'ouvrent et laissent apparaître quatre pétales rouge vif qui se chevauchent. La fleur renferme un grand nombre d'étamines dont les anthères noires contrastent avec le rouge des pétales et un ovaire qui se transforme en fruit quand la fleur se fane. Le fruit est une capsule glabre qui contient environ 30 000 petites graines huileuses !
Le coquelicot est une plante toxique mais c'est aussi une plante médicinale. La drogue est obtenue en faisant sécher les pétales qui servent aussi à fabriquer des sirops contre la toux, des sédatifs et des colorants.

A la recherche d'espace vital

Les plantes ont à leur disposition différentes méthodes, plus ingénieuses les unes que les autres pour disperser leurs graines et conquérir de nouvelles terres. Certaines explosent et jettent les graines le plus loin possible ; d'autres possèdent des graines en parachute ou à ailettes pour planer dans le vent ; d'autres sont munis de crochets qui s'accrochent à la fourrure des animaux ; d'autres encore donnent des fruits juteux qui attirent les animaux.

Mais il existe aussi un grand nombre de plantes qui se reproduisent de façon végétative. Les tubercules (pomme de terre), les rhizomes (iris), les oignons (jonquille), les bulbes (crocus), les bulbilles (petite célidoine), les stolons (fraisier) sont des organes de reproduction végétative.

Fraisier sauvage

Fragaria vesca

Les fraises sauvages comme les fraises cultivées sont des fruits juteux qui attirent les animaux. Mais la fraise n'est pas un fruit comme les autres. Elle est composée d'une multitude de fruits durs (akènes) réunis dans un réceptacle charnu. On trouve les fraises sauvages en juin dans les clairières, à la lisière des forêts et en bordure de haies. Chaque plante produit plusieurs stolons qui prennent racine et don-

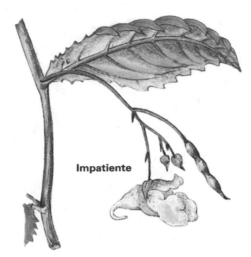

Impatiente

nent de nouvelles plantes. Il ne faut pas oublier que les feuilles sont excellentes en infusion.

Impatiente

Impatiens noli-tangere

Les surprises ne manquent pas dans la forêt. L'impatiente peut vous en causer une qui tire ses graines comme des balles. Il suffit d'effleurer ses fines gousses pleines à craquer pour qu'elles éclatent. Les deux valves se replient en tire-

Oxalide

bouchon puis se détendent comme un ressort qui éjecte les graines à grande distance. Ces graines à leur tour donneront naissance à de nouvelles plantes.

Oxalide *Oxalis acetosella*

Comme l'impatiente, l'oxalide qui mesure 15 cm de haut, éjecte ses graines. Les capsules d'un cm environ s'ouvrent par le haut provoquant un changement de pression qui peut projeter les graines à un mètre de distance.

L'oxalide a une autre caractéristique curieuse. En effet, ses feuilles et ses fleurs se ferment quand arrive le soir et quand le temps est à l'orage. L'oxalide produit un certain nombre de fleurs qui ne s'épanouissent jamais et qui pourtant contiennent des graines ; elles sont auto-fécondées en bouton. L'oxalide aime les endroits boisés et ombragés où elle se développe rapidement en massifs touffus.

Fraisier sauvage

Pissenlit

Bec-de-cicogne, bec-de-héron

Erodium cicutarium

Cette plante de la famille du géranium (géraniacées) ne laisse rien au hasard : ses fruits s'implantent eux-mêmes dans le sol. Pour ce faire ils sont équipés de dispositifs très sensibles. Ils sont constitués de plusieurs segments munis d'un long bec qui se replie en spirale à l'air sec et qui se déplie à l'air humide. On appelle ces mouvements, qui dépendent de l'humidité atmosphérique, des mouvements hygroscopiques qui permettent de prévoir le temps. Un bec-de-cigogne mûr attaché dans une boîte à côté d'une règle graduée permet de mesurer l'humidité relative de l'air.

Macre *Trapa natans*

La macre, plante aquatique annuelle se propage grâce à ses châtaignes à quatre cornes épineuses.

Bec-de-cigogne

Macre

Pissenlit

Taraxacum officinale

Les jeunes feuilles de pissenlit en salade sont un vrai régal. Mais les fleurs ne sont pas en reste ; si l'on en croit une vieille recette, elles donnent un excellent miel. Elles sont aussi utilisées par ceux qui font leur vin eux-mêmes. Cependant, ce qui intéresse le botaniste, c'est le pissenlit quand il a fini de fleurir. Chaque fleuron (il y en a quelque 200 sur chaque fleur) produit un akène muni d'une sorte de parachute ou aigrette composée de poils très fins qui lui permet d'aller loin.

La racine contient un suc laiteux que l'on recueille pour l'usage médical. Le pissenlit contient des tanins, de l'inuline et des substances qui détruisent les bactéries. La racine séchée, grillée et moulue donne un ersatz de café.

L'enveloppe de la châtaigne, constituée par les restes durcis de la fleur, protège la chair qui contient des protéines, de la graisse et de l'amidon. La vie de cette plante est menacée par la grande consommation de châtaignes et surtout par le nettoyage des marais pour la culture. Fort heureusement, dans certaines régions la macre est une espèce protégée. Quand la floraison touche à sa fin,

les fruits se forment dans l'eau. Des poches d'air sur les tiges des feuilles empêchent la macre de disparaître au fond de l'eau, entraînée par le poids des châtaignes. Quand celles-ci sont mûres, elles tombent au fond de l'eau. Au printemps elles germent et maintiennent les nouvelles pousses dans la vase. Quand ces dernières sont suffisamment développées, elles larguent les amarres et montent à la surface.

L'alimentation des plantes

La plupart des plantes produisent les sucres qui leur sont nécessaires par la photosynthèse. Mais elles ont aussi besoin de sels minéraux qui se trouvent dans le sol. Si le sol n'est pas assez riche pour nourrir la plante, celle-ci adapte son régime.

C'est le cas, par exemple, des plantes qui poussent dans la vase ou sur les sols tourbeux pauvres en azote. Ces plantes complètent leur repas en absorbant de petits animaux dont la chair est riche en azote. Il existe 500 espèces de plantes carnivores.

Une autre plante verte, le gui, est un parasite qui absorbe l'eau des arbres sur lesquels il vit pour dissoudre les sels inorganiques.

Les orchidées sont les plantes les moins exigeantes en matière de nourriture. Leur ration leur est fourni par la tige ou par la racine bulbeuse. Ces plantes forment des associations symbiotiques (mycorhizes) avec le mycélium des champignons.

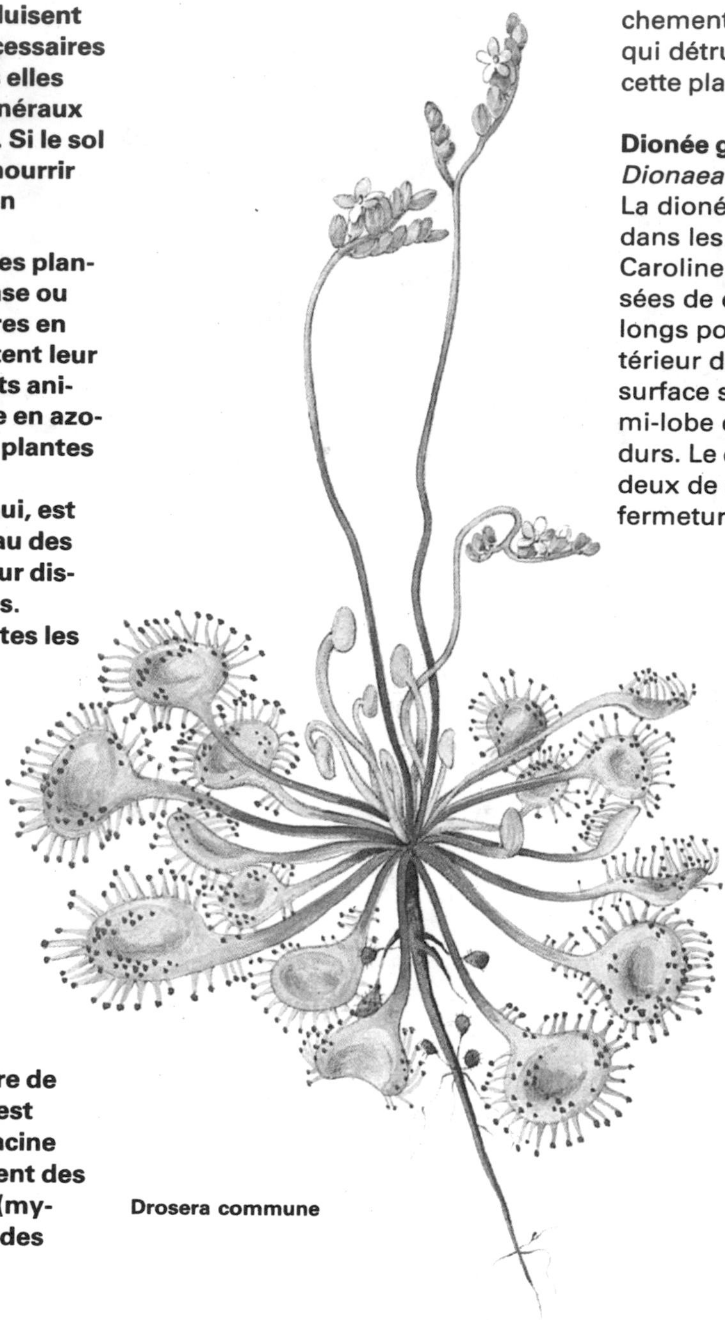

Drosera commune
Drosera rotundifolia

La drosera commune croît dans les tourbières et dans les bruyères humides. Ses feuilles sont munies de longs poils qui sécrètent un liquide visqueux. Lorsqu'un animal se pose sur la plante, il est prisonnier et plus il se débat plus il est pris au piège des « tentacules » qui se referment sur lui. Les protéines de l'animal sont dissoutes et absorbées par la plante. Les parties indigestibles sont emportées par le vent quand la feuille s'ouvre à nouveau. Malheureusement, sa vie est menacée par l'extraction de la tourbe et les grands projets d'assè-chement des zones marécageuses qui détruisent l'environnement de cette plante curieuse.

Dionée gobe-mouches
Dionaea muscipula

La dionée gobe-mouches pousse dans les marécages de Floride et de Caroline. Ses feuilles sont composées de deux lobes frangés de longs poils rigides et bordés à l'intérieur de glandes digestives. La surface supérieure de chaque demi-lobe est dotée de trois poils durs. Le contact d'un animal avec deux de ces six soies provoque la fermeture des lobes.

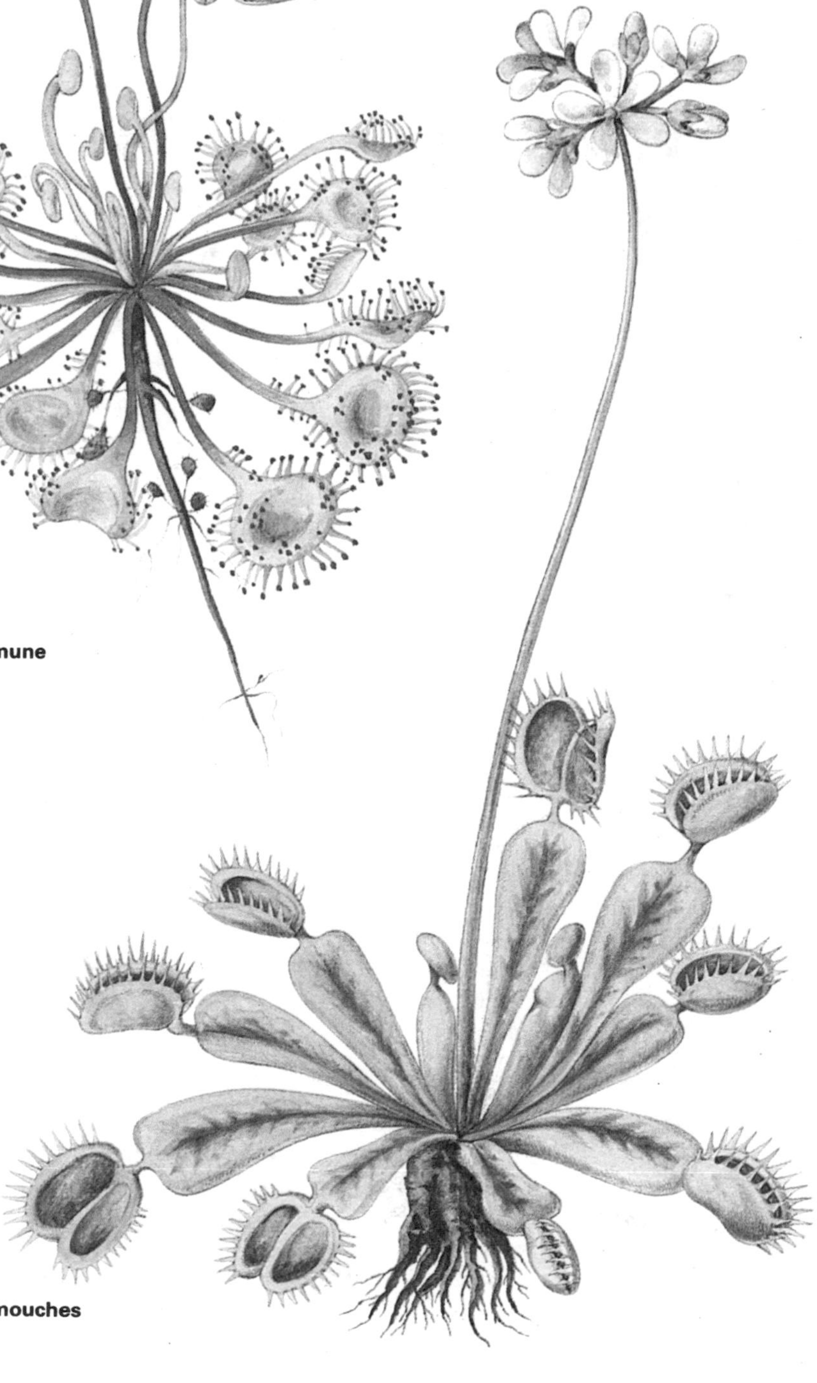

Drosera commune

Dionée gobe-mouches

Gui *Viscum album*

Le gui pousse sur les branches des arbres. Bien que ses branches et ses feuilles soient vertes, il ne produit pas toute sa nourriture. Il introduit dans les branches des arbres ses racines qui absorbent l'eau et les substances minérales dissoutes. C'est un parasite partiel.

Le gui a de petites fleurs dioïques et des baies blanches de la grosseur d'un pois qui mûrissent en décembre. Les oiseaux mangent les baies et dispersent les graines sur les arbres et en particulier sur le pin, le pommier et le peuplier.

Dans certaines régions on attribuait au gui des pouvoirs magiques (certaines superstitions existent encore). Magique ou non, le gui a des propriétés médicinales. Il est composé de choline et d'acétylcho-

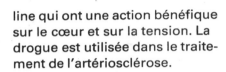

Gui

line qui ont une action bénéfique sur le cœur et sur la tension. La drogue est utilisée dans le traitement de l'artériosclérose.

Cymbidium

Cymbidium canaliculatum

La grande famille des orchidées est représentée dans ce livre par une variété australienne, le *Cymbidium canaliculatum*. Ce n'est pas l'une des plus belles mais ses fleurs sont très parfumées et durent longtemps.

Le *Cymbidium canaliculatum* appartient à la famille des cymbidiums qui comprend 120 espèces originaires des régions tropicales et subtropicales d'Afrique, d'Asie et d'Australie. L'espèce comprend des épiphytes qui vivent sur les arbres et des mésophytes qui croissent dans des conditions ordinaires. Des structures spécialisées appelées pseudo-bulbes qui servent de base aux feuilles et aux tiges différencient l'orchidée des autres plantes. Ils servent de réserve de nourriture sous forme de liquide muqueux qui s'évapore moins vite que l'eau et ne sont utilisés qu'en cas de besoin.

Le cymbidium est une petite orchidée qui pousse sur le sol et qui produit une profusion de petites fleurs en grappe. Les pétales sont presque noirs bordés de jaune. Le calice est divisé en trois et taché de carmin. Le cymbidium cultivé en serre ou en intérieur fleurit en avril et en mai.

Cymbidium

203

La vie sans eau

Les plantes à fleurs ont colonisé toutes les régions du globe, même les plus inhospitalières, comme les déserts, en s'adaptant au manque d'eau. Ces plantes sont charnues, leurs feuilles considérablement réduites ou transformées en épines. On appelle ces plantes des plantes grasses. Elles retiennent dans leurs tissus une grande quantité d'eau et des substances mucilagineuses qui leur serviront pendant les mois de sécheresse.

Le Mexique avec son climat aride est le pays d'origine des cactus qui, après la découverte de l'Amérique, se répandirent dans d'autres régions. Les plantes grasses que l'on trouve en Afrique ressemblent aux cactus américains mais appartiennent à des familles différentes, à la famille des euphorbiacées, des crassulacées (la joubarbe, l'orpin), à la famille du laiteron (la stapélia) ; le séneçon de la famille des marguerites, l'aloès de la famille du lis et l'agave de la famille de l'amaryllis sont des plantes grasses.

Figuier de Barbarie
Opuntia

Les opuntias sont des plantes à rameaux épineux ou lisses qui poussent les uns sur les autres. Ils sont originaires d'Amérique du Sud, du Mexique surtout où ils peuvent atteindre plus de 2 mètres de haut. Par la suite ils se sont répandus dans d'autres pays, en Espagne d'abord puis dans le sud de l'Europe, en Afrique et en Australie où ils se développèrent tellement bien qu'ils devinrent un fléau pour les cultivateurs jusqu'à ce qu'un insecte-parasite ne remette les choses en ordre. Dans les régions méditerranéennes et en Amérique centrale, on les plante en haie pour interdire l'accès des propriétés privées. Certaines opuntias croissent dans les zones tempérées et en haute montagne. C'est le cas de l'*Opuntia humifusa* à fleurs rouges et jaunes qui s'adapte au climat de l'Europe centrale.

L'opuntia a de larges fleurs très décoratives suivies de baies ovales et pulpeuses comestibles.

Au nord du Brésil, on trouve des

Figuier de Barbarie

Plante-caillou

espèces sans épines que l'on donne au bétail quand le fourrage vert vient à manquer. Le « bois » des grands cactus sert de matériel de construction car il est léger et résistant. Pour les Mexicains, le « bois » de cactus est le meilleur des combustibles.

Plante-caillou *Lithops*

Le corps, comme un caillou, de cette plante bien protégée par son camouflage est composé de deux feuilles charnues serrées l'une contre l'autre. Elle fait penser à une pierre vivante. Elle pousse dans les endroits rocailleux et il est très difficile de la repérer.

Quand elle fleurit, les deux feuilles s'entrouvrent pour laisser passer un long bouton qui s'épanouit juste au-dessus des feuilles en une ma-

gnifique fleur blanche ou jaune. Cette plante ne fleurit à l'état sauvage qu'en Afrique du Sud.

Joubarbe
Sempervivum soboliferum

La joubarbe croît sur les falaises ensoleillées, sur les éboulis rocheux, sur les collines et les murs de l'Europe centrale et de l'Europe de l'Est. Ses feuilles en rosette compactes lui permettent de très bien supporter la sécheresse. Pendant la floraison, elle produit une tige relativement grosse de 10 à 20 cm de haut couronnée d'un bou-

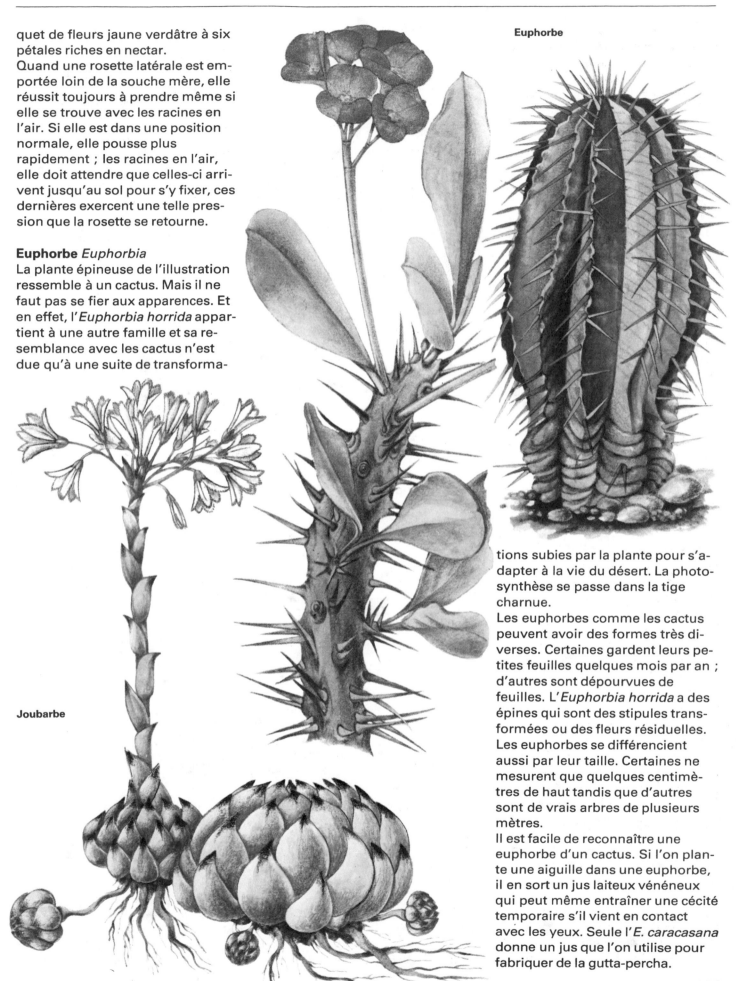

quet de fleurs jaune verdâtre à six
pétales riches en nectar.
Quand une rosette latérale est em-
portée loin de la souche mère, elle
réussit toujours à prendre même si
elle se trouve avec les racines en
l'air. Si elle est dans une position
normale, elle pousse plus
rapidement ; les racines en l'air,
elle doit attendre que celles-ci arrivent jusqu'au sol pour s'y fixer, ces
dernières exercent une telle pression que la rosette se retourne.

Euphorbe *Euphorbia*
La plante épineuse de l'illustration
ressemble à un cactus. Mais il ne
faut pas se fier aux apparences. Et
en effet, l'*Euphorbia horrida* appartient à une autre famille et sa re-
semblance avec les cactus n'est
due qu'à une suite de transforma-

Euphorbe

Joubarbe

tions subies par la plante pour s'a-
dapter à la vie du désert. La photosynthèse se passe dans la tige
charnue.
Les euphorbes comme les cactus
peuvent avoir des formes très diverses. Certaines gardent leurs petites feuilles quelques mois par an ;
d'autres sont dépourvues de
feuilles. L'*Euphorbia horrida* a des
épines qui sont des stipules transformées ou des fleurs résiduelles.
Les euphorbes se différencient
aussi par leur taille. Certaines ne
mesurent que quelques centimètres de haut tandis que d'autres
sont de vrais arbres de plusieurs
mètres.
Il est facile de reconnaître une
euphorbe d'un cactus. Si l'on plante une aiguille dans une euphorbe,
il en sort un jus laiteux vénéneux
qui peut même entraîner une cécité
temporaire s'il vient en contact
avec les yeux. Seule l'*E. caracasana*
donne un jus que l'on utilise pour
fabriquer de la gutta-percha.

205

Les plantes grimpantes

Les plantes ont un grand besoin de lumière qui les pousse vers le haut sur des tiges assez fortes pour les porter. Certaines plantes trichent et s'accrochent sur le support le plus proche ; elles s'enroulent ou s'agrippent à l'aide de rejetons, de crampons, de radicules ou de piquants. Cette famille comprend des plantes herbacées et même des plantes ligneuses telles que les lianes tropicales.

Campsis *Campsis radicans*
La campsis, originaire du sud des États-Unis, ne produit pas de tige

Campsis

nouvelle chaque année comme le houblon ou le potiron sauvage. Sa tige devient ligneuse et produit de nouvelles pousses portant des bouquets de fleurs aux couleurs vives en forme de trompette. Cette plante grimpe très haut sur les murs et sur les clôtures en s'agrippant avec ses radicelles aériennes. La *Campsis grandiflora* indigène de Chine et du Japon est peut-être plus jolie encore. Elle a de plus grandes fleurs mais n'a pas de radicelles.
Ces plantes grimpantes peuvent

être cultivées dans les jardins en Europe.

Lysimaque grimpante
Lysimachia nummularia
La lysimaque grimpante croît dans les prairies humides, le long des rivières et dans les fossés. Les jolies petites fleurs en forme d'étoiles poussent sur de courtes tiges près des feuilles opposées. La lysimaque n'a ni crampons ni tiges volubiles et elle doit se résigner à ramper sur le sol. C'est à cause de ses

feuilles rondes qu'on lui a donné le nom de *nummularia* qui signifie « en forme de pièce de monnaie ».

Houblon commun
Humulus lupulus
Le houblon est essentiel au brassage de la bière ; il lui donne son goût légèrement amer et permet de la conserver. C'est aussi un aliment non négligeable ; les jeunes pousses de houblon se mangent en salade, et l'on extrait une drogue de ses cônes qui contiennent des substances calmantes mais qui donnent de l'appétit.
La tige du houblon s'enroule tou-

Houblon commun

jours dans le sens des aiguilles d'une montre aidée par des poils résistants et crochus. On ne cultive que les plantes femelles car les plantes mâles ne portent pas de cônes contenant le lupulin indispensable au brassage de la bière. On les détruit même pour empêcher la pollinisation. En effet, si le fruit se développe, les cônes femelles se désintègrent et le lupulin est perdu.

Lysimaque grimpante

Liseron des prés
Convolvulus arvensis

La longue tige fine du liseron des prés s'enroule dans le sens inverse des aiguilles d'une montre sur son support qui peut être une herbe aussi bien qu'un jeune arbre. La tige est couverte de feuilles lancéolées et de fleurs en trompette blanches ou roses qui s'ouvrent tôt le matin et qui se ferment après-midi. Cette plante est l'une des plus mauvaises herbes des champs et des jardins. Il est très difficile de s'en débarrasser car elle se reproduit végétativement. Un minuscule morceau de rhizome suffit pour donner naissance à une nouvelle plante.

Liseron des prés

huileuses sont utilisées dans le traitement des vers ronds.

Pois d'Australie *Clianthus*

Les plantes de *Clianthus* aux fleurs en forme de papillon sont originaires des régions chaudes de l'Australie et cultivées dans les régions tempérées du nord. Comme la majeure partie des papilionacées elles s'accrochent avec des crampons. Le *Clianthus dampieri* de l'ouest de l'Australie à larges fleurs au mille nuances de rouge peut être cultivé en serre chaude. Le *Clianthus puniceum* est indigène de Nouvelle-Zélande.

Potiron sauvage
Cucurbita pepo

Cette plante annuelle de la famille des courges est rampante bien qu'elle soit dotée de crampons sensibles au toucher et capable de s'enrouler autour d'un support. Le potiron est une plante potagère énorme. La tige couverte de poils durs peut atteindre jusqu'à 10 mètres de long. Elle est couverte de feuilles lobées et de fleurs jaune doré de 10 à 14 cm de diamètre. Les ovaires donnent des baies jaune orange qui peuvent peser 70 ou 100 kilos !

Les fleurs fournissent un exemple frappant de monœcie ; elles sont unisexuées mais chaque pied porte des fleurs mâles et des fleurs femelles. L'ovaire de la fleur femelle se transforme en fruit après la pollinisation. Le potiron sauvage est originaire d'Amérique du Nord. On le trouve maintenant dans les jardins du monde entier comme plante décorative ou potagère. C'est aussi une plante médicinale : ses graines

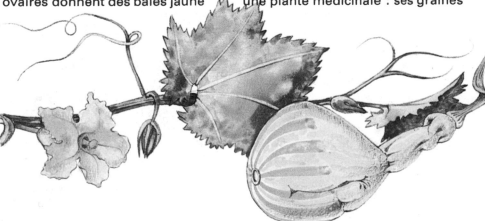

Potiron sauvage

Pois d'Australie

Prisonnières des jardins

On cultive un grand nombre de plantes en plates-bandes ou en jardin de rocaille. On trouve rarement les fleurs de jardin à l'état sauvage car ce sont souvent des variétés hybrides spécialement conçues pour ce genre de culture. Elles ont besoin de beaucoup d'attention car elles sont assez fragiles. Elles ne pourraient plus, dans bien des cas, survivre à l'état sauvage.

Rudbeckie *Rudbeckia*
Les rudbeckies d'Amérique du Nord poussent facilement dans les jardins d'Europe. L'espèce la plus répandue est la *Rudbeckia laciniata* à fleurs doubles qui peut atteindre jusqu'à 2 m de haut. Sur les sols humides elle a tendance à redevenir sauvage et à former des masses de fleurs compactes. Les minuscules fleurons de couleur foncée du disque central en forme de cône ainsi que les longs fleurons jaune vif qui l'entourent font que la rudbeckie ressemble beaucoup à une marguerite. Elle fleurit de la fin de l'été jusqu'à l'automne.

parfum de violette (il contient une essence aromatique volatile), est une drogue médicinale. Réduit en poudre on l'utilise dans les dentifrices, les parfums, les savons ainsi que dans les mélanges de thé et de tabac.

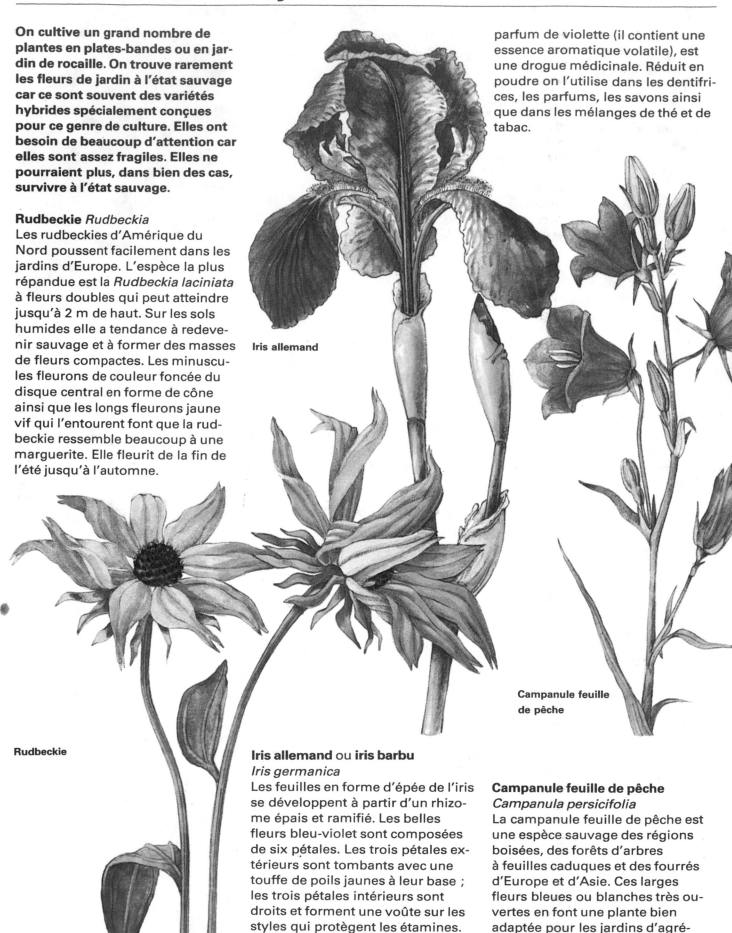

Iris allemand

Campanule feuille de pêche

Rudbeckie

Iris allemand ou **iris barbu**
Iris germanica
Les feuilles en forme d'épée de l'iris se développent à partir d'un rhizome épais et ramifié. Les belles fleurs bleu-violet sont composées de six pétales. Les trois pétales extérieurs sont tombants avec une touffe de poils jaunes à leur base ; les trois pétales intérieurs sont droits et forment une voûte sur les styles qui protègent les étamines. Le fruit de l'iris est une capsule. Le rhizome séché, qui dégage un

Campanule feuille de pêche
Campanula persicifolia
La campanule feuille de pêche est une espèce sauvage des régions boisées, des forêts d'arbres à feuilles caduques et des fourrés d'Europe et d'Asie. Ces larges fleurs bleues ou blanches très ouvertes en font une plante bien adaptée pour les jardins d'agrément. Certaines variétés donnent des fleurs doubles.

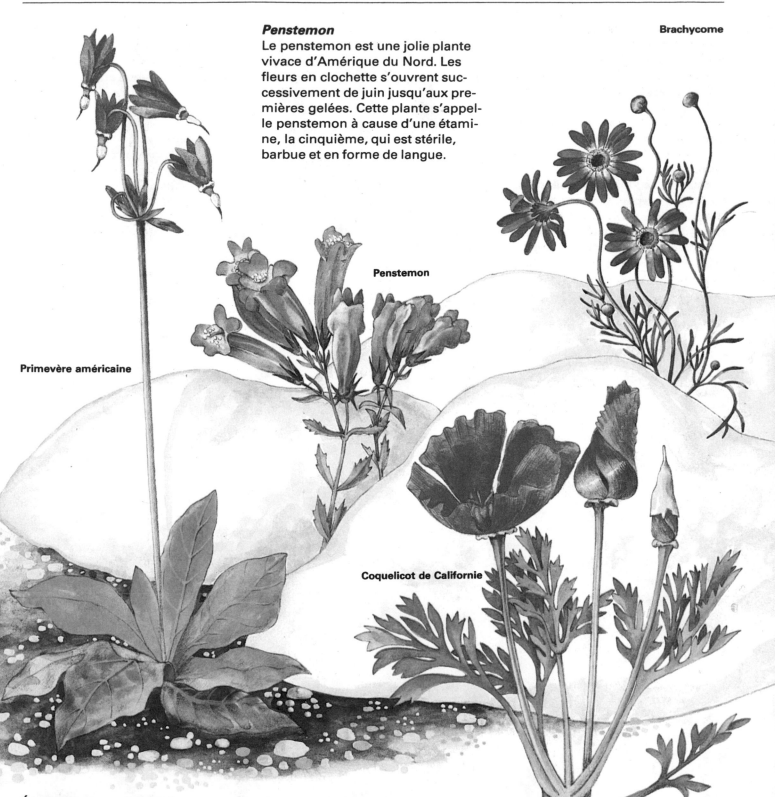

Penstemon

Le penstemon est une jolie plante vivace d'Amérique du Nord. Les fleurs en clochette s'ouvrent successivement de juin jusqu'aux premières gelées. Cette plante s'appelle penstemon à cause d'une étamine, la cinquième, qui est stérile, barbue et en forme de langue.

Brachycome

Primevère américaine

Penstemon

Coquelicot de Californie

Étoile filante ou primevère américaine
Dodecatheon
La longue tige dépourvue de feuilles de l'étoile filante se termine par une ombelle de trois à vingt petites fleurs dont la couleur varie du rose au rouge. Ce sont des plantes vivaces originaires d'Amérique du Nord que l'on peut très bien cultiver dans les jardins de rocaille.

Brachycome
Brachycome iberidifolia
Cette modeste fleur d'Australie est une sorte d'arbuste de 30 cm de haut qui se couvre au moment de la floraison d'environ 200 petites fleurs carmin-rose, violet-bleu ou blanches en forme d'étoile. Le brachycome, voisin de la pâquerette, compte près de 50 espèces.

Coquelicot de Californie
Eschscholtzia californica
Le coquelicot de Californie est originaire des côtes du Pacifique de l'Amérique du Nord où l'on trouve des espèces annuelles et des espèces vivaces. L'espèce type a des fleurs jaunes tachées d'orange. On cultive le coquelicot de Californie à fleurs doubles et demi-doubles.

Les plantes et les animaux

Les insectes, les oiseaux et les mammifères sont utiles aux plantes car dans bien des cas ce sont eux qui les pollinisent. Les fleurs attirent les animaux par leurs couleurs, leurs formes et le nectar qu'elles contiennent et ceux-ci dispersent les fruits et les graines. Certains fruits crochus s'accrochent à la fourrure des mammifères ; les fruits collants se fixent sur les pattes des oiseaux. Mais il existe aussi des animaux nuisibles pour les plantes, comme par exemple les chenilles et certains oiseaux qui mangent les jeunes pousses vertes.

Trèfle blanc
Trifolium repens

Le trèfle a trois feuilles mais en cherchant bien vous en trouverez peut-être un à quatre feuilles qui vous portera chance.
Le trèfle blanc est une espèce rampante à fleurs en bouquet au parfum de miel dont la couleur varie du blanc au rouge. On appelle ces bouquets des capitules. Les fleurs, environ 50 par capitule, possèdent un calice profond et des pétales pendants. Elles sont généralement pollinisées par les bourdons qui aspirent le nectar avec leur longue trompe.

Yucca

Les rapports entre les plantes et les animaux sont en général laissés au hasard. Dans certains cas, cependant, ces rapports peuvent devenir plus étroits comme par exemple dans les symbioses, pour ne pas parler d'un cas extrême, comme celui de la *Yucca filamentosa* et de la mite *Pronuba yuccasella* qui ne peuvent se passer l'une de l'autre pour survivre.

Épilobe

Énothère

Violette odorante des quatre-saisons

Le trèfle est très important pour l'agriculture car il fertilise le sol grâce à sa robuste racine couverte de nodules contenant des bactéries *Rhizobium* capables de fixer l'azote. Ces bactéries transforment l'azote de l'air en composés organiques azotés ; elles peuvent en produire 20 kg par hectare et par an ; pour la même quantité il faut 150 kg d'engrais organiques.

Chou sauvage
Brassica oleracea
Voici un exemple d'association nuisible : les choux sauvages ou cultivés et la piéride du chou. Ce papillon pond ses œufs sous les feuilles

Trèfle blanc

Chou sauvage

de choux. Les chenilles à peine nées mangent les œufs et abîment les plantes.
Le chou sauvage est originaire des régions méditerranéennes et du sud de l'Angleterre. Il est cultivé depuis très longtemps et il en existe un grand nombre d'espèces. Le chou-fleur, le chou de Bruxelles bien que fort différents de la plante sauvage originale appartiennent à la même famille.
Celui qui ressemble le plus au chou sauvage est le chou frisé qui forme une rosette à larges feuilles. Le chou-fleur lui ne possède que quelques feuilles entourant une masse charnue blanchâtre sur une courte tige ramifiée. Les choux de Bruxelles qui firent leur apparition en Belgique au dix-huitième siècle ressemblent à de petits choux miniatures portés sur une tige droite qui peut atteindre une hauteur de 1 m ; ils sont surmontés d'une touffe de feuilles un peu plus grandes, comestibles elles aussi. Le chou-rave possède une tige renflée à la base et une touffe de feuilles à longues tiges au sommet.

Toutes ces variétés donnent d'excellents légumes riches en vitamines C, B et A, parfois E et K, en substances minérales et en oligoéléments.

Énothère *Oenothera*
Il existe des plantes qui ne s'ouvrent que le soir pour être pollinisées par les sphinx. Ces papillons nocturnes ont un comportement semblable à celui des oiseaux-mouches tropicaux. Ils volettent au-dessus de la plante suçant le nectar avec leur trompe et pollinisant dans le même temps la fleur. Les fleurs jaune doré de l'énothère au parfum délicat restent ouvertes jusqu'au lendemain. Son fruit est une capsule cylindrique qui contient un grand nombre de minuscules graines lisses se dispersant facilement.

L'énothère est native d'Amérique où elle poussait aux bords des routes et des rivières. Aujourd'hui on la trouve dans tout l'hémisphère nord au bord des rivières, sur les talus et les terres incultes. Dans certains pays, l'énothère est un légume. On prépare avec ses racines douceâtres une salade appelée « rapon tika ».

Yucca *Yucca filamentosa*
L'existence de cette plante vigoureuse dépend d'une minuscule mite, la *Pronuba yuccasella,* qui est le seul insecte pouvant polliniser ses fleurs. Cet insecte dépose ses œufs dans l'ovaire de la fleur puis la pollinise immédiatement. La larve se nourrit du fruit sans toucher à la graine. C'est ainsi que ces deux espèces vivent ; si l'une venait à disparaître, l'autre ne lui survivrait pas.

La *Yucca filamentosa* est une espèce d'Amérique qui supporte le climat des déserts. Ses feuilles épaisses et rigides forment une rosette au centre de laquelle s'élève une tige droite qui peut atteindre jusqu'à 2 m de long et qui se termine par une panicule de clochettes blanc verdâtre.

Épilobe ou laurier de Saint-Antoine
Chamaenerion angustifolium
Les papillons et les mites sont fidèles ; ils confient leur progéniture toujours aux mêmes espèces leur assurant du même coup leur nourriture. Ces associations sont à éviter quand il s'agit du chou mais la présente plante n'est pas

Pensée des jardins

Pensée des jardins
Viola tricolor
La pensée croît facilement dans les parcs et les jardins. Celle que nous connaissons aujourd'hui est le résultat de croisements entre différentes variétés. A l'origine c'était une simple plante herbeuse des prés, des jardins et des terres incultes qui fleurissait pratiquement tout au long de l'année. Ses fleurs sont beaucoup plus petites et beaucoup moins belles que celles de la pensée des jardins.
La médecine populaire utilise la partie spérieure verte pour soigner les irritations de la peau.

comestible sauf pour les chenilles goulues des mites.

Comme le séneçon et la framboise, cette plante pousse dans les clairières boisées. Elle donne de ravissantes petites fleurs rose foncé suivies de longues capsules angulaires qui contiennent de minuscules graines munies d'une aigrette. Les graines sont dispersées par le vent qui les emporte très loin ; dans les régions montagneuses on la trouve jusqu'à 2 000 m d'altitude.

Violette odorante des quatre-saisons
Viola odorata

La violette possède deux sortes de fleurs. Les premières sont les fleurs délicieusement parfumées que nous connaissons tous. Ces fleurs sont adaptées à la pollinisation croisée et possèdent même des mécanismes précis pour éviter l'auto-fécondation. Mais elles ne donnent que quelques graines. Ce sont les fleurs vertes insignifiantes toujours fermées qui veillent à la survie de l'espèce. Elles sont fécondées par leur propre pollen ; les fleurs fermées produisent des capsules remplies de graines sans jamais s'ouvrir.

Les graines de la violette odorante sont munies d'un appendice charnu et huileux ; les fourmis viennent s'en régaler et repartent en emportant les graines. La violette se multiplie aussi par ses stolons rampants qui prennent racine et donnent de nouvelles plantes.

Il existe des violettes de toutes formes, à fleurs larges, à fleurs doubles, à floraisons repétées et de toutes couleurs, violettes, blanches, roses, jaunes.

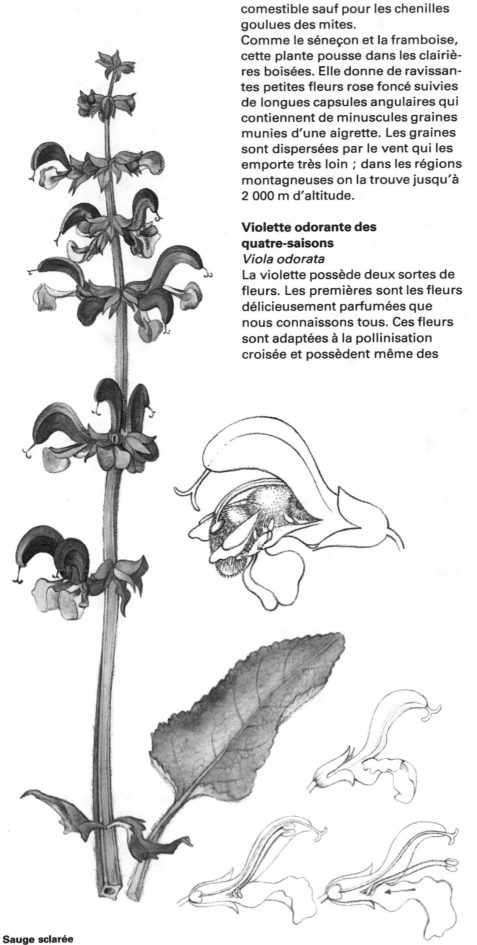

Sauge sclarée
Salvia pratensis

La sauge sclarée à fleurs violet bleu foncé et au doux parfum est une plante qui croît dans les régions chaudes, sur les talus et dans les prairies ensoleillées. Elle possède un style et des étamines mobiles pour favoriser la fécondation croisée. Les fleurs sont pollinisées par les bourdons qui, grâce à leur trompe peuvent atteindre le nectar au fond du tube. En se posant sur la fleur, l'insecte met en marche une sorte de levier qui courbe les étamines et qui dépose ainsi le pollen sur le corps de l'insecte. Celui-ci le transporte sur le stigmate d'une autre fleur dont les anthères sont libres de pollen. Le pistil et les stigmates se courbent en arc et le bourdon est obligé de s'y frotter.

Sauge sclarée

Des apparences trompeuses

Les plantes ne sont pas toujours ce qu'elles semblent être. Nous avons déjà vu que l'euphorbe ressemble aux cactus mais qu'il n'appartient pas à la même famille. Les fleurs de la rafflésie ressemblent à des morceaux de viande en putréfaction et les « fleurs » de l'euphorbe cyprès ne sont pas aussi simples qu'elles le paraissent.

Euphorbe cyprès

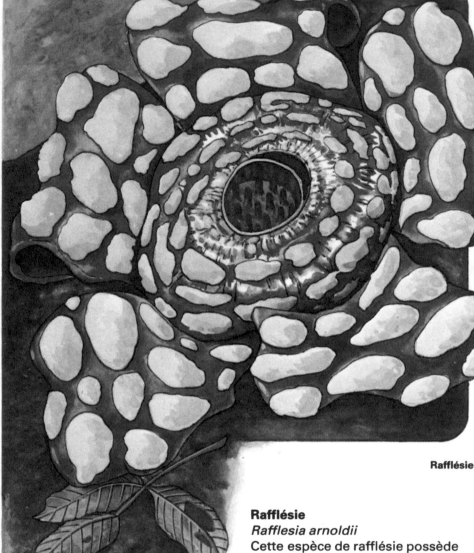

Rafflésie

Euphorbe cyprès
Euphorbia cyparissias
L'euphorbe cyprès est une espèce européenne persistante que l'on trouve dans les prairies herbeuses et ensoleillées. Ses fleurs sont parmi les plus simples et les plus insignifiantes. Elles sont, soit femelles avec un seul pistil, soit mâles avec une seule étamine. Mais leur simplicité n'est qu'apparente ; il s'agit en réalité d'une inflorescence multiple de minuscules fleurs serrées les unes contre les autres au centre de laquelle se trouve une unique fleur femelle comprenant un pistil rond avec trois ovaires et

trois stigmates. L'inflorescence complexe de l'euphorbe appelée cyathe est protégée par un involucre composé de cinq bractées. La fausse fleur possède des nectaires jaunes et le tout est mis en valeur par deux larges bractées vert-jaune qui deviennent rouges après la floraison.
Le fruit de la fleur femelle est une capsule contenant trois graines munies, comme celles de la violette, d'un appendice charnu qui plaît beaucoup aux fourmis. L'euphorbe contient un jus laiteux vénéneux qui le protège des herbivores.

Rafflésie
Rafflesia arnoldii
Cette espèce de rafflésie possède les plus grandes fleurs du monde. Elles peuvent mesurer jusqu'à 5 m de diamètre et peser 5 kg ! La plante n'a pas de tige ; la fleur pousse en parasite sur les lianes grâce à des excroissances appellées haustorie. Elle porte des fleurs des deux sexes qui possèdent un disque charnu, contenant soit les carpelles soit les étamines, entouré d'au moins cinq pétales rouge brique boursouflés. Il est impossible d'ignorer une rafflésie ; elle dégage une odeur nauséabonde de viande pourrie. Cette puanteur a la même fonction que le parfum agréable des autres fleurs, elle attire les mouches qui pollinisent les fleurs. La plante fut nommée *Rafflesia arnoldii* en l'honneur de Stamford Raffles et Joseph Arnold qui la découvrirent au cours d'une expédition à Sumatra en 1818.

Herbe arborescente
Xanthorrhoea

L'herbe arborescente ressemble à un énorme bouquet d'herbe planté sur une colonne qui est souvent recouverte de feuilles sèches. Dans les espèces cultivées, on enlève ces feuilles semblables à celles de l'iris et du lis et l'on peut alors voir la longue tige de 3 ou 4 m de long. Les fleurs sont petites et poussent en grappes. L'herbe arborescente croît dans les savanes d'Australie, de Tasmanie et de Nouvelle-Calédonie. Elle donne une gomme jaune utilisée dans l'industrie des vernis et du papier couché. Les feuilles font un excellent fourrage pour les bêtes.

Herbe arborescente

Swainsona

Il existe 45 espèces de swainsona qui poussent pour la majeure partie en Australie et en très petit nombre en Nouvelle-Zélande. Elle est semblable à la vesce qui, elle, pousse dans l'hémisphère nord sauf qu'elle a de plus grandes fleurs et une carène plus développée. Par la forme de sa carène et de son fruit (gousse) elle est apparentée aux sénés d'Europe et d'Asie. Les swainsonas sont des herbes à tige droite ou couchée dont la base devient parfois ligneuse. Les feuilles sont composées de nombreuses folioles. Les fleurs rosées, rouges, pourprées ou jaunes poussent en grappe. Cette grappe est constituée de quelques grosses fleurs qui peuvent avoir 2 cm de diamètre et de plus petites qui parfois atteignent le nombre de 30 sur une seule grappe. La fleur, comme toutes celles de la famille des papilionacées, a cinq sépales et cinq pétales. Les deux pétales inférieurs sont soudés à la base et forment un long bec ; ils sont recouverts d'un cinquième pétale que l'on appelle la carène. Les pistils sont soudés à l'exception de l'un d'entre eux qui est libre. L'ovaire donne une gousse remplie de nombreuses petites graines qui s'ouvre à maturité libérant les graines.

La swainsona fleurit d'octobre à décembre ; certaines espèces précoces fleurissent dès le mois d'août.

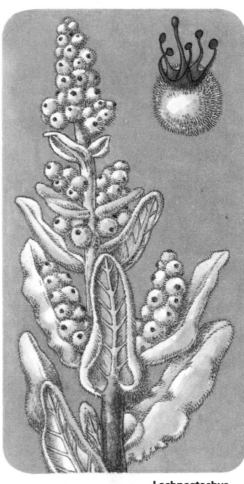

Lachnostachys

Lachnostachys verbascifolia

C'est une espèce de *Lachnostachys* très rare qui ne pousse que dans les déserts sablonneux de l'Australie occidentale. Elle est recouverte d'une épaisse couche de feutre qui la protège du soleil.

Swainsona

Les conifères

Les conifères sont des arbres qui portent des cônes comme les pins, les sapins, les mélèzes, les épicéas et les cèdres. Un cône est une structure reproductive ligneuse qui comprend un axe central entouré d'écailles qui s'imbriquent les unes dans les autres et qui ne s'ouvrent que lorsque les graines qu'elles portent sont mûres.

Épicéa *Picea abies*

Au printemps, les cônes mâles de l'épicéa répandent leurs grains de pollen munis de deux sacs d'air qui leur servent d'ailes. Seuls quelques grains réussiront à pénétrer les ovules des cônes femelles qui se tiennent droits comme des bougies au bout des branches en haut des arbres. Le cône grossit et s'alourdit après la pollinisation si bien qu'il bascule et pend à la branche de l'arbre. Il change de couleur passant du pourpre-rouge au vert puis au jaune pour devenir brun quand il est mûr.

Au printemps, tous les quatre à six ans environ (parfois même dix ans en haute montagne) les cônes s'ouvrent et libèrent les graines à ailettes que le vent emporte.

C'est seulement à partir de 30 ans que les arbres commencent à donner des graines.

L'épicéa ne perd pas ses aiguilles en automne ; elles se renouvellent progressivement, chaque aiguille pouvant vivre de cinq à sept ans.

A l'origine, l'épicéa ne poussait que dans les montagnes d'Europe du Nord et d'Europe centrale. Aujourd'hui on le trouve un peu partout et même en plaine. C'est le plus répandu de tous les arbres sylvestres. On cultive l'épicéa pour son bois que l'on utilise pour la construction, pour la fabrication du papier et des instruments de musique. L'écorce contient du tanin, de la colophane et de la térébenthine et les aiguilles donnent une essence utilisée dans l'industrie cosmétique.

Mélèze commun ou mélèze d'Europe
Larix decidua

Les aiguilles vert tendre du mélèze sont douces et flexibles. En automne, aux premières gelées, elles deviennent jaunes et tombent.

Quand il atteint 15—20 ans, le mélèze un beau printemps produit ses nouvelles aiguilles et des cônes. Les cônes mâles sont jaunes et pendants, les cônes femelles rouge carmin et droits sur la branche. Quand vient l'automne, les cônes femelles sont mûrs et ligneux, mais

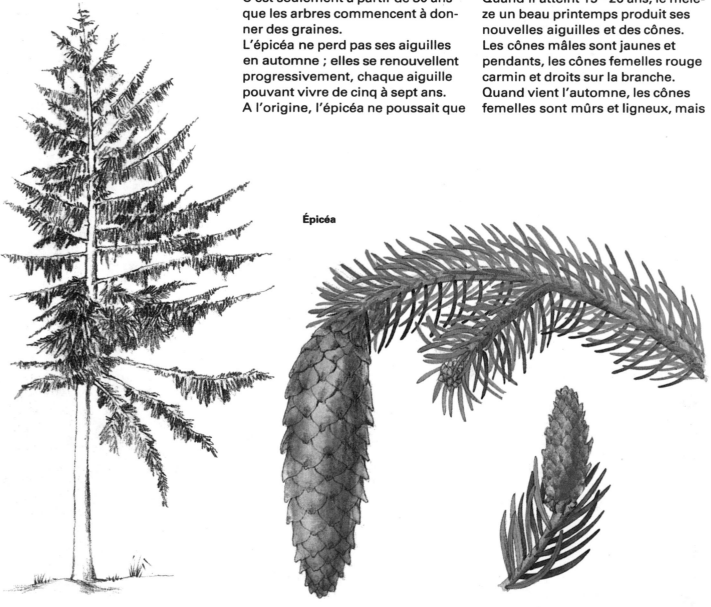

Épicéa

Mélèze commun

collées aux rameaux. Chaque folio-
le porte un gland résineux. On obtient par distillation une essence
très parfumée *oleum thujae.*
Le fruit du thuya est un petit cône
ligneux. Les graines, selon l'espèce, ont (thuya américain, *T. occidentalis*) ou n'ont pas (thuya chinois, *T. orientalis*) d'ailettes.
Le thuya américain ou cèdre blanc
est natif des régions est de l'Amérique du Nord. Les arbres qui peuvent atteindre 20 m de haut sont
très élancés et coniques ; les
branches sont plus ou moins horizontales. En Europe, nous connaissons mieux le thuya cultivé qui est
plus bas et qui ressemble à un
arbuste.
Le thuya chinois a des branches
plus ou moins verticales et de plus
gros cônes. Il est natif du nord-est
de la Chine d'où il fut transporté au
Japon et en Europe.
En Europe, le thuya est surtout un
arbre ornemental. Dans son pays
d'origine on utilise son bois qui ressemble à celui du genévrier, léger,
tendre, odorant et très résistant.

ils ne s'ouvriront qu'au printemps
pour libérer leurs graines. Le mélèze produit des graines tous les
quatre ou cinq ans.
Le bois de mélèze est brun-rouge,
léger, compact, flexible et ne craint
pas l'humidité. On l'utilise pour la
construction des navires, des ponts
et dans le bâtiment. Il contient une
grande quantité de résine couleur
miel que la médecine populaire
employait pour soigner la toux et
pour préparer des onguents.

Thuya *Thuja*
Cet arbre est originaire d'Amérique
du Nord et d'Asie orientale. Il n'a
pas d'aiguilles piquantes comme
les conifères d'Europe mais de petites feuilles comme des écailles

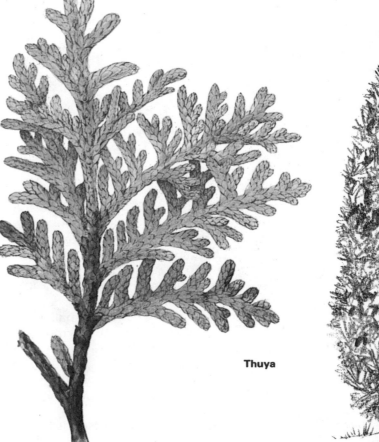

Thuya

Des fruits savoureux

De nombreux arbres et arbustes portent des fruits qui font les délices des hommes et des bêtes. Les fruits ont de belles couleurs pour attirer les animaux qui en dispersent les graines et pour le plaisir de l'homme qui les consomme depuis des milliers d'années.

Églantier

Églantier *Rosa canina*
La rose cultivée est la reine des fleurs par sa beauté, ses couleurs et son élégance. La rose sauvage est simplement jolie avec ses petites fleurs roses délicatement parfumées qui au printemps transforment un arbrisseau plein d'épines en un merveilleux bouquet. L'églantier embellit les chemins de campagne, les bordures de haies et les lisières des forêts de ses fleurs roses au printemps et de ses fruits rouge corail en automne.
Ces fruits sont des faux fruits ; les vrais fruits sont des akènes durs et poilus qui se trouvent dans le ré-

ceptacle.
Les fruits de l'églantier séchés sont utilisés dans l'industrie alimentaire, dans l'industrie pharmaceutique et chez tout un chacun. Le thé d'églantier est très rafraîchissant. Le fruit de l'églantier contient jusqu'à 40 % de vitamine C, des sucres, de l'acide citrique et de l'acide malique. Durant la seconde guerre mondiale, le jus d'églantier remplaça le jus d'orange introuvable. Aujourd'hui encore dans certains pays on consomme le jus et le vin d'églantier.
Les rameaux entremêlés de l'églantier forment des fourrés épais où

les oiseaux viennent faire leur nid. Les arbustes d'églantier ont parfois des excroissances en forme de boules rouge rosé qui contiennent un noyau dur. Ces boules se forment comme les boules lisses et brunes du chêne (noix de galle). Ce sont des galles produites par de petites guêpes comme par exemple la *Rhodites rosae* qui percent une feuille ou un bourgeon pour y pondre un œuf. L'œuf se transforme en larve et forme une excroissance. Les larves de mouche, de mite, d'aphidiens et de coléoptères produisent elles aussi des galles.

Épine noire ou prunellier
Prunus spinosa

Le prunellier fleurit en avril ou en mai, parfois même avant les feuilles. Il donne de petites prunes, les prunelles. Ce sont des fruits bleu-noir recouverts d'une sorte de duvet cireux dont la pulpe verte est extrêmement amère. Cette amertume s'atténue légèrement après les premières gelées sans pour autant rendre la prunelle mangeable. On en fait surtout des confitures, du vin et de la liqueur. Elle contient des sucres, de la vitamine C, des tanins, une matière colorante et plusieurs autres substances. Les fruits frais ou séchés sont utilisés pour soigner la diarrhée et les maladies urétrales et les petites feuilles séchées servent à faire du thé.

Les petites fleurs blanches du prunellier contiennent des glucosides et de l'acide prussique. Il faut les faire sécher avant qu'elles ne deviennent brunes. On en fait des infusions qui traitent la nausée, régularisent le métabolisme et qui sont d'excellents diurétiques.

Le prunellier, arbuste d'environ trois mètres de haut, pousse à la lisière des forêts et dans les champs où il forme des haies avec l'églantier et le mûrier.

Prunellier

Noisetier
Corylus avellana

La floraison du noisetier passe inaperçue ; et pourtant il fleurit au début du printemps, le premier à fournir du travail aux abeilles. Les fleurs mâles, chatons composés de centaines de minuscules petites fleurs apparaissent en automne et les fleurs femelles semblables à de petits bourgeons seulement à la fin de l'hiver. Ce sont des fleurs très simples qui précèdent les feuilles. Le noisetier est pollinisé par le vent : les chatons agités par la brise déposent leur pollen sur les fleurs femelles.

Après la pollinisation, les ovaires se transforment en noisettes. La noisette est un fruit contenant une seule graine à l'intérieur d'un péricarpe dur et ligneux. Quand elles sont mûres, les noisettes tombent pour la grande joie des écureuils, des souris et des piverts qui se régalent tout en contribuant à la dispersion des graines.

On utilise les feuilles de noisetier pour soigner les exanthèmes et les maux intestinaux. La graine contient 15 % de protéines, 2—5 % de sucre et 50—60 % d'huile très nourrissante de couleur jaunâtre.

Sa valeur énergétique est 12 fois plus grande que celle du blé, 3 fois plus grande que celle des graines de pavot et 8 fois plus grande que celle du lait. La noisette est un fruit délicieux avec lequel on prépare des biscuits, des gâteaux et du chocolat.

Si par hasard, la noisette a un petit trou, elle n'est plus bonne ; à la place de la noisette vous trouverez un gros vers blanc, la larve du *Balaninus nucum*.

Le noisetier qui peut atteindre 6 m de haut est très répandu en Europe où il forme des bosquets ou des haies au bord des chemins et dans les forêts.

Les archéologues ont retrouvé des restes de noisette datant du néolithique car on cultivait le noisetier pour ses noisettes naturellement (surtout en Turquie) mais aussi pour son bois tendre et flexible qui servait à faire des pipes, des bâtons et des cercles de bois. Avec les jeunes pousses on peut tresser des paniers ; l'écorce sert pour taner les peaux et pour faire une teinture jaune.

Par la sélection et les croisements on a obtenu des variétés de noisetiers ornementaux pour les jardins.

Chaton

Noisetier

Le noisetier est à l'origine d'un grand nombre de légendes et de superstitions. Les Grecs croyaient que la noisette favorisait la croissance et soulageait les maux de tête. On leur attribuait aussi des pouvoirs surnaturels comme de rendre invulnérable, d'arrêter une balle, d'éteindre un feu et d'écarter les orages.

Autrefois, le noisetier comme le chêne était un arbre sacré qu'il était interdit d'abattre.

Sorbier des oiseleurs
Sorbus aucuparia

Le sorbier, comme le pommier et le poirier appartient à la famille des rosacées. Il fleurit en petits bouquets de fleurs blanches de mai à juin mais c'est à la fin de l'été, en septembre qu'il est le plus beau avec ses baies rouge vif. Elles sont acides, amères et légèrement vénéneuses car elles contiennent de l'acide sorbique ; à part cet acide, elles contiennent aussi des acides organiques, des sucres, du tanin, de la pectine, de la vitamine B et C et du carotène qui leur donne leur belle couleur rouge corail. On appelle parfois le sorbier le citronnier du nord. Certaines espèces de sorbiers cultivés ont des baies qui contiennent jusqu'à 180 mg de vitamine C et qui n'en perdent qu'une petite quantité en séchant.

Cependant, le sorbier préfère l'altitude mieux adaptée à son développement. Il pousse lentement et rarement en forêt. C'est un arbre qui a besoin de lumière et donc qui préfère le bord des routes de montagne. Les baies restent longtemps sur l'arbre et offrent une excellente nourriture aux oiseaux, en particulier à ceux de la famille de la grive. Il existe une variété de sorbier cultivé (*S. aucuparia* var. *edulis*) dont les baies sont comestibles et dont on fait des confitures. Elles contiennent deux fois plus de vitamine C que le citron ainsi que du sucre et de la provitamine A. Autrefois on les utilisait pour faire du vinaigre ; aujourd'hui on ne produit plus que de la liqueur.

Sorbier des oiseleurs

221

Sureau commun
Sambucus nigra

Le sureau a des propriétés médicinales connues depuis fort longtemps. Les ramilles calmaient le mal de dent, les jeunes feuilles mélangées à de la farine de blé traitaient les brûlures et les morsures de chiens enragés et les feuilles séchées réduites en poudre arrêtaient les saignements de nez. Aujourd'hui on récolte les fleurs et les fruits pour l'usage médical. Les petites fleurs jaunes au parfum enivrant apparaissent en juin et en juillet. Elles contiennent des glucosides, des huiles essentielles, des tanins, de la résine, du mucilage et des acides. L'infusion de fleurs sèches est excellente pour faire tomber la fièvre en cas de grippe ou d'angine et pour calmer la toux. On fait aussi avec les fleurs, un vin au goût et au parfum très particuliers que l'on appelle « le roi des vins faits à la maison ».

Les fruits noirs contiennent un jus rouge foncé que l'on utilisait autrefois pour teindre les tissus. Ils contiennent aussi des acides organiques, des sucres et des vitamines A et C. La plante contient des substances phytoncides qui tue les bactéries et certains champignons. Le jus des baies est efficace dans le traitement des maladies nerveuses, de la migraine et des névralgies. Les fruits consommés frais sont laxatifs, les baies séchées astringentes. Les confitures de baies de sureau sont diurétiques et calmantes. On en fait aussi du vin, des gelées et du vinaigre. Ce sont les oiseaux qui en mangeant les baies en dispersent les graines.

L'homme contribue lui aussi à la propagation du sureau en le faisant pousser près de sa maison. Autrefois on plantait les sureaux derrière l'étable car on disait qu'il protégeait de la peste bovine. A l'état sauvage, le sureau pousse dans les bois, au bord de la mer et sur les sols riches en azote.

222

Sureau rouge

Sambucus racemosa

Le sureau rouge se différencie du sureau commun par la couleur de ses fruits et de sa sève ; la sève du sureau rouge est brun cannelle, celle du sureau commun blanche. Le sureau rouge a de petites fleurs jaune-vert qui apparaissent en même temps que les feuilles mais qui ne durent pas longtemps. Les baies donnent un jus trouble et les graines contiennent une petite quantité d'amygdaline qui est un poison. Mais on peut préparer sans crainte une infusion avec la peau et la chair des baies. Il suffit d'ébouillanter des fruits.

Le sureau rouge pousse de préférence en haute montagne. Mais on le trouve aussi dans les bois, dans les pâturages de montagne.

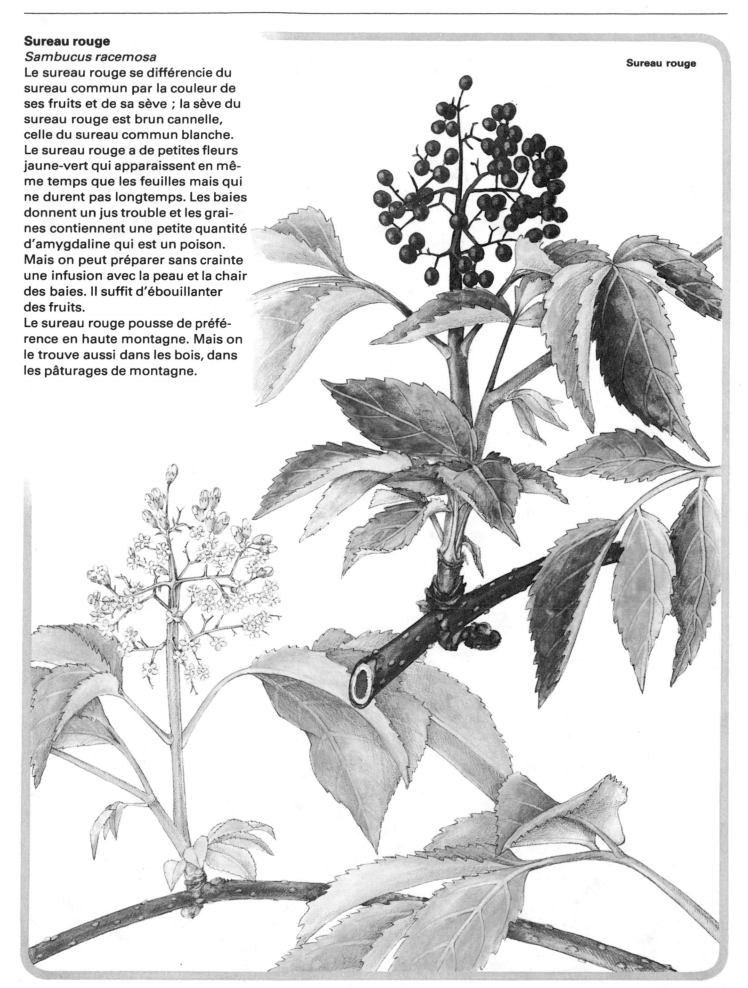

Sureau rouge

Mûrier *Rubus fruticosus*

Le mûrier est un buisson à rameaux arqués qui peuvent atteindre jusqu'à 2 m de long. Couverts d'épines crochues ou droites, ils touchent le sol et prennent racine formant ainsi un fourré impénétrable. Les épines recouvrent les branches, les tiges des feuilles, et les folioles. Au cours de la première année, les rameaux ne poussent qu'en longueur ; l'année suivante, les branches poussent et la plante porte des fleurs et des fruits. La couleur des fleurs varie du blanc au rose et les fruits constitués d'une infinité de petites drupes sont noirs. Dans les régions septentrionales les fleurs blanches et les fruits noirs apparaissent en même temps.

La famille du mûrier comprend un grand nombre de sous-espèces pratiquement identiques, que les experts eux-mêmes ont parfois du mal à identifier.
La pulpe du mûrier contient un jus noir que l'on utilise comme colorant dans l'alimentation. Avec les fruits on fait des sirops, des confitures, des gelées et des tartes. Les feuilles contiennent de nombreux tanins. La drogue a un effet apaisant, on l'utilise pour préparer des gargarismes, des bains pour les maladies de la peau et des infusions pour combattre la diarrhée et les embarras gastriques.

Mûrier

Gaulthérie du Canada
Gaultheria

L'espèce des gaulthéries comprend environ 100 variétés qui poussent principalement dans les montagnes d'Amérique du Nord, en Asie du Sud-Est, en Australie et en Tasmanie.

Dans les bois ombragés d'Amérique du Nord, on trouve la *Gaultheria shallon.* C'est un arbrisseau d'environ 1,5 m de haut à larges feuilles coriaces et à petites fleurs rose pâle agréablement parfumées. La gaulthérie américaine *(G. procumbens)* est une autre variété cultivée en Europe dont les baies rondes et rouges sont comestibles. C'est un petit buisson à tiges rampantes indigène d'Amérique du

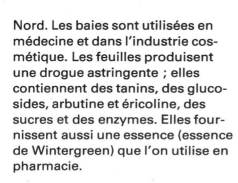

Gaulthérie du Canada

Nord. Les baies sont utilisées en médecine et dans l'industrie cosmétique. Les feuilles produisent une drogue astringente ; elles contiennent des tanins, des glucosides, arbutine et éricoline, des sucres et des enzymes. Elles fournissent aussi une essence (essence de Wintergreen) que l'on utilise en pharmacie.

Myrtille commune
Vaccinium myrtillus

Les baies noires de la myrtille des bois mûrissent à la fin de l'été. Les petites feuilles deviennent rouges et tombent une à une.

Les myrtilles de jardin, beaucoup plus faciles à cueillir que les myrtilles sauvages, sont des espèces obtenues par croisements à partir du *V. corymbosum,* du *V. lamarckii* et du *V. australe* d'Amérique du Nord. La myrtille sauvage est originaire d'Europe et d'Asie du Nord. Elle est surtout très répandue dans les landes et dans les bois humides d'Europe centrale et d'Europe du Nord. On la trouve en plaine comme en montagne jusqu'à la ceinture de pins nains.

Les buissons de myrtilles ne mesurent pas plus de 50 cm de haut. Les ramilles angulaires vertes portant des feuilles ovales poussent sur une base ligneuse. Les fleurs rose verdâtre se développent aux aisselles des feuilles. La myrtille est une baie noire bleutée. On peut la consommer fraîche ou bien en faire des confitures, du sirop et de la liqueur. Le jus de la myrtille est un colorant alimentaire. Avec les feuilles et les fruits séchés on prépare des infusions pour soigner les infections intestinales et urinaires ainsi que les embarras gastriques.

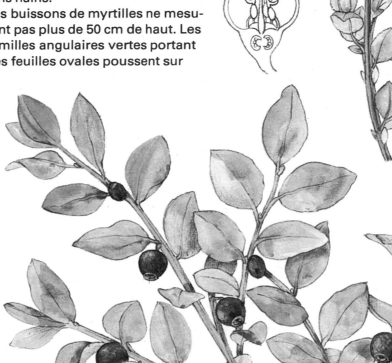

Myrtille commune

Des bois utiles

Un certain nombre d'arbres sont utilisés pour leur bois. Autrefois l'homme primitif se chauffait avec du bois, aujourd'hui encore il sert de combustible. Par la suite, il permit la construction des maisons. Avec le bois on peut faire un nombre inimaginable de choses ; des meubles, des instruments, des jouets etc. Même à l'ère du plastique et des métaux l'homme ne peut se passer du bois.

Tremble *Populus tremula*

Le tremble, bien qu'il appartienne à la famille du saule, ressemble au bouleau jeune, avant que son écorce ne devienne blanche. Toutefois, leurs feuilles sont totalement différentes. Les feuilles du tremble sont rondes et leurs tiges longues, fines et aplaties. Le tremble est aussi peu exigeant que le bouleau et bien souvent ils poussent ensemble. Le tronc du tremble est assez court ; il faut attendre qu'il ait au moins 80 ans pour atteindre 30 m de haut.

Le tremble sert à reboiser les terres ravagées car il pousse très vite. Le bois de tremble donne une cellulose de grande qualité ; on en fait aussi des allumettes et du contre-plaqué.

Le tremble fleurit à la fin de mars avant l'apparition des feuilles. C'est un arbre dioïque ; les fleurs femelles sont des chatons verts plumeux. Les chatons mâles brun-rouge tombent après avoir dispersé leur pollen. Après la pollinisation, les chatons femelles aux stigmates violets donnent des fruits, des capsules contenant de petites graines recouvertes d'un duvet cotonneux blanc qui mûrissent en mai.

Tremble

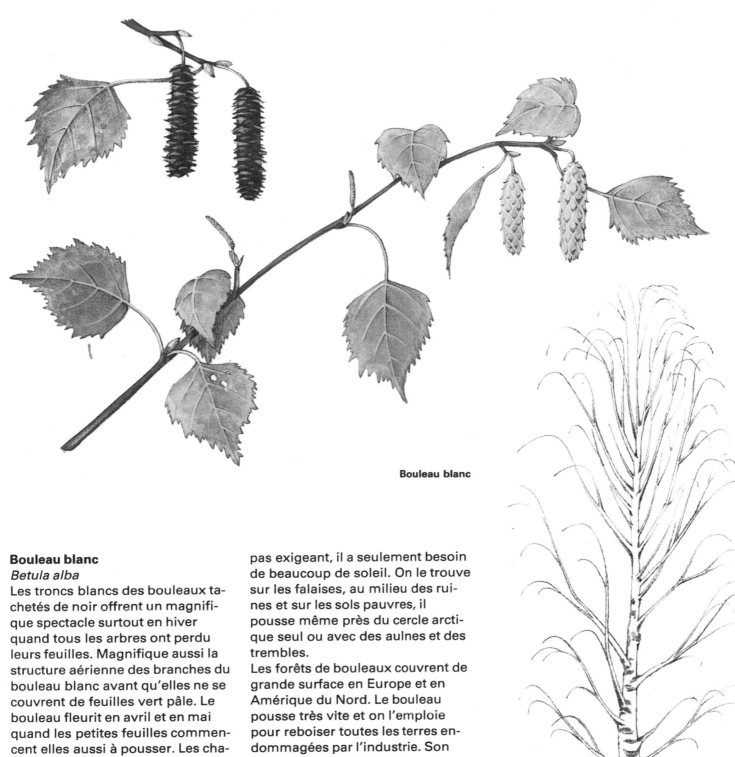

Bouleau blanc

Bouleau blanc
Betula alba

Les troncs blancs des bouleaux tachetés de noir offrent un magnifique spectacle surtout en hiver quand tous les arbres ont perdu leurs feuilles. Magnifique aussi la structure aérienne des branches du bouleau blanc avant qu'elles ne se couvrent de feuilles vert pâle. Le bouleau fleurit en avril et en mai quand les petites feuilles commencent elles aussi à pousser. Les chatons sont unisexués.

Les chatons mâles sont bruns et pendent au bout des branches ; les chatons femelles sont plus courts, de couleur verte et droits sur la branche. Ils sont pollinisés par le vent. Ce dernier disperse aussi les graines qui sont des akènes à ailettes. Un bouleau adulte produit plusieurs centaines de milliers de graines par an ; seules quelques-unes d'entre elles trouveront l'endroit idéal pour germer. Le bouleau n'est pas exigeant, il a seulement besoin de beaucoup de soleil. On le trouve sur les falaises, au milieu des ruines et sur les sols pauvres, il pousse même près du cercle arctique seul ou avec des aulnes et des trembles.

Les forêts de bouleaux couvrent de grande surface en Europe et en Amérique du Nord. Le bouleau pousse très vite et on l'emploie pour reboiser toutes les terres endommagées par l'industrie. Son bois souple est utilisé en menuiserie ; avec les ramilles on fabrique des balais. Au printemps on récolte la sève que l'on réduit en sirop ou que l'on fait fermenter pour obtenir une boisson ; elle est aussi utilisée dans la préparation de lotions capillaires. Les feuilles donnent une drogue diurétique. Son tronc blanc élancé, son feuillage vert pâle qui devient doré en automne font du bouleau un arbre ornemental.

227

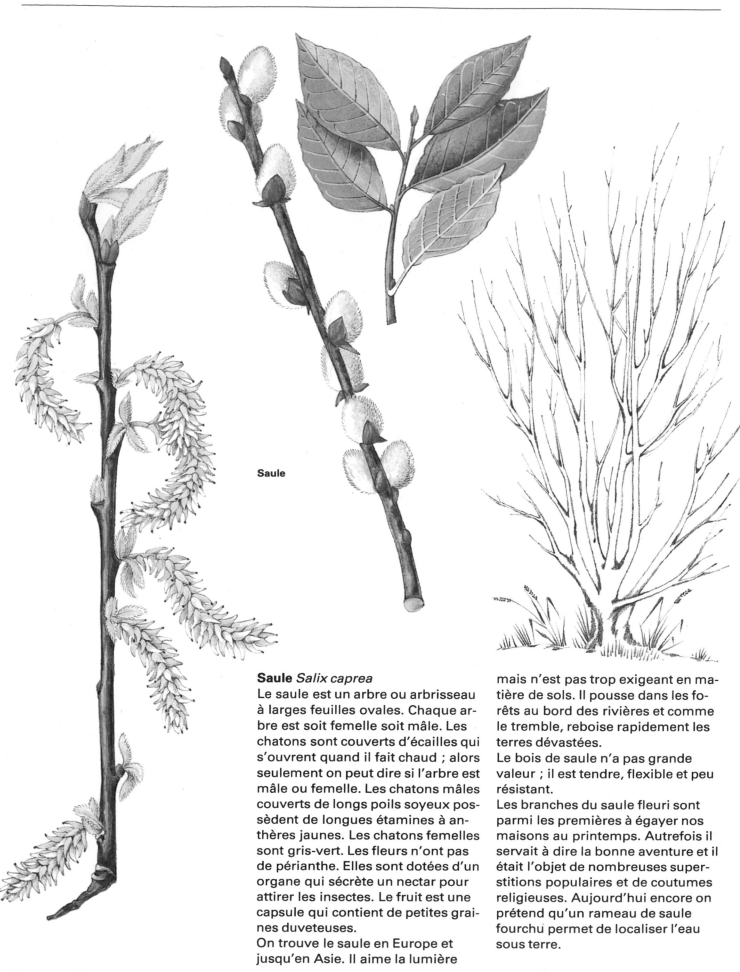

Saule

Saule *Salix caprea*

Le saule est un arbre ou arbrisseau à larges feuilles ovales. Chaque arbre est soit femelle soit mâle. Les chatons sont couverts d'écailles qui s'ouvrent quand il fait chaud ; alors seulement on peut dire si l'arbre est mâle ou femelle. Les chatons mâles couverts de longs poils soyeux possèdent de longues étamines à anthères jaunes. Les chatons femelles sont gris-vert. Les fleurs n'ont pas de périanthe. Elles sont dotées d'un organe qui sécrète un nectar pour attirer les insectes. Le fruit est une capsule qui contient de petites graines duveteuses.

On trouve le saule en Europe et jusqu'en Asie. Il aime la lumière mais n'est pas trop exigeant en matière de sols. Il pousse dans les forêts au bord des rivières et comme le tremble, reboise rapidement les terres dévastées.

Le bois de saule n'a pas grande valeur ; il est tendre, flexible et peu résistant.

Les branches du saule fleuri sont parmi les premières à égayer nos maisons au printemps. Autrefois il servait à dire la bonne aventure et il était l'objet de nombreuses superstitions populaires et de coutumes religieuses. Aujourd'hui encore on prétend qu'un rameau de saule fourchu permet de localiser l'eau sous terre.

Faux acacia ou robinier
Robinia pseudoacacia

Au premier soleil du printemps, les bourgeons s'ouvrent et les feuilles font leur apparition. Cependant, au milieu de tout ce vert, certains arbres gardent leur habit d'hiver. Ce sont les faux acacias qui attendent la mi-mai pour se couvrir de feuilles.

Toutefois, le faux acacia rattrappe vite le temps perdu car c'est un arbre vigoureux qui n'a pas de grandes exigences. Il pousse pratiquement partout. Originaire des régions orientales de l'Amérique du Nord, le botaniste Jean Robin le rapporta en France en 1601 et de là il se répandit en Europe, en Afrique du Nord, en Asie orientale, au Moyen-Orient et en Nouvelle-Zélande.

Le faux acacia pousse sur les sols pauvres et secs. On la plante sur les terrains glissants et sur les dunes de sable pour en contrôler l'érosion car il retient le sol avec ses racines qui s'étendent loin du tronc et qui aspirent toutes les substances présentes dans le sol ne laissant pratiquement rien aux autres plantes. C'est pour cette raison que rien ne pousse près des faux acacias, et aussi parce que là où pousse l'acacia, il y a peu d'humus car ses feuilles contenant beaucoup de tanin pourrissent lentement.

Les racines produisent un grand nombre de drageons qui assurent son expansion. En contre partie, l'acacia est très difficile à éliminer dans les endroits où on ne le veut pas.

Malgré ces inconvénients, l'acacia est très utile. On peut le planter dans les villes car il ne craint pas la pollution ; sans compter que ces fleurs blanches odorantes ne sont pas désagréables à regarder. Le parfum des acacias attire les abeilles qui pollinisent les fleurs. Les apiculteurs mettent leurs ruches près des acacias pour recueillir le miel.

Ses fleurs ressemblent à celles des autres membres de la famille des pois. Elles comprennent plusieurs pièces : un calice poilu et une corolle blanche recourbée vert-jaune au centre. La couleur, le parfum et le nectar qu'elles produisent au fond du calice attirent les insectes. Les graines contiennent des graisses et des protéines que l'homme utilise depuis fort longtemps pour nourrir le bétail, pour faire de la farine ou un ersatz de café ou tout simplement pour les manger comme des petits pois ou des haricots. Le bois du faux acacia est un bon bois, jaune, dur et imperméable.

Faux acacia

Érable plane
Acer platanoides

L'érable plane a des fruits très caractéristiques constitués par deux graines ailées qui forment un double samare. Quand il est mûr, ce samare s'ouvre en deux et est emporté loin de la plante mère par le vent.

Si la graine trouve un endroit adapté, elle germe et donne au bout de quelques années un bel arbre qui peut atteindre 25—30 m de haut. Les fleurs vert-jaune possèdent cinq pétales et cinq sépales disposés autour d'un disque central qui produit le nectar. Ce disque est muni de huit étamines sur les bords extérieurs et d'un seul carpelle au centre. Les fleurs apparaissent avant les feuilles qui possèdent de cinq à huit lobes pointus. L'érable sycomore a des feuilles semblables mais il est cependant très facile de les différencier. Chez l'érable plane, les lobes sont vallonnés, peu accentués tandis que ceux du sycomore sont pointus, profonds et dentés. La tige des feuilles du jeune érable contient un liquide laiteux.

L'érable croît dans les parcs et borde les avenues ; on le trouve aussi dans les forêts mixtes de la zone tempérée de l'hémisphère nord où la lumière est un luxe. Mais l'érable a résolu le problème en formant une mosaïque de ses feuilles qui grâce à leur tige de longueur variable ne se font pas d'ombre. Le bois dur et souple de l'érable plane sert à faire des meubles mais en général ou lui préfère le bois de sycomore.

Érable plane

230

Érable sycomore

Érable sycomore

Acer pseudoplatanus

On trouve le sycomore dans les forêts d'arbres à feuilles caduques sur les pentes de montagne. Il pousse lentement mais peut vivre 80 et même 100 ans et atteindre 35 m de haut. Son bois dur et résistant de couleur gris-blanc est l'un des meilleurs pour la fabrication de meubles et d'outils. On a retrouvé des outils en bois de sycomore datant de l'Age de pierre.

On plante souvent le sycomore dans les parcs car son feuillage épais est très beau à voir et donne beaucoup d'ombre.

Les fleurs du sycomore apparaissent plus tard que celles de l'érable plane, en même temps que les feuilles ou tout de suite après. Les petites fleurs bisexuées vert-jaune poussent en grappe tombante. Elles sont pollinisées par les insectes ou par le vent. Les fruits (double samare) s'ouvrent moins largement que ceux de l'érable plane. Mais ce qui distingue surtout les deux arbres, ce sont les feuilles. Comparez les illustrations : les feuilles de sycomore sont dentées et ridées. Elles sont plus foncées sur le dessus, brillantes en dessous et leurs tiges sont souvent rouges.

Les buissons ornementaux

L'homme ne cultive pas seulement les plantes utiles ; il cultive aussi les belles plantes pour son plaisir. Les fleurs sauvages dispersées dans les champs ne peuvent rivaliser avec les fleurs cultivées en parterre, choyées et dorlotées par leur jardinier. Les fleurs cultivées ont en général un plus grand nombre de pétales que les fleurs sauvages ; de simples, elles deviennent semidoubles ou doubles. Cette augmentation de pétales se fait au détriment des étamines et des pistils si bien que souvent ces fleurs sont stériles. Dans les parcs et les jardins on peut cultiver des espèces exotiques, les hybrider et obtenir ainsi de très beaux spécimens.

Fuchsia

Le fuchsia doit son nom à Leonhard Fuchs, botaniste allemand du seizième siècle. Certaines espèces hybrides, bien que très fragiles, peuvent être cultivées en appartement ; elles craignent la lumière trop forte, le manque d'eau et sont souvent victimes des pucerons. Naturellement on peut aussi cultiver le fuchsia dans les jardins. Dans leurs pays d'origine, Amérique du Sud, Amérique centrale et Nouvelle-Zélande, les fuchsias deviennent des arbrisseaux ou des plantes grimpantes dans les sousbois humides et ombragés de mon-

tagne. On connaît environ 60 espèces de fuchsias. Leurs fleurs tombantes à longues tiges sont en général rouges ou blanches. Elles possèdent une longue corolle en forme de tube, quatre sépales pointus, des étamines et des carpelles saillants. Les fruits du fuchsia sont des baies.

Cornouiller rouge
Cornus sanguinea

Le cornouiller rouge pousse en Europe à la lisière des forêts, dans les bois, dans les fourrés, au bord de l'eau et dans les forêts. Associé au cornouiller blanc, on le cultive dans

Fuchsia

Cornouiller rouge

dès qu'elles sont mûres. Les fruits, les fleurs et l'écorce du bois gentil contiennent un glucoside vénéneux, la daphnine qui n'est pas dangereuse pour les oiseaux mangeant les baies et dispersant les graines.

Le bois gentil qui mesure environ 1 m de haut pousse dans les fourrés ombragés et dans les forêts d'arbres à feuilles caduques humides, particulièrement dans les forêts de hêtres, en Europe et dans certaines régions d'Asie.

On cultive le bois gentil dans les parcs et les jardins en massif violet rosé ou blanc car il fleurit tout au début du printemps.

les jardins surtout sous forme de haies ; il n'est pas aussi beau que le *C. florida* d'Amérique et le *C. kousa* d'Asie. Le cornouiller rouge est plus beau en automne quand ses feuilles deviennent rouge vif et que ses branches portent des grappes terminales de baies bleu-noir qui ne sont pas comestibles.

Le bois de cornouiller sert à faire des cannes et des bibelots.

Bois gentil
Daphne mezereum
La bois gentil est une de ces rares plantes qui attirent les insectes par leur calice. Le calice rouge rosé du bois gentil en forme de trompette remplace la corolle manquante. Sa couleur et son parfum d'amande attirent les insectes qui se nourrissent du nectar produit à la base de la fleur. Le bois gentil fleurit en février et en mars. Les feuilles apparaissent quand les fleurs sont fanées et que les ovaires se transforment en baies rondes rouge corail qui forment des grappes sur les branches en été. Les baies tombent

Bois gentil

Magnolia

Le magnolia doit son nom à Pierre Magnol, directeur du jardin botanique de Montpellier. Le magnolia est un arbre ou un arbuste originaire d'Amérique centrale et d'Amérique du Nord, d'Asie tropicale et de l'Himalaya. Son port élégant, ses opulentes fleurs à l'odeur suave le font rechercher pour l'ornement des parcs et des jardins. La structure de la fleur est très primitive : des pétales en spirale, des étamines en forme de petites feuilles, un pistil et un réceptacle à carpelles libres.

Les magnolias des parcs d'Europe fleurissent généralement au printemps. Les fleurs des magnolias japonais et chinois apparaissent avant les feuilles *(M. stellata)*. Les espèces d'Amérique du Nord au contraire ont des feuilles avant d'avoir des fleurs *(M. tripetala)*. La couleur des fleurs de magnolia varie du blanc au rose ; celles du *M. grandiflora* mesure de 20 à 30 cm de diamètre. Dans les jardins on cultive surtout des hybrides telle que la Soulange-Bodin *(M. soulangeana)*.

Magnolia

Néflier *Amelanchier*

Les néfliers sont des arbustes d'environ 12 m de haut de la famille des rosacées comprenant 25 espèces originaires d'Amérique du Nord pour la plupart à l'exception de quelques espèces qui viennent du sud de l'Europe et d'Asie. Les néfliers poussent très bien dans les parcs car ils n'ont pas d'exigences particulières. Les fleurs blanches en grappes fleurissent d'avril à mai. Elles sont suivies par des fruits noir bleuté comestibles (fruits à pépins) à chair juteuse et douceâtre.

L'espèce la plus ornementale est l'*Amelanchier laevis* avec ses bouquets de fleurs blanches et ses feuilles étonnamment colorées. L'*Amelanchier canadensis* a des rameaux et des feuilles argentés au printemps et rouge écarlate en automne. Le feuillage du néflier commun devient rouge orange en automne.

Néflier

Hamamélis

Hamamélis *Hamamelis*

L'hamamélis est une plante précoce. Ses fleurs jaunes, rouges ou orange s'ouvrent dès la fin de l'hiver qu'il fasse froid ou qu'il fasse chaud et même si la neige recouvre encore le sol. L'hamamélis chinois *(H. mollis)* a des fleurs assez grandes tandis que celles de l'*H. vernalis* sont petites. Les fleurs de l'*Hamamelis japonica* sont jaunes avec des sépales violâtres.

L'espèce comprend six variétés originaires d'Amérique du Nord et d'Asie orientale. Ce sont des arbustes dont les feuilles orange ou rouge écarlate en automne ressemblent à celles du noisetier et de l'aulne. Toutes les variétés d'hamamélis, à l'exception de l'*H. virginiana,* fleurissent en hiver ou tout au début du printemps. L'*H. virginiana,* originaire de l'est des États-Unis fleurit d'octobre à novembre mais ses fruits ne mûrissent que l'année suivante. Dès qu'ils sont mûrs, ils éclatent avec un bruit sec, dispersant leurs graines alentour. Les feuilles et l'écorce de l'*H. virginiana* ont des propriétés médicinales : ils sont toniques et légèrement astringents.

L'hamamélis est un arbuste très décoratif que l'on cultive très souvent en massif dans les parcs.

Les beautés de l'hémisphère sud

Certaines graminacées et certaines plantes arborescentes ne croissent que dans les régions tropicales ou subtropicales. On peut les cultiver en serres dans les pays où le climat est plus rude. Certains fruits exotiques nous sont familiers comme la noix de coco par exemple, d'autres au contraire, qui ne voyagent pas, comme les fruits du durian, nous sont inconnus.

Cycas

Cet arbre au port de palmier appartient en fait à la famille des gymnospermes qui se distinguent des plantes à structure simple comme la fougère par leur tige arborescente et leurs organes de reproduction plus complexes. La structure des gymnospermes est toutefois beaucoup plus simple que celle des plantes à fleurs ; les organes mâles et les organes femelles sont toujours séparés. Les cônes mâles sont écailleux et munis de deux sacs de pollen ; les cônes femelles écailleux eux aussi portent des ovules nus.

Dans le cas des cycas cependant, les ovules se trouvent disposés sur deux files sur une structure spéciale qui ressemble à des feuilles frangées. Après la pollinisation, les ovules se transforment en coquille dure contenant des graines rouges. Les cycas sont des arbres des régions tropicales et subtropicales où ils poussent avec les palmiers et les fougères arborescentes.

Le tronc du cycas contient une fécule comestible, le sagou. Le tronc couvert de cicatrices des feuilles est coupé en rondelles qui sont ensuite taillées longitudinalement pour en extraire la matière féculente. Elle est lavée, passée au tamis et transformée en grains d'amidon que l'on fait sécher puis griller. C'est ainsi que l'on obtient le sagou qui sert à préparer des gâteaux secs et des aliments légers et faciles à digérer. Le *Cycas circinalis* d'Indochine et le *C. revoluta* du Japon et de Chine sont les deux variétés de cycas qui donnent le sagou. Autrefois, on importait les feuilles du *C. revoluta* en Europe pour en faire des couronnes.

Cycas

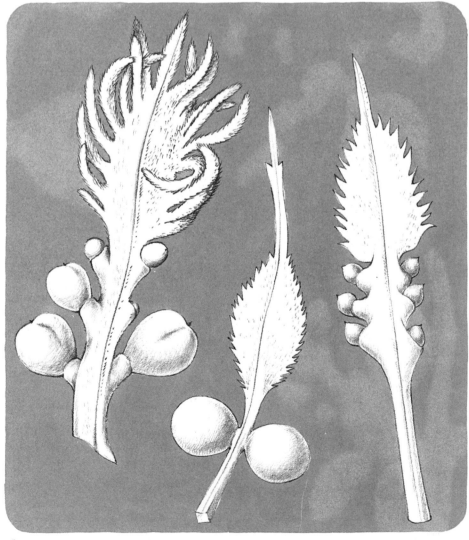

Callistemon

Les fleurs aux étamines saillantes sont rouges, roses ou jaunes. Elles poussent sur une tige fine qui porte aussi les feuilles. Les fruits sont des capsules ligneuses qui restent très longtemps sur l'arbre.

Le callistemon est un arbre ou un arbuste à bois dur originaire d'Australie. Ses fleurs caractéristiques en font un arbre ornemental très apprécié. Sur la Riviera et aux Caraïbes il pousse en plein air. Le *C. lanceolatus* peut être cultivé en appartement ; il a besoin de soleil en été et de fraîcheur (5°−10°) en hiver.

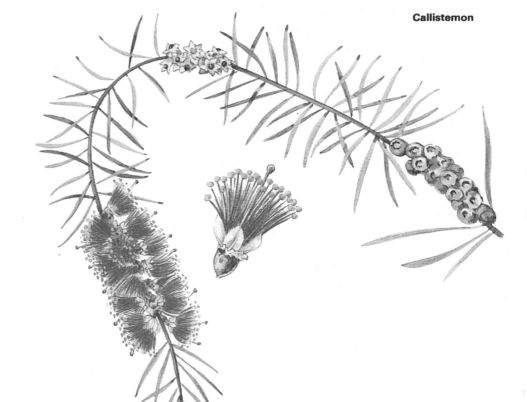

Callistemon

Durian

Durian *Durio zibethinus*

Les fruits du durian ne sont pas du goût de tous. Certains le considèrent comme le meilleur fruit du monde et d'autres comme un véritable poison. Les fruits encore verts sont insipides ; mûrs, ils deviennent jaunes et dégagent une odeur assez particulière d'œuf pourri, de sueur et d'ail.

La peau du fruit est épaisse et couverte d'épines coniques. La chair est butyreuse, de jaune à rosée. Ce fruit est une capsule à cinq compartiments, chaque compartiment contient plusieurs grosses graines. Les graines grillées ont le même goût que les châtaignes. Chaque graine est entourée d'un arille charnu formé par la tige de l'ovule. Les fruits, gros comme la tête d'un homme poussent sur des arbres de plus de 20 m de haut.

Le durian est indigène d'Asie tropicale. C'est un arbre à feuilles persistantes dont la partie inférieure est couverte d'écailles rouges. Les fleurs poussent sur de grosses branches ou directement sur le tronc.

Cocotier *Cocos nucifera*

Le cocotier est un arbre très intéressant. Ses fruits, les noix de coco, sont connus dans le monde entier. Le cocotier est probablement originaire de Polynésie. Aujourd'hui on le trouve dans toutes les régions tropicales. Le tronc du cocotier long et flexible se termine par un bouquet de feuilles au centre duquel se trouvent les panicules de petites fleurs qui donnent, après fécondation, les plus grosses graines du monde. Chaque fruit (drupe) contient une seule graine et est recouvert d'une membrane souple comme du cuir que l'on enlève après la cueillette et qui révèle le noyau brun et fibreux, qui contient la graine, une chair blanche de 2 cm d'épaisseur entourée d'une peau marron. Le centre de la graine est rempli d'un liquide laiteux sucré qu'on appelle lait de coco (un demi-litre dans une noix encore verte). Les fleurs non écloses donnent un jus sucré que l'on boit frais ou que l'on transforme en vin de coco par fermentation. Le vin de coco distillé donne une boisson alcoolisée appelée arrack ; le jus des fleurs donne aussi un sirop et une espèce de sucre marron foncé. La chair de la noix de coco est riche en matières grasses ; la chair desséchée, appelée copra donne une huile. Le copra débarrassé de son huile sert de fourrage ou d'engrais.

La coquille de la noix sert à faire des récipients, des boutons et toutes sortes de petits objets sculptés. Les poils fibreux qui entourent le fruit et que l'on appelle coir servent à faire des balais, des brosses, des tapis. On utilise le bois de cocotier pour construire des maisons, des ponts et des bateaux ; avec les feuilles on fait des nattes et des palissades ; les populations indigènes mangent les jeunes pousses de cocotier.

Cocotier

238

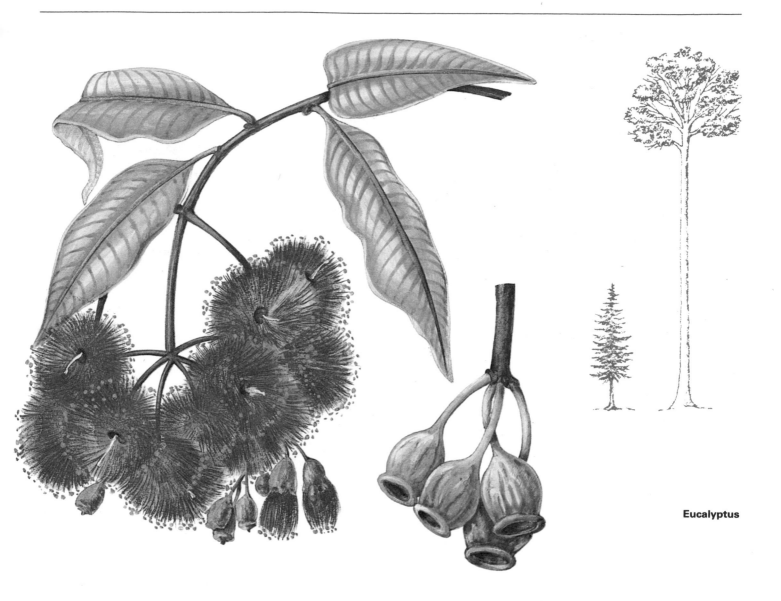

Eucalyptus

Eucalyptus

L'espèce des eucalyptus qui comprend plusieurs centaines de variétés est originaire d'Australie. C'est un arbre gigantesque, le plus grand de tous les arbres à feuilles ; en 1880 on signala un spécimen, l'*E. amygdalina* (aujourd'hui *E. regnans*) de 114,3 m de haut. Le bois d'eucalyptus est compact, lourd, résistant et très difficile à travailler ; c'est d'ailleurs pour cette raison qu'on l'utilise pour construire des navires et pour fabriquer des meubles. Le bois d'eucalyptus est marron, marron foncé ou rouge, selon les espèces.

Il est souvent planté dans les régions chaudes où l'on profite de sa croissance rapide pour assécher les marais.

Les bourgeons des fleurs sont protégés par un petit chapeau qui tombe quand elles s'ouvrent. L'ovaire donne une capsule ligneuse. L'arbre adulte a deux sortes de feuilles : des feuilles vert foncé, étroites, recourbées et alternes possédant une tige et qui poussent sur les plus grosses branches de l'arbre, et de larges feuilles vert-gris sans tige qui poussent sur les jeunes branches. Elles sont tellement différentes qu'il est difficile de croire qu'elles appartiennent au même arbre. Mais si on examine de près des feuilles d'âge différent on s'aperçoit que les feuilles des jeunes pousses se transforment progressivement pour prendre l'aspect des feuilles des grosses branches.

En Australie il existe d'immenses forêts d'eucalyptus. Dans les régions de l'intérieur au climat plus sec, ils forment avec l'acacia des forêts touffues. Dans les pays à climat tempéré on peut le cultiver dans des serres fraîches.

Les feuilles d'eucalyptus donnent une huile essentielle, l'eucalyptol qu'on emploie en médecine et en parfumerie. Certaines espèces donnent une gomme-résine connue sous le nom de kino. On obtient aussi une manne sucrée en concentrant le jus qui exsude des branches des arbres coupés.

On a retrouvé des feuilles d'eucalyptus fossilisées qui prouvent qu'il faisait partie de la végétation de l'Europe centrale il y a 50 millions d'années.

Acacia

Acacia

L'acacia pousse dans les régions tropicales et subtropicales du monde entier. En Australie il forme avec l'eucalyptus des forêts impénétrables. Comme l'eucalyptus, l'acacia a un bois dur et lourd qui ne flotte même pas sur l'eau car il renferme une résine épaisse et dure.
Les acacias comme les eucalyptus possèdent deux sortes de feuilles : les jeunes plantes ont des feuilles pennées qui se transforment en écailles au fur et à mesure que la plante grandit. Chez certaines espèces, les feuilles sont inexistantes ; c'est la tige qui en s'élargissant prend la forme d'une feuille. Grâce à ces transformations, l'acacia peut supporter les climats secs et rudes. En Amérique centrale, chez certaines espèces, comme par exemple l'*Acacia sphaerocephala*, les stipu-

les se transforment en grosses épines creuses habitées par des fourmis. Ces acacias abritent et nourrissent les fourmis qui en échange les protègent des herbivores.
Les acacias exsudent des gommes. La gomme d'acacia d'Australie et des Indes n'a pas grande valeur. La gomme arabique que l'on retire de l'*A. senegal* d'Afrique est de bien meilleure qualité. Elle était déjà connue des Égyptiens qui l'utilisaient pour préparer des encres et des peintures. La gomme est une substance visqueuse qui exsude du tronc de l'arbre et qui durcit à l'air. Dans le sud de l'Europe on cultive une espèce d'acacia ornemental, l'*A. farnesiana* originaire des Antilles dont les fleurs odorantes sont vendues sous le nom de « mimosa ».

Protea

Le protea appartient à une très ancienne famille d'arbres puisqu'on a retrouvé des fossiles d'il y a 25 millions d'années, époque à laquelle il était à son apogée. Aujourd'hui il existe 56 espèces de proteas comprenant 1100 variétés qui ne poussent que dans l'hémisphère sud. On les trouve pour la plupart en Afrique du Sud et en Australie ; quelques rares espèces se sont développées au Japon, en Amérique tropicale et en Nouvelle-Calédonie. Le protea est considéré comme le plus bel arbre d'Afrique du Sud. Les proteas sont de petits arbres ou des arbrisseaux à feuilles persistantes étroites et rigides. Ils poussent dans les régions où les hivers sont humides et les étés très secs. Les petites fleurs poussent en grappe, en épi ou en bouquet. Les fruits sont des noix barbues à une ou deux graines.

Le *Protea mellifera* est un très joli petit arbre à inflorescence blanche ou rougeâtre que les abeilles butinent volontiers.

Sapin d'Australie
Nuytsia floribunda

Les petites fleurs jaune orange du sapin d'Australie fleurissent à Noël. Il ne pousse que dans la région de Nuyt en Australie occidentale qui fut découverte en 1627 par le navigateur hollandais Pieter Nuyt. C'est en son honneur que le botaniste Robert Brown lui donna le nom de *Nuytsia floribunda*. Il est le seul et unique représentant de son espèce. Ce grand arbre de 10—12 m de haut est un parasite. Apparemment, il pousse normalement mais c'est avec ses racines qu'il s'accroche sur les plantes herbacées pour se nourrir. Par ses feuilles raides et luisantes et par son mode de nutrition, il s'apparente à la famille du gui.

Protea

Sapin d'Australie

241

Mulla-mulla

Mulla-mulla *Ptilotus*

Le nom scientifique vient du grec *ptilotos* qui signifie plumeux, nom particulièrement bien adapté à la mulla-mulla aux fleurs couvertes de poils blanchâtres ou grisâtres. Chez le *Ptilotus obovatus,* les poils ressemblent à des étoiles.

Les différentes espèces de *Ptilotus* qui croissent en Australie sont des herbes, des arbrisseaux ou des sous-arbrisseaux. Le *P. manglesii* qui ne mesure que 30 cm de haut est un arbre très décoratif que l'on peut cultiver en appartement. Les fleurs poussent au creux des aisselles de bractées translucides et brillantes, formant des épis de 5 cm de diamètre. Les pièces du périanthe rouge rosé sont recouvertes d'un duvet blanc.

Pour représenter l'espèce des *Ptilotus* qui comprend 60 variétés nous avons choisi le *P. exaltatus* à fleurs roses et les fleurs blanches de *P. spathulatus.*

Palétuvier *Rhizophora*

Dans les régions côtières tropicales les palétuviers fixent leurs puissantes racines dans les baies aux eaux calmes où se déposent boues et limons. Ils constituent des forêts impénétrables avec les *Avicennia,* les *Bruguiera,* les *Ceriops* et les *Jussieua.*

Cependant les palétuviers dominent toutes les autres espèces grâce à leur mode de propagation. La graine du palétuvier reste sur la branche et les jeunes pousses se développent sur l'arbre mère. Quand elles atteignent 30 à 100 cm de long elles tombent dans la vase où elles s'enracinent très rapidement. Il suffit d'une seule graine pour donner naissance à une forêt de palétuviers. C'est pour cette raison que l'on appelle parfois le palétuvier un arbre vivipare.

Le palétuvier est solidement ancré dans la vase grâce à ses racines en échasses. Les racines enfoncées dans la vase, ne trouvant pas l'oxygène indispensable à leur survie, envoient à la surface des racines spéciales, les pneumatophores. Les feuilles des palétuviers comme celles des plantes des marais salants sont légèrement charnues pour limiter l'évaporation de l'eau. Certaines espèces de palétuviers sont utiles ; le *Rhizophora mucronata* sert à faire du tanin et de la teinture rouge, le bois dur brun-rouge du manglier sert à fabriquer des embarcations, des perches. Il donne un excellent charbon de bois. Il a aussi des propriétés médicinales : avec l'écorce on soigne les angines et la tuberculose des poumons. Le *Rhizophora gymnorhiza* des Indes orientales donne des fruits comestibles.

Palétuvier

Palétuvier

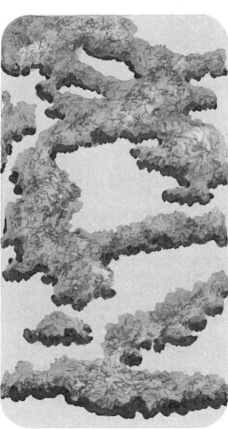

Les légumes de la mer

Les plantes qui poussent sur la terre ferme sont en général vertes ; les plantes de la mer au contraire sont le plus souvent brunes ou rouges. Il existe des algues marines de toutes formes et de toutes grandeurs, de la plus petite qu'on ne peut même pas étudier en détail au microscope ordinaire à la plus grande mesurant parfois plus de 50 mètres. Certains varechs géants mesurent même plus de 100 m de long.
Les algues vertes unicellulaires ou multicellulaires sont vertes parce qu'elles contiennent de la chloro-

Laitue de mer *Ulva lactuca*

La laitue de mer est une algue marine verte présente sur toutes les côtes d'Europe. Elle a de larges feuilles aux bords légèrement ondulés comme la salade de laitue.
On la trouve sur les rochers et sur les jetées où elles forment un épais tapis vert. Certaines autres espèces poussent plus en longueur comme l'*Ulva latissima* (10—60 cm de long) que l'on voit très souvent chez les poissonniers.
Le thalle plat et mince de la laitue de mer est composé de deux couches de cellules.

Entéromorphe *Enteromorpha*

Les entéromorphes sont des algues vertes comestibles qui croissent en Australie, dans les estuaires et occasionnellement en eau douce ou saumâtre.
Le thalle de l'entéromorphe est composé de tubes rameux tapissés d'une couche de cellules. A la naissance, il est fixé aux rochers par sa partie la plus fine qui ressemble à la tige d'une feuille ; par la suite il peut flotter librement sur l'eau.

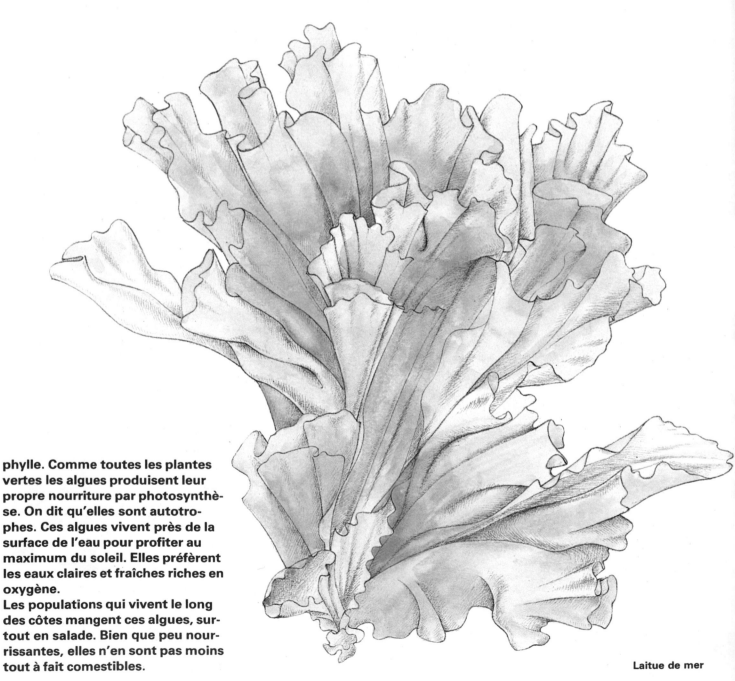

phylle. Comme toutes les plantes vertes les algues produisent leur propre nourriture par photosynthèse. On dit qu'elles sont autotrophes. Ces algues vivent près de la surface de l'eau pour profiter au maximum du soleil. Elles préfèrent les eaux claires et fraîches riches en oxygène.
Les populations qui vivent le long des côtes mangent ces algues, surtout en salade. Bien que peu nourrissantes, elles n'en sont pas moins tout à fait comestibles.

Laitue de mer

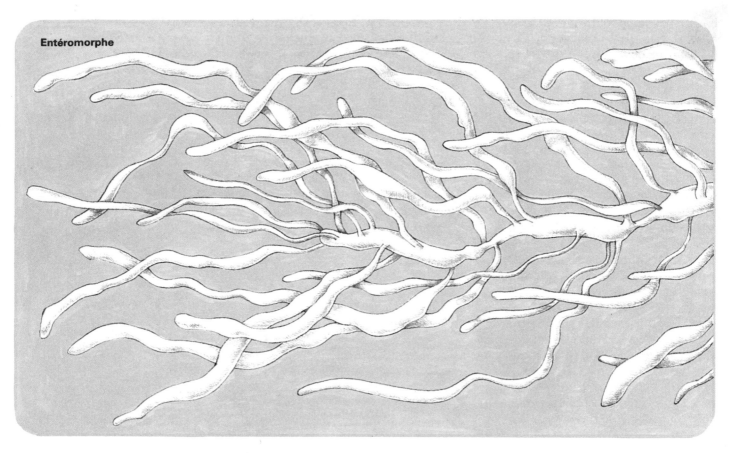

Entéromorphe

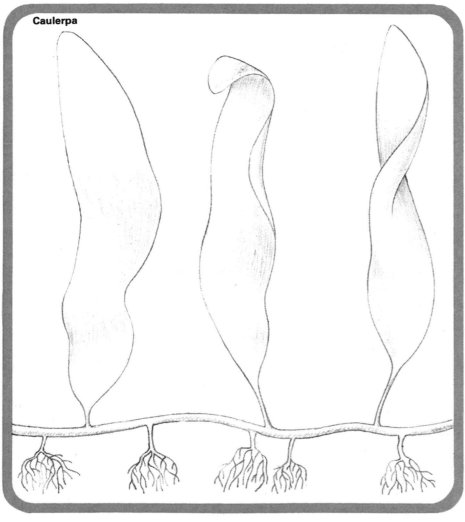

Caulerpa

Caulerpa *Caulerpa prolifera*
Le caulerpa est une algue verte qui mesure de 10 à 20 cm de long. Les noyaux de ses cellules forment une masse unique sans parois de séparation. Les espèces de racines et la tige rampante incolores ainsi que les grandes feuilles vertes forment un protoplasme contenant plusieurs noyaux et des chloroplastes verts, siège de la photosynthèse. La plante est quadrillée par un réseaux de filaments de cellulose qui lui donne un aspect assez rigide.
Au moment de la reproduction, la plante tout entière se transforme en cellules reproductives ou gamètes. Le thalle se désagrège libérant les gamètes qui se divisent pour former de nouveaux individus.
Le caulerpa fixe ses espèces de petites racines sur le fond sablonneux des mers chaudes des régions méditerranéennes.

Les prairies de l'océan

La plupart des algues brunes croissent dans les mers et dans les océans. Elles contiennent de la chlorophylle et un pigment brun, la fucoxanthine. Les algues brunes ressemblent plus aux plantes vasculaires qui emmagasinent du sucre qu'à celles qui emmagasinent l'amidon. Les réserves des laminaires par exemple sont constituées de laminarine (sucre), d'alcool mannitol et de matières grasses.

Les algues brunes croissent en général dans des eaux plus profondes que les algues vertes et elles sont parfois plus grandes. Le groupe des algues brunes comprend : le raisin de mer *(Fucus vesiculus),* le fucus dentelé *(F. serratus),* les algues flottantes (espèce des sargasses) et les varechs géants *(Nereocystis* et *Macrocystis).* On les trouve parfois dans les zones de ressac où elles résistent grâce à leur thalle épais et à leurs cellules à parois rigides. De plus, leurs feuilles rendues visqueuses par la présence d'algine et de fucoïdine leur permettent de survivre dans les conditions les plus difficiles.

De nos jours, les algues brunes constituent une importante source de matières premières pour l'industrie. Les alginates sont utilisés dans l'industrie alimentaire et dans la fabrication de savons, de pâtes dentifrices, de peintures, de médicaments, d'insecticides, de ciment et de tissus imperméables.

Néréocystis
Nereocystis luetkeana
Cette espèce de varech mesure 15—35 m : 10—30 m de stipe et 3—5 m de feuille. Le stipe se termine par une vésicule aérienne (15 cm) qui maintient la plante à la surface de l'eau. Cette vésicule porte plusieurs limbes semblables à des rubans qui flottent sur l'eau. On trouve ce varech dans les eaux profondes au large des côtes du Pacifique aux États-Unis.

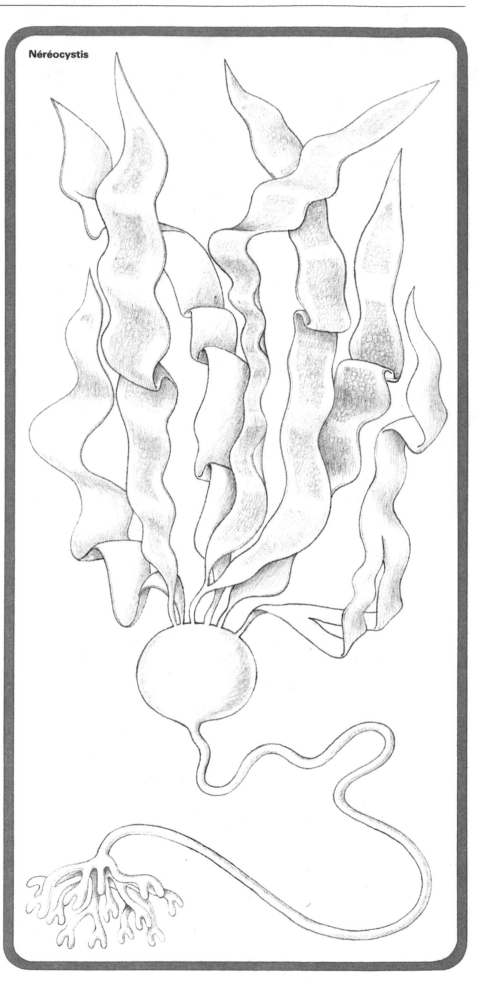

Néréocystis

Laminaire *Laminaria*

La laminaire est une algue brune multicellulaire qui croît dans les zones de ressac des mers froides. Elle est constituée de trois parties distinctes comme les végétaux supérieurs. Elle est fixée aux rochers par un crampon. Puis on trouve une zone semblable à une tige épaisse et persistante (stipe) terminée par ce que l'on pourrait appeler la feuille qui est beaucoup plus longue que le stipe. La feuille peut être étroite, à bords lisses comme chez la laminaire saccharifère ou divisée en plusieurs bandes, comme chez le baudrier de Neptune. La feuille, quelle qu'en soit la forme, est annuelle ; le stipe est persistant. La zone de transition entre le stipe et la feuille contient les cellules qui contrôlent la croissance de la plante et qui chaque année renouvellent la feuille.

Grâce à leurs corps souples et à leur surface visqueuse, les laminaires supportent très bien les dures conditions de leur habitat. Cependant les vagues incessantes les déchirent et les emportent sur le rivage où on les récolte pour fertiliser les sols sablonneux. On extrait du bicarbonate de sodium et de l'iode des cendres des laminaires. Autrefois on se servait en chirurgie des stipes de certaines laminaires, en particulier du baudrier de Neptune, qui gonflent énormément quand on l'humidifie, pour dilater les vaisseaux étroits.

Sargasse

Sargasse *Sargassum*

La sargasse est une algue brune dont l'accumulation forme, entre les Antilles et les Açores (mer des Sargasses) une véritable prairie où vivent de nombreux animaux.
Ces « prairies » de sargasses naissent sur les côtes rocheuses des Antilles. Par gros temps, les vagues les emportent au large où elles se regroupent en plaques flottantes. Elles continuent à pousser quelque peu par leur extrémité supérieure tout en commençant à mourir du bas vers le haut.
Les prairies de sargasses ont donné naissance à de nombreuses légendes souvent bien exagérées. Cet obstacle naturel fut découvert par Christophe Colomb. Darwin et Aristote parlent dans leurs écrits des « prairies de sargasses ».
Les sargasses des mers chaudes possèdent un thalle multicellulaire divisé en stipe et en feuille. Le thalle est couvert de nombreuses vésicules aériennes et ressemble à une branche chargée de fruits. Ce sont les « ramilles » latérales en forme de feuilles à bords dentelés qui se transforment en vésicules.
Les algues brunes ont une reproduction sexuée à l'exception de la *Sargassum natans* qui se reproduit par fragmentation du thalle.

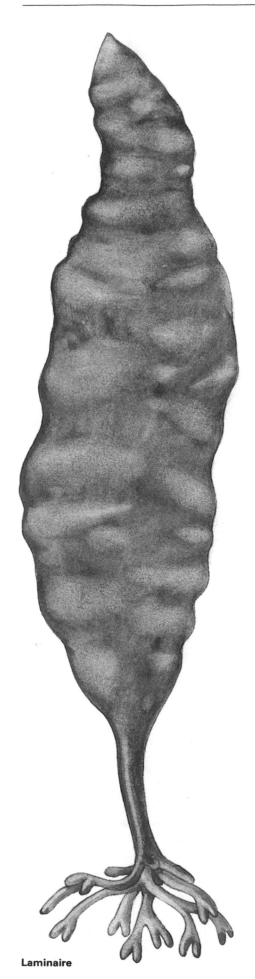

Laminaire

Les communautés halophytes

Quand la mer est peu profonde, calme et plate, la vase se dépose et les halophytes annuelles s'y développent comme la salicorne et la soude. Dès que la couche de vase dépasse le niveau de la marée haute, d'autres plantes viennent se joindre à la communauté comme la flèche de mer, la fétuque rouge et l'agrostis rampante. Ces plantes supportent bien les sols salés et transforment peu à peu les terres proches de la mer en pâturages. Les halophytes ne poussent pas seulement sur le littoral, on les trouve aussi dans les régions recouvertes, il y a très longtemps, par la mer qui a laissé en se retirant des sols contenant beaucoup de sel.

Les halophytes ressemblent beaucoup aux plantes des déserts. Elles ont des tiges charnues, des feuilles importantes ou au contraire minuscules, presque inexistantes pour limiter l'évaporation de l'eau. Ces plantes poussent lentement et ont besoin de beaucoup de lumière.

Spergule de mer

Spergule de mer
Spergularia salina
La spergule pousse de préférence sur les sols salés. C'est une petite plante de 10 à 20 cm de haut, de la famille des œillets, beaucoup moins intéressante que la famille des chénopodes. La spergule des champs est une petite plante à fleurs rouges ravissantes tandis que la spergule de mer, plante annuelle ou persistante, n'a que de petites fleurs roses ou blanches anodines. Leurs pétales sont plus courts que leurs sépales mais les fruits (capsules) sont une fois et demie plus longs que les sépales. La spergule de mer fleurit de mai à septembre sur le littoral et à l'intérieur des terres dans tout l'hémisphère nord.

Soude *Suaeda maritima*
La soude, bien qu'appartenant à la famille des chénopodiacées comme la salicorne et le kali, porte ses fleurs en maigres bouquets de trois à cinq fleurs qui poussent aux creux des feuilles simples et charnues. Les fruits sont des akènes noirs brillants. La soude fleurit de juillet à septembre.
C'est une petite plante de 5 à 30 cm de haut donnant de petits arbustes branchus qui se regroupent et forment de vastes masses vert-bleu. On la trouve dans le monde entier sur les littorals et parfois sur les terres salées.

Kali *Salsola kali*
Le kali qui peut atteindre 1 m de haut ne pousse pas uniquement sur les littorals et sur les terrains salés. En Europe, en Asie et en Afrique du

Kali

Soude

Nord on le trouve sur les terres incultes aussi bien que sur les terres cultivées, les sols sablonneux et graveleux, dans les prairies d'Amérique du Nord et en Nouvelle-Zélande.

Les branches vert grisâtre du kali couvertes de feuilles aux extrémités piquantes poussent soit verticalement soit horizontalement sur le sol. Les fleurs croissent individuellement aux aisselles des feuilles supérieures. Le périanthe vert qui ne tombe jamais est composé de cinq segments, trois larges et deux étroits munis d'un appendice membraneux. Quand les fruits mûrissent les appendices grossissent et forment un cercle autour du fruit. Le kali fleurit de juillet à septembre.

Salicorne commune
Salicornia herbacea

La salicorne est une plante annuelle de la famille des chénopodiacées qui supportent les eaux et les terres très salées et qui peuvent survivre à une submersion temporaire sans difficulté. Il n'est donc pas étonnant que la salicorne contienne une grande quantité de sel dans ses tissus. Autrefois en France on en extrayait de la soude. Au dix-huitième siècle on extrayait du bicarbonate de soude brut des cendres de certaines halophytes charnues comme la salicorne et le kali. On mangeait aussi les jeunes pousses en salade. La salicorne commune pousse au bord de la mer et sur tous les sols à forte concentration saline. On la trouve fréquemment dans les ornières bourbeuses au bord des routes. La tige charnue apparemment sans feuille atteint 20—30 cm de haut et pousse des branches opposées. La tige comme les branches est composée de segments qui s'effilent à la base où poussent deux minuscules folioles en forme de corne. Les fleurs à peine visibles se développent au pied du segment supérieur. En automne, quand les fruits (akènes) mûrissent, la tige devient rouge.

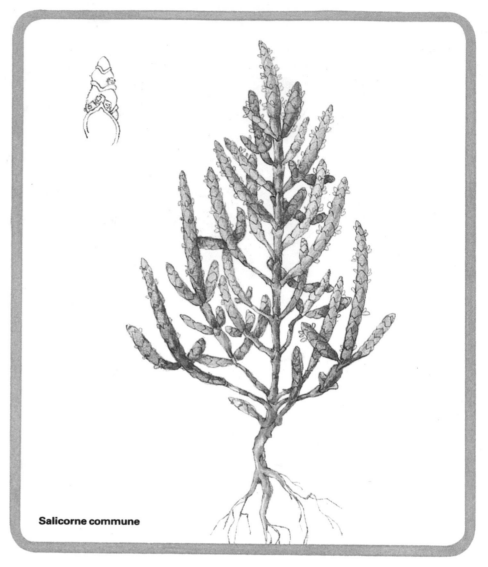

Salicorne commune

Polygala de mer

Polygala de mer
Glaux maritima

Le polygala est une petite plante de 5 à 20 cm de haut à feuilles charnues de la famille des rosacées. Les branches sont recouvertes de feuilles ovales opposées à la base et alternées au sommet. Aux aisselles de ces feuilles poussent de petites clochettes sans pétales dont la couleur varie du rose au rouge. Le fruit du polygala est une capsule à graines.

Le polygala est une halophyte qui aime les sols à forte concentration saline, qui supporte très bien la submersion et qui peut vivre enfouie sous le sable. Il pousse dans les vases salées au bord de la mer et parfois dans les marais salants de la plus grande partie de l'hémisphère nord.

Plantain d'eau

Plantago coronopus

Certaines variétés de plantains poussent sur les littorals, dans les marais salants et en bordure de route. Tous les plantains ont le même type d'inflorescence et de feuilles. Le plantain d'eau est une variété annuelle à fleurs blanches compactes en épi. Le fruit est une capsule à quatre graines. Les feuilles qui forment la rosette à la base de la plante sont divisées en folioles ne possédant qu'une seule nervure. De juin à septembre, les tiges duveteuses sans feuilles des fleurs s'élèvent au centre de la rosette. Autrefois on utilisait le plantain pour purifier le sang ; on le mangeait aussi en salade.

On trouve le plantain d'eau en Europe centrale et en Europe du Sud, en Afrique du Nord, au Moyen-Orient ainsi qu'en Australie et en Amérique du Nord.

Spartina *Spartina townsendii*

La spartina apparaît dans les endroits herbeux et boueux après les plantes annuelles et stabilise les marais salants.

La spartina de Townsend, un hybride, est une plante vigoureuse à croissance rapide qui résulte du croisement entre la *Spartina maritima* d'Europe et la *Spartina alterniflora* d'Amérique. Cette dernière est toutefois présente sur les côtes d'Europe, particulièrement en France et en Espagne. La spartina de Townsend est fertile et fleurit de juillet à août. Elle se développe rapidement grâce à ses rhizomes rampants. Elle supporte la submersion temporaire par la marée.

La spartina de Townsend mesure environ 50 cm de haut et possède des branches raides et lisses qui se terminent par de gros épis larges de 20 cm de long.

Spartina

Plantain d'eau

Les dunes

On trouve des dunes au bord de la mer, dans les déserts et dans une certaine mesure dans les régions tempérées. Une dune est un amas de particules de poussière et de sable qui mesure environ 6 à 8 m de haut, continuellement déplacé par le vent jusqu'à sa colonisation par les plantes, les espèces annuelles d'abord, les espèces persistantes ensuite. Ces espèces à racines fibreuses longues préparent le terrain pour d'autres plantes. Ces plantes poussant dans le sable sont très vivaces, même recouvertes de sable elles réussissent à refaire surface.

Panicaut de mer

Panicaut de mer
Eryngium maritimum
L'*Eryngium* comprend 200 variétés qui ressemblent aux chardons bien qu'appartenant à la famille du persil. Le panicaut bleu violet pousse sur les sables du littoral. La fleur est un capitule allongé composé de petites fleurs épineuses bleu pâle serrées les unes contre les autres. Les pétales sont plus courts que les sépales. L'inflorescence se trouve au centre de larges bractées colorées.
Le panicaut de mer aime la chaleur et ne pousse que sur les dunes d'Europe, du bassin méditerranéen, d'Afrique du Nord, d'Europe de l'Ouest, de la mer du Nord, de la Baltique et de la mer Noire.
Autrefois, dans les régions nordiques on l'employait pour soigner les maladies respiratoires et comme diurétique ; les jeunes pousses de panicaut étaient mangées en salade.

Elymus arenarius
L'élymus est une plante vigoureuse, voisine de l'orge dont une espèce *(Elymus arenarius)* grâce à son

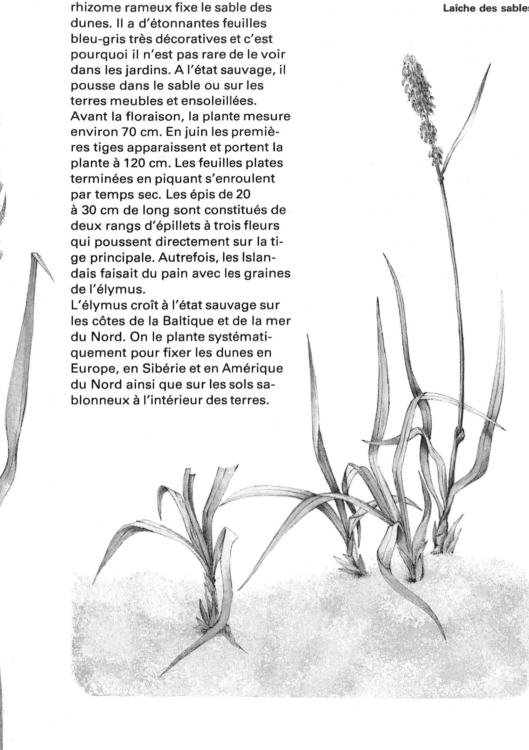

rhizome rameux fixe le sable des dunes. Il a d'étonnantes feuilles bleu-gris très décoratives et c'est pourquoi il n'est pas rare de le voir dans les jardins. A l'état sauvage, il pousse dans le sable ou sur les terres meubles et ensoleillées. Avant la floraison, la plante mesure environ 70 cm. En juin les premières tiges apparaissent et portent la plante à 120 cm. Les feuilles plates terminées en piquant s'enroulent par temps sec. Les épis de 20 à 30 cm de long sont constitués de deux rangs d'épillets à trois fleurs qui poussent directement sur la tige principale. Autrefois, les Islandais faisait du pain avec les graines de l'élymus.

L'élymus croît à l'état sauvage sur les côtes de la Baltique et de la mer du Nord. On le plante systématiquement pour fixer les dunes en Europe, en Sibérie et en Amérique du Nord ainsi que sur les sols sablonneux à l'intérieur des terres.

Élymus

Laîche des sables
Carex arenaria

On dirait une herbe. Les épillets, de six à quinze, forment une panicule à l'extrémité de la tige comme chez la plupart des graminées. Les épillets terminaux sont mâles, ceux du bas sont femelles et ceux du milieu moitié mâles, moitié femelles. Cependant, la tige et les fruits distinguent la laîche d'une graminées. Les fruits de la laîche, situés à la base de l'inflorescence sont ovoïdes et ailés.

La laîche des sables fleurit du printemps jusqu'à l'automne. On la trouve sur les côtes de l'Atlantique et de la Baltique où grâce à ses rhizomes rameux rampants elle fixe les dunes. On la trouve aussi à l'intérieur des terres dans les « mini-déserts », dans les landes et dans les forêts de pin.

Ammophila arenaria

Ammophila vient du grec et signifie « qui aime le sable », *arenaria* vient du latin et signifie sablonneux. Il s'agit d'une plante robuste qui peut atteindre 1 m de haut et que l'on appelle parfois roseau de sable. Les épis droits composés d'épillets jaunâtres de 15 cm de long fleurissent en juin et en juillet et poussent au-dessus des feuilles.

L'ammophila se développe rapidement et forme un tapis vert grisâtre. Elle pousse sur les dunes, de préférence un peu loin de la mer, là où le sable est moins salé. On la trouve en Amérique du Nord, dans les régions méditerranéennes et pratiquement sur toutes les côtes d'Europe.

Là où elle ne pousse pas naturellement, elle est plantée par l'homme pour retenir non seulement les dunes mais aussi tous les sols instables.

Ammophila

Massette des sables

Phleum arenarium

La massette est une herbe annuelle qui pousse en touffe sur les dunes. On la trouve aussi bien sur les côtes d'Europe occidentale qu'en Scandinavie.

C'est une petite plante de quelques centimètres de haut à tiges droites, rougeâtres et légèrement renflées vers le haut. Les limbes des feuilles supérieures sont courts et rugueux et les gaines sont gonflées. La massette porte des panicules arrondies de mai à juin.

Massette des sables

Chiendent du sable
Elytrigia juncea
Le chiendent est une herbe nuisible
très répandue. Il pousse sur tous
les types de sols et même sur le
sable. Son rhizome très développé
lui permet de fixer les dunes. Il mesure environ 50 cm et possède des
feuilles plates vert grisâtre qui s'enroulent par temps sec. L'inflorescence est composée de cinq à huit
épillets disposés sur deux rangs.
On trouve le chiendent du sable en
Europe, en Afrique du Nord et en
Asie Mineure. Il fleurit de juin
à août.

Herbe commune des marais salés
Puccinellia maritima
Cette herbe, surtout lorsqu'elle
fleurit, ressemble au pâturin, à l'a-
grostis. Elle a une véritable prédilection pour l'eau salée. Si les sols
du bord de mer ne satisfont pas ses
besoins, elle pousse dans l'eau peu
profonde et fixe le fond de vase qui
s'épaissit rapidement. C'est ainsi
que commence l'assèchement naturel des marais.
C'est une herbe vivace vert-jaune
de 50 cm de haut qui donne généralement des individus stériles ; cependant elle se reproduit assez facilement grâce à la multiplication végétative. Elle porte de juin à octobre de cinq à neuf épillets pourprés
qui forment une panicule étroite.
On la trouve sur les côtes de l'o
céan Arctique, de la mer du Nord,
de la Baltique et de l'océan Atlantique (au Groenland et en Amérique
du Nord).

Herbe commune des marais salés

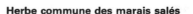

Moisissure et mildiou

Nous connaissons tous les champignons comestibles et les amanites vénéneuses. Mais l'embranchement des champignons comprend des formes microscopiques et des espèces de grande taille qui poussent dans les endroits les plus divers. Certains croissent sur les aliments variés, d'autres sont des pa-

ques. Le *Penicillium,* s'il se développe sur une matière favorable produit la pénicilline, antibiotique largement utilisé qui détruit les microbes.

Mildiou lanugineux du raisin
Plasmopara viticola
Les feuilles de vigne atteintes de mildiou se couvrent de taches jaunes puis brunes. Le dessous des feuilles se couvre de sporanges blancs duveteux. Les sporanges

tombent libérant les spores que le vent emporte à travers la vigne et qui se déposent attaquant tous les plants.
La *Plasmopara viticola* peut détruire une vigne mais il existe des produits chimiques pour la protéger.

Rouille blanche
Albugo candida
Souvent, les plantes et les herbes sont affectées par des champignons nuisibles. La rouille blanche par exemple est un parasite de la

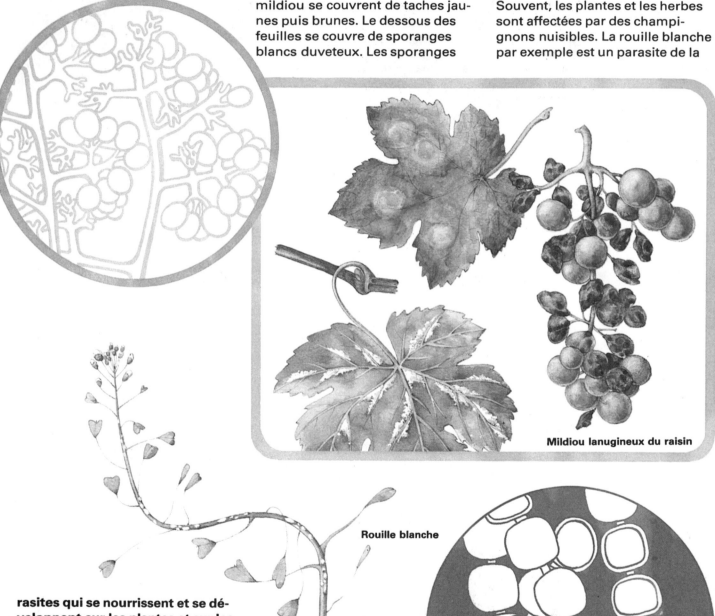

Mildiou lanugineux du raisin

Rouille blanche

rasites qui se nourrissent et se développent sur les plantes et sur les animaux.
Les moisissures sont les champignons les plus simples. En général, ils ne sont pas vénéneux eux-mêmes ; mais ils produisent des substances vénéneuses qui pénètrent la matière sur laquelle ils se trouvent et qui la rendent très nocive.
Certaines moisissures sont bénéfi-

256

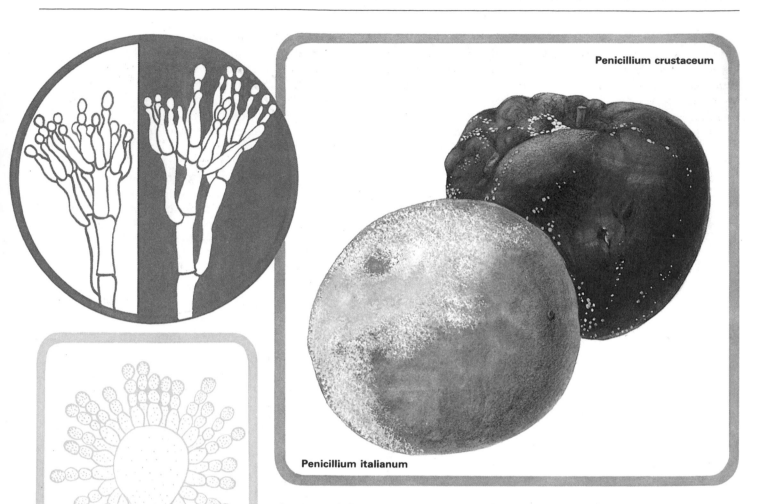

Penicillium crustaceum

Penicillium italianum

Aspergillus repens

du vert grisâtre au brun se développe dans les endroits humides. Il se reproduit généralement végétativement. Cependant, quand la reproduction est sexuée, les spores se forment dans des asques, ce qui signifie que ce champignon appartient à la classe des ascomycètes.

Penicillium expansum

Le *Penicillium expansum* dont la couleur varie du vert-jaune au brun se développe très rapidement sur toute sorte d'aliment dans les endroits humides. Il peut se former et produire des spores en un seul jour.
Certaines variétés de *Penicillium* sont utiles comme le *P. roqueforti*, le *P. camemberti* et le *P. gorgonzola*. Ils décomposent les matières grasses et les protéines et agissent sur le mûrissage de certains fromages. L'espèce *P. notatum* fournit la pénicilline.

Mucor de la pomme et de la poire
Mucor piriformis
Les mucoracées sont des moisissu-

res saprophytes qui tirent leur nourriture de substances organiques en décomposition.
Le *Mucor mucedo* se développe sur le pain humide ; le *Mucor piriformis* recouvre les pommes et les poires gâtées. Certaines variétés de mucor sont utilisées dans l'industrie car comme la levure ils transforment par fermentation les amidons et les sucres en alcool.

Mucor de la pomme et de la poire

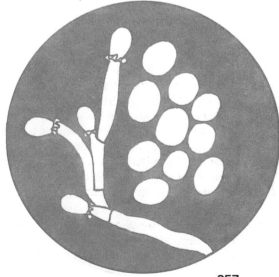

bourse-à-pasteur et de certaines plantes de la famille des crucifères. Elle se développe surtout au printemps. Les tiges se tordent et les feuilles semblent recouvertes d'une couche de laque blanche.

Aspergillus repens

L'aspergillus dont la couleur varie

Les champignons cupulaires

La classe des ascomycètes comprend des organismes visibles seulement au microscope aussi bien que des champignons de grande taille comestibles. Les espèces microscopiques, comme les levures sont généralement asexuées. Les grandes espèces produisent des spores renfermés dans des asques. C'est ce qui les différencie des basidiomycètes dont les basides (cellules productrices de spores) sont exposées à l'air libre.

re en la rendant trouble et en lui donnant un goût et un parfum déplaisant. Parce qu'elle est riche en vitamine B, en enzymes et en protéines, on l'utilise dans l'industrie pharmaceutique pour préparer des drogues et des médicaments.

Ergot du seigle
Claviceps purpurea
L'ergot du seigle est un champignon parasite de couleur foncée qui se développe au printemps dans les ovaires des graminées et

L'ovaire dans lequel s'est développé le mycélium devient dur et cornu de couleur rouge-violet à noir. Il tombe à terre au moment de la récolte. Les ergots qui survivent à l'hiver donnent des fruits rose pourpré contenant des asques et des spores qui seront emportés par le vent à maturation.
Les ergots contiennent des alcaloïdes dont la plupart sont toxiques. Ils sont cependant utilisés dans l'industrie pharmaceutique pour préparer des drogues.

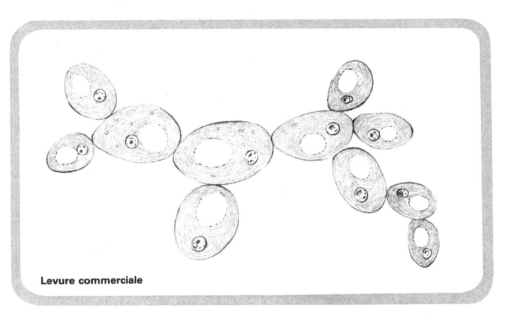

Levure commerciale

Levure *Saccaromyces cerevisiae*
La levure est un champignon unicellulaire. Il ne produit ni mycélium ni asques et se reproduit très rapidement par bourgeonnement.
On obtient la levure commerciale en mélangeant des cellules de levure à de l'amidon ou à des sucres. Au moment de cuisiner, on dissout la levure préconditionnée dans de l'eau tiède et les cellules se multiplient immédiatement. La levure fait lever la pâte en formant des gaz (la levure transforme les sucres en alcool et en bioxyde de carbone). La cuisson détruit les cellules de la levure et fait évaporer l'alcool.
La levure de bière est une variété cultivée dont on se sert pour brasser la bière et pour fabriquer l'alcool de pomme de terre. Les espèces « sauvages » de levure peuvent endommager la production de biè-

en particulier dans les ovaires du seigle. Un liquide douceâtre, la miellure, et de minuscules spores apparaissent à la surface du mycélium. La miellure attire les insectes qui la recueillent et transportent les spores sur d'autres épis de seigle.

Ergot du seigle

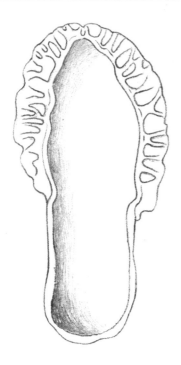

Pezize brune *Peziza badia*
La pezize brune est un champignon
cupulaire dont le fruit ressemble
à un grand bol de 5 à 6 cm de
diamètre. Le périthèce tapisse l'intérieur du bol.
La pezize brune pousse généralement dans les forêts humides et
sablonneuses.

Morille *Morchella esculenta*
La morille est un ascomycète
comestible que l'on trouve au printemps dans les endroits ombragés,
dans les prairies, les bois et les fossés des régions tempérées de l'hémisphère nord ainsi qu'en Australie.
La morille est composée d'un chapeau en forme de massue creusé
d'alvéoles bordées de spores et
d'un stipe.
La morille est un délicieux champignon qu'il faut cependant toujours
faire cuire avant de consommer.

Truffe *Tuber melanosporum*
La masse charnue du périthèce de
la truffe qui mesure environ 10 cm
de diamètre se développe sous
terre. La chair violet foncé est entre-
lacée de tubes bordés d'asques
ronds qui s'ouvrent sur le cortex.

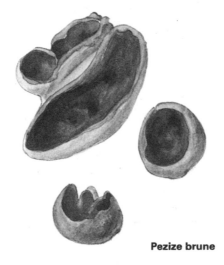

Pezize brune

Pour chercher les truffes on se sert
de porcs ou de chiens. Le mycélium
de la truffe vit en symbiose avec les
racines du chêne dans les régions
calcaires du sud de la France. Elles
sont aussi cultivées dans des chênaies. Toutes les tentatives de faire
pousser des truffes dans d'autres
régions d'Europe ont toujours
échoué.

Truffe

Les champignons des bois

Un grand nombre de champignons poussent dans les bois, au pied des arbres et des souches.

Les champignons qui poussent sur les arbres morts sont des saprophytes qui se nourrissent de bois pourri. Ceux qui vivent sur les arbres vivants sont des parasites.

Tous ces champignons sont en général inoffensifs pour leur hôte, quelques-uns cependant, comme l'armillaire mellifère, peuvent empoisonner.

Certains sont comestibles comme les pleurotes *(Pleurotus ostreatus)* et les pholiotes *(Pholiota mutabilis)* tandis que d'autres sont vénéneux. Il ne faut jamais manger un champignon qu'on ne connaît pas.

Certains champignons enfin ont des propriétés médicinales comme le *Lentinus edodes* du Japon que l'on cultive pour préparer une drogue contre l'artériosclérose.

Amadouvier
Fomes fomentarius

L'amadouvier est un champignon parasite qui vit sur les troncs des arbres feuillus, principalement sur le hêtre. Son chapeau épais, blanchâtre mesure 50 cm de diamètre, son mycélium pénètre le bois de l'arbre provoquant ce qu'on appelle le « mildiou blanc ». L'arbre meurt lentement et s'abat sur le sol. L'amadouvier continue à pousser sur l'arbre abattu ; il tourne ses lamelles vers le bas ou bien produit de nouveaux chapeaux à angle droit avec les précédents.

La surface du champignon est marquée de sillons concentriques correspondants à diverses zones de croissance.

Autrefois, on faisait macérer la chair de l'amadouvier pour faire de l'amadou qui prenait feu aisément ou pour activer la coagulation du sang lors des interventions chirurgicales. La chair réduite en fines lanières servait aussi à confectionner des vêtements.

Polypore versicolore
Trametes versicolor

Le polypore versicolore est un champignon à pores qui vit en console sur les souches ou sur les troncs d'arbres morts, avec une prédilection particulière pour les arbres à feuilles caduques.

C'est un champignon annuel dont les chapeaux poussent les uns sur les autres. Ils sont veloutés et rayés de gris, de rouge, de vert olive, d'orange et de jaune. Les tubes sont très courts contrairement à l'amadouvier qui possède de petits tubes persistants disposés en couches superposées.

Amadouvier

Polypore versicolore

Armillaire mellifère

sont légèrement vénéneux. Beaucoup de gens considèrent qu'il est encore meilleur conservé dans le vinaigre.

Bien que l'armillaire soit un champignon comestible très apprécié, les forestiers ne le voient pas d'un bon œil car il cause des ravages dans la forêt. Les arbres sur lesquels ils pousse pourrissent et meurent.

L'armillaire mellifère est un champignon coriace. Il a deux mycéliums, l'un blanc qui brille dans la nuit (on peut imaginer quelles histoires de fantômes ce phénomène a fait naître), l'autre brun noirâtre en rubans de plusieurs mètres de long qui pénètrent l'écorce des arbres et emmagasinent les substances nécessaires à la fructification qui ne se fait que sur les arbres morts. On trouve l'armillaire mellifère dans les régions tempérées de l'hémisphère nord ainsi qu'en Australie.

Champignon corne-de-cerf
Calocera viscosa

Ce petit champignon orange vif ne demanderait pas beaucoup d'effort pour être cueilli ; le seul ennui c'est qu'il est vénéneux.

C'est un champignon cornu ne mesurant que 3 à 6 cm de haut mais qui possède des racines pouvant atteindre 20 cm et qui s'enfoncent dans les souches pourries ou dans les racines des arbres.

Armillaire mellifère
Armillaria mellea

L'armillaire qui commence à pousser en septembre ne donne pas un ou deux champignons, mais des bouquets entiers, ce qui fait bien l'affaire de ceux qui les cueillent. Seuls les chapeaux des jeunes champignons sont comestibles et encore faut-il les faire cuire (les ébouillanter ne suffit pas) car ils

Champignon corne-de-cerf

Les bolets

Les bolets sont peut-être les champignons les plus recherchés. Et pas seulement les bolets comestibles. Le bolet à pied rugueux, le bolet à chapeau orange et le bolet élégant jouissent de la même popularité.

Pratiquement tous les champignons ont un arbre préféré et les amateurs expérimentés savent immédiatement où les chercher. Ce phénomène s'explique par le fait que les champignons vivent très souvent en symbiose avec les arbres. Les filaments mycéliens ou hyphes s'associent aux racines d'un arbre pour former un mycorhize.

Bolet Satan *Boletus satanas*

Le bolet Satan brillamment coloré est l'un des plus jolis champignons vénéneux. Il pousse en général là où pousse également le bolet comestible, dans les clairières ou au pied des chênes. Ces deux bolets sont assez faciles à distinguer. Le dessous du chapeau du bolet Satan jeune est couleur carmin, couleur qui s'atténue au fur et

Bolet Satan

Bolet à pied écarlate

à mesure que les chapeaux grossissent. La chair blanchâtre de ce champignon devient bleue quand on la coupe ; cependant, la coloration bleue disparaît par la suite. Son pied massif est rouge et jaune. Le chapeau est blanc grisâtre parfois teinté de vert olive.

Il est très important de ne pas confondre ce champignon avec le bolet comestible car bien que d'aspect appétissant il suffit d'un petit morceau pour provoquer des vomissements persistants.

On confond souvent le bolet à pied écarlate *(B. calopus)* vénéneux avec le bolet Satan bien que ses pores soient jaune citron et non rouges.

Bolet à pied rugueux

Boletus scaber ou *Boletus rugosus*
On trouve ce bolet gris-brun à pied long et rugueux près des bouleaux blancs. La variété *rugosus* pousse sous les charmes et autres arbres à feuilles caduques surtout en été tandis que le *B. scaber* croît surtout en automne. Coupé, le *B. rugosus* change de couleur tandis que la chair blanche du *B. scaber* ne bouge pas. Ces deux variétés de champignons sont comestibles.

Bolet comestible

Bolet à pied rugueux

Bolet à chapeau orange

Bolet comestible ou cèpe de Bordeaux
Boletus edulis

Le bolet comestible ou cèpe pousse dans les forêts d'arbres feuillus et dans les pinèdes. Le cèpe est un champignon vigoureux à chapeau brun et à gros pied brunâtre. C'est un champignon savoureux mais malheureusement il est souvent plein de petits vers. On peut le faire sécher, le conserver dans le vinaigre ou dans le sel, le faire frire avec des œufs brouillés, l'accommoder en sauce etc.

La chair blanche coupée reste blanche contrairement à certains bolets comme le *B. luridus,* le *B. erythropus,* le bolet à pied écarlate et le bolet Satan qui deviennent bleus ou verts.

Le cèpe ne pousse que dans les bois ; toutes les tentatives de culture ont échoué. La raison en est que le bolet comestible est un organisme extrêmement complexe vivant en symbiose avec les racines de petits arbres et qu'il est de ce fait très difficile de faire croître le mycélium en laboratoire. Néanmoins après des années d'expérimentation on a réussi à faire pousser le mycélium mais on n'a jamais réussi à le faire fructifier.

Bolet à chapeau orange
Boletus aurantiacus

Le bolet à chapeau orange ressemble beaucoup au bolet à pied rugueux ; il est seulement plus coloré et sa chair est plus ferme. Son chapeau semi-sphérique dont la couleur varie du rouge orangé au rouge-brun est perché au sommet d'un pied dur couvert d'écailles fibreuses brunes. C'est un excellent champignon. Sa chair coupée et séchée devient noire sans que son goût en soit altéré.

On trouve le bolet à chapeau orange dans les forêts d'arbres à feuilles caduques et dans les forêts mixtes, et en particulier là où poussent les trembles.

263

Toutes les amanites ne sont pas vénéneuses

Toutes les amanites ont des caractères communs : les jeunes champignons sont recouverts d'un voile protecteur, la volve, qui se déchire irrégulièrement quand le pied s'allonge. La partie inférieure reste autour du pied formant une coupe et la partie supérieure forme une collerette sous le chapeau.

Les amanites décrites ici se trouvent dans les régions tempérées de l'hémisphère nord où elles poussent dans les forêts d'arbres à feuilles caduques et dans les forêts de conifères. L'amanite la plus répandue est l'amanite tue-mouches que l'on trouve également dans le nord de l'Asie, en Afrique du Nord et en Australie.

Amanite tue-mouches
Amanita muscaria

L'amanite tue-mouches possède un long pied blanc surmonté d'un large chapeau rouge vif parsemé de taches blanches.

Malgré sont apparence invitante, il ne faut jamais la manger car elle est vénéneuse. Elle contient des substances qui provoquent des troubles digestifs et qui attaquent le système nerveux. Elle n'est cependant pas mortelle ; certains peuples l'utilisent pour préparer des narcotiques. La peau du chapeau est la

Amanite tue-mouches

partie la plus toxique ; on s'en sert d'ailleurs pour tuer les mouches : on coupe le pied et on place le chapeau saupoudré de sucre sur une assiette. Les mouches attirées par le sucre sucent la muscarine, alcaloïde toxique contenu dans le chapeau et meurent.

Amanite rougissante
Amanita rubescens

On appelle cette amanite rougissante parce qu'elle devient rosée quand elle est abîmée. Et elle est souvent remplie de vers qui creusent des tunnels sur sa base bulbeuse et sur son pied.

C'est un champignon comestible qui possède toutes les caractéristiques des amanites. On peut parfois la confondre à première vue avec l'amanite panthère qui, elle, est vénéneuse. Mais si on la regarde bien on la reconnaît à sa base bulbeuse couverte de verrues et au rougissement de la chair blanche quand on l'entaille.

L'amanite rougissante n'est pas bonne, séchée. Il faut la manger fraîche, en soupe ou frite.

Amanite panthère
Amanita pantherina

L'amanite panthère ne possède pas toujours les caractéristiques qui permettent de reconnaître une amanite. Les restes du voile blanc à sa partie supérieure sont souvent emportés par la pluie, l'anneau est complètement absent et le pied n'est que très légèrement bulbeux à la base. La chair blanche ne chan-

Amanite rougissante

ge pas de couleur quand on l'incise. Elle a un parfum délicat, mais attention ! il ne faut pas s'y fier, elle est extrêmement dangereuse.

Il faut faire d'autant plus attention qu'on peut la confondre avec l'amanite rougissante qui est tout à fait inoffensive ou encore avec l'*Amanita excelsa* qui, bien qu'elle ne soit pas très bonne, n'en est pas moins comestible. Les symptômes d'empoisonnement par l'amanite panthère apparaissent moins d'une demi-heure après l'absorption du champignon. Ce dernier contient de la mycoatropine qui agit sur le cerveau produisant pratiquement les mêmes effets que l'alcool. Fort heureusement, les conséquences de l'empoisonnement sont rarement mortelles.

Amanite phalloïde
Amanita phalloides
Le chapeau rouge vif de l'amanite tue-mouches permet de la bien reconnaître pour mieux l'éviter tandis que l'amanite phalloïde qui est mortelle est un champignon insignifiant.

Le chapeau vert olive grisâtre est légèrement convexe tandis que le pied est un peu plus clair. Le champignon « des dupes » et « l'ange

Amanite phalloïde

vengeur », deux variétés de champignons blancs proches de l'amanite phalloïde sont également mortels. Si l'on n'y prend garde, on peut les confondre avec d'autres champignons comestibles. La base bulbeuse de ces champignons mortels est généralement entourée d'une coupe membraneuse (la volve) que l'on appelle la « coupe de la mort ». Mais parfois elle est peu développée ou même totalement absente, ce qui rend l'identification de ces champignons très difficile et cause la mort de nombreuses personnes en Europe chaque année. C'est une erreur de croire que l'on peut reconnaître un bon champignon au goût. Car l'amanite, par exemple, a très bon goût. Mais n'essayez surtout pas ; le seul fait d'en absorber un petit fragment pourrait être fatal. Les symptômes d'empoisonnement apparaissent 8 à 12 heures après l'absorption ; les lavements d'estomac sont alors tout à fait inutiles car le poison est déjà passé dans le sang. En l'absence de sérum antiphalloïque, le traitement est très complexe et les conséquences pour le foie sont toujours sérieuses.

L'amanite phalloïde contient aussi des substances médicinales mais personne n'est encore arrivé à les séparer des substances toxiques. On trouve l'amanite phalloïde de juillet à octobre dans les forêts d'arbres à feuilles caduques et les forêts mixtes.

Amanite panthère

Un savoureux quatuor

La lépiote élevée, le lactaire, la chanterelle et la russule *Russula vesca* sont quatre délicieux champignons facilement identifiables. La lépiote élevée pousse dans les bois et dans les prés ; elle possède un long pied et un chapeau en forme de parasol. La chanterelle jaune est plus petite mais plus abondante ; le lactaire orange contient un lait orange et la russule se reconnaît au goût : si elle a bon goût, elle est comestible, si elle est âcre elle ne l'est pas.

Ces champignons croissent dans les régions tempérées de l'hémisphère nord et en Australie.

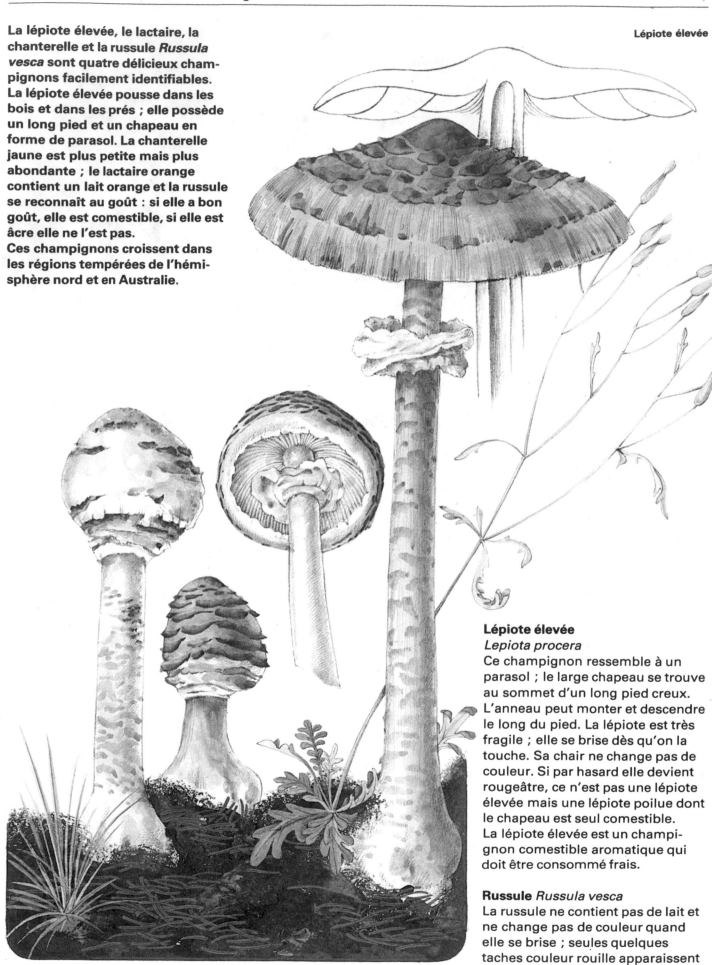

Lépiote élevée
Lepiota procera
Ce champignon ressemble à un parasol ; le large chapeau se trouve au sommet d'un long pied creux. L'anneau peut monter et descendre le long du pied. La lépiote est très fragile ; elle se brise dès qu'on la touche. Sa chair ne change pas de couleur. Si par hasard elle devient rougeâtre, ce n'est pas une lépiote élevée mais une lépiote poilue dont le chapeau est seul comestible. La lépiote élevée est un champignon comestible aromatique qui doit être consommé frais.

Russule *Russula vesca*
La russule ne contient pas de lait et ne change pas de couleur quand elle se brise ; seules quelques taches couleur rouille apparaissent

Russule

ne colonie complète de chanterelles à tous les stades de maturation. La chanterelle est un champignon comestible très apprécié des amateurs de champignons bien que sa chair soit un peu dure. Elle est en général très saine et se conserve relativement bien. La chair légèrement plus claire que le chapeau, presque blanche, a un léger parfum fruité et un goût délicatement poivré. On peut accommoder la chanterelle de mille façons mais elle ne se conserve pas sèche. La fausse chanterelle *C. aurantiaca* est également comestible.

çà et là. Les russules sont généralement brunes, roses, vert-brun ou violet clair. Cependant la *Russula vesca* est plutôt beige, les lamelles, la chair et le pied sont blancs. C'est un champignon comestible moelleux au goût de noisette. On le trouve dans les forêts d'arbres à feuilles caduques et en particulier dans les chênaies, de l'été jusqu'à l'automne.

Lactaire délicieux

Chanterelle
Cantharellus cibarius
On repère immédiatement le chapeau jaune d'œuf de la chanterelle dans les bois où le brun et le vert dominent. Elle pousse généralement en groupe de l'été jusqu'à l'automne. Un ou deux spécimens adultes annoncent la présence d'u-

Chanterelle

Lactaire délicieux
Lactarius deliciosus
Certaines herbes, euphorbes et campanules contiennent une sève laiteuse comme le lactaire délicieux et le *Lactarius volemus* dont la chair brisée laisse écouler un lait blanc ou coloré. Le lactaire délicieux contient un lait orange. Les lamelles, le pied et le chapeau d'abord convexe puis en forme d'entonnoir marqué d'anneaux concentriques vert délavé sont également orange. Si vous trouvez un lactaire délicieux (il croît en automne sous les jeunes sapins), n'hésitez pas, cueillez-le car sa chair tendre et poivrée vous plaira.
Quant au *Lactarius volemus* on peut le manger cru ou passé à la poêle.

Deux sous un même toit

Il n'est pas rare de voir plusieurs plantes vivre en association plus ou moins étroite. Le cas des lichens, association d'une algue et d'un champignon produisant une seule et unique plante est un cas extrême. Cette association est bénéfique aux deux organismes : l'algue, par photosynthèse fournit les substances organiques et le champignon les substances inorganiques qu'il puise dans la terre. Les lichens se reprodúisent végétativement en développant des espèces de minuscules bourgeons à la surface du thalle, qui sont des cellules d'algue entourées de quelques filaments de champignon. Quand ces cellules se détachent du thalle, le vent les emporte ; si elles trouvent un endroit favorable à leur développement, elles prennent racine et donnent de nouveaux lichens. Le champignon produit parfois des spores qui germent et donnent de nouveaux lichens s'ils trouvent une algue appropriée. Suivant la forme de leur thalle, les lichens sont divisés en trois groupes principaux : les incrustés, les foliacés (plats et ressemblant à une feuille) et les fruticuleux (droits et branchus). Les lichens sont des plantes pionniers qui s'adaptent très bien aux conditions les plus défavorables, insupportables pour d'autres espèces, comme les rochers nus dont elles attaquent la surface avec leurs acides et leurs racines qui s'infiltrent dans la roche. Les thalles décomposés et la poussière forment une première couche d'humus qui pourra accueillir d'autres plantes.

Les lichens, en particulier ceux qui croissent sur l'écorce des arbres sont de merveilleux indicateurs de pollution atmosphérique ; ils meurent dès que l'air est légèrement pollué. Dans les régions septentrionales et dans les déserts, les herbivores se nourrissent de lichens.

thalle du lichen. Le *Peltigera canina* est vert grisâtre ; en séchant il devient brunâtre et duveteux.
Le *Peltigera canina* est très fécond. Ses organes reproducteurs brun noisette, formant des espèces de petits tubes d'un cm de long, se trouvent sur les bords des lobes du lichen.

Lichen d'Islande
Cetraria islandica
On trouve les lichens d'Islande en abondance en Europe du Nord et en Europe centrale où ils poussent

Lichen d'Islande

Peltigera canina

Peltigera canina
Le *Peltigera* fut nommé *canina* (du latin *canis* qui signifie chien) parce qu'on l'utilisait pour le traitement de la rage. Le *Peltigera canina* avec un thalle qui mesure jusqu'à 20 cm de diamètre, est l'un des plus grands lichens. Il pousse sur les sols humides et ombragés le long des allées cavalières où il forme des plaques de plusieurs centimètres carrés. Dans certains endroits il pousse en compagnie de mousses comme l'*Hylocomium splendens* et le *Pleurozium schreberi*. Parfois, la tige de la mousse passe à travers le

en groupe ou seuls parmi les mousses. Il préfère les sols acides de montagne bien qu'on les trouve parfois dans les bruyères, dans les tourbières et dans les forêts de conifères sur des sols secs et sablonneux. On les trouve aussi dans les endroits où croissent la mousse de renne et l'hyphe cupressiforme. Le thalle du lichen d'Islande est brun grisâtre et les organes foliacés en forme de corne sont bordés de poils raides.
Le thalle du lichen d'Islande contient une substance qui active la digestion, soigne les maladies pul-

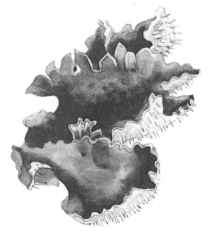

monaires et le mal de mer. Déjà au seizième siècle il était utilisé pour les cures d'amaigrissement et pour soigner la diarrhée chronique. Malgré son goût amer, les Islandais le prenaient avec du lait ; dans les périodes de disette on le mélangeait à la farine. On fait aussi des confitu-

Cetraria glauca

res mais il faut alors le faire tremper avant la cuisson pour en éliminer l'amertume.

Cetraria glauca
Les cétrarias représentent le stade intermédiaire entre les lichens foliacés et les lichens fruticuleux. Le thalle droit du lichen d'Islande pousse sur le sol tandis que la *Cetraria glauca* est épiphyte. Le thalle de ce lichen est à peine lobé.

Parmélie *Parmelia physodes*
La parmélie croît sur les pierres, sur les terrains arides, sur les vieux arbres morts et sur les souches mais elle préfère surtout l'écorce des arbres en plaine comme en montagne qu'elle couvre de ses thalles vert grisâtre lobés. Le thalle foliacé

Parmélie

est fermement fixé au substrat, seuls les bords lobés sont libres et légèrement enflés. La parmélie est généralement stérile.
La coupe transversale d'une parmélie révèle la structure type d'un lichen foliacé. A la base et au sommet on peut voir un paquet de filaments denses (hyphes) appelé le cortex supérieur et le cortex inférieur. Sous le cortex supérieur se trouve une couche d'algue (un entrelacement d'hyphes et de cellules d'algues vertes), sous cette couche entourée d'un réseau lâche d'hyphes se trouve la moelle.

Mousse du renne
Cladonia rangiferina
Dans les régions les plus septentrionales, la végétation est très rare

seules quelques espèces peuvent résister aux rigueurs de la toundra et offrir une maigre nourriture aux rennes, comme la *Cladonia sylvestris,* le lichen d'Islande et la mousse du renne. Il faut 20 à 30 ans pour obtenir un pâturage.
La mousse du renne appartient à la famille des cladonias qui comprend la plupart des lichens poussant sur le sol. Cependant, la mousse du renne n'a pas, comme les autres cladonias, un thalle écailleux ; elle n'a que des tiges creuses très développées (podétia) qui peuvent atteindre 15 cm de haut. Les tiges sont blanc verdâtre ou blanc grisâtre et poussent en buissons. Chez la mousse du renne, les branches penchent toutes du même côté et portent des fruits sur leurs extrémités.
La mousse du renne est xérophile, c'est à dire qu'elle supporte très bien la sécheresse. Après une longue période de sécheresse, la mousse du renne se déssèche et tombe en poussière si on la touche. Dans les forêts des régions tempérées, ce lichen ne pousse que sur les sols les plus pauvres, à savoir les sols secs et sablonneux.

Mousse du renne

Le tapis vert des forêts

Le tapis vert qui recouvre les forêts est composé de minuscules plantes possédant chacune une tige : de petites feuilles vertes et des rhizoïdes qui la fixent au sol. Le cycle des mousses comporte deux phases, l'une asexuée pour la reproduction des spores, l'autre sexuée pour la production de cellules reproductrices mâles (anthéridies) et femelles (archégones). Ces cellules reproductrices se développent séparément soit sur une même plante soit sur deux plantes différentes. Les cellules mâles se déplacent à l'aide de cils vibratiles sur la surface humide de la plante et rejoignent les cellules femelles qu'ils fécondent.

De nos jours, les mousses n'ont plus aucune utilité pour l'homme. Autrefois elles servaient d'isolants thermiques dans les campagnes. Elles restent cependant un élément primordial pour la santé des forêts.

Dicranum scoparium

Cette mousse pousse en tapis doux et brillant. Les gamétophytes à la pointe recourbée mesurant de 10 à 20 cm de long sont couverts de folioles longues et fines. Les longues tiges rouges sont terminées par des capsules crochues.

Le *Dicranum scoparium* pousse sur les pierres, sur les souches d'arbre et dans les forêts aux sols pauvres et secs où il se répand en plaques.

Leucobryum glaucum

Le *Leucobryum* forme des coussins ronds gris bleuâtre sur les sols pauvres des forêts de conifères. Après une longue période de sécheresse, ces coussins deviennent vert blanchâtre et brillent comme de l'argent sur les aiguilles qui tapissent le sol. Les tiges n'ont pratiquement pas de racines, seulement quelques rhizoïdes. Leurs cellules creuses se gonflent d'eau quand il pleut.

La présence du *Leucobryum* dans une forêt est une preuve de la pauvreté du sol et de l'habitat car dans les endroits où il pousse en rangs serrés, il retient les graines des arbres sur ses feuilles si bien qu'elles n'atteignent jamais le sol pour germer et donner de nouveaux arbres.

Leucobryum glaucum

Les cellules femelles fécondées donnent naissance à une génération de plantes asexuées, les sporophytes (porteurs de spores) dépendant étroitement des gamétophytes qui leur fournissent leur nourriture. Le sporophyte est composé d'une tige (seta) portant une capsule à l'intérieur de laquelle se trouvent les spores. Quand ils sont mûrs, la capsule s'ouvre libérant les spores qui germent et produisent de nouvelles mousses. Les mousses se reproduisent également de manière végétative.

Dicranum scoparium

Pleurozium schreberi

Cette mousse forme des masses flottantes très étendues dans les forêts de conifères et les forêts d'arbres mixtes, avec une prédilection pour les sols sablonneux des pinèdes. Elle préfère les endroits ensoleillés qui lui donnent de la vigueur et lui permettent de pousser sur les souches et sur les pierres. Elle absorbe beaucoup d'eau qu'elle retient dans ses tiges et ses feuilles pendant fort longtemps.

Cette mousse possède des tiges droites branchues d'un beau rouge.

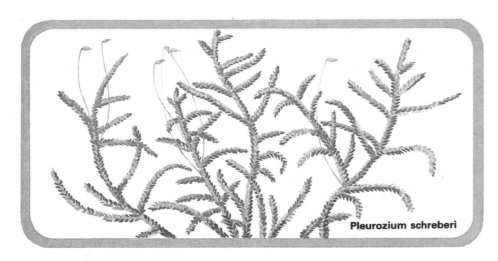

Pleurozium schreberi

Les feuilles sont ovales, convexes et superposées comme des tuiles sur un toit. Les mousses femelles ont des tiges crochues rouges longues et fines et des capsules crochues, elles aussi.

Hylocomium splendens
Cette mousse recouvre le sol d'un tapis brillant. La tige rouge, droite et branchue est couverte de petites feuilles ovales. Les tiges qui portent les capsules ovoïdes brunes sont épaisses, rouges et peuvent atteindre 4 cm de haut.

L'*Hylocomium splendens* pousse en plaine et en montagne, dans les forêts de sapins ainsi que dans les

scolaires. Sa tige droite mesure environ 25 cm de haut et comme celle des plantes à vaisseaux amène de l'eau à la plante et dissout les minéraux. Sa tige est couverte de feuilles vert foncé aux bords dentelés. Par temps humide, les folioles se détendent, par temps sec elles se recroquevillent et se serrent contre la tige pour la protéger. De longues tiges rouge jaunâtre portent de grosses capsules angulaires renflées à la base.

Le polytric croît dans les endroits humides et dans les clairières où il peut atteindre 20 à 30 cm de haut. Par contre, s'il pousse dans les fossés remplis d'eau ou dans les trous laissés par les arbres déracinés, il peut atteindre 50 cm de haut. C'est une mousse typique des montagnes et des tourbières. Il pousse généralement seul, rarement en compagnie d'autres mousses et parfois avec les airelles.

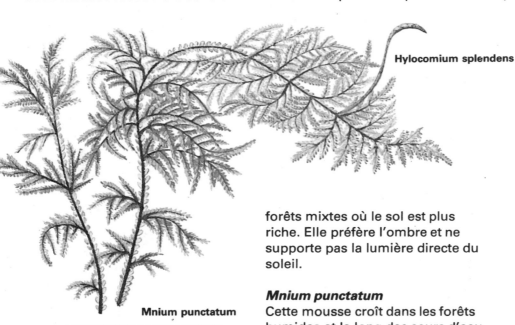

Hylocomium splendens

Mnium punctatum

Polytric commun

forêts mixtes où le sol est plus riche. Elle préfère l'ombre et ne supporte pas la lumière directe du soleil.

Mnium punctatum
Cette mousse croît dans les forêts humides et le long des cours d'eau. La courte tige droite du gamétophyte est couverte de poils à la base et de folioles transparentes qui forment une rosette au sommet de la tige. C'est une mousse très féconde. Les tiges pourprées portent des capsules tombantes assez longues.

Polytric commun
Polytrichum commune
Le polytric est une mousse très commune dont on trouve souvent la description dans les manuels

Témoins d'un passé lointain

Les lycopodes et les équisétales sont les ptéridophytes les plus simples et les plus anciens. Aujourd'hui ce ne sont plus que des éléments insignifiants de la végétation des sous-bois. Mais autrefois, les ancêtres des plantes que nous connaissons aujourd'hui pouvaient atteindre la grosseur d'un arbre et

Lycopode du sapin

Lycopode corne-de-cerf

sent sur la partie médiane de la tige, ce qui lui permet de continuer à pousser quand les sporanges sont mûrs.

Le lycopode du sapin croît dans les vallées profondes qui ne voient jamais le soleil et surtout en montagne, dans les forêts de sapins. On le trouve aussi dans les régions arctiques où il se reproduit végétativement. Il produit des bourgeons spéciaux aux aisselles des feuilles sur les branches stériles. Quand ils tombent, ils sont emportés par le vent et l'eau.

Lycopode corne-de-cerf
Lycopodium clavatum

Le lycopode corne-de-cerf, espèce grimpante à feuilles persistantes qui peut atteindre 1 m de long, pousse dans les forêts de conifères en plaine et en montagne. La tige principale, recouverte de nombreuses feuilles, développe de longues tiges vert-jaune sans feuilles, terminées par une fourche portant un seul cône de spores sur chacune de ses branches.

Les feuilles qui constituent le cône sont munies d'un sporange en forme de haricot contenant un grand nombre de spores qui germent en tombant sur le sol et pro-

duisent un gamétophyte qui donnera des cellules mâles et des cellules femelles. Après fécondation une nouvelle plante productrice de spores se développe.

Les spores donnent une poudre imperméable appliquée en médecine populaire sur les blessures, les exanthèmes et les ulcères. En pharmacie on enrobait les pillules dans cette poudre pour les empêcher de se coller les unes aux autres. L'extrait de poudre bouillie est antiseptique ; on l'utilisait pour faire des gargarismes et des applications sur les gencives. Les parties vertes de la plante sont vénéneuses car elles contiennent des alcaloïdes.

constituer de vraies forêts. On retrouve leurs traces dans les gisements houillers.

Les équisétales possèdent des feuilles verticillées portées par des tiges creuses cannelées. Les cônes porteurs de spores ou strabiles sont plus perfectionnés que ceux des lycopodes et contiennent un plus grand nombre de sporanges. Les équisétales développent une tige porteuse de spores au début de leur croissance et qui meurt dès qu'elles atteignent la maturité. Elle est remplacée par la suite par une tige végétative.

Lycopode du sapin
Lycopodium selago

Le lycopode du sapin pousse dans les forêts humides et très ombragées. Il croît en touffes vertes compactes de 25 cm de haut et il n'a pas de cône. Les sporanges se trouvent sur les feuilles qui pous-

Prêle des bois
Equisetum sylvaticum

De délicats rameaux de feuilles verticillées ornent la tige de la prêle des bois en été. Au printemps, la tige est totalement différente : elle est droite, brun rosé terminée par un épi de sporanges en écailles. L'épi tombe quand les sporanges libèrent les spores. La tige devient alors verte et les branches se couvrent de feuilles verticillées au niveau des nœuds. Chaque verticille est composé de 10 à 16 branches. La prêle des bois croît dans les forêts d'arbres à feuilles caduques et dans les forêts de conifères humides. En effet, là où pousse la prêle des bois on peut être sûr que l'eau n'est pas loin.

Prêle des bois

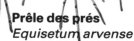

Prêle des prés
Equisetum arvense

La prêle des prés pousse dans les lieux aérés et ensoleillés et en particulier dans les prés, en bordure de haies, dans les fossés et à la lisière des forêts. C'est une herbe tenace qui aime les sols sablonneux et argileux. Elle produit deux tiges, une tige féconde au printemps et une tige stérile en été. La première est jaunâtre (elle ne contient pas de chlorophylle), simple et massive, terminée par un épi porteur de spores. Par temps sec on peut voir les spores se répandre en nuages blancs.

Quand les sporanges ont libéré les spores, la tige féconde meurt ; elle sera remplacée en été par une tige stérile verte qui se développera à partir du même rhizome. Ces tiges stériles à branches verticillées mesurent environ 50 cm comme les tiges fécondes. Elles emmagasinent des provisions grâce à la photosynthèse qui permettront à la tige fertile de se développer l'année suivante.

La prêle des prés est une plante médicinale qui contient une grande quantité de bioxyde de silicium. Les plantes bouillies sont un excellent diurétique.

Prêle des prés

273

Les fougères

L'époque où les équisétales, les lycopodes et les fougères constituaient la forme de vie végétale dominante est depuis longtemps révolue. Ils connurent leur apogée à l'ère paléozoïque : ils atteignaient alors la grandeur d'un arbre et constituaient de véritables forêts dans les marais et les marécages. Quand les vieux arbres mouraient, ils tombaient dans la vase où ils étaient recouverts de limon et d'eau ; ils n'avaient pas d'oxygène si bien qu'ils ne pourrissaient pas. Ils se transformaient en tourbe qui par la suite a donné la houille. Les ptéridophytes ont survécu sous cette forme jusqu'à nos jours et grâce à eux nous avons à notre disposition un combustible inestimable. Ces ptéridophytes ont aussi des descendants vivants de forme, de grandeur et de répartition différentes. Ceci est vrai en particulier pour les fougères des régions tempérées qui sont en général des plantes qui aiment l'ombre et l'humidité. Mais par exemple sous les tropiques, il existe encore des fougères-arbres semblables à leurs ancêtres. C'est aux tropiques aussi que l'on trouve des fougères grimpantes (comme le *Lygodium*) et des épiphytes (comme l'*Asplenium nidus*).

Les ptéridophytes et la plupart des bryophites (mousses et hépatiques) possèdent une structure plus complexe que les algues ; elles comprennent des racines, une tige et des feuilles. Néanmoins, elles ne donnent pas de fleurs et se reproduisent grâce à des spores.

Les fougères poussent dans les forêts d'arbres à feuilles caduques et dans les forêts de conifères mais aussi sur les rochers arides et brûlés de soleil où elles sont des plantes pionniers, préparant le terrain pour une végétation plus riche. On trouve les fougères en plaine comme en haute montagne.

Aspidie *Dryopteris filix-mas*
L'aspidie qui pousse dans les forêts et dont il existe plusieurs espèces, est une fougère très commune. C'est une assez grande plante de un

mètre environ dont les frondes forment une rosette évasée. Elle possède un court rhizome rampant couvert de poils couleur rouille. Les jeunes frondes de printemps sont enroulées en spirale et se déroulent lentement en longs limbes qui continuent à croître par leur extrémité. Certaines frondes portent des grappes de sporanges appelées sores. Les sores sont protégés par une assise qui se contracte et s'entrouvre pour expulser les sporanges parvenus à maturité. Si les conditions sont favorables, les spores germent et donnent un prothalle simple en forme de cœur, porteur d'organes sexuels. La fécondation d'une cellule femelle par une cellule mâle donne naissance à une nouvelle fougère.

Aspidie

Fougère d'eau

Fougère impériale

Fougère scléreuse
Blechnum spicant

Cette fougère possède deux types de fronde : une fronde externe stérile qui pousse latéralement et dont les lobes courts ressemblent aux dents d'un peigne, une fronde interne qui pousse droit et dont les lobes étroits sont plus espacés. Cette dernière porte les sores qui sont protégés par les extrémités repliées des lobes. Les frondes stériles à courtes tiges sont vert foncé ; les frondes porteuses de spores à longues tiges sont brunes.

La fougère scléreuse supporte les climats rudes et humides. Dans les zones tempérées du nord, elle est la seule représentante de cette belle espèce de fougère. Les 60 autres espèces sont distribuées dans les zones tempérées et sur les montagnes tropicales de l'hémisphère sud. On peut cultiver certaines espèces en serre. Il existe des espèces arborescentes qui peuvent atteindre 2 m de haut.

Fougère scléreuse

Fougère d'eau
Salvinia natans

La fougère d'eau est une plante annuelle d'environ 20 cm particulièrement adaptée à la vie aquatique. Elle flotte à la surface de l'eau et sa tige simple ou branchue porte trois feuilles verticillées dont une, finement divisée pénètre dans l'eau comme une racine. Une autre feuille modifiée elle aussi, se développe près de la tige et porte les sores. Certains sporanges ne contiennent qu'un seul spore tandis que d'autres plus petits contiennent un grand nombre de minuscules spores.

On trouve cette fougère dans les régions tempérées septentrionales ; certaines espèces vivent dans les régions tropicales et subtropicales. La fougère d'eau est une très belle plante d'aquarium.

Fougère impériale
Pteridium aquilinum

La fougère impériale est une grande fougère que l'on trouve dans le monde entier à l'exception de l'Amérique du Sud et de l'Antarctique. Elle pousse sur les terres pauvres, dans les forêts de pins en plaine, en terrain découvert et dans les landes. Ses rhizomes vigoureux s'étendent largement sous terre pouvant former des plaques de plusieurs kilomètres carrés. Il est très difficile de la déraciner et dans certains endroits elle représente un véritable fléau. Chaque plante ne possède qu'une seule grande fronde de 1 à 2 m de long. Elle est constituée d'une grosse tige rigide et d'un limbe triangulaire très découpé. Les sporanges bordent le revers des lobes qui sont légèrement repliés pour les protéger.

Asplène commune
Asplenium trichomanes

La plupart des variétés d'asplène pousse sous les tropiques. L'asplène commune, petite fougère à rhizome épais est très répandue dans l'hémisphère nord. C'est une plante pionnier qui pousse dans les fissures de rocher et dans les crevasses des vieux murs. Les tiges brun-rouge sont couvertes de deux rangées de petites feuilles ovales qui tombent en automne. Les sores longs et fins se trouvant sur le revers des feuilles sont couverts d'écailles craquantes qui tombent quand les spores sont mûrs.

La médecine populaire utilisait les frondes séchées de l'asplène pour soigner la rate et le foie. Au Moyen Age on lui attribuait des pouvoirs magiques qui éloignaient les esprits malfaisants.

Asplène commune

Rue des murs

Rue des murs
Asplenium ruta-muraria

La rue des murs est une petite fougère qui pousse sur les pierres à l'ombre comme au soleil, dans les fissures de rocher et des murs en plaine et en montagne. Toutefois elle ne supporte pas les pierres calcaires. Mais c'est bien son seul défaut car elle n'est pas exigeante ; elle se contente parfois d'un vieux château ou de vieilles ruines.

La rue des murs pousse en touffes épaisses d'environ 10 cm de haut. Sa tige est verte, virant au brun à la base. Les sores ovales sont couvertes de fines écailles craquantes.

Langue-de-cerf

Phyllitis scolopendrium

La langue-de-cerf est répandue dans le monde entier. En Europe, c'est la seule fougère à frondes indivisées ; elles forment une rosette brillante toujours verte en forme de langue, cordiforme à la base. Les tiges sont brun-rouge couvertes de poils couleur rouille. Les sores se trouvent sur le revers des frondes protégés par une membrane écailleuse.

Cette fougère très décorative est cultivée dans les jardins de rocaille ombragés. A l'état naturel elle pousse dans les ravins de montagne, auprès des chûtes d'eau.

Polypode commun

Polypodium vulgare

On trouve le polypode commun dans tout l'hémisphère nord, du cercle arctique à l'Afrique. Il pousse généralement sur les rochers humides, les souches couvertes de mousse et dans les forêts ombragées ; il aime les sols calcaires et gréseux. Bien qu'il préfère les rochers, il pousse parfois aussi sur

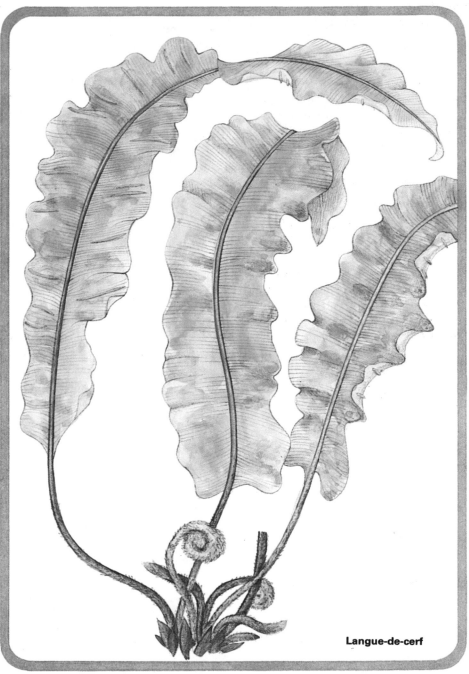

Langue-de-cerf

Polypode commun

les troncs d'arbres pourris dans les forêts humides d'arbres à feuilles caduques.

Son long rhizome rampant pousse des branches couvertes d'écailles brunes qui tombent quand le rhizome devient adulte. Il donne naissance, vers le bas à des racines et vers le haut, à des frondes de 40 cm de long, persistantes. Les jeunes frondes sont enroulées en spirale et les frondes adultes s'enroulent par temps sec pour limiter l'évaporation de l'eau. La partie la plus ancienne du rhizome meurt et pourrit progressivement tandis que la partie la plus jeune continue à pousser

et à donner naissance à de nouvelles frondes. Les folioles portent deux rangs de sores ronds.

Autrefois les rhizomes du polypode commun étaient cueillis pour l'usage médical. Aujourd'hui encore c'est une plante médicinale très importante ; elle contient une substance amère (que l'on n'a pas encore identifiée), des mucilages, de la saponine et des huiles essentielles. L'infusion préparée à partir des rhizomes secs est utilisée pour soigner les bronchites et pour expulser les parasites intestinaux. Elle favorise la sécrétion de la bile et c'est aussi un laxatif léger.

Les minéraux

La terre peut sembler à première vue un élément
statique et immuable, la partie inorganique ou
non-vivante de la nature. Cependant les pierres et
les minéraux eux aussi sont vivants et comme
tout organisme vivant, ils ne gardent leurs caractéristiques que si l'environnement satisfait leurs
besoins. Si les conditions changent, ils se désintègrent ou se transforment, certains au contact de
l'air ou de l'eau, d'autres sous l'effet de la chaleur
ou d'une forte pression. Ces transformations
continues qu'on appelle le cycle rocheux se font
très lentement (il faut compter des millions d'années) si bien qu'elles ne peuvent être perçues par
l'être humain au cours de son existence.

Composition de la terre
L'écorce terrestre est composée de roches qui
sont elles-mêmes composées de minéraux qui

peuvent être purs ou presque ; ce sont les éléments natifs. Mais la plupart des minéraux sont
composés de deux éléments ou plus. Ces éléments sont les mêmes que ceux qui composent le
monde vivant de la nature mais ils se combinent
différemment. L'élément principal des 16 premiers kilomètres de l'écorce terrestre est l'oxygène. La combinaison de l'oxygène avec d'autres
éléments donne des oxydes. L'oxygène compose
46,60 % de la masse de l'écorce terrestre et le
silicium, second élément important, 27,72 %. La
combinaison de l'oxygène avec le silicium et un
ou plusieurs autres éléments forment un groupe
de minéraux appelés silicates, qui comprend les
amphiboles, les feldspaths, les micas, les olivines,
les pyroxènes et le quartz. Autres éléments importants de l'écorce terrestre, l'aluminium, le fer,
le calcium, le sodium, le potassium et le magné-

sium constituent 24,27 % de la masse, le 1,41 % restant étant formé par 84 éléments différents.

La terre est composée de trois zones principales : l'écorce supérieure, composée presque entièrement de silicates légers, le manteau qui se divise en deux parties : le manteau externe qui contient des silicates plus lourds, plus riches en magnésium, le manteau interne plus dense qui contient des oxydes et des sulfures de différents métaux. Sous le manteau se trouve le noyau, extrêmement dense qui contient surtout du fer et un peu de nickel.

La couche externe de la terre faite de pierres friables, de terre, de sable et de boue est composée de roches qui à leur tour sont composées de grains de minéraux. Les minéraux sont les composants de base des roches. Cependant les roches sont hétérogènes car la quantité de minéraux varie d'une pierre à l'autre. Mais les minéraux sont homogènes (toujours identiques). Ils ont des formules chimiques précises et des pro-

priétés inaltérables telles que la dureté ou le poids spécifique.

Dans une formule chimique, chaque élément est représenté par un symbole. Par exemple, le symbole de l'or est Au. Cependant, comme nous avons pu le remarquer, la plupart des minéraux sont le résultat de la combinaison de deux éléments ou plus. Prenons comme exemple O qui est le symbole de l'oxygène et H qui est celui de l'hydrogène. Quand un atome d'oxygène se combine avec deux atomes d'hydrogène, on obtient de l'eau dont la formule chimique est H_2O. Autre exemple, le chlorure de sodium dont la formule chimique est NaCl est composé d'un atome de sodium, Na et d'un atome de chlore, Cl. On peut citer encore le quartz dont la formule chimique est SiO_2 qui est composé d'un atome de silicium (Si) et de deux atomes d'oxygène (O). Les symboles chimiques de tous les éléments que nous rencontrerons dans les chapitres suivants se trouvent dans le tableau ci-après. Il existe des

Les minéraux

formules chimiques beaucoup plus complexes comme par exemple celle de l'olivine (Mg, Fe)$_2$ SiO$_4$. (Mg, Fe)$_2$ signifiant que l'olivine peut être costituée soit d'atomes de magnésium (Mg) soit d'atomes de fer (Fe). Le nom olivine de ce fait correspond plus à un groupe de minéraux qu'à un seul minéral si bien que suivant leur composition ces minéraux assument des noms différents : la forstérite est une olivine riche en magnésium tandis que la fayalite est une olivine riche en fer.

Les minéraux cristallisés

En général, les atomes qui composent les minéraux forment un dessin régulier et périodique que l'on appelle réseau cristallin. C'est lui qui détermine la forme des cristaux qui composent les minéraux. Nous connaissons tous les cristaux cubiques du sel, ainsi que ceux de l'eau quand elle se transforme en glace. Les flocons de neige sont composés de cristaux minuscules qui s'agglomèrent pour former des figures diverses. Presque tous les minéraux produisent des cristaux si l'espace est suffisant pour qu'ils se développent. En effet il est très rare de trouver des cristaux de forme parfaite car les conditions indispensables à leur formation se trouvent rarement réunies. Par exemple, les minéraux du granite en fusion tels que le quartz, ou le feldspath n'ont en général pas assez d'espace pour former des cristaux réguliers.

faut un microscope pour découvrir les cristaux minuscules qui la composent. L'opale, elle, est un minéral amorphe, non-cristallisé.

Caractéristiques des cristaux

Les cristaux bien formés que l'on trouve dans les cavités ou veines des minéraux sont fort appréciés des collectionneurs. Ils apparaissent souvent en groupe, juxtaposés ou même entrelacés. On appelle ces cristaux des macles. Chaque cristal est limité par des plants plats (surfaces) de longueurs diverses qui forment des angles variables entre eux. Comme nous l'avons vu, la forme des cristaux dépend de la grandeur des angles et de l'espace qui sépare les atomes dans la structure. Bien que la forme des cristaux d'un minéral soit très variable, elle est cependant très utile pour l'identifier. Les cristaux sont classés selon leur système de symétrie.

Les objets familiers nous offrent de nombreux exemples de symétrie. Pensez aux jeux de construction des enfants, aux cubes, masses solides délimitées par six côtés carrés égaux. Si l'on coupe un de ces cubes en deux, on obtient deux morceaux parfaitement identiques. On peut couper un cube de trois façons différentes, horizontalement, verticalement et diagonalement. On obtient toujours deux parties égales. On appelle plan de symétrie la surface obtenue en coupant le

Symboles des éléments chimiques figurant dans le présent volume					
Ag	Argent	F	Fluor	O	Oxygène
Al	Aluminium	Fe	Fer	P	Phosphore
As	Arsenic	H	Hydrogène	Pb	Plomb
Au	Or	K	Potassium	S	Soufre
B	Brome	Li	Lithium	Si	Silicium
Be	Béryllium	Mg	Magnésium	Sn	Étain
C	Carbone	Mn	Manganèse	Th	Thorium
Ca	Calcium	N	Azote	Ti	Titane
Cl	Chlore	Na	Sodium	U	Uranium
Cu	Cuivre	Ni	Nickel	V	Vanadium
				Zn	Zinc

Les minéraux se cristallisent en petits grains irréguliers et entrelacés. Les minéraux peuvent aussi former des agrégats qui sont des masses de cristaux de formes imparfaites. Les agrégats réniformes sont arrondis en forme de reins tandis que les agrégats botryoïdaux ressemblent à des grappes de raisin. Il existe aussi des agrégats qui ressemblent à des branches, à des fils ou à des grillages.

Certains minéraux ne sont pas cristallisés, d'autres ont une structure cristalline invisible à l'œil nu comme par exemple la calcédoine. Il

cube. On peut aussi décrire un cube par la symétrie de ses axes, qui sont des lignes imaginaires joignant les centres des surfaces opposées. Par exemple, l'axe vertical est une ligne imaginaire qui relie le centre du plan supérieur au centre du plan inférieur. Si l'on fait faire au cube une rotation complète autour de l'axe vertical, on obtient quatre fois la même figure. C'est ce qu'on appelle un axe de symétrie quadruple. Le cube a deux autres axes de symétrie qui révèlent chacun quatre fois la même figure au cours d'une révolution complète. On dit que le cube a trois axes de symétrie quadruples. Les trois axes sont de longueur égale et forment des angles droits. Tous les cristaux qui ont ces caractéristiques appartiennent au système de symétrie cubique.

Il existe six autres systèmes de symétrie : quadritique, orthorhombique, monoclinique, triclinique, hexagonal et rhomboédrique (ternaire). Les systèmes hexagonal et rhomboédrique sont semblables. Ils ont quatre axes, trois horizontaux et un vertical. Mais ils ont des symétries différentes. Le système hexagonal a un axe de symétrie vertical sextuple tandis que le système rhomboédrique a un axe de symétrie vertical ternaire. Dans les autres systèmes, la longueur des axes et la grandeur des angles varient (voir diagrammes). Tous les cristaux appartiennent à l'un de ces systèmes de base.

Autres caractéristiques des minéraux

La disposition des atomes ne détermine pas seulement la forme et la symétrie des cristaux. Elle permet aussi de mettre en évidence d'autres propriétés importantes des minéraux. Par exemple, on trouve du carbone dans la nature sous forme de graphite noire friable ou sous forme de diamant brillant, le plus dur des minéraux naturels. On appelle ce phénomène le polymorphisme. Il est dû à la disposition des atomes dans la structure.

La dureté d'un minéral qui dépend donc de sa structure interne, se mesure sur l'échelle de Mohs qui va de un jusqu'à dix. Au bas de l'échelle on trouve le talc (1) et en haut de l'échelle, le diamant (10). Entre le talc et le diamant par ordre croissant de dureté, on a le gypse (2), la calcite (3), le fluorite (4), l'apatite (5), l'orthose (6), le quartz (7), la topaze (8) et le corindon (9). Les tests de dureté sont très utiles pour identifier un minéral. Par exemple avec un canif dont la dureté est d'environ 5,5 on pourra rayer l'apatite mais pas l'orthose. Avec le quartz on pourra rayer du verre mais il faudra une lime d'acier spécial pour rayer le quartz.

Le rapport entre le poids d'un minéral et un volume égal d'eau, qu'on appelle densité ou poids spécifique est une autre caractéristique des minéraux. Une poignée d'or pure est 19, 3 fois plus lourde que le même volume d'eau. On dit que la densité de l'or est 19,3. La densité des minéraux est comprise entre 1 et 23 et la densité moyenne de tous les minéraux est 2,6. La couleur permet parfois d'identifier les minéraux. Mais il faut être prudent car de nombreux minéraux sont présents dans la nature sous différentes couleurs. Un autre test de la couleur consiste à réduire en poussière

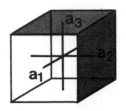

Le système cubique
Les trois axes sont égaux et forment entre eux des angles droits. La rotation des cristaux autour de ces axes fait apparaître trois axes de symétrie quaternaires.

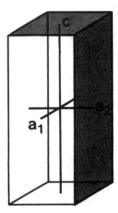

Le système quadratique
Les trois axes forment entre eux des angles de 90°. L'axe vertical peut être plus long ou plus court que les deux axes horizontaux qui sont égaux. On a ainsi un axe de symétrie quaternaire.

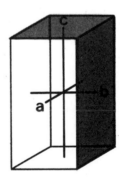

Le système orthorhombique
Les trois axes de longueur différente forment des angles de 90°, correspondant ainsi aux trois axes de symétrie binaires.

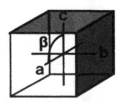

Le système monoclinique
Les trois axes sont de longueur différente. L'axe b est perpendiculaire aux deux autres, qui à leur tour forment entre eux un angle oblique (β). L'axe b est binaire.

Les minéraux

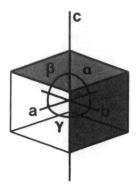

Le système triclinique
Les trois axes sont de longueur différente et ne forment pas d'angles droits. Il peut y avoir aucun ou un seul centre de symétrie.

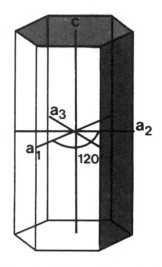

Le système hexagonal et rhomboédrique (ternaire)
Les deux systèmes ont quatre axes. Les trois axes horizontaux sont égaux et forment entre eux des angles de 60°. L'axe vertical peut être ou plus long ou plus court. Les cristaux hexagonaux ont un axe de symétrie sextuple et ceux de système rhomboédrique un axe de symétrie ternaire.

un petit morceau de minéral. La couleur de la trace obtenue en frottant le minéral sur une plaque rugueuse de porcelaine diffère souvent de la couleur du minéral. Il est très facile de confondre l'hématite et la magnétite qui sont deux minéraux de couleur sombre. Mais si l'on frotte l'hématite, on obtient une trace rouge tandis que celle de la magnétite est noire. Ce test n'est cependant pas infaillible. Par exemple, presque tous les minéraux du groupe des silicates font des traces blanches.

La réaction des minéraux à la lumière est encore une autre de leurs caractéristiques. Certains sont transparents et laissent passer la lumière, d'autres sont translucides. Ils laissent passer la lumière sans permettre toutefois de voir nettement les objets à travers leur épaisseur. Les minéraux opaques ne laissent pas passer la lumière, ils reflètent ou absorbent ses rayons. L'éclat des minéraux est un bon guide pour leur identification. L'éclat ou brillant d'un minéral dépend de la nature de sa surface et de sa réaction aux rayons de la lumière. L'éclat peut être métallique, adamantin (brillant comme le diamant), vitreux (comme le verre cassé), résineux (comme l'ambre), nacré, soyeux, gras, terne ou terreux. Certains minénaux sont clivables, c'est-à-dire qu'ils se fendent en suivant la direction de leurs couches, comme la biotite et la muscovite. Certains minéraux ont deux ou même trois clivages tandis que d'autres n'en ont aucun, ce qui ne les empêche pas de se fracturer en formant des dessins particuliers, comme le quartz qui présente des surfaces conchoïdales, c'est-à-dire qui ressemblent à des coquillages.

L'élasticité, la fragilité, la malléabilité, les propriétés électrique et magnétique, la radioactivité, la composition chimique etc. sont autant de caractéristiques qui permettent d'identifier les minéraux.

Formation des minéraux

La majeure partie des minéraux se sont formés et continuent à se former sous la croûte terrestre où ils sont soumis à de fortes pressions et à de hautes températures. A de grandes profondeurs, on trouve des poches de roches en fusion qui constituent le magma. Le magma est composé en grande partie de silicates qui sont des combinaisons de silicium, d'oxygène et d'autres éléments, certains très communs et d'autres beaucoup plus rares. Sous la pression, le magma monte vers les couches plus froides où il se solidifie lentement pour former des roches éruptives qui constituent l'un des trois grands groupes de roches. En certains endroits, le magma atteint la surface et s'écoule sur la terre à travers des fissures ou à travers les cheminées des volcans lors des éruptions, sous forme de laves incandescentes ou sous forme de poussière et de cendre volcanique. Le magma sous la surface de la terre se refroidit lentement tandis qu'à la surface il se refroidit rapidement. Sous terre, les cristaux se forment autour de minuscules noyaux jusqu'à solidification totale du magma. Tous les minéraux ne se solidifient pas à la même température. Dans un magma granitique, les silicates comme le quartz et le feldspath sont les premiers à se cristalliser. La quantité de gaz et d'eau augmente et le magma devient plus plat. Ce magma contient des éléments plus rares qui se cristallisent à des températures plus basses que les silicates. Il s'écoule vers les bords de la cavité où se forment des pegmatites, dernière étape de la cristallisation. Ces roches contiennent des minéraux cristallisés

STRUCTURE DE LA TERRE

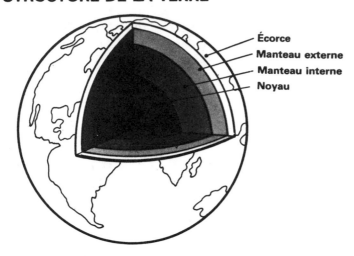

Écorce
Manteau externe
Manteau interne
Noyau

Sous l'écorce terrestre on trouve le manteau et le noyau (ci-dessus). L'écorce est composée de 92 éléments dont 8 constituent 98,59 % de la composition totale (à droite).

peu courants. Les pegmatites se forment aussi dans les veines des roches voisines qui se sont remplies de magma. C'est là que les collectionneurs viennent chercher les minéraux rares. Parfois, les roches retiennent des gaz et de la vapeur d'eau qui creusent des cavités. Par la suite, les gaz et l'eau s'échappent de ces cavités qui se remplissent alors de cristaux sous l'effet de solutions chaudes ou froides. Les liquides chauds se refroidissent dans les fissures des roches où ils se cristallisent et forment des veines hydrothermales dont l'épaisseur varie de quelques centimètres à plusieurs mètres. Ces liquides sont en général riches en éléments rares et contiennent des minerais précieux que l'on exploite.

Formation de minéraux par désagrégation
A la surface de la terre, les roches et les minéraux se modifient lentement et continuellement sous l'influence de la température et de l'érosion. Les variations de températures au cours de la journée et l'action du froid en hiver désintègrent les roches.
L'oxygène, le carbone bioxyde et l'eau sont les principaux agents de réactions chimiques qui décomposent petit à petit les roches solides. L'orthose qui est une sorte de feldspath, transforme l'argile dont on fait la porcelaine en kaolin. La bauxite, minerai dont on tire l'aluminium est le résultat d'une réaction chimique qui se vérifie dans les pays au climat chaud et humide. De l'eau contenant du carbone bioxyde dissout le calcaire car la présence de gaz transforme l'eau en un léger acide. Dans les cavernes de calcaire, l'eau

COMPOSITION DE L'ÉCORCE TERRESTRE

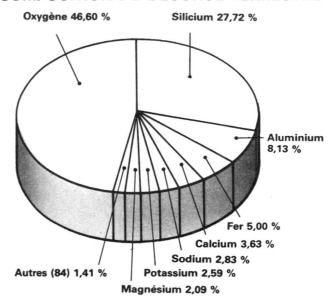

Oxygène 46,60 %
Silicium 27,72 %
Aluminium 8,13 %
Fer 5,00 %
Calcium 3,63 %
Sodium 2,83 %
Potassium 2,59 %
Magnésium 2,09 %
Autres (84) 1,41 %

qui suinte des parois précipite la calcite en stalactites et stalagmites. Les mers fermées précipitent d'autres minéraux comme le chlorure de sodium, l'anhydrite et le gypse quand l'eau s'évapore.

Les roches d'origine biologique
Les organismes vivants eux aussi forment de nouvelles roches, comme par exemple les polypes du corail, minuscules animaux marins qui s'entourent de calcaire. Ces polypes vivent en colonie et produisent sur des millions d'années des couches épaisses de calcaire. D'autres calcaires se forment à partir de coquilles et de squelettes d'organismes marins. La phosphorite est composée des résidus d'organismes morts. Les combustibles fossiles, le charbon, la tourbe, le pétrole et le gaz naturel sont tous d'origine biologique comme le sont parfois le soufre, le salpêtre et la pyrite. Les matériaux composés de matière vivante ne sont pas des minéraux bien qu'on les appelle souvent « les ressources minérales » car par définition, les minéraux sont des substances inorganiques sans vie.

Les roches métamorphiques
Le magma en montant des profondeurs de la terre traverse différentes couches de roches qui se transforment sous l'effet de la chaleur, de la pression et de réactions chimiques que produit le magma. Ces forces recristallisent en partie ou totalement les minéraux des roches qu'elles traversent. C'est ce qu'on appelle le métamorphisme qui peut être partiel (on a simplement la formation de nouvelles roches métamorphiques secondaires) ou total avec l'apparition de nouveaux minéraux. C'est ainsi que se forme le grenat.

Les roches

Il existe trois grands groupes de roches.

Les roches éruptives apparaissent à la suite du refroidissement et de la cristallisation du magma. Si ces phénomènes se produisent au-dessous de la surface de la terre, on les appelle roches éruptives intrusives. Si au contraire ils se produisent à la surface, on les appelle roches éruptives extrusives. Le granite et le basalte sont les deux roches éruptives les plus courantes. Chimiquement, on classe les roches éruptives suivant leur teneur en silice. Les roches éruptives acides sont riches en silice tandis que les roches éruptives basiques le sont beaucoup moins.

Les roches sédimentaires sont des roches qui proviennent de la sédimentation de fragments de pierres, généralement dans l'eau. Les conglomérats, les grès, les schistes argileux et les limons appartiennent à ce groupe. Certaines roches sédimentaires comme le charbon et certains calcaires sont d'origine organique, d'autres sont le résultat de processus chimiques.

Les roches métamorphiques résultent de la transformation, par le métamorphisme, de roches préexistantes. Les gneiss, les schistes, le marbre et l'ardoise appartiennent à ce groupe.

Le granite

Le granite est une roche cristalline dure et résistante qu'on utilise dans le bâtiment. Les granites sont en général formés de grains moyens dus au lent refroidissement du magma sous terre qui permet aux cristaux (les grains) de se développer. Chimiquement, le granite est une roche éruptive acide. Ses principaux composants sont l'orthose, le quartz ainsi qu'un peu de mica et d'amphibole. Ce sont les composants essentiels, de base. On peut trouver dans la composition du granite des minéraux secondaires, non-essentiels comme l'apatite, le béryl, le rutile et la topaze. Le granite est le plus souvent blanc, gris, rose ou rouge. Il peut cependant aussi être verdâtre, jaunâtre ou bleuâtre. Il est très facile à équarrir. Les pegmatites sont des variétés de granite à gros grains. Ces roches éruptives acides contiennent des minéraux secondaires comme le corindon, la tourmaline, la fluorite et le spodumène.

Le basalte

Le basalte est une roche éruptive basique et extrusive. Il est formé de grains fins et compacts dus au refroidissement rapide sur ou très près de la surface. Il existe des régions entières recouvertes d'épaisses couches de basalte. Il se dépose aussi dans les fissures de l'écorce terrestre.

Le basalte est inattaquable et très résistant à la chaleur. Il est très difficile d'obtenir des blocs de basalte réguliers. Pour les obtenir, on fait fondre la roche dans des fourneaux avant de la verser dans des moules. Après refroidissement, on obtient une substance cristalline appelée basalte fondu qui a les mêmes propriétés que la roche originale. Il sert à la construction des tunnels, des cuves et des tuyaux, résistants à l'érosion et à de nombreux acides. A l'état naturel, le basalte peut se contracter en refroidissant et éclater en groupes parallèles ou en forme d'éventail, de colonnes hexagonales ou pentagonales.

« Orgues » basaltiques à Espaly (Haute-Loire) sont un exemple célèbre de ce phénomène.

Les principaux minéraux composant le basalte sont le plagioclase, la néphéline, l'augite, les amphiboles et l'olivine. Les minéraux secondaires qui le composent sont l'apatite, la biotite, l'ilménite et la magnétite. Au sein des basaltes peuvent se former des cavités ovales qui se remplissent de minéraux tels que la calcite ou les zéolites.

Les conglomérats

Les conglomérats sont des roches sédimentaires à gros grains qui se forment à partir de fragments arrondis de quartz, de quartzite, de lydite, de minéraux et de roches diverses cimentés par des minéraux argileux, de la limonite, de la calcite et de l'hématite. La couleur des conglomérats varie suivant la nature des composants principaux et des agents de liaison.

On trouvera la description d'autres roches sédimentaires tels que la phosphorite, le charbon, le calcaire, le travertin et le grès dans les chapitres suivants.

Le gneiss

Le gneiss est une roche métamorphique qui provient de la transformation de roches sédimentaires ou éruptives sous l'effet de grandes pressions et de hautes températures dans les profondeurs de la terre. Le gneiss est une roche commune que l'on utilise dans la construction et dont on fait le gra-

Coupe agrandie
du granite

Granite

vier. Par sa composition minérale et chimique, il ressemble au granite. Ses principaux composants sont le quartz, l'orthose, la biotite, la muscovite, le pyroxène et l'amphibole. Les minéraux secondaires qui le composent sont : l'apatite, le grenat, le rutile et le zircon. C'est une roche à grains moyens ou fins, assemblés en bandes parallèles. Elle peut être de couleur grise, gris-blanc, jaunâtre, marron, marron-rouge ou gris-noir.

On parlera du marbre, autre roche métamorphique dans le chapitre intitulé « La pierre dans la sculpture et l'architecture ».

Les minéraux essentiels

On connaît environ 3 000 minéraux composés de 92 éléments présents dans l'écorce terrestre. Certains sont naturels mais la majeure partie est constituée d'un ou de plusieurs éléments. Les plus répandus, 40 ou 50 sur le nombre total de minéraux connus, sont le quartz, les feldspaths, les micas, les pyroxènes, les amphiboles et les olivines. Ces minéraux qui entrent dans la composition d'un grand nombre de roches sont les minéraux essentiels. Tous ces minéraux sont des silicates. Le quartz est composé de silicium et d'oxygène tandis que tous les autres sont beaucoup plus complexes, comme le montrent leurs formules chimiques. Les carbonates sont eux aussi des minéraux essentiels, en particulier la calcite qui entre dans la composition du calcaire.

Basalte

Le quartz

Le quartz est l'un des minéraux les plus répandus sur la surface de la terre. On le trouve dans les roches éruptives, sédimentaires et métamorphiques. Le quartzite et certains grès sont presque exclusivement composés de quartz. On trouve de gros cristaux presque parfaits dans les cavités et dans les pegmatites. Ces cristaux ont le plus souvent six côtés allongés terminés par six pans. Le quartz peut être aussi présent sous forme de minuscules grains vitreux ou dans certaines veines riches en métaux. Le quartz est assez dur et très résistant.

Le quartz le plus pur est le cristal de roche transparent et incolore. Autrefois on croyait que c'était de la glace changée en pierre. Le cristal de roche ainsi que certaines variétés de quartz colorées sont très appréciées comme pierres ornementales. Nous parlerons de l'amé-

Conglomérat

thyste, du quartz rose et de l'œil-de-tigre dans le chapitre intitulé « Les pierres fines et les pierres précieuses ».

Le quartz sert aussi à couper et à polir d'autres matières et à la fabrication des vitres. Soumis à de très hautes températures il se transforme en verre transparent, très résistant aux brusques changements de température et aux produits chimiques. Pour ces raisons, on l'utilise dans la fabrication des lampes à mercure (lampes à bronzer) et des instruments optiques. Le quartz joue aussi un rôle important dans les télécommunications modernes. Si on coupe une petite plaque avec un cristal de quartz pur et si l'on exerce une pression sur la surface de la plaque, il se produit un phénomène électrique que l'on appelle l'effet piézo-électrique et que l'on utilise dans les équipements radar, les émetteurs radio,

Gneiss

285

les postes récepteurs et dans les montres. Il faut noter que les cristaux de quartz qui servent à la fabrication de ces instruments sont des cristaux synthétiques.

Quartz (bioxyde de silicium), SiO₂ ; système : rhomboédrique ; dureté : 7 ; densité : 2,65 ; couleur et transparence : incolore ou blanc mais on le trouve aussi coloré, de transparent à opaque ; trace : blanche ; éclat : vitreux (comme du verre brisé) ; clivage : aucun, mais il a des surfaces de fracture conchoïdales.

Orthose

Les minéraux les plus répandus, après le quartz, sont les feldspaths. On les trouve dans un grand nombre de roches éruptives et métamorphiques. Chimiquement, ils

sont composés de potassium, de sodium ou d'aluminosilicates de calcium. L'orthose est un feldspath potassique. On le trouve surtout dans les roches éruptives acides, comme le granite.

L'orthose se modifie assez facilement par altération chimique. Dans des conditions favorables, les feldspaths forment des dépôts de kaolin. Les feldspaths sont utilisés dans les industries du verre et de la céramique. Ils servent à faire des vitres et de l'émail. Les principaux producteurs sont les États-Unis, l'URSS, la Suède, la Norvège et la France.

Orthose (aluminosilicate de potassium), KAlSi₃O₈ ; système : monoclinique ; dureté : 6 ; densité : 2,5−2,6 ; couleur et transparence : blanc, gris, jaune-brun, rose chair, rougeâtre, de translucide

à opaque ; trace : blanche ; éclat : vitreux ; clivage : deux clivages parfaits.*

Biotite

La biotite appartient à un groupe de minéraux siliceux appelés micas. On les trouve sous forme de paillettes ou sous forme de cristaux. Les blocs de mica ont un excellent clivage ; ils se décomposent en feuilles très fines, souples et élastiques. On trouve de très gros cristaux de biotite au Canada, aux États-Unis, en URSS (dans l'Oural), en Suède, au Groenland et en Italie (sur le Vésuve).

La biotite peut être noire, brun-noir ou vert foncé. C'est l'un des principaux composants de certains granites, des pegmatites et des basaltes. La biotite existe aussi très souvent dans les roches éruptives. On trouvera la description d'un autre mica, la muscovite, dans le chapitre sur les minéraux résistants à la chaleur.

Biotite (aluminosilicate complexe de magnésium, de potassium et de fer), K(Mg,Fe)₃AlSi₃O₁₀(OH)₂ ; système : monoclinique ; dureté : 2,5−3 ; densité : 2,8−3,2 ; couleur et transparence : noir, brun foncé, vert foncé, de transparent à translucide ; trace : blanche ; éclat : vitreux ou nacré ; clivage : parfait.

Augite

L'augite est le minéral le plus répandu du groupe des pyroxènes. On trouve les cristaux d'augite dans les roches éruptives basiques comme le basalte et le tuf (roche

composée de cendres volcaniques), notamment en Italie dans les matériaux expulsés par l'Etna, le Stromboli et le Vésuve.

Il est assez facile de confondre l'augite avec les amphiboles. Cependant, l'augite a deux clivages formant presque un angle droit tandis que les deux clivages des amphiboles forment un angle de 120°. Du point de vue chimique, l'augite est un minéral extrêmement complexe. En plus des éléments contenus dans la formule ci-dessous, il peut aussi contenir un peu de manganèse et un peu de titane.

Augite (silicate complexe de calcium, de magnésium, de fer, de sodium et d'aluminium), (Ca,Na)(Mg,Fe,Al)(SiAl)₂O₆ ; système : monoclinique ; dureté : 5−6 ; densité : 3,2−3,6 ; couleur et transparence : de vert foncé à noir, opaque ; trace : vert grisâtre ; éclat : vitreux ; clivage : parfait.

Amphiboles

Les amphiboles appartiennent à un groupe de silicates proches des pyroxènes. La néphrite, l'une des deux variétés de jade, est une amphibole. Les amphiboles les plus répandues sont cependant l'amphibole basaltique (hornblende) et l'amphibole commune qui ressemble à l'hornblende mais contient moins de fer. Les amphiboles sont très répandues dans les roches basaltiques noires. L'amphibolite, qui est une roche métamorphique, est constituée, pour la majeure partie, d'amphibole commune. On trouve les cristaux d'amphibole dans le tuf, dans la poussière volcanique et dans le basalte altéré. Ils ressemblent à ceux de l'augite dont ils se différencient par le clivage. Les amphiboles se forment dans le magma.

Amphibole (amphibole basaltique ou hornblende et amphibole commune, aluminosilicate complexe de calcium, de magnésium, de fer et de sodium, contenant du fluor), $(Ca,Na,K)_{2-3}(Mg,Fe,Al)_5$ $(Si,Al)_2Si_6O_{22}(OH,F)_2$; système : monoclinique ; dureté : 5–6 ; densité : 2,9–3,6 ; couleur et transparence : noir, brun, de gris-brun à vert, de translucide à opaque ; trace : brun-gris, vert-gris ; éclat : vitreux ; clivage : bon.

Olivine

Les olivines appartiennent elles aussi à un groupe de minéraux inclus dans les roches. Elles doivent leur nom à leur couleur vert olive. Les variétés transparentes que l'on appelle péridots et chrysolites sont utilisées en joaillerie. Au Moyen Age, elles ornaient les vêtements sacerdotaux et les plateaux de quête des églises.

On trouve l'olivine dans de nombreuses roches éruptives basiques ; il est très rare de trouver des cristaux bien formés. On trouve parfois l'olivine dans les météorites qui s'écrasent sur la terre.

Olivine (silicate de magnésium et de fer), $(Mg,Fe)_2SiO_4$; système : orthorhombique ; dureté : 6,5–7 ; densité : 3,3–3,7 ; couleur et transparence : toutes les nuances de vert, de transparent à translucide ; trace : blanche ou grise ; éclat : vitreux ; clivage : imparfait.

Augite

Amphibole

Olivine

Les minéraux métalliques

Les métaux sont la base de l'industrie. De nombreux minéraux contiennent des métaux mais rares sont ceux qui en contiennent suffisamment pour être rentables à l'exploitation.

Le fer

Le fer fait partie de notre vie quotidienne et nous n'y attachons pas grande importance. Pourtant l'Age de fer qui remonte à 3 000 ans

Hématite

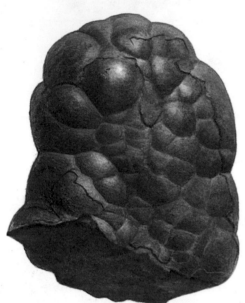

marque le début de la civilisation moderne. Sans ce métal résistant, l'exploitation agricole moderne n'existerait pas, nous n'aurions pas de produits manufacturés et aucun des transports que nous connaissons aujourd'hui.
Il fut un temps où le fer était un métal précieux et rare. C'est ainsi qu'on a trouvé, dans le cercueil de Toutankhamon, une épée de fer.

L'hématite

L'hématite qui contient 70 % de fer, est le plus important et le plus répandu des minerais de fer. On la trouve dans les roches éruptives et métamorphiques ainsi que dans les veines. Les principaux producteurs sont la Suède, l'URSS, les États-Unis, le Canada, le Brésil et l'Inde. Ce minéral forme de superbes cristaux noirs à l'éclat métallique, sphériques ou réniformes ; on le trouve aussi sous forme de petites sphères agglomérées. Hématite vient du grec *haima* qui signifie sang, la couleur de la trace de

ce minerai. L'hématite est depuis l'Antiquité un excellent pigment rouge ainsi qu'un agent d'affûtage et de polissage.
Hématite (oxyde ferrique), Fe_2O_3 ; système : rhomboédrique ; dureté : 5,5−6,5 ; densité : 5,2 ; couleur et transparence : rouge-brun, gris et noir, opaque ; trace : rouge cerise ; éclat : de métallique à terne ; clivage : aucun.

La magnétite

La magnétite est un minerai de fer qui contient 72 % de fer, présente dans de nombreuses roches mais seulement en petite quantité. Il existe cependant d'énormes dépôts de magnétite dans certaines roches éruptives qui peuvent atteindre jusqu'à 80 mètres d'épaisseur. La ma-

Magnétite

gnétite se trouve aussi dans les sables du littoral. Ce minéral forme des cristaux noirs mais le plus souvent, il est granuleux ou aggloméré. Il est très magnétique ce qui permet de l'identifier assez facilement. On peut recueillir des grains de magnétite dans le sable avec un aimant.

Les gisements les plus riches se trouvent au nord de la Suède, autour de Kiruna et de Gällivare, au-delà du cercle arctique. Il existe des gisements également en URSS et

Manganite

Niccolite

aux États-Unis.
Magnétite (fer tétraoxyde), Fe₃O₄ ; système : cubique ; dureté : 6 ; densité : 5,2 ; couleur et transparence : noir, opaque ; trace : noire ; éclat : de métallique à terne ; clivage : aucun.

Le manganèse

L'oxyde de manganèse, poudre noire qui sert à la fabrication des piles des lampes de poche, se trouve dans la nature sous le nom de pyrolusite.
Le manganèse est indispensable à l'affinage du fer. Il rend l'acier résistant à l'eau de mer qui est très corrosive. On l'utilise aussi dans l'industrie chimique et dans l'indus-

trie du verre. Il est indispensable à la vie des plantes et des animaux. La manganite est un minerai de manganèse. Elle forme des cristaux en colonne et des masses fibreuses. En se décomposant, la manganite se transforme en pyrolusite. On trouve de magnifiques cristaux de manganite dans les montagnes du Harz et en Thuringe (RDA). On en trouve aussi en Cornouailles, en Angleterre, au Michigan et en Nouvelle-Écosse.
Manganite (oxyde de manganèse hydraté), MnO(OH) ; système : monoclinique ; dureté : 4 ; densité :

4,3 ; *couleur et transparence : du gris au noir, opaque ; trace : brun-noir ; éclat : métallique ; clivage : parfait.*

Le nickel

Le nickel comme le chrome sert à protéger certaines pièces exposées aux intempéries (phares de voitures ou guidons de bicyclette).

Il s'allie facilement à la plupart des métaux. Aussi l'utilise-t-on pour l'élaboration d'aciers spéciaux pour les avions, les fusées, les résistances atomiques ainsi que pour la fabrication des monnaies.
A cause de sa couleur rouge cuivre clair, on pensait autrefois que la niccolite ou nickéline était un minerai du cuivre. Par la suite on a découvert qu'elle contenait un nouveau métal, le nickel. La niccolite est un minéral compact et aggloméré. Les cristaux sont rares. Si l'humidité est élevée, elle se couvre d'une croûte vert clair.
On trouve des gisements de niccolite en Saxe et dans les montagnes du Harz, à Cobalt dans l'Ontario, au Canada et dans la province du Rioja en Argentine.
Niccolite (arséniure de nickel), NiAs ; système : hexagonal ; dureté : 5–5,5 ; densité : 7,8 ; couleur et transparence : rouge cuivre clair, opaque ; trace : brun-noir ; éclat : métallique ; clivage : aucun.

L'étain

A la suite de la découverte du bronze (alliage de cuivre et d'étain) il

y a environ 5 000 ans, l'étain devint un métal recherché. La découverte du bronze qui est plus dur que le cuivre, marque le début de l'Age du bronze. On utilise encore le bronze pour faire des œuvres de métal ouvré. L'étain entre aussi dans la composition des étains. Jusqu'au dix-neuvième siècle on mangeait et on buvait dans de la vaisselle en

Cassitérite

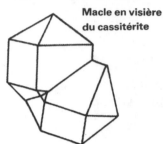

étain maintenant très recherchée par les collectionneurs. De nos jours, l'étain sert surtout à étamer d'autres métaux.

La cassitérite est le principal minerai de l'étain. Les cristaux de cassitérite sont souvent maclés en forme d'épaule. Cependant on la trouve plus souvent en grains ou agglomérée, sous forme de cailloux et de sable dans les gisements alluvionnaires. Elle a la plus haute teneur en étain (78 %). Il est fréquent de la rencontrer en petite quantité mais les gisements exploitables sont assez rares. L'étain fut longtemps exploité en Cornouailles et dans les monts Métallifères de Bohême. Aujourd'hui on la trouve surtout dans les gisements alluvionnaires de Malaysia, de Birmanie, de Thaïlande, d'Indonésie et de Chine. On trouve aussi des gisements en Australie et en Bolivie.

Cassitérite (bioxyde d'étain), SnO₂ ; système : quadratique ; dureté : 6–7 ; densité : 6,8–7,1 ; couleur et transparence : du brun au noir, de presque transparente à opaque ; trace : blanche ; éclat : d'adamantin (brillant) à métallique ; clivage : aucun, cassant.

Le plomb

C'est un métal connu depuis l'Antiquité. Les terrasses des jardins sus-pendus de Babylone étaient ornées d'urnes de plomb. De nos jours, la consommation mondiale de plomb augmente régulièrement. Il sert

Macle en visière du cassitérite

surtout à faire des tuyaux, des gaines de protection pour les câbles, des batteries et des boucliers contre la radioactivité ; avec les alliages de plomb on fabrique les caractères d'imprimerie. Les composants du plomb servent à faire des teintures et des pigments.

La galène est le principal minerai de plomb ; elle constitue 97 % du minéral. Le minerai de plomb peut aussi contenir jusqu'à 0,5 % d'argent. On trouve des gisements de galène en Autriche, en Angleterre, en Allemagne, en Pologne et en Roumanie. Mais les plus beaux gisements se trouvent aux États-Unis, en Australie et au Mexique. Aux États-Unis, les principaux États producteurs sont le Missouri, le Kansas et l'Oklahoma (autour de la ville de Joplin). On trouve aussi des gisements importants dans l'Illinois, l'Iowa, l'Idaho et le Colorado. Les cristaux de galène sont cubiques et leur clivage parfait, parallèle aux surfaces du cube, donne de petits cubes. On trouve de très beaux cristaux dans les druses (cavités d'où sortent des cristaux en bandes parallèles). La galène que

Galène

l'on trouve dans les mines est granuleuse, compacte ou agglomérée. *Galène (sulfure de plomb), PbS ; système : cubique ; dureté : 2,5 ; densité : 7,5 ; couleur et transparence : gris-bleu, opaque ; trace : grise ; éclat : métallique ; clivage : parfait.*

Le zinc

La bonne qualité d'une image télévisée dépend de la couche de sulfure de zinc appelé aussi sphalérite ou blende, qui recouvre l'écran sur lequel on projette l'image. Le zinc a naturellement de nombreux autres emplois. Il sert à galvaniser le fer et l'acier et il entre dans la composition de nombreux alliages (laiton, maillechort, etc.). On l'utilise aussi dans l'industrie électrochimique et pharmaceutique.

La sphalérite contient jusqu'à 67% de zinc, ainsi que du fer, du cadmium, de l'indium et du germanium, ces trois derniers servant à la fabrication des transistors. La sphalérite est un minerai commun que l'on trouve dans les veines hydrothermales avec la galène et dans les veines calcaires avec la pyrite et la magnétite. On la trouve sous forme de cristaux, granuleuse ou agglomérée. Le minéral peut être de diverses couleurs tandis que la sphalérite qui contient une assez grande quantité de fer est noire. C'est un minéral assez difficile à identifier. Son nom d'ailleurs vient du grec *sphaleros* qui signifie trompeur.

On trouve des gisements de sphalérite un peu partout dans le monde. L'un des minerais les plus purs se trouve en Espagne. Les cristaux de sphalérite espagnole, très brillants, sont utilisés en bijouterie. On trouve aussi des gisements en Tchécoslovaquie, en Allemagne, en Pologne en Roumanie, en URSS, en Australie, au Canada, au Japon, au Mexique et au Pérou. Les plus grands gisements se trouvent aux États-Unis, dans le Missouri, l'Illinois, l'Iowa, le Colorado, l'Idaho, le New Jersey, la Pennsylvanie, le Tennessee et dans l'État de New-York.

Sphalérite (sulfure de zinc), ZnS ; système : cubique ; dureté :

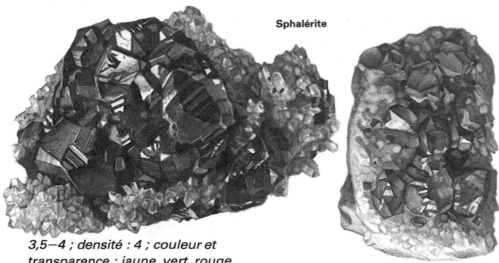

Sphalérite

3,5—4 ; densité : 4 ; couleur et transparence : jaune, vert, rouge, du marron au noir, de transparent à opaque ; trace : brune, jaune, blanche ou grise ; éclat : gras, d'adamantin à métallique ; clivage ; parfait, cassant. Autres caractéristiques : la sphalérite est fluorescente si on la frotte dans le noir.

L'aluminium

On trouve des objets en aluminium dans toutes les maisons. Les bateaux, les avions et les trains sont fabriqués avec des alliages d'aluminium léger. C'est un élément important dans le bâtiment et il remplace le cuivre comme conducteur de l'électricité. Les oxydes d'aluminium sont d'excellents abrasifs que l'on utilise pour réduire en poudre et pour polir d'autres matériaux. Ces emplois multiples font que la consommation d'aluminium augmente rapidement.

L'aluminium est l'élément le plus répandu dans l'écorce terrestre, dont il constitue 8,13% de la masse totale, après l'oxygène et le silicium. On le trouve dans de nombreux minéraux, les silicates d'aluminium. On obtint pour la première fois du métal pur en 1825, mais la production industrielle ne commença qu'au début du vingtième siècle.

Le seul minerai important de l'aluminium est la bauxite qui est une roche sédimentaire. Elle est composée de trois minéraux, la bohémite, la diaspore et la gibbsite, qui ont chacun leurs caractéristiques. La bauxite provient de la désagrégation de roches contenant des aluminosilicates des régions tropicales et subtropicales. Les

grosses pluies extraient par filtration les silicates des couches superficielles et l'aluminium reste sous forme d'oxydes d'aluminium hydraté. Le terme « hydraté » indique que l'eau forme un mélange chimique avec les minéraux. La bauxite peut aussi contenir des oxydes de fer et de manganèse, de l'opale ainsi que d'autres minéraux. Le nom de bauxite lui vient des Baux de Provence où l'on trouve de riches gisements. On trouve une roche semblable dans les régions tropicales avec une plus haute teneur en fer, que l'on appelle latérite. La bauxite peut être rouge, jaune, marron ou grise. Elle est en général compacte ou terreuse.

On trouve la bauxite en France, en Hongrie, en Roumanie, en URSS, en Yougoslavie, en Afrique, en particulier en Guinée, en Australie, en Guyane, en Inde, en Indonésie, à la Jamaïque, en Océanie et dans le Surinam. On en trouve également

aux États-Unis, en Alabama, dans l'Arkansas et en Géorgie.

Le titane

Ce n'est qu'en 1795 que l'on découvrit le titane dans le rutile. De nos jours, ce métal résistant, gris acier est très employé dans les alliages pour l'industrie aéronautique, pour la construction des fusées et des vaisseaux cosmiques. Il est utilisé dans beaucoup d'autres domaines encore. Demandez à un peintre comment il obtient des nuages d'un blanc transparent inhabituel ; il vous montrera un tube de blanc titane. Le rutile est le principal minéral du titane qui constitue environ 60% du minerai. Le rutile a des cristaux en colonne, souvent maclés en forme de genou ou d'épaule. On le trouve aussi sous forme de fines aiguilles dans le quartz que l'on appelle « les flèches

Rutile

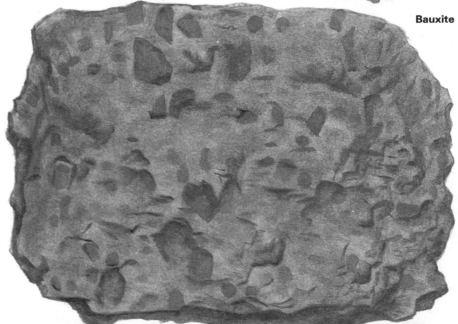

Bauxite

Les métaux natifs

de l'amour » ou « le cheveu de Vénus ». On trouve le rutile en petite quantité dans de nombreuses roches. Mais il est exploitable dans les gisements sablonneux et alluvionnaires. On l'extrait au Brésil, en Australie, en Norvège et en URSS. Aux États-Unis on le trouve dans l'Arkansas, la Géorgie, la Virginie et le nord-est de la Floride. On fabrique maintenant du rutile synthétique grâce au procédé Verneuil dont nous parlerons dans le chapitre sur les pierres fines et les pierres précieuses. Ce procédé permet d'obtenir des rubis, des saphirs et des spinelles synthétiques.

Rutile (oxyde de titane), TiO_2 ; système : quadratique ; dureté : 6−6,5 ; densité : 4,2−4,4 ; couleur et transparence : de rouge, rouge-brun à noire, de transparent (quand il est mince) à presque opaque ; trace : brun clair ; éclat : d'adamantin à métallique ; clivage : pauvre, fracture irrégulière.

Il n'existe que 22 éléments à l'état pur dans l'écorce terrestre qui par ailleurs peuvent se mêler à d'autres éléments. Par exemple, le carbone pur se trouve sous forme de diamant ou de graphite. On appelle ces éléments des éléments natifs ou bruts. Certains métaux comme l'or, l'argent et le cuivre sont des éléments natifs.

L'or

L'or est le plus précieux, le plus ductile et le plus malléable de tous les métaux. Il est inattaquable par l'air

Lavage à la batée dans une mine au Moyen Age

et par les acides. C'est pour ces qualités que dès le début de l'Age de pierre il a servi à faire des bijoux et des ornements. On en a trouvé dans les tombes des pharaons égyptiens et dans le trésor de Mycènes qui remonte à deux mille ans avant J.-C. et qui se trouve maintenant au Musée archéologique national d'Athènes. L'or est un symbole de pouvoir et de richesse. Autrefois on fabriquait les pièces avec de l'or. De nos jours, c'est une monnaie d'échange internationale. Il est aussi utilisé par les dentistes, dans l'électrotechnique et dans l'industrie du verre pour le colorer en rouge. Dans la nature, on trouve l'or

Or

dans des veines qui contiennent du quartz et des fragments effrités dans le lit des rivières. Les cristaux d'or sont très rares. Il se présente surtout sous forme de paillettes, de grains, de cailloux ou de pépites. Le premier producteur d'or est l'Afrique du Sud, dans les régions du Transvaal et de l'Orange. L'URSS (dans l'Oural et en Sibérie), le Canada, le Japon, la Rhodésie (Zimbabwe), la Nouvelle-Guinée (Papouasie), les Philippines et l'Australie sont aussi des pays producteurs d'or. Les États-Unis, quatrième producteur mondial exploitent le minerai d'or en Alaska, dans l'Arizona, en Californie, au Colorado, dans le Montana, le Névada, le Dakota du Sud et l'Utah.

Or (Au) ; système : cubique ; dureté ; 2,5–3 ; densité : 19,3, moins s'il contient des traces d'autres métaux ; couleur et transparence : jaune, opaque ; trace : jaune d'or ; éclat : métallique ; clivage : aucun, fracture rugueuse ; autres

Cuivre

Argent

caractéristiques : ductile et malléable.

L'argent

L'argent, merveilleux et rare métal blanc a toujours été classé second après l'or. Et pourtant, un objet en argent éclipse bien souvent un objet en or. Il y a 6 000 ans, les Égyptiens faisaient des perles d'argent et les Grecs de magnifiques filigranes (dentelles métalliques ornementales). De nos jours, l'argent est encore très apprécié. Certaines pierres précieuses s'harmonisent parfaitement avec l'or mais il en est d'autres que l'éclat blanc de l'argent met plus en valeur. L'argent est utilisé par les dentistes et dans l'électrotechnique. Il sert aussi à argenter d'autres métaux et à préparer des émulsions pour l'industrie photographique.

Dans la nature, on trouve l'argent natif dans les veines sous forme de ramifications filiformes ou de masses irrégulières. L'argent natif est très rare ; on le trouve surtout dans les minerais. De nombreux gisements ont déjà été épuisés. Actuellement, les principaux producteurs sont l'URSS, le Mexique, le Canada, les États-Unis, le Pérou et la Pologne.

Argent (Ag) ; système : cubique ; dureté : 2,5–3 ; densité : 10–12 ; couleur et transparence : blanc argent, devient noir au

contact de l'air, opaque ; trace : blanc argent ; éclat : métallique ; clivage : aucun, fracture rugueuse ; autres caractéristiques : ductile et malléable.

Le cuivre

C'est avec le cuivre que l'homme préhistorique fabriqua, il y a environ 10 000 ans, ses premiers outils. Il utilisa d'abord du cuivre pur qui est relativement mou. Il y a environ 5 000 ans on inventa le bronze, alliage dur de cuivre et d'étain. Ce fut la fin de l'Age de pierre et le début de l'Age du bronze. Aujourd'hui, le cuivre est le métal le plus employé après le fer. On l'utilise dans l'industrie de l'équipement électrique et en alliages pour faire du bronze et du laiton.

Dans la nature, on trouve le cuivre sous forme de paillettes ou de masses ramifiées filiformes et irrégulières. Le cuivre natif est rare ; on le trouve surtout dans les minerais. Les principaux producteurs sont les États-Unis, l'URSS, le Chili, le Canada, la Zambie, le Zaïre, le Pérou, la Pologne, les Philippines et l'Australie.

Cuivre (Cu) ; système : cubique ; dureté : 2,5–3 ; densité : 8,9 ; couleur et transparence : rouge cuivre, opaque ; trace : rouge cuivre ; éclat : métallique ; clivage : aucun, fracture rugueuse ; autres caractéristiques : malléable et ductile.

Les minéraux dans l'industrie chimique

L'écorce terrestre est un gigantesque laboratoire naturel plein de richesses sous forme de minéraux. Pratiquement tous les minéraux sont utilisés d'une façon ou d'une autre dans l'industrie chimique.

Le soufre

Faire un feu en frottant deux bouts de bois l'un contre l'autre n'est pas chose facile. Une boîte d'allumettes

Soufre

est beaucoup plus pratique. Les bouts d'allumettes contiennent du soufre, élément que l'on trouve dans les minerais et parfois à l'état pur. Il est de couleur jaune vif. Il s'enflamme facilement et brûle avec une flamme bleue qui dégage une odeur âcre. Sans exagérer, on peut dire que le soufre est « la force motrice » de l'industrie chimique moderne. Il sert à traiter le caoutchouc et à fabriquer de l'acide sulfurique, de nombreuses teintures, de nombreux médicaments, de la pâte de bois et de la cellulose, de la soie artificielle, du plastique et des engrais. C'est un ingrédient des explosifs, des allumettes et des insecticides.

Le soufre d'origine volcanique se forme et brûle dans les cratères. Mais il existe aussi de grands gisements qui proviennent de l'action des bactéries sur les sulfates dans l'eau. Dans certains endroits, comme dans le parc national de Yellowstone, dans l'État du Wyoming aux États-Unis, il se trouve dans les sources chaudes. On ob-

tient aussi du soufre en brûlant du charbon. La Sicile possède d'importants gisements de soufre. On a découvert récemment de nouveaux gisements au Japon, au Mexique et en Pologne. Le principal producteur sont les États-Unis.
Soufre (S) ; système : orthorhombique ; dureté : 1,5–2,5 ; densité : 2–2,1 ; couleur et transparence : du jaune au brun,

de transparent à translucide ; trace : de blanche à jaune ; éclat : de gras à adamantin ; clivage : aucun, fracture conchoïdale ; le soufre est cassant et s'effrite dans la main (à la température du corps humain) ; autres caractéristiques : le soufre est un mauvais conducteur de la chaleur et de l'électricité ; il fond à 119 °C.

Pyrite

La pyrite

On peut trouver parfois des morceaux de charbons qui contiennent des grains aux reflets dorés. Ce n'est pas de l'or mais de la pyrite ou « l'or des dupes ». La pyrite est friable et donne une trace noirâtre. Ce nom vient du grec *puritès* qui signifie pierre de feu, car elle lance des étincelles quand on la frotte avec de l'acier.

Dans la Grèce antique les gens portaient des amulettes en pyrite car on croyait qu'elle préservait des maladies. De nos jours, elle sert à faire de l'acide sulfurique, des sulfates, des pigments et des vernis. La pyrite est un minéral très répandu que l'on trouve dans tous les types de roches. Elle donne des cristaux cubiques qui contiennent de fines stries parallèles aux bords des cubes. On la trouve aussi dans les gisements granuleux, agglomérés, compacts ou réniformes.

L'Italie, le Japon, le Portugal, la Scandinavie et l'Espagne possèdent de vastes gisements de pyrite. Il existe d'importants gisements aux États-Unis.
Pyrite (bisulfure de fer), FeS_2 ; système : cubique ; dureté : 6–6,5 ; densité : 4,9–5,2 ; couleur et transparence : jaune laiton, opaque ; trace : noir brunâtre, noir verdâtre ; éclat : métallique ; clivage : aucun, fractures conchoïdales ou irrégulières.

La halite (sel gemme)

Le sel, indispensable à l'homme est le seul minéral que nous consommons chaque jour (6 à 7 kilos par personne et par an).

Le sel gemme est un agent de conservation fondamental. On l'utilise beaucoup dans l'industrie, en particulier dans l'industrie chimique qui absorbe plus d'un tiers de la production.

Chimiquement, le sel gemme est un chlorure de sodium qui contient environ 40% de sodium et 60% de chlorure. Il forme des cristaux cubiques ou des masses granuleuses ou fibreuses de différentes couleurs. Le sel est soluble dans l'eau. L'eau de mer contient en moyenne 3,5 grammes de sel par litre. D'énormes gisements de sel gem-

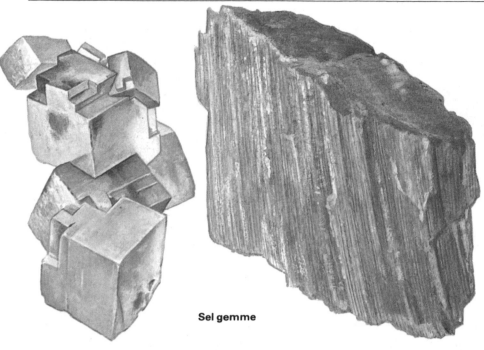

Sel gemme

Les zéolites

Les zéolites forment un groupe de minéraux d'une grande importance pour l'industrie chimique. Chimiquement, se sont des silicates d'aluminium hydratés. L'eau se dépose dans les pores de leur structure interne. Chauffées, les zéolites perdent leur eau et bouillent. Leur nom vient du grec *zeo,* « bouillir » et *lithos,* « pierre ». En se refroidissant, les zéolites récupèrent leur eau ou bien libèrent d'autres substances, comme l'ammonium ou divers hydrocarbones. C'est ce qu'on appelle des échanges de ions.

Les ions de la structure de la zéolite peuvent être remplacés par des ions dissous dans l'eau. Par exemple, on adoucit l'eau en la faisant passer à travers un filtre en zéolite. Les ions de calcium de l'eau dur sont remplacés par les ions de sodium de la zéolite.

On trouve les zéolites dans les cavités et les fissures des roches éruptives basiques. La figure montre une stilbite et une heulandite islandaise, deux zéolites que l'on trouve très souvent ensemble.

On trouve des gisements de zéolites en Nouvelle-Écosse, au Canada, dans les îles Faeroe, en Islande, en Inde, en Irlande du Nord, en Écosse, en Tanzanie et aux États-Unis.

Stilbite, heulandite (aluminosilicates de calcium hydraté),
$CaAl_2Si_7O_{18} \cdot 7H_2O$ *(stilbite)*
$CaAl_2Si_7O_{18} \cdot 6H_2O$ *(heulandite),*
système : monoclinique ; dureté : 3,5–4 ; densité : 2,2 ; couleur et transparence : blanche, jaune, rougeâtre, de transparente à translucide ; trace : incolore ; éclat : vitreux, nacré ; clivage : parfait.

---

me se sont formés par suite de l'évaporation de l'eau de mer dans les climats chauds ou secs. Un grand nombre de ces gisements fut par la suite recouvert de couches de sables et d'argile. Sous la pression des couches supérieures, le sel est réapparu à la surface formant des calottes de sel ou dômes. Les dômes de sel sont parfois des collecteurs de pétrole qui s'infiltre à travers les roches environnantes et qui s'accumule autour du sommet du dôme.

On obtient le sel par évaporation, et par extraction. Les plus grands gisements de sel se trouvent aux États-Unis, en URSS et en Chine. En Europe il existe des gisements importants en Autriche, en Angleterre, en France, en Allemagne, en Pologne et en Roumanie.

Halite ou sel gemme (chlorure de sodium), NaCl ; système : cubique ; dureté : 2 ; densité : 2,1 ; couleur et transparence : incolore, blanc, jaune, rouge, bleu, violet et brun, transparent à translucide ; trace : blanche ; éclat : vitreux ; clivage : parfait, les cristaux se cassent en petits cubes ; autres caractéristiques : soluble dans l'eau, goût particulier.

La fluorite

Le frigidaire est un appareil ménager que nous connaissons tous. Mais combien parmi nous savent que le principal agent frigorifique,

le fréon, est de la fluorine, dérivée de la fluorite ? On utilise la fluorite dans la métallurgie pour fondre les minerais car elle se liquéfie beaucoup plus rapidement que n'importe quel autre minéral métallique. Son nom vient du latin *fluere* qui signifie s'écouler. La fluorite est l'élément de base pour la production des composés de la fluorine. Un de ces composés, l'acide fluorhydrique est employé dans la gravure sur verre. On utilise aussi la fluorine pour fabriquer les poêles qui n'attachent pas.

Dans la nature, la fluorite forme des cristaux cubiques dans les solutions hydrothermales. On la trouve aussi sous forme de gisements granuleux ou agglomérés. Chauffée, la fluorite devient fluorescente dans le noir. Les cristaux de couleur changeante le sont même à la lumière du jour.

On trouve une très belle variété de fluorite à bandes colorées, appelée Blue John en Angleterre dans le Derbyshire. La France, l'Italie, l'URSS, RDA, ainsi que les États-Unis possèdent d'importants gisements de fluorite.

Fluorite (fluorure de calcium), CaF_2 ; système : cubique ; dureté : 4 ; densité : 3,1 ; couleur et transparence : incolore, jaune, verte, rose, rouge, violette et brune, de transparente à translucide ; trace : blanche ; éclat : vitreux ; clivage : parfait, cassant.

Fluorite

Les engrais minéraux et l'alimentation des

Zéolite

Certains minéraux jouent un rôle important dans ce qu'on appelle le cycle de nutrition des plantes et des animaux qui les tiennent en réserve. Quand les organismes vivants meurent, ils se décomposent et les éléments retournent à la terre. Le cycle de nutrition se répète une nouvelle fois.

L'apatite

L'apatite est un minéral assez largement répandu que l'on trouve en petite quantité dans de nombreuses roches. C'est un élément vital de l'alimentation des plantes et des animaux. L'apatite constitue environ 60% des os et environ 90 % de l'émail des dents des vertébrés. La présence d'apatite dans les os et dans l'émail des dents n'est pas visible à l'œil nu car elle prend la forme de cristaux microscopiques. Dans la nature, l'apatite donne des cristaux très variés, certains ont la symétrie du système hexagonal, d'autres sont en forme de colonne ou d'aiguille, d'autres encore, allongés ou tabulaires. Les petits cristaux se trouvent dans un grand nombre de roches éruptives, les gros cristaux dans les pegmatites et dans certaines veines hydrothermales. Au Canada on a trouvé des cristaux de plus de trois mètres de long. On trouve aussi l'apatite sous forme de gisements granuleux, agglomérée ou compacte. On la trouve aussi dans les roches métamorphiques et sédimentaires. Dans les roches sédimentaires c'est le

composant principal des os fossilisés ainsi que d'autres matières autrefois vivantes. L'apatite est l'élément de base de la production de phosphore pour la fabrication d'engrais que l'on appelle les superphosphates.

On trouve en Suisse et à Durango, au Mexique des cristaux d'apatite transparents et colorés qui sont de très belles pierres d'ornement. « La pierre d'asperge » est une autre variété de pierre semi-précieuse de couleur vert jaunâtre. L'apatite est trop tendre pour être utilisée en bijouterie.

Le nom apatite vient du grec *apate* qui signifie « tromperie ». En effet il est très facile de la confondre avec d'autres pierres comme l'améthyste, l'aigue-marine (variété bleu clair nuancé de vert de béryl) et la tourmaline. Cependant, l'apatite est beaucoup plus tendre que toutes

ces pierres ce qui en définitive permet de l'identifier. L'apatite fut reconnue un minéral à part entière à la fin du dix-huitième siècle quand le célèbre minéralogiste allemand Abraham Gottlob Werner (1750−1817) mit en évidence sa composition.

Chimiquement, l'apatite est un minéral assez complexe. C'est un phosphate de calcium qui contient aussi de la fluorine (F), de la chlorine (Cl) et de l'hydroxyle (OH), dans des proportions qui varient d'une pierre à l'autre. Cette variation explique pourquoi l'apatite a tant de formes différentes.

Les plus grands gisements d'apatite finement granuleuse se trouvent dans la presqu'île de Kola en URSS. On trouve également des gisements exploitables dans l'Ontario, au Québec, en Norvège et en Suède. Les États-Unis possèdent des gisements en Californie, dans le Maine, en Caroline du Nord et dans l'État de New York.

Apatite (phosphate de calcium, fluorine, chlorine et hydroxyle), $Ca_5(PO_4)_3(F, Cl, OH)$; système : hexagonal ; dureté : 5 ; densité : 3, 2 ; couleur et transparence : incolore (quand elle est pure), verte, vert-bleu, rouge, violette et brune, de transparente à opaque ; trace : blanche ; éclat : de vitreux à gras ; clivage : pauvre, cassant, conchoïdal ou irrégulier ; autres caractéristiques : se dissout dans l'acide chlorhydrique ; la plupart des apatites sont fluorescentes sous les rayons ultra-violets.

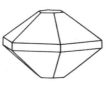

Cristaux d'apatite

Apatite

plantes

La phosphorite

L'apatite, à travers les animaux marins en décomposition au fond de la mer, se dépose en couches compactes ou finement fibreuses de couleur grise, brune ou noire. Cette roche phosphoreuse que l'on appelle phosphorite est composée de différents phosphates de calcium apparentés à l'apatite, d'organismes divers et de substances charbonneuses.

La phosphorite peut aussi former des nodules à l'intérieur des roches.

Comme l'apatite, la phosphorite n'est pas soluble dans l'eau. Traitée avec de l'acide sulfurique elle donne un superphosphate. Cet engrais se dissout plus facilement dans le sol que le phosphate de calcium ce qui permet aux plantes de l'absorber plus rapidement. La consommation mondiale de phosphorite augmente, due à l'expansion des cultures intensives sur une grande échelle.

Les gisements de phosphorite exploitables se trouvent en Afrique du Nord, Algérie, Maroc et Tunisie, en Belgique, en France, en Espagne et en URSS, surtout en Ukraine et au Kazakhstan. Les États-Unis sont le premier producteur avec des gisements de phosphorite de très haute qualité dans l'Idaho, le Tennessee et le Wyoming et des dépôts de cailloux phosphoreux tout le long de la côte atlantique, de la Caroline

Salpêtre du Chili

du Nord à la Floride. Dans les îles du Pacifique, les dépôts de phosphate sont en formation continuelle, dus à la décompositon des oiseaux de mer qui viennent y mourir. Ces dépôts appelés guano sont utilisés comme engrais.

Le salpêtre du Chili

Le salpêtre du Chili appelé aussi nitratine ou nitre est l'un des composants essentiels de la poudre utilisée par les mousquetaires au Moyen Age. C'est un très bon engrais azoté déjà connu dans l'ancienne Égypte. De nos jours, on exploite encore le salpêtre du Chili. Cependant la plupart des nitrates,

y compris le salpêtre sont fabriqués artificiellement à partir de l'azote présent dans l'atmosphère. Le salpêtre que l'on trouve dans le sol est produit naturellement par l'action des bactéries sur les résidus de plantes ou d'animaux morts. Il se dissout facilement dans l'eau et forme un précipité sous forme de substances agglomérées ou de fines croûtes. On trouve ce genre de sédimentation seulement dans les régions très sèches. Les plus grands gisements se trouvent le long des côtes septentrionales du Chili. Il existe des gisements de moindre importance en Bolivie, au Pérou, en Afrique du Nord, en URSS et aux États-Unis, en Californie et au Névada.

Le salpêtre du Chili est souvent associé à des sels et à des fragments de roche comme le gypse et la halite (sel gemme). Le nitrate de sodium impur s'appelle caliche. Après extraction, on dissout les impurités et l'on peut alors produire des nitrates purs.

Salpêtre du Chili (nitrate de sodium), $NaNO_3$; système : rhomboédrique mais les cristaux sont rares ; dureté : 1−2 ; densité : 2,3 ; couleur et transparence : incolore, blanc, gris, jaune et brun, transparente à translucide ; trace : blanche ; éclat : vitreux ; clivage : parfait ; autres caractéristiques : se dissout facilement dans l'eau, frais au goût.

Phosphorite

Les combustibles fossiles

Les substances de l'écorce terrestre qui proviennent des résidus d'organismes vivants et dont on se sert comme combustibles sont appelées les combustibles fossiles. La tourbe et diverses sortes de charbon ainsi que le pétrole et le gaz naturel appartiennent à ce groupe. Ce sont d'importantes sources d'énergie et des matières premières inestimables pour l'industrie chimique. Le charbon est véritablement un don de la nature. Il s'est formé sur les restes d'immenses forêts qui couvraient la terre il y a des millions d'années. On distingue quatre étapes dans la formation du charbon. A chaque étape correspond une substance précise, à savoir, la tourbe, la lignite, la houille et l'anthracite.

Tourbe

La tourbe

La tourbe, première étape de la formation du charbon apparaît dans les marécages côtiers ou dans l'eau douce. Les résidus de plantes qui s'accumulent dans l'eau sont rapidement recouverts par la végétation qui repousse. Les résidus en putréfaction sont privés d'oxygène. De ce fait, le processus naturel qui réduit toutes les matières organiques en eau, bioxyde de carbone et simples sels inorganiques s'arrête. Les résidus à moitié pourris s'accumulent en couches successives comme on peut le voir dans les tourbières. La tourbe des couches supérieures est marron clair tandis que les couches inférieures, dans les gisements profonds, sont marron foncé. Elle contient environ 60% de carbone. C'est une substance légère et poreuse. Au moment de l'extraction elle peut contenir jusqu'à 90% d'eau. Les tourbières exploitables sont très nombreuses et réparties sur toute la surface de la terre. La tourbe séchée est utilisée telle quelle ou transformée en briquettes et en charbon de bois. On l'utilise pour la fabrication du papier et des matières plastiques ainsi que dans le bâtiment comme isolant. C'est un excellent engrais pour les sols pauvres en humus. La tourbe est aussi utilisée dans les stations thermales sous forme d'enveloppements humides.

La lignite

Quand les couches de tourbe sont complètement recouvertes d'eau, les plantes s'arrêtent de pousser. Le sable et l'argile se déposent alors sur la tourbe. Ce phénomène se produit quand le niveau de la mer monte ou quand la terre s'affaisse. La pression des couches de sable et d'argile fait sortir l'eau de la tourbe. La combinaison de la pression et des hautes températures souterraines fait augmenter la quantité de carbone dans le gisement.

C'est ainsi que se forme la lignite, seconde étape de la formation du charbon. Les gisements de lignite datent du tertiaire (2 à 65 millions

d'années). La lignite, généralement terne, sans éclat, compacte et assez tendre, contient de 70 à 73% de carbone. Mais au moment de l'extraction, elle peut contenir jusqu'à 50% d'eau. C'est une roche combustible que l'on utilise aussi dans l'industrie chimique.

La houille

Tant que les conditions géologiques sont stables, les gisements de lignite le sont aussi. Mais si la pression et la température augmentent, la lignite se transforme en houille, résultat d'une plus grande concentration de carbone dans la matière végétale. La houille a un aspect

Lignite

298

strié dû aux couches brillantes et ternes qui la composent. Elle contient 82 % de carbone et dégage plus de chaleur que la lignite. On l'appelle aussi houille grasse, gaz de houille, etc. La houille s'est formée au cours du carbonifère (280 à 345 millions d'années). A cette époque, le climat chaud et humide favorisait la poussée des plantes. Les résidus de ces plantes (prêles, énormes fougères et mousses) formèrent la houille que l'on exploite aujourd'hui. On trouve de la houille dans le monde entier et même dans les régions extrêmement froides du pôle Nord qui étaient, à l'époque carbonifère, beaucoup plus chaudes qu'aujourd'hui. On trouve des bassins houillers en Belgique, en Angleterre, en France, en Allema-

thétique, des médicaments, des teintures, des huiles minérales et beaucoup d'autres substances d'usage courant.

L'anthracite
L'anthracite, variété de houille très riche en carbone, est la dernière étape de la formation du charbon. Il ne porte plus la marque de son origine végétale et la quantité de carbone qu'il contient atteint 94 %. L'anthracite est une roche brillante propre dont l'éclat varie de vitreux à métallique. Elle est dure, compacte, cassante et présente une fracture conchoïdale. L'anthracite s'est formée sous l'influence de très fortes pressions et de très hautes températures, à la suite de grands bouleversements dans l'é-

corce terrestre. Des plaques, par exemple, énormes blocs de croûte terrestre qui se déplacent peuvent exercer de fortes pressions. La pression qu'exerce l'une sur l'autre deux plaques qui se rencontrent peut provoquer le jaillissement des roches et la formation de chaînes de montagnes, comme dans le cas des Alpes. On trouve de l'anthracite en quantité intéressante dans le pays de Galles, en URSS et aux États-Unis, dans l'ouest de la Pennsylvanie.
On l'utilise pour fondre les minerais de fer dans les hauts fourneaux et comme source d'énergie, en particulier comme charbon de chauffage car il brûle toujours à la même température en dégageant une très grande chaleur.

Houille

gne, en Pologne, en URSS qui est le premier producteur ainsi que dans de nombreux autres pays. Les États-Unis, second producteur, possèdent des gisements importants sur le versant ouest des Appalaches, de la Pennsylvanie du sud à l'Alabama ainsi que dans l'Illinois, l'Iowa et l'Oklahoma. La production mondiale atteint environ 2 millions et demi de tonnes par an. L'URSS et les États-Unis possèdent environ les trois quarts des réserves mondiales connues.
La lignite et la houille ont été petit à petit supplantées par le pétrole et le gaz naturel. Mais il ne faut pas oublier que l'industrie chimique a pu se développer grâce à elles. Elles servent à fabriquer du coke, du goudron, du gaz, du pétrole syn-

Anthracite

Les minéraux incombustibles

Il y a bien longtemps déjà, les alchimistes cherchaient des substances résistant à de très hautes températures. Aujourd'hui ces substances existent et elles sont indispensables à la réalisation de certains procédés industriels dans les hauts fourneaux. La graphite, l'asbeste (chrysotile), la muscovite, le talc et la magnésite sont des minéraux incombustibles.

La graphite

Une mine de crayon est un petit bâton de graphite ou plombagine, substance tendre et incombustible, dont le nom vient du grec *grafein* qui signifie « écrire ». C'est vers 1550 que l'on utilisa pour la première fois la graphite pour faire des mines de crayon mais ses propriétés étaient connues depuis fort longtemps.

De nos jours, on utilise une part infime de la production de graphite pour faire des mines de crayon. Elle sert surtout à fabriquer des creusets pour fondre les minerais et les métaux. Elle est très employée aussi dans l'industrie de l'équipement électrique, pour fabriquer des électrodes pour batteries, des « balais » de charbon pour les moteurs. On l'utilise pour plaquer les métaux et comme lubrifiant. Chimiquement, la graphite, comme le diamant est une des manifestations de l'élément carbone. Dans la nature, on la trouve dans les roches métamorphiques et parfois, mais beaucoup plus rarement, dans les veines des roches éruptives, sous forme d'agrégats lamelleux ou de cristaux plats. Mais on la trouve aussi sous forme de masses impu-

Graphite

res, agglomérées, compactes et terreuses.

Les grands gisements de graphite en Europe se trouvent en Autriche, en Tchécoslovaquie, en RFA, en Italie et en URSS. Les gisements exploitables, hors d'Europe, se trouvent au Canada, en Corée, au Mexique, au Sri Lanka, à Madagascar et aux États-Unis.

Graphite (carbone), C ; système : hexagonal ; dureté : 1 ; densité : 2,2 ; couleur et transparence : de noire à gris acier, opaque ; trace : noire ; éclat : de métallique à terne ; clivage : parfait ; autres caractéristiques : flexible sans être élastique, elle est grasse au toucher et salissante.

L'asbeste

L'asbeste est peut-être l'un des minéraux incombustibles les plus connus car il sert à confectionner des vêtements ignifuges. On donne le nom d'asbeste à plusieurs variétés de minéraux fibreux dont le plus connu est la chrysotile, variété de serpentine qui constitue plus de 90 % de la production mondiale d'asbeste. Son nom vient de deux mots grecs : *chrysos,* qui signifie « or » et *tilos* qui signifie « fibre ». Pour fabriquer les tissus ignifuges, comme par exemple les rideaux de théâtre, on utilise les fibres les plus longues. Les fibres plus courtes servent à fabriquer du ciment de toiture, des tuyaux et du matériel ignifuge pour l'électrotechnique.

L'asbeste entre aussi dans la fabrication des garnitures de frein et des manchons d'embrayage des véhicules à moteur.

Dans la nature, on trouve la chrysotile dans la serpentinite, roche métamorphique principalement composée de serpentine. Dans les fissures, la chrysotile forme des fibres extrêmement minces en formation parallèle. Les principaux gisements se trouvent au Canada dans la province du Québec. On l'exploite aussi en RDA, en URSS dans la région de l'Oural, en Rhodésie (Zimbabwe), en République sud-africaine dans la province du Transvaal et aux États-Unis, en Arizona, dans le Vermont et le New-Jersey.

Chrysotile (silicate de magnésium hydraté), $Mg_3Si_2O_5(OH)_4$; système : monoclinique ; dureté : variable, 3–5 ; densité : 2,4–2,7 ; couleur et transparence : blanchâtre, grise, gris-vert, gris-jaune et marron, de transparente à opaque ; trace : blanche ; éclat : soyeux ; clivage : aucun ; autres caractéristiques : contient des fibres facilement séparables, flexible et élastique.

La muscovite

C'est en Russie, il y a environ 300 ans, que l'on utilisa pour la première fois de fines feuilles de muscovite pour fabriquer des vitres. Elles arrivèrent en Europe occidentale et furent connues sous le nom de « verre de Moscovie », d'où son nom, muscovite. La technologie moderne en fait grand usage car elle est incombustible et constitue un excellent isolant électrique. Réduite en poussière elle donne du brillant aux couleurs.

La muscovite, comme la biotite que nous avons déjà décrit, est un minéral qui entre dans la composition de nombreuses roches. On trouve des éclats brillants de muscovite dans un grand nombre de granites. On la trouve aussi en blocs qui se clivent facilement en feuilles fines et transparentes ainsi que dans certaines roches sédimentaires et métamorphiques. On trouve de très gros cristaux de plusieurs mètres au Brésil, au Canada, au Japon,

Asbeste

Muscovite

électrique et des dessus de tables pour les laboratoires chimiques. Le talc, qui s'obtient par l'altération des amphiboles, des olivines et des pyroxènes, minéraux des roches métamorphiques, est un minéral d'origine secondaire. Il forme des masses finement cristallisées ou des agrégats lamelleux. La stéatite est une variété de talc compacte et agglomérée. On trouve des gisements riches en talc en Autriche, dans le sud de la France, en RFA, dans le nord de l'Italie ainsi qu'aux États-Unis. Le Canada possède des gisements de talc de haute qualité, tendre, facile à extraire et à tailler en blocs.

Talc (silicate de magnésium hydraté), $Mg_3Si_4O_{10}(OH)_2$; système : monoclinique; dureté : 1 ; densité :

Talc

ment pour préparer des ciments spéciaux, dans l'industrie de la porcelaine et de la céramique et pour produire du magnésium et ses composés. Dans la nature, la magnésite provient de la désagrégation et de la décomposition de roches riches en magnésium comme la serpentine, ou de l'altération du calcaire et de la dolomite dans lesquels elle forme des veines ou des masses irrégulières. Selon son origine, la magnésite est grossièrement cristallisée ou, et c'est le cas le plus fréquent, granuleuse, agglomérée, compacte ou terreuse. Elle ressemble parfois à la craie mais elle est beaucoup plus rare que la calcite.
L'Autriche possède les gisements les plus riches. On trouve des gisements assez importants en Tchécoslovaquie, en Grèce, en Italie, en URSS et aux États-Unis.

Magnésite (carbonate de magnésium), $MgCO_3$; système : rhomboédrique ; dureté : 3,5−5 ; densité : 3−3,2 ; couleur et transparence : blanche, grise, jaune et marron, de transparente à opaque ; trace : blanche ; éclat : de vitreux à terne ; clivage : parfait ; autres caractéristiques : elle peut ressembler à la calcite, mais contrairement à celle-ci, elle n'est pratiquement pas modifiée par l'acide chlorhydrique froid qui dissout la calcite.

à Madagascar et en URSS. Les principaux producteurs sont les États-Unis, l'Inde et la République sud-africaine.

Muscovite (mica minéral, silicate d'aluminium et de potassium, hydrogène et fluor), $KAl_2(AlSi_3O_{10})(OH,F)_2$; système : monoclinique ; dureté : 2−2,5 ; densité : 2,7−2,8 ; couleur et transparence : incolore, jaune, marron et verdâtre, les feuilles fines sont transparentes et les feuilles un peu plus épaisses sont translucides ; trace : blanche ; éclat : de vitreux à nacré ; clivage : parfait, en feuilles fines, flexibles et élastiques.

Le talc

Réduit en poudre, le talc est une substance connue de tous qui sert de base à la fabrication de poudre de talc pour la toilette et pour le visage. Il trouve de nombreuses autres utilisations grâce à ses propriétés particulières. Il est incombustible, résistant aux acides et excellent isolant électrique. Il sert à la fabrication de garnitures ignifuges, de briques, du brûleurs, de crayons et de savons. On l'utilise aussi comme lubrifiant solide dans l'industrie textile, du caoutchouc et du papier. On en fait des plaques pour construire des éviers résistants aux acides, des tableaux de distribution

2,6−2,8 ; couleur et transparence : blanche, grise, jaunâtre et verdâtre, de transparente à opaque ; trace : de blanche à vert très clair ; éclat : de gras à nacré ; clivage : parfait ; autres caractéristiques : les feuilles de talc sont flexibles sans être élastiques (comme le mica) ; il est gras au toucher.

La magnésite

La magnésite est un minéral indispensable à l'industrie moderne, à la fabrication de briques incombustibles pour le revêtement des hauts fourneaux. On l'utilise dans le bâti-

Magnésite

Les minéraux utilisés dans la verrerie,

L'homme a beaucoup appris de la nature. Il a pu remarquer, par exemple, que l'éclair qui frappe les sables du désert donne naissance à une substance vitreuse, que dans les régions volcaniques, on trouve du verre volcanique noir et que les oiseaux consolident leur nid avec de l'argile qui leur donne une forme absolument régulière. De l'observation de ces phénomènes et des expériences réalisées sont nées des techniques nouvelles qui ont conduit, au vingtième siècle au perfectionnement des industries du verre et de la céramique. Le quartz que l'on trouve dans le sable est la matière première essentielle à l'industrie du verre. Nous avons déjà décrit le quartz et les feldspaths qui servent à vernisser la porcelaine dans un chapitre précédent. Dans le présent chapitre, nous nous occuperons des autres matières premières utilisées dans la verrerie, la céramique et le bâtiment.

Kaolinite

La kaolinite
L'histoire de la porcelaine commence il y a des centaines d'années en Chine où elle fut inventée. Les porcelaines anciennes, surtout celles de la dynastie chinoise Ming sont des pièces très recherchées par les collectionneurs. La porcelaine ne fut introduite en Europe qu'au quinzième siècle et de nombreuses années passèrent encore avant que les Européens soient capables de la fabriquer. Au quinzième siècle, les Hollandais copièrent les porcelaines chinoises en

faisant des maïoliques (poteries de terre vernissées ou faïences) décorées de motifs chinois. En 1709, un pharmacien allemand, Johann F. Böttger (1682−1719) réussit à faire de la porcelaine. La matière première de base pour produire de la porcelaine est le kaolin, roche sédimentaire blanc grisâtre, principal composant de la kaolinite qui est un silicate d'aluminium hydraté. La kaolinite se forme à la suite de la désagrégation de roches contenant du feldspath. Elle entre dans la composition des argiles et on la trouve sous forme de masses ternes et terreuses. Ses cristaux sont minuscules et lamelleux, ce qui la

distingue des autres minéraux argileux. Quand on le mouille, le kaolin devient malléable ce qui permet de lui donner la forme que l'on veut. On le fait ensuite cuire dans un four où il devient dur et blanc, de la porcelaine. Le kaolin sert aussi de mastic dans les industries qui traitent le textile, le papier, la gomme, le savon et les cosmétiques. Il existe très peu de gisements de kaolin pur. Ils sont situés en Angleterre, en Tchécoslovaquie, en Allemagne et naturellement en Chine où se trouvent les plus grands gisements.
Kaolinite (silicate d'aluminium hydraté), $Al_2Si_2O_5(OH)_4$; système : triclinique ; dureté : 1−2 ; densité : 2,6 ; couleur et transparence : blanche, grise, de translucide à opaque ; trace : blanche ; éclat : terne, terreux ; clivage : parfait.

La calcite
La calcite est un carbonate très commun et largement répandu sur la surface de la terre, élément de base pour la formation des minéraux et le principal composant du calcaire qui est une roche sédimentaire. Les régions calcaires ont un aspect très particulier : la roche est usée petit à petit par l'eau qui contient du bioxyde de carbone pris dans l'air ou dans le sol. Les

Calcite

la céramique et le bâtiment

trous que l'on voit à la surface, conduisent dans des tunnels et des caves où se forment des stalactites et des stalagmites, calcite finement cristalline précipitée par des gouttes d'eau.

Les sédiments calcaires se sont déposés il y a des millions d'années sur le fond de la mer où ils se sont tassés et cimentés, ce qui explique la présence de fossiles marins, mollusques et coraux. L'étude de ces fossiles a permis aux savants d'étudier la vie sur la terre dans ces temps très reculés. Avec le calcaire on fait du ciment et de la chaux pour l'industrie du bâtiment, du verre, de la céramique, des vernis et des produits chimiques pour traiter les sols acides.

La calcite donne des cristaux fins en forme de feuille ou longs en forme de colonne ou d'aiguille. Le spath d'Islande est une variété de calcite cristallisée incolore et transparente, présentant le phénomène de double réfraction. Si vous placez un morceau de spath d'Islande sur cette feuille de papier, vous verrez chaque ligne double. On trouve de gros cristaux de calcite aux États-Unis, dans le Missouri et au Kansas.

Calcite (carbonate de calcium), $CaCO_3$; système : rhomboédrique ; dureté : 3 ; densité : 2,6−2,8 ; couleur et transparence : incolore, blanche, grise, jaune et marron, de transparente à opaque ; trace : blanche ; éclat : vitreux ; clivage : parfait ; autres caractéristiques : la calcite se dissout dans l'acide chlorhydrique.

Le gypse

On connaît les propriétés du gypse depuis fort longtemps. Chauffé à 120−180°, il perd une partie de son eau et se transforme en une poudre appelée plâtre de Paris. Depuis l'Antiquité, il sert à décorer les murs et à faire des plâtres de statues. De nos jours on l'utilise dans l'industrie du bâtiment pour faire les ouvrages légers, le plâtre et toutes sortes de moules. Les médecins eux aussi font des plâtres, pour immobiliser des membres fracturés. On utilise le gypse dans la fabrication de certains ciments, dans l'agriculture et dans l'industrie chimique. L'albâtre, variété de gypse granuleuse et agglomérée sert à faire des statues. Le spath satiné fibreux à l'éclat soyeux et la sélénite, incolore et transparente sont deux autres variétés de gypse.

Le gypse donne des macles en queue d'hirondelle, parfaites, incolores et transparentes. On trouve le gypse en couches épaisses dans les roches sédimentaires avec les argiles et les calcaires. Il précipite avec l'eau de mer quand elle s'est évaporée. C'est pourquoi on le trouve très souvent dans les mines de sel. On le trouve aussi dans les veines des minerais et dans le sol comme minéral secondaire, résultat de la

désagrégation de sulfures comme la pyrite.

On trouve d'importants gisements en Autriche, en Angleterre, au Canada, en France, en URSS ainsi qu'aux États-Unis.

Gypse (sulfate de calcium hydraté), $CaSO_4 \cdot 2H_2O$; système : monoclinique ; dureté : 1,5−2 ; densité : 2,3 ; couleur et transparence : incolore, blanc, gris, jaune, marron et rougeâtre, de transparent à translucide ; trace : blanche ; éclat : vitreux, nacré, soyeux ; clivage : parfait.

Anhydrite

Les gisements de roches salines contiennent souvent du gypse et de l'anhydrite que l'on appelle « le frère sec du gypse », car elle ne contient pas d'eau. On l'utilise pour faire du ciment de Portland et pour agglomérer les plâtres et le mortier. L'anhydrite est généralement agglomérée ou granuleuse, parfois grossièrement cristallisée. Elle apparaît après précipitation avec l'eau de mer ou comme minéral secondaire quand le gypse perd son eau.

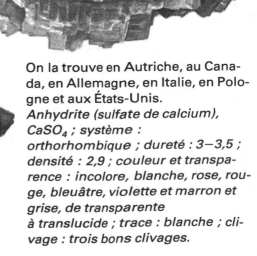

Anhydrite

On la trouve en Autriche, au Canada, en Allemagne, en Italie, en Pologne et aux États-Unis.

Anhydrite (sulfate de calcium), $CaSO_4$; système : orthorhombique ; dureté : 3−3,5 ; densité : 2,9 ; couleur et transparence : incolore, blanche, rose, rouge, bleuâtre, violette et marron et grise, de transparente à translucide ; trace : blanche ; clivage : trois bons clivages.

Gypse

Les minéraux de l'ère atomique

Le développement scientifique et technologique a été largement influencé par l'énergie atomique. Les matières premières essentielles à sa production sont les minéraux qui contiennent des éléments radioactifs et en particulier, l'uranium et le thorium. Il existe environ 100 minéraux qui contiennent de l'uranium et du thorium mais pour la plupart ils n'intéressent que les minéralogistes n'étant pas rentables industriellement. L'uraninite, un groupe de minéraux secondaires appelés micas d'uranium et la thorite sont les principaux minéraux utilisés par l'industrie de l'énergie atomique.

L'uraninite

L'élément uranium fut découvert en 1789. Il y a environ 100 ans, on utilisait l'uraninite, qui contient un peu de radium et de polonium pour fabriquer une peinture jaune vif qui servait à décorer la céramique et le verre.

En 1898, Marie Skłodowska Curie (1867–1934) découvrit l'élément radium dans les déchets de fabrication de cette peinture. Il fut d'abord utilisé surtout en médecine avant de devenir le principal agent d'une nouvelle science. Les éléments radioactifs produisent une grande énergie et les minéraux qui les contiennent ont acquis depuis la seconde guerre mondiale une énorme importance stratégique. On trouve l'uraninite dans le granite où il donne parfois des cristaux cubiques, mais il est beaucoup plus fréquent de la trouver dans les veines des minerais tel que le pechblende, forme agglomérée de l'uranium, que l'on trouve en couches noires brillantes ou en masses réniformes. On la trouve aussi dans les

veinules de certaines roches et parfois dans le gravier des rivières. L'uraninite est extrêmement radioactive. Si l'on place un morceau de roche contenant des veinules d'uraninite sur une plaque photographique, on obtient en deux jours la photo exacte de ces veinules. L'uraninite est un minéral instable. Il se transforme en minéraux secondaires aux couleurs éclatantes. On trouve l'uraninite en Afrique du Sud, au Zaïre, au Canada et aux États-Unis. En Europe, on l'exploite en Angleterre et en Tchécoslovaquie.

Uraninite (bioxyde d'uranium), UO_2 ; système : cubique ; dureté : 5,5 ; densité : 7,5–9,5, les cristaux ont une densité plus forte que les formes agglomérées ; couleur et transparence : de brun noirâtre à noire, opaque ; trace : de brun noirâtre à grise ; éclat : résineux, gras ; clivage : aucun, l'uraninite est friable et présente une fracture conchoïdale ou irrégulière.

La torbernite et la carnotite

Les immenses étendues qui se trouvent au nord du Canada n'étaient accessibles qu'aux bateaux quand en 1930, un collectionneur de minéraux entreprenant décolla à bord d'un hydravion. En survolant le Grand lac de l'Ours, il remarqua que la terre d'une de ses îles était jaune vif. Cette bande jaune s'étendait jusque sur la terre ferme. Le collectionneur amerrit pour examiner le phénomène de plus près. Il trouva de petits cristaux écailleux jaunes entourant des veines d'uraninite. Il avait découvert l'un des

Veinules d'uraninite et leur autoradiogramme sur une plaque photographique

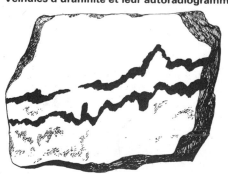 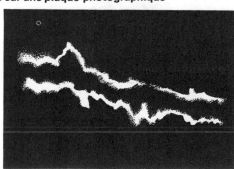

plus grands gisements d'uranium, de cobalt, de nickel et d'argent. L'uraninite se transforme en minéraux secondaires quand elle entre en contact avec l'oxygène de l'air. Ces minéraux secondaires sont en forme de feuille et lamelleux. Ils sont généralement de couleur jaune ou verte, d'éclat nacré et leur clivage est presque parfait. Ils appartiennent au groupe micas d'uranium, comme la torbernite. Cette dernière se forme dans les veines contenant de l'uraninite et des minéraux de cuivre. Elle est vert émeraude et donne des cristaux plats et carrés. Elle peut aussi former des amas de cristaux qui remplissent les fissures des roches. La carnotite appartient elle aussi à ce groupe. Elle est jaune ou vert-jaune et forme une croûte cristalline ou poudreuse. Elle se dépose dans les eaux qui ont été en contact avec de l'uranium ou du vanadium.
La torbernite et les minéraux apparentés fournissent de l'uranium de bonne qualité. On les exploite en Angleterre, en Tchécoslovaquie, en France, en Allemagne, au Portugal,

en Espagne, au Zaïre et en Australie. Aux États-Unis, on trouve la torbernite dans le Connecticut, dans le Dakota du Sud et dans l'Utah.
Torbernite (phosphate hydraté d'uranium et cuivre), $Cu(OU_2)_2(PO_4)_2 . 8-12H_2O$; système : rhomboédrique ; dureté : 2-2,5 ; densité : 3,4-3,6 ; couleur et transparence : vert émeraude, de transparente à translucide ; trace : vert clair ; éclat : de vitreux à nacré ; clivage : parfait.
Carnotite (vanadate hydraté d'uranium et potassium), $K_2(UO_2)_2(VO_4)_2 . 3H_2O$; système : monoclinique ; dureté : 4 ; densité : 4,4 ; couleur et transparence : jaune, vert-jaune, cristaux transparents ; trace : jaune clair ; éclat : nacré, terne ; clivage : parfait.

Groupe du mica d'uranium

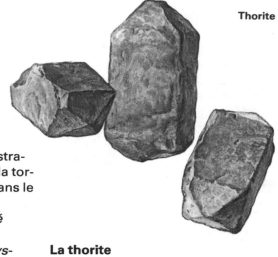

Thorite

La thorite
L'uranium et le thorium sont les seuls éléments radioactifs qui entrent dans la composition des minéraux comme éléments essentiels. Tous les autres sont présents dans les minéraux en très petite quantité sous forme de tracés. Les minéraux contenant du thorium, comme la thorite, sont beaucoup moins nombreux que ceux qui contiennent de l'uranium. Le thorium ne sert pas seulement à fournir de l'énergie nucléaire. On l'utilise pour fabriquer du matériel électronique et des alliages spéciaux. Contrairement à l'uraninite, la thorite est un minéral très stable qui se désagrège difficilement. Quand les roches qui contiennent de la thorite se désagrègent, le minéral se mélange aux dépôts alluvionnaires d'où on peut l'extraire facilement. La thorite donne des cristaux en colonne ou pyramidaux dans les pegmatites. On la trouve aussi sous forme de masses agglomérées ou de grains dans les roches ou dans le gravier des rivières. Elle contient souvent des éléments rares (éléments dont le numéro atomique va de 57 à 71), et un peu d'uranium, dans les meilleurs cas, 10 %. On trouve des cristaux de thorite en Norvège et à Madagascar. On l'extrait des dépôts alluvionnaires au Sri Lanka.
Thorite (silicate de thorium), $ThSiO_4$; système : quadratique ; dureté : 4,5 ; densité : 4,4-5,4 ; couleur et transparence : de jaune à orange, de brun à noir, de transparente à opaque ; trace : brune ; éclat : vitreux, de gras à terne ; clivage : pauvre.

Torbernite

Carnotite

La pierre dans la sculpture et l'architecture

La pierre ornementale que l'on utilise dans la construction, devient belle et brillante dans les mains de l'ouvrier mais il n'y a rien de plus beau que la pierre naturelle, celle des constructions antiques, des statues, des pavés.

Le plastique moderne ne remplacera jamais la pierre bien taillée qui demeure le meilleur matériau de construction et de décoration. Chaque période historique a eu sa pierre préférée. Les Grecs utilisaient beaucoup le marbre et les Romains outre le marbre, appréciaient aussi le travertin. L'art roman préférait les pierres ornementales et l'art gothique le grès.

Marbre

Le marbre

Les artistes et les architectes grecs travaillèrent beaucoup avec le marbre qu'il soit blanc ou coloré. On admire encore les ruines des temples grecs et les statues de l'Antiquité sont précieusement conservées dans les grands musées du monde entier. Le marbre ne vieillit pas et ne passe jamais de mode. Les sculpteurs modernes eux aussi préfèrent le marbre car il est facile à tailler et devient brillant et poli. Les architectes modernes l'utilisent quand ils veulent souligner la majesté et l'importance d'une construction, comme les monuments commémoratifs ou les édifices représentatifs d'un pays.

Le marbre est une roche métamorphique qui apparaît à la suite d'une forte augmentation de température et de pression qui recristallise les calcaires des roches sédimentaires et principalement la calcite et la dolomite. Le marbre comme la calcite et la dolomite est tendre ce qui permet de le distinguer du quartzite, roche métamorphique beaucoup plus dure auquel il ressemble. Le marbre peut être compact, finement ou grossièrement granuleux. En général, le marbre est blanc ou gris. Mais il existe aussi des variétés de marbre noir, vert, rouge et jaune.

Il peut être de couleur uniforme, tacheté, strié, ou veiné. Chaque variété de marbre a une couleur, des dessins et des signes distinctifs bien précis.

On trouve un très beau marbre blanc à Carrare en Italie, déjà connu au quinzième siècle de Léonard de Vinci et au seizième de Michel-Ange qui l'utilisèrent. Il existe du très beau marbre également en Autriche, en Belgique, en Tchécoslovaquie, en France, en Grèce et en Norvège. En Argentine, au Mexique et en Californie on trouve un marbre verdâtre ou jaune d'or que l'on appelle parfois à tort onyx.

Le travertin

Dans la Rome antique, qui était le centre du monde civilisé, le marbre n'était pas le seul matériau de construction. Il partageait la première place avec le travertin. Le travertin qui servit à la construction du Colisée, du Panthéon, des temples et des palais fut apporté de Tibur (aujourd'hui Tivoli). Les Romains l'appelait *lapis tiburtinus* (la pierre de Tibur). Travertin vient de la déformation du nom latin. On utilise encore le travertin surtout pour décorer les façades des édifices et pour certains travaux de maçonnerie. Le travertin est une roche sédimentaire, un calcaire poreux formé par des dépôts de carbonate de calcium (calcite) dans les sources chaudes et froides combinés à l'action des bactéries et des algues. Les couches sont irrégulières et la roche est très souvent striée. Il peut être compact ou très poreux. Le tra-

Travertin

vertin est blanc, jaune, brun ou gris. On trouve des gisements en Algérie, en Tchécoslovaquie, en Allemagne, en Italie, en Yougoslavie et en URSS. Aux États-Unis on trouve du travertin dans les Sources chaudes de Mammoth qui se trouvent dans le parc de Yellowstone. Les Sources chaudes de Mammoth sont entourées de terrasses en travertin qui ressemblent à des chutes d'eau gêlées ou changées en pierre. On peut voir le même phénomène en Turquie aux « chutes » de Pammunale.

pitent au contact de l'eau. Ils peuvent être calcaires (calcite), argileux (minéraux argileux), ferrugineux (hématite ou limonite) ou siliceux (silice). La couleur du grès va du blanc au gris et du jaune au brun ou au rouge. La couleur dépend du matériau agglomérant comme la dureté et la résistance. Le grès est une roche largement répandue sur tous les continents. C'est une roche poreuse, et l'eau s'y infiltre. Les couches profondes de grès sont souvent saturées d'eau que l'on peut atteindre par forage.

Le labrador

Le labrador est l'un des minéraux formant les feldspaths. Il doit son nom à la péninsule du Labrador où il fut découvert il y a environ 200 ans. C'est un minéral gris foncé dont la surface de clivage offre de beaux bleus et de beaux verts. Pour cette raison, on l'utilise pour égayer la façade des édifices. Les plus beaux spécimens sont taillés et polis pour la bijouterie.

Le labrador appartient à un groupe de minéraux appelés feldspaths plagioclases. Ce sont des silicates d'aluminium qui contiennent du sodium et du calcium en quantité variable. Leur composition chimique les distingue des feldspaths de potassium comme l'orthose que nous avons déjà décrit. Le labrador est généralement granuleux. Les cristaux plats sont rares et très petits. On le trouve dans diverses roches éruptives comme le basalte et le gabbro ; on a aussi trouvé de petits cristaux dans les cendres volcaniques. On l'exploite en Finlande, aux États-Unis, dans l'État de New York et en URSS.

Labrador (feldspath plagioclase, aluminosilicates de sodium et de calcium) ; formule du groupe : $CaAl_2Si_2O_8$ + $NaAlSi_3O_8$; système : triclinique ; dureté : 6 ; densité : 2,6 ; couleur et transparence : bleu-gris, bleu-vert, de transparent à opaque ; trace : blanche ; éclat : vitreux, nacré ; clivage : parfait.

Grès

Le grès

Le grès est lui aussi une pierre chère aux sculpteurs et aux architectes. Au Moyen Age on construisit de célèbres cathédrales aussi bien que de petites églises de village.

Le grès est une roche sédimentaire composée de grains de sable. Cette roche se forme principalement dans l'eau et il n'est pas rare d'y trouver des fossiles marins. Certains grès se sont formés il y a des millions d'années sur la terre, avec le sable des déserts. Les grains de sable sont composés principalement de quartz ce qui rend la pierre relativement résistante.

Dans le grès, les petits grains de sable sont cimentés par divers matériaux. Ces ciments naturels préci-

Labrador

Les pierres fines et les pierres précieuses

D'où vient le pouvoir magique qu'exercent les pierres précieuses ? Pourquoi des hommes ont-ils risqué leur vie pour les trouver ? Quelles propriétés doit avoir un minéral pour qu'on lui donne le nom de pierre précieuse ? Avant tout il doit être beau !

La beauté dépend de la couleur, de l'éclat et de la transparence d'une pierre. On peut augmenter leur beauté en les polissant et en les enchâssant dans une garniture. Les pierres précieuses doivent aussi être dures pour que leur beauté se perpétue longtemps. Plus elles sont rares plus elles sont précieuses. Et enfin la mode leur donne suivant les époques plus ou moins de popularité.

Les pierres précieuses ont servi d'ornement dès l'Age de pierre.

Diamant

De nos jours, on utilise un grand nombre de pierres précieuses dans l'industrie.

Le diamant

Le diamant est « le roi » des pierres précieuses. Son nom vient du grec *adamas* qui signifie « adamantin » ou incassable. Taillé et poli il a un éclat brillant et chatoyant. Il a des propriétés d'une grande utilité dans l'industrie. Pourtant, chimiquement, le diamant est carbone, comme la plombagine des mines de crayon ou le charbon le plus pur. C'est l'arrangement de ses atomes qui lui donne des qualités particu-

lières.

Le diamant, pierre du mois d'avril, est le plus dur des minéraux naturels, le plus brillant et le plus réfracteur. Le diamant incolore est considéré comme la plus belle des pierres précieuses. Mais il existe aussi des diamants bleus, rouges, verts, jaunes, bruns, gris et même noirs. Les diamants se sont formés à de très grandes profondeurs sous l'effet de températures et de pressions extrêmement fortes dans une roche appelée kimberlite. Cette roche remplit les cheminées volcaniques appelés « cheminées de diamants ». Le plus gros diamant jamais trouvé s'appelle le Cullinan. Il pèse 621,2 grammes et fut trouvé en 1905 à Pretoria dans la Première mine. Il fut par la suite taillé en 105 pierres. Pour mettre en valeur le

brillant et l'éclat d'un diamant, on le taille de différentes façons. Le diamant le plus répandu est le diamant taillé brillant qui présente de nombreuses petites surfaces inclinées appelées facettes. Les facettes reflètent et réfractent la lumière, lui donnent son chatoiement unique appelé les « feux » du diamant. Les premiers diamants synthétiques furent fabriqués en 1955. Les cristaux synthétiques sont très petits. Ils ne peuvent en aucun cas rivaliser avec les diamants naturels mais ils sont utiles dans l'industrie. L'Afrique est le premier producteur de diamants. C'est à Kimberley

Cristal hexoctaèdre

dans la République sud-africaine que l'on trouve les plus beaux diamants. Il existe des mines importantes en Angola, au Botswana, au Ghana, en Namibie, dans la Sierra Leone, en Tanzanie et au Zaïre. Les mines les plus anciennes se trouvent au Brésil et en Inde. Depuis 1954 l'URSS extrait de très beaux diamants à Yakoutsk. L'Australie, le Venezuela et les États-Unis possèdent des mines de moindre importance.

Diamant (carbone), C ; système : cubique, les cristaux sont en général octaèdres, formant deux pyramides à huit faces ; dureté : 10 ; densité : 3,5 ; couleur et transparence : incolore, rouge, bleu, vert, brun, gris, noir, de translucide à transparent ; trace : blanche ; éclat : adamantin, gras ; clivage : parfait.

Le rubis et le saphir

Bien qu'ils ne soient pas aussi durs que le diamant, le rubis et le saphir sont des pierres précieuses, variétés colorées rares du corindon qui est un minéral commun et sans éclat. Chimiquement ce sont des oxydes d'aluminium pur cristallisé. Le rubis, pierre du mois de juillet, est considéré comme une pierre précieuse depuis très longtemps, et aujourd'hui, les plus belles pierres atteignent les prix les plus élevés de toutes les pierres précieuses. Le rubis contient une petite quantité de chrome qui lui donne sa belle couleur rouge. Il est utilisé dans

Taille d'un brillant

l'industrie pour sa résistance et quelques autres propriétés intéressantes. C'est un bon abrasif ; on l'utilise dans les lasers et dans les montres où « les rubis » sont une preuve de leur qualité. Le saphir, pierre du mois de septembre est aussi une très belle pierre précieuse. C'est le fer ou le titane qui lui donne sa belle couleur bleue.
Le prix élevé de ces variétés de corindon et la forte demande ont accéléré la production de pierres synthétiques. Depuis 1902, on fabrique synthétiquement des rubis, des saphirs ainsi que d'autres variétés colorées grâce au procédé Verneuil. On fait fondre de la poudre d'alumine pure avec un mélange oxhydrique dans un fourneau spécial et on obtient des cristaux, appelés boules.
Les plus anciens gisements de rubis se trouvent à Mogok en Birmanie dans les calcaires métamorphosés. On les trouve aussi dans les gisements alluvionnaires de Bornéo, au Cambodge, en Inde, au Sri Lanka et en Thaïlande. Aux États-Unis on trouve des rubis en Caroline du Nord. On a découvert récemment des gisements au Kenya et en

Rubis et boule synthétique

Saphir

Tanzanie.
On trouve les saphirs surtout dans les dépôts alluvionnaires, beaucoup plus rarement dans les roches. On l'extrait au Cambodge, au Cachemire, au Sri Lanka et en Thaïlande. On en trouve aussi dans l'État de Queensland en Australie et dans le Montana aux États-Unis. *Rubis, saphir (corindon, oxyde d'aluminium), Al_2O_3 ; système : rhomboédrique ; dureté : 9 ; densité : 3,9—4,1 ; couleur et transparence : rouge (rubis), bleu (saphir), de*

transparent à translucide ; trace : blanche ; éclat : d'adamantin à vitreux ; clivage : aucun.

L'émeraude
L'émeraude, pierre du mois de mai, d'un beau vert éclatant est la grande rivale du diamant. Bien qu'elles ne soient pas aussi dures que le corindon, les émeraudes aux couleurs transparentes sont souvent plus estimées que les diamants. On fabriqua des cristaux synthétiques pour la première fois en 1946.

L'émeraude est une variété de béryl. La couleur verte est due à la présence de chrome dans la structure interne. Le béryl coloré en bleu nuancé de vert, c'est l'aigue-marine ; en rose, c'est la morganite, et en jaune l'héliodore. On trouve le béryl dans les micaschistes, les calcaires, les granites à gros grains et les pegmatites de granite.
Les gisements les plus connus se trouvent au Brésil, en Colombie, en Inde, dans le Transvaal en République sud-africaine, et en Rhodésie (Zimbabwe). Aux États-Unis, on l'extrait dans le Maine, le Massachusetts, le New Hampshire et la Caroline du Nord. Il existe aussi des gisements en Autriche et en URSS. *Émeraude (silicate d'aluminium et de béryllium), $Be_3Al_2Si_6O_{18}$; système : hexagonal ; dureté : 7,5—8 ; densité : 2,6—2,8 ; couleur et transparence : vert, de transparent à translucide ; trace : blanche ; éclat : vitreux ; clivage : pauvre.*

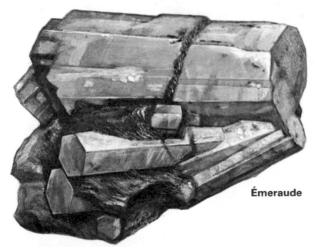

Émeraude

Topaze

La topaze

On apprécie surtout la topaze pour ses couleurs attrayantes. Beaucoup de gens pense que la topaze est une pierre délicate couleur de miel, mais en réalité il existe des topazes incolores, brun doré, rose, rouge, bleu clair. La topaze est plus tendre que le corindon et plus dure que le quartz. Elle est très appréciée pour sa transparence et sa clarté. Son clivage parfait dans une seule direction permet de la diviser facilement bien que cela représente parfois un gros inconvénient quand on polit les cristaux pour en faire des pierres précieuses. La topaze n'est pas une pierre extrêmement rare et ses prix ont beaucoup baissé. On trouve souvent de gros cristaux parfaits, ils sont parfois même gigantesques, pouvant peser jusqu'à 300 kg. On ne fabrique pas de topazes synthétiques mais on traite parfois l'améthyste (quartz violet) pour faire des imitations de topaze. C'est ce que l'on trouve sous le nom de topaze « espagnole » ou « de Madère ». La topaze et la citrine (variété de quartz jaune) sont les pierres du mois de novembre.

On trouve la topaze dans les cavités du granite, dans les pegmatites de granite, dans les ryolites et dans les veines de quartz. On la trouve aussi dans les dépôts alluvionnaires. Au Moyen Age, la Saxe était un important producteur de topaze. Par la suite on découvrit des gisements intéressants au Brésil. On trouve de gros cristaux dans l'Oural et en Sibérie. On extrait la topaze au Japon, au Mexique, au Sri Lanka, et aux États-Unis, en Californie, au Colorado, dans le Maine, en Caroline du Sud, au Texas et dans l'Utah. *Topaze (silicate fluoré d'aluminium), $Al_2SiO_4(F, OH)_2$; système : orthorhombique ; dureté : 8 ; densité : 3,4−3,6 ; couleur et transparence : incolore, jaune, marron, rose, rouge, bleu, de transparente à translucide ; trace : blanche ; éclat : vitreux ; clivage : parfait.*

La tourmaline

La tourmaline, une des pierres du mois d'octobre, est le nom que l'on donne à un groupe de minéraux qui se ressemblent et qui ont des propriétés très intéressantes. Chimiquement, ce sont des minéraux très complexes dont la composition varie de l'un à l'autre.

Les minéraux de ce groupe peuvent être incolores, noirs, rouges, bleus, ou bruns. La tourmaline noire, appelée schorl, est un minéral très répandu ; on l'utilisait pour faire des bijoux de deuil. La dravite est la tourmaline brune, l'indicolite la tourmaline bleue et la verdelite la tourmaline verte. La rubellite, variété rouge ou rose, est celle qui a le plus de valeur. Un seul et même cristal peut avoir plusieurs couleurs. Il peut être par exemple vert ou incolore à la base et rouge et noir au sommet. On appelle ces cristaux des « têtes de Maure ». On peut même observer un phénomène encore plus étrange si l'on regarde par exemple une tourmaline verte à contre-jour ; elle change de couleur suivant l'incidence sous laquelle la lumière pénètre. On appelle ce phénomène le polychroïsme. Chauffée, la tourmaline se charge d'électricité positive à une extrémité et d'électricité négative à l'autre, ce qui attire les particules de poussière. On raconte que les Hollandais qui rapportèrent cette pierre du Sri Lanka s'en servaient pour nettoyer leurs pipes.

On trouve la tourmaline dans les granites et les pegmatites. Les cristaux en colonne sont souvent cannelés dans le sens de la longueur. En Californie on trouve de très beaux cristaux de rubellite, variété très recherchée de tourmaline. Le Brésil, la Birmanie, Madagascar, le Mozambique, le Sri Lanka et l'île d'Elbe possèdent des gisements de tourmaline. *Tourmaline (borosilicate complexe d'éléments variés), $(Na, Ca) (Li, Mg, Al) − (Al, Fe, Mn)_6 (BO_3)_3 (Si_6O_{18}) (OH)_4$; système : rhomboédrique ; dureté : 7−7,5 ; densité : 3−3,2 ; couleur et transparence : couleurs*

Tourmaline et coupe d'un cristal montrant les zones à couleurs différentes

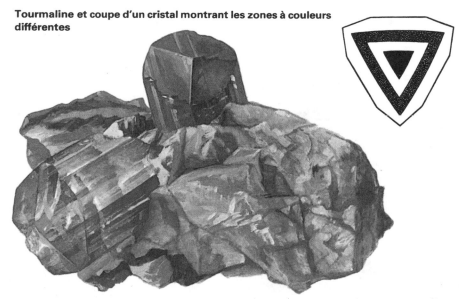

Grenat

$Mg_3Al_2Si_3O_{12}$ (pyrope) ; système :
cubique ; dureté : 6,5—7,5 ; densité : 3,5—4,3 ; couleur et transparence : rouge, brune, jaune, orange,
violette, verte, noire, de transparente à translucide ; trace : blanche ;
éclat : vitreux ; clivage : aucun.

L'opale

L'opale est une variété de silice hy-
dratée considérée comme une
pierre de grande valeur et de grande beauté depuis les Romains.
Qu'est-ce qui lui donne ces reflets
changeants ? On a pu donner une
réponse à cette question après l'in-
vention du microscope électronique qui permit de mettre en évidence la composition de l'opale. Elle
est formée de minuscules sphères
de silice très serrées avec de l'air et
de l'eau dans les interstices. Au microscope électronique, ces petites
sphères ressemblent à des balles
de ping-pong empilées l'une sur
l'autre. La lumière frappe les vides
entre les sphères, se courbe et se
décompose en rayons colorés. On
taille l'opale en cabochon pour
mettre en valeur son opalescence.
Autrefois l'opale portait bonheur.
Mais les modes changent et de nos
jours on lui attribue une influence
maléfique. L'opale, pierre du mois
d'octobre, est un minéral amorphe
qui contient de l'eau. Elle ne forme
jamais de cristaux. C'est un minéral
secondaire qui se forme à la suite
d'une désagrégation chimique et
que l'on trouve dans les roches fis-
surées, dans les veinules des
roches éruptives, sous forme de
stalactite ou arrondie. L'opale est

très variées, de transparente
à opaque ; trace : blanche ; éclat :
vitreux ; clivage : pauvre,
conchoïdal ou irrégulier.

Les grenats

Les grenats, pierres du mois de janvier, sont des silicates doubles de
différents métaux comme l'aluminium, le calcium, le chrome, le fer,
le magnésium et le manganèse. Ils
ont des structures internes et des
propriétés semblables. La couleur
des grenats change suivant leur
composition chimique et chaque
variété a un nom qui lui est propre.
L'almandine est un grenat rouge
foncé tirant sur le pourpre qui
contient du fer et de l'aluminium.
C'est une pierre précieuse connue
depuis fort longtemps. On la trouve
dans les roches métamorphiques
du monde entier, en Autriche, au
Brésil, en Inde, à Madagascar, au
Sri Lanka, en Thaïlande et aux
États-Unis, dans le Colorado et
l'Idaho. La rhodolite est une variété
de grenat dont la couleur varie du
vermeil au violet. On la trouve en
Californie et en Caroline du Nord.
La pyrope est une autre variété de
grenat qui contient du magnésium
et de l'aluminium. C'est une pierre
précieuse très recherchée d'un rouge flamboyant. On la trouve asso-
ciée au diamant dans la région de
Kimberley de la République sud-
africaine et dans les mines de diamant de Yakoutie en Union soviéti-
que. Les plus anciens gisements de
pyrope se trouvent en Tchécoslova-

quie (le grenat de Bohême). Les
États-Unis possèdent également de
très beaux gisements de grenats en
Arizona, au Nouveau-Mexique et
dans l'Utah.
L'andradite, la demantoïde vert
émeraude, la mélanite noire, l'esso-
nite jaune et brune, la spessartine
et l'uvarovite verte sont autant de
variétés de grenats.
Les grenats résistent à la désagrégation chimique et les fragments
érodés se déposent dans les gisements alluvionnaires d'où ils sont
extraits. On utilise les grenats
à grains fins, durs et aiguisés pour
polir d'autres substances. On fabrique des grenats synthétiques pour
la joaillerie et l'industrie dont la
composition est totalement différente de celle des grenats naturels.
*Les grenats (composé d'un silicate
et de deux autres éléments),
$Fe_3Al_2Si_3O_{12}$ (almandine),*

Opale noble

Améthyste

blanche ou jaunâtre. Certaines variétés sont grises, bleu laiteux, rouges, brunes ou noires. L'opale noire est, elle aussi, irisée. Au temps des Romains on extrayait l'opale dans les régions qui correspondent maintenant à la Tchécoslovaquie. Ce gisement étant épuisé, on l'extrait de nos jours dans les États de Nouvelles-Galles du Sud, de Queensland et de Victoria en Australie et aux États-Unis dans le Névada et l'Idaho.

Opale (bioxyde de silicium hydraté), $SiO_2 . nH_2O$; système : aucun, amorphe ; dureté : 5−6 ; densité : 1,9−2,2 ; couleur et transparence : nombreuses couleurs, caractérisée par son irisation, de transparente à très translucide ; trace : blanche ; éclat : vitreux, gras ; clivage : aucun, fracture conchoïdale.

L'améthyste

Les Grecs croyaient que les amulettes d'améthyste protégeaient de l'ivresse. C'est d'ailleurs de là que vient son nom, du grec *amethystos*,

« qui n'est pas ivre ». L'améthyste, pierre de février est une variété de quartz coloré en violet par le fer et les irradiations.
L'améthyste se forme à partir de solutions chaudes dans les cavités et les fissures des roches éruptives. Le refroidissement de ces solutions donne naissance aux cristaux. Les

plus beaux spécimens se trouvent au Brésil et en Uruguay, aux États-Unis, dans le Maine, la Pennsylvanie, le Dakota du Sud et le Wyoming.

Améthyste (bioxyde de silicium), SiO_2 ; système : rhomboédrique ; dureté : 7; densité : 2,65 ; couleur et transparence : violette, de transparente à translucide ; trace : blanche ; éclat : vitreux ; clivage : aucun, fracture conchoïdale.

Le quartz rose

Le quartz rose est une variété de quartz qui va du rose pâle au rose foncé. C'est probablement la présence d'oxyde de manganèse qui lui donne cette couleur. Cependant, certains spécimens se décolorent à la lumière. Ils perdent peu à peu

Quartz rose

leur jolie teinte rose pour devenir gris. Les plus belles pierres sont utilisées en joaillerie. On arrive à imiter le quartz rose avec le verre et le plastique.
On trouve ce minéral dans les pegmatites sous forme de masses granuleuses. Les géologues ont cru longtemps qu'il ne formait pas de cristaux, jusqu'en 1960, date à laquelle on en découvrit au Brésil. Les principaux producteurs de quartz rose sont le Brésil et Madagascar. On en trouve aussi en Inde, au Mozambique, en Namibie, au Sri Lanka et aux États-Unis.

Quartz rose (bioxyde de silicium), SiO_2 ; système : rhomboédrique ; dureté : 7 ; densité : 2,65 ; couleur et transparence : rose, translucide ; trace : blanche ; éclat : vitreux, gras ; clivage : aucun, fracture conchoïdale.

Œil-de-tigre

L'œil-de-tigre

Certains quartz contiennent d'autres minéraux, comme par exemple l'œil-de-tigre qui contient de fines bandes filamenteuses de crocidolite ou asbeste bleu. La crocidolite est une variété bleu-gris de riebeckite qui appartient au groupe des amphiboles que nous avons déjà décrit.

On taille les œils-de-tigre en cabochon pour leur donner un aspect brillant et soyeux. Les tailleurs de pierre appellent ce genre de pierre chatoyante des « œils ». Certains quartz contiennent de la crocidolite bleu-gris ; ce sont les œils-de-faucon ou les œils-de-faisan. Parfois la crocidolite bleue s'oxyde et devient jaune ou brun doré. C'est cette pierre dont la couleur varie du jaune au brun que l'on appelle œil-de-tigre. Il est impossible de la fabriquer synthétiquement. Elle fut rapportée d'Afrique du Sud vers 1890. Elle était rare, difficile à trouver et de grande valeur. On découvrit par la suite de nouveaux gisements et les modes changeant on ne l'utilisa plus que pour fabriquer des objets de décoration.

Les plus grands gisements se trouvent en Afrique du Sud. L'Australie

Calcédoine

occidentale, la Birmanie, l'Inde, la Namibie et la Californie possèdent elles aussi quelques gisements.

La calcédoine

La calcédoine est un silice qui a la même formule chimique que le quartz. C'est un minéral compact et sans forme à première vue. Seul le microscope révèle de minuscules cristaux de quartz. C'est une pierre translucide grasse ou vitreuse, un peu plus tendre que le quartz. Elle peut être grise, blanche, jaunâtre ou bleuâtre. La cornaline est une variété de calcédoine dont la couleur varie du rouge au brun. Le jaspe est opaque et généralement rouge, la chrysoprase vert pomme.

La calcédoine était très appréciée dans l'Antiquité ; on pensait qu'une chevalière en calcédoine portait chance dans les procès. Ces pierres aux couleurs uniformes ne sont plus très prisées de nos jours.

Par contre, l'agate, variété aux ocelles de couleurs, noires, bleues, brunes, vertes, grises, rouges et blanches est toujours très appréciée. Les bandes de couleur peuvent être droites, en cercle ou irrégulières. L'onyx et la sardoine aux bandes droites, l'agate mousseuse et la pierre de Moka sont autant de

variétés de calcédoine. De nos jours, l'agate est utilisée dans l'industrie pour la fabrication d'instruments de précision et de brunissage.

Dans la nature, on trouve la calcédoine dans les cavités rocheuses ou en plaque sur les roches. Les solutions riches en silice précipitent la calcédoine. Elle s'infiltre parfois dans les troncs d'arbre coupés formant ainsi du bois pétrifié et fossilisé.

On trouve la calcédoine et l'agate en Autriche, en Tchécoslovaquie, en Allemagne, en Islande et en URSS. Le Brésil, la Chine, l'Inde et l'Uruguay possèdent de grands gisements. Aux États-Unis, on trouve l'agate dans l'Oregon et au Wyoming.

Agate (forme de calcédoine, bioxyde de silicium), SiO_2 ; système : aucun ; dureté : environ 6,5 ; densité : environ 2,6 ; couleur et transparence : couleurs variées en bandes, généralement translucide ; trace : blanche ; éclat : de vitreux à gras ; clivage : aucun, fracture conchoïdale.

Agate

Index